بے مثال

سلمیٰ کنول

سنگِ میل پبلی کیشنز، لاہور

891.4393 Salma Kanwal
Bay Misaal/ Salma Kanwal.- Lahore :
Sang-e-Meel Publications, 2006.
352pp.
1. Urdu Literature - Novel.
I. Title.

2006
نیاز احمد نے
سنگ میل پبلی کیشنز لاہور
سے شائع کی۔

ISBN 969-35-1857-8

Sang-e-Meel Publications
25 Shahrah-e-Pakistan (Lower Mall), P.O. Box 997 Lahore-54000 PAKISTAN
Phones: 7220100-7228143 Fax: 7245101
http://www.sang-e-meel.com e-mail: smp@sang-e-meel.com
Chowk Urdu Bazar Lahore. Pakistan. Phone 7667970

حاجی حنیف اینڈ سنز پرنٹرز، لاہور

نہ صرف قاسم جمال کے سارے خاندان میں ہی بلکہ شہر کے سب سے اُونچے اور ایک بڑے حلقے میں یہ خبر حیرت کی ایک لہر بن کر پھیل گئی تھی۔

بیگم روبینہ جمال کو تو زندگی نے، وقت نے اور حالات نے کوئی تکلیف، کوئی دکھ، کوئی غم نہ دیا تھا۔ پھر...... یہ یکا یک انہیں دل کا مرض کیوں لاحق ہو گیا تھا؟

یہ دل کا روگ...... یہ تو اکثر دکھوں اور غموں کے مارے دلوں کو لگا کرتا ہے......

اور...... روبینہ جمال تو شاید اس خاندان کی، اس شہر، اس ملک یا پھر شاید دنیا ہی کی خوش قسمت ترین خاتون تھیں۔

دولت، عزت، شہرت، حُسن، بے پناہ محبت کرنے والا شوہر، خوبصورت اور لائق ترین اولاد، بیٹے بھی، بیٹیاں بھی، سب کچھ ان کے پاس موجود تھا۔ سب کچھ ہی۔ جس کی ایک انسان خواہش یا تمنا کر سکتا ہے۔ وہ سب نعمتیں ان کو میسر تھیں۔

پھر......؟ پھر ایسا کیوں ہو گیا......؟

جس جس نے بھی یہ خبر سنی۔ کچھ اپنی حیرت اور تجسّس کو دور کرنے اور کچھ اظہارِ خلوص و محبت کے لیے ان کے گھر ضرور پہنچا۔

اچھی بھلی بیٹھی اپنے بڑے بیٹے خرم جمال اور بڑی بیٹی نایاب سے باتیں کر رہی تھیں۔ کسی پارٹی سے لوٹی تھیں۔ قاسم ساتھ تھے۔ وہ لباس تبدیل کرنے کے لیے اپنے کمرے میں چلے گئے تھے اور روبینہ خرم اور نایاب کو وہاں کی باتیں سنانے لگی تھیں۔

پارٹی میں شرکت کرنے والے لوگوں کی، ان کے طور اطوار کی، عورتوں کی، ان

کے زر و جواہر اور قیمتی ملبوسات کی نمائش کے انداز کی' کہ کون کیا کیا کر رہا تھا اور کس کس طرح اپنی شخصیت، اپنے وجود اور اپنی ذات کو سب سے زیادہ اعلیٰ اور نمایاں ظاہر کرنے کی کوشش میں تھا۔

ہر ایک کا انداز مختلف تھا۔ ہر ایک کی ادا جداگانہ تھی، لیکن اندرونی طور پر مقصد ایک ہی تھا۔ نمائش، نمائش اور اظہارِ برتری!!

خدا نے انہیں سب کچھ دیا ہوا تھا۔ ہر نعمت ہر آسائش سے نوازا ہوا تھا، لیکن ایسے انہوں نے کبھی نہیں کیا تھا۔ اس قسم کی اوچھی حرکات غیر ارادی طور پر بھی ان سے کبھی سرزد نہ ہوئی تھیں، اس لیے اس اونچے طبقے کے بڑے لوگوں کی پست اور گری ہوئی ذہنیتوں پر افسوس سا ہو رہا تھا۔

کہ...... یکا یک ہی سینے میں درد محسوس ہوا۔ پہلے ہلکی ہلکی، پھر تیز تیز ٹیسیں اُٹھنے لگیں جو سینے سے شروع ہوتیں تو پورے بائیں بازو سے ہو کر ہاتھ تک پہنچتیں۔

بڑی صابر تھیں، بڑے حوصلے والی تھیں، بے حد برداشت تھی ان میں۔ درد کی ہر ٹیس چُپکے سے سہتی رہیں مگر وہ زبان سے کچھ نہیں بولی تھیں۔ نایاب ان کے چہرے کے اُتار چڑھاؤ سے ہی ان کی اندرونی کیفیت کو بھانپ گئی تھی۔

''ماما! آپ کی طبیعت تو ٹھیک ہے؟''

وہ اپنی جگہ سے اُٹھ کر ان کے پہلو میں صوفے پر آن بیٹھی۔

''کیوں......؟ یہ تم نے کیوں پوچھا......؟''

''آپ کا چہرہ ذرا پیلا پیلا لگ رہا ہے......''

''بس...... یہاں کچھ درد سا محسوس ہونے لگا ہے......'' دایاں ہاتھ سینے کی طرف سے بازو تک لے جاتے ہوئے وہ بولیں۔

''لیکن کوئی بات نہیں۔ آرام کروں گی تو ٹھیک ہو جائے گا۔''

''آپ کے چہرے سے تو لگتا ہے کہ زیادہ تکلیف ہے۔''

''تم...... تم میری جاں......' کتنی بار تمہیں کہا ہے کہ چہرے مت پڑھا کرو۔ اس گھر میں صرف کان کھلے رکھنا ضروری ہیں۔''

''ماما......!'' پاس بیٹھے ہوئے خرم مسکراہٹ بھری نگاہوں سے نایاب کو دیکھتے ہوئے بولے۔

''یہ آپ' ایسی فلسفیانہ قسم کی گفتگو اس کوڑھ مغز کے سامنے بیکار ہی کرنے بیٹھ جاتی ہیں۔ آپ کو پتہ بھی ہے کہ اس کا اوپر والا خانہ بالکل خالی ہے۔''

''بھائی جان! مذاق کا وقت نہیں ہے۔ ماما کے چہرے کو غور سے دیکھئے ذرا......''
نایاب کافی متفکر تھی۔

''ٹھیک ٹھاک تو ہیں ماشاء اللہ! کیسی سرخ سرخ اور سفید سفید میری ماما ہیں۔ اکثر اوقات میں خدا کا ہزاروں شکر ادا کرتا ہوں کہ اس نے مجھے اس ماں کی گود میں اُتارا......''

ماں کی ایک جانب نایاب بیٹھی تھی، دوسری طرف جا کر بیٹھتے ہوئے انہوں نے ان کے گلے میں بازو ڈال دیئے۔

''خرم بیٹے! نایاب ٹھیک کہہ رہی ہے۔ مجھے کچھ ہو رہا ہے۔''

یہ کہتے کہتے ساتھ ہی انہوں نے سر صوفے کی پُشت کے ساتھ ٹکا دیا۔

''ارے! ان کی پیشانی تو ٹھنڈے پسینے میں بھیگی جا رہی ہے۔''

ان کی حالت دیکھ کر خرم کو بھی تردّد ہوا۔

''اور آپ مذاق سمجھ رہے تھے......''

''پاپا کو بلاؤں......؟'' وہ ماں کی پیشانی صاف کرتے ہوئے اُٹھ کھڑے ہوئے۔

''ان کا تو سونے کا وقت ہو گیا......''

''پھر......؟'' پریشانی میں جیسے انہیں کچھ سوجھ نہیں رہا تھا۔

''ان سے سوال و جواب کرنے سے بہتر ہے کہ ڈاکٹر کو بلائیں۔''

نایاب کے اوسان بجا تھے۔ بھائی کو مشورہ دیا۔

''ٹھیک ہے۔ میں ابھی ڈاکٹر صاحب کو فون کرتا ہوں۔ تم ماما کے پاس بیٹھو......''

خرم جلدی سے فون کی طرف لپکے۔ نایاب ان کے شانوں کو ہولے ہولے دبانے لگی۔ پھر کبھی ان کے سینے پر ہاتھ رکھ کر سہلاتی۔ کبھی ان کی پیشانی پر بار بار پھوٹ آنے والی نمی کو صاف کرتی۔

''ماما! آپ ٹھیک ہیں نا......؟'' وہ ہر پل بعد جھک کر ان سے پوچھ رہی تھی۔

''ہاں بیٹی! بس ذرا...... یہ بازو...... اسے دبانا۔''

تکلیف کی شدت میں بھی وہ مسکرا کر ہی جواب دیتی تھیں۔

''لو بھئی...... ڈاکٹر صاحب آ گئے......''

خرم کی آواز پر انہوں نے بڑی مشکل سے نگاہیں اٹھائیں۔ ڈاکٹر فاروقی سامنے کھڑے تھے۔ سیدھا ہو کر بیٹھنا چاہا مگر...... ڈاکٹر فاروقی نے جلدی سے بڑھ کر انہیں واپس اسی طرح صوفے کی پشت کے ساتھ ٹکا دیا۔

ڈاکٹر فاروقی ان کے فیملی ڈاکٹر تھے۔ بہت بے تکلفی تھی آپس میں اور دلوں میں ایک دوسرے کے لیے خلوص بھی بہت تھا۔ روبینہ کی طبیعت کی خرابی کا سُنا تو اسی طرح شب خوابی کے لباس پر گاؤن پہنا، گاڑی میں بیٹھے اور دو منٹ میں آ پہنچے۔

''کیا ہو گیا آپ کو......؟ قاسم کہاں ہیں......''

''پاپا کا تو سونے کا وقت ہے۔'' نایاب نے جلدی سے بتایا۔

''اوہ ہاں۔ یہ تو مجھے یاد ہی نہیں رہا تھا کہ وہ پورے دس بجے بستر پر چلے جاتے ہیں۔''

''اور ماما یہاں ہمارے ساتھ باتیں کر رہی تھیں کہ ایکدم۔''

نایاب اتنا بتا کر چپ ہو گئی۔

''کیا ایک دم......؟'' ڈاکٹر فاروقی نے عجلت سے پوچھا۔

''درد کا بتایا؟''

''انہوں نے کچھ نہیں بتایا' لیکن میں نے محسوس کیا کہ ان کی رنگت میں کچھ فرق پڑ رہا ہے۔''

پھر نایاب پوری تفصیل سے ڈاکٹر صاحب کو آگاہ کرنے لگی۔

"میں نے بھائی جان کی توجہ ان کی طرف مبذول کرائی تو انکل۔ یہ میرا مذاق اڑانے لگے، لیکن خود ماما نے پھر بتایا کہ انہیں تکلیف ہے۔"

ڈاکٹر فاروقی نے جلدی سے سٹیتھوسکوپ لگایا۔

"کہاں درد ہے......؟ یہاں......؟ یہاں......؟ میں جہاں جہاں پوچھوں آپ بس بتاتی جایئے گا۔"

ڈاکٹر فاروقی ان کا معائنہ کرنے لگے، لیکن ابھی دو تین سوال ہی کیے تھے کہ چوتھا پانچواں پوچھنے کی نوبت ہی نہیں آئی۔ وہ کراہتے کراہتے تقریباً غشی کی کیفیت میں چلی گئیں......

"انہیں دل کا دورہ پڑا ہے خرم بیٹے! معاملہ سنجیدہ ہے۔"

"نہیں نہیں......" نایاب نے اُڑی اُڑی رنگت اور پھیلی پھیلی آنکھوں سے ڈاکٹر صاحب کو دیکھا۔

"انہیں فوراً ہسپتال لے جانے کا بندوبست کرو۔"

نایاب کی حالت کو نظر انداز کرتے ہوئے وہ تیزی سے بولے۔ "جتنی جلد ہو سکے۔"

"ہسپتال......؟ کیا گھر میں......"

"ہاں ہسپتال......" ڈاکٹر فاروقی نے خرم کی بات کاٹ دی۔

"وہاں ان کی ای۔سی۔جی ہو گی۔ بلڈ پریشر دیکھا جائے گا۔ دوسرے بھی ہر قسم کے ٹیسٹ ہوں گے اور پھر وہاں ہر بیڈ کے ساتھ مونیٹر لگے ہوتے ہیں، جو مریض کے دل کی پل پل کی کیفیت بتاتے ہیں۔"

ڈاکٹر فاروقی نے خرم کے سوالات و جوابات سے بچنے کے لیے پہلے ہی پوری وضاحت کر دی۔

"گھر میں یہ ساری سہولتیں میسر نہیں آسکیں گی۔"

"وہ تو ٹھیک ہے انکل! لیکن......" خرم جمال کچھ سوچتے ہوئے بولے۔ "رقم خرچ کی جائے تو میرا خیال ہے گھر میں ہر سہولت مہیا ہو سکتی ہے۔"

''اس طرح فوری طور پر نہیں جیسے ہسپتال میں......''

''بھائی جان! انکل کی بات معقول ہے۔''

نایاب کی پلکوں پر موٹے موٹے آنسو موتیوں کی طرح ٹکے تھے۔ ماں کی حالت ایسی تھی کہ ٹوٹ ٹوٹ کر گرنا بھی شروع ہو جاتے تو کچھ بعید نہ تھا، لیکن کہیں بدشگونی نہ ہو جائے۔ اس خیال سے بے حد حوصلے، ضبط اور برداشت سے کام لے رہی تھی۔

''آپ ماما کو ہسپتال لے جانے کا انتظام کریں۔ خدا انہیں ٹھیک کر دے۔''

''بہت اچھا......'' نایاب کے آنسو دیکھ کر خرم کو حقیقت کا پوری طرح احساس ہوا۔ سنجیدگی بھری عجلت سے بولے۔

''تم جا کر پاپا کو بلاؤ......''

''پاپا کو......؟'' نایاب سٹپٹائی۔ پھر عجیب سی گھبراہٹ کے ساتھ ڈاکٹر صاحب اور کبھی خرم کو دیکھتے ہوئے کہنے لگی۔

''میں تو اس وقت انہیں بلانے نہیں جاؤں گی......''

''کیوں......؟'' ڈاکٹر فاروقی نے حیرت سے اُسے دیکھا۔

''ان کا حکم ہے کہ جب وہ سونے کے لیے خواب گاہ میں چلے جائیں تو پھر انہیں بے آرام نہ کیا جائے۔''

''لیکن آج معاملہ دوسرا ہے۔''

''مجھے تو پھر بھی ڈر لگتا ہے۔ آپ جائیں بھائی جان۔''

''اسی لیے تو میں ہسپتال لے جانے کے متعلق سن کر گھبرا گیا تھا۔ پاپا کی اجازت کے بغیر ہم کچھ نہیں کر سکتے۔''

''اور انکل! نہ ہی اس وقت ہم پاپا کے آرام میں مخل ہو سکتے ہیں۔ کسی ایمرجنسی کے لیے بھی نہیں۔ پاپا سارا دن کام کر کے بہت ہی تھکے ہوتے ہیں......''

''آپ دیر کر رہے ہیں......'' ڈاکٹر فاروقی نے قدرے جھنجھلا کر کہا۔

''آپ کی یہ بحث و تکرار ان کی زندگی کے لیے خطرہ بھی بن سکتی ہے۔''

''اوہ......!'' نایاب اور خرم دونوں ہی گھبرا گئے۔

''پاپا کو پھر بعد میں سب کچھ بتا دیں گے۔ پہلے ماما کو ہسپتال تو لے جائیں......''

''ہاں......جتنی جلد ہو سکے۔''

اور...... ڈاکٹر فاروقی کے مشورے کے مطابق خرم ماں کو ہسپتال لے جانے کا بندوبست کرنے لگے۔ کچھ ملازموں کو ہدایت دیں۔ ڈرائیور کو گاڑی نکالنے کا حکم دیا۔ سراج کو سیماب اور معظم کا خیال رکھنے کے لیے کہا۔

جب تک وہ احکامات صادر کرتے رہے، نایاب جلدی جلدی ماں کی ضرورت کی ضروری اشیاء ایک اٹیچی کیس میں رکھ کر لے آئی۔

خرم اُونچے لمبے قد اور مضبوط جسم کے مالک تھے۔ ماں کو یوں بازوؤں میں اٹھا لیا، جیسے منی سی بچی تھیں وہ۔ ڈرائیور گاڑی نکالنے کے حکم کا منتظر کھڑا تھا۔ انہیں لے جا کر پچھلی سیٹ پر لٹا دیا۔ نایاب ساتھ جا بیٹھی۔ یوں دونوں بہن بھائی منٹوں میں ماں کو لے کر ہسپتال کی طرف روانہ ہو گئے۔

●......●......●

قاسم جمال فجر کی نماز کے وقت بیدار ہونے کے عادی تھے۔ معمول اور وقت کے مطابق آنکھ کھلی تو...... دیکھا ساتھ والا بستر خالی تھا...... جب کہ روبینہ کو وہ اکثر خود جگایا کرتے تھے۔

''روبی...... روبی......'' دو تین بار پکارا۔

چند لمحے خاموشی سے جواب کا انتظار کیا، مگر جواب نہیں ملا۔ ایک بار پھر بستر کی طرف غور سے دیکھا۔ اس پر کوئی شکن نہیں تھا۔ جیسے روبینہ نے رات وہاں گزاری ہی نہ تھی۔

''یہ کیسے ہو سکتا ہے......؟'' سر جھٹک کر اپنے خیال کی خود ہی نفی کرتے ہوئے جلدی سے اٹھ کر بیٹھ گئے۔

اِدھر اُدھر دیکھا۔ نماز والا چھوٹا تخت بھی خالی تھا۔ پریشان سے ہو کر چشمہ لگاتے ہوئے اُٹھے اور کمرے سے باہر نکل گئے۔ خرم اور نایاب کو آوازیں دیں۔ ملازموں کو پکارا۔

''جی صاحب! حاضر ہوا۔''

سراج باورچی خانے سے نکل کر ان کے سامنے آن کھڑا ہوا۔

''وہ...... وہ......'' بڑے پریشان تھے کہ اپنی بیوی کے متعلق ایک ملازم سے کیسے اور کیا پوچھیں......؟ عجب تذبذب کا عالم تھا۔

''بیگم صاحبہ کا اب کیا حال ہے جی صاحب جی......؟'' نگاہیں جھکائے، سر جھکائے کھڑا سراج ایکدم چونک کر بول پڑا۔

''بیگم صاحبہ کا......؟ کیا ہوا انہیں......؟'' قاسم جمال تعجب سے پوچھنے لگے۔

''جی رات کو انہیں چھوٹے صاحب اور بی بی ہسپتال لے کر گئے تھے نا۔''

''وہی تو میں پوچھنا چاہتا تھا کہ تمہاری بیگم صاحبہ کہاں ہیں؟''

''آپ کو کچھ پتہ نہیں جی......؟'' اس کی نگاہوں میں حیرت پھیل گئی۔

''کیا......؟'' وہ بُری طرح جھنجھلا گئے۔

''ہاں جی آپ کو کیسے علم ہوتا...... آپ تو جی اپنے وقت پر اپنے کمرے میں سونے کے لیے گئے تھے۔'' وہ کچھ سوچتے ہوئے بڑبڑایا۔

''کل چھ بجے میٹنگ ختم ہوئی۔ پھر کمشنر صاحب کی پارٹی پر بھی جانا ضروری تھا۔ میں بہت تھک گیا تھا۔ لیٹتے ہی نیند آ گئی۔ مجھے تو روبینہ کا بھی کمرے میں آنے کا پتہ نہیں چلا۔''

''وہ جی سونے کے لیے گئیں ہی نہیں۔'' تب سراج جلدی جلدی تفصیل بتانے لگا۔

''چھوٹے صاحب اور بی بی کے ساتھ باتیں کرتے کرتے ایک دم سینے میں درد ہوا۔ چھوٹے صاحب نے ڈاکٹر صاحب کو فون کیا۔ وہ آئے اور بیگم صاحبہ کا معائنہ کر کے انہیں ہسپتال بھجوا دیا۔''

سارے ہی ملازموں کو بیگم روبینہ سے بڑا اُنس تھا، اسی لیے سراج کی آنکھیں غمناک تھیں۔ ''اللہ انہیں صحت دے۔''

وہ کندھے پر پڑے رومال کے ساتھ آنکھیں صاف کرتے ہوئے ان کے لیے صحت کی دعائیں بھی کیے جا رہا تھا۔

''اور مجھے کسی نے بتایا ہی نہیں......'' وہ شاکی نگاہوں سے سراج کو دیکھنے لگا۔

''جی آپ کے آرام کا وقت تھا نا۔''

''لیکن روبینہ...... روبینہ......'' اور وہ مزید کچھ کہے بنا خاموش سے ہو گئے۔

اب ایک ملازم کو کیا بتاتے کہ روبینہ کی بات اور تھی۔ وہ ان کی بیوی تھیں۔ ایسی بیوی جس کے ساتھ انہیں بے حد پیار تھا۔ جس نے بیاہتا زندگی کا ایک ایک لمحہ، ایک ایک پل ان کی مرضی کے تابع رہ کر گزارا تھا، جس نے ہمیشہ ان کا ساتھ دیا تھا۔ کبھی بھی دونوں میں اختلاف رائے نہ ہوا تھا۔

وہ روبینہ جیسی شریکِ حیات ملنے سے بڑے خوش اور مطمئن تھے اور اب وہ اچانک بیمار ہو گئی تھی اور انہیں علم ہی نہیں تھا۔ بہت بری بات ہو گئی تھی۔

''خرم اور نایاب کہاں ہیں......؟'' انہوں نے سراج سے پوچھا۔

''وہ دونوں ہی ان کے ساتھ ہسپتال گئے تھے۔ ابھی تک واپس نہیں آئے۔''

''تو وہ ہسپتال میں ہی ہیں......؟''

''اپنے بڑے ہسپتال میں جی......''

''تمہیں کمرے کا نمبر معلوم ہے......؟''

''جی کمرہ نہیں۔ ڈاکٹر صاحب نے دل کے وارڈ میں بھیجا تھا۔ کہتے تھے بہت سارے ٹیسٹ ہونا ہیں اور وہاں ساری مشینیں ہیں۔''

''دل کے وارڈ میں...... تو...... روبینہ کو دل کی تکلیف ہوئی ہے۔''

قاسم پریشانی سے ہونٹوں کو کاٹتے ہوئے اپنے کمرے میں چلے گئے۔

کیسی عجیب حرکت کی تھی خرم اور نایاب نے۔ کم از کم انہیں تو جگا لیتے۔

لیکن...... نہیں...... شاید انہوں نے ٹھیک ہی کیا تھا...... یا...... یا نہیں......؟ وہ

سوچ رہے تھے۔

مگر...... اس وقت یہ فیصلہ کرنے کا وقت نہ تھا کہ انہوں نے ٹھیک کیا تھا یا غلط...... انہیں تو فوراً ہسپتال پہنچنا چاہیے تھا......

نماز کا وقت قضا ہوا جا رہا تھا۔ جلدی جلدی نماز پڑھی۔ روبینہ کی صحت کے لیے ڈھیر ساری دعا مانگی اور...... نماز اور دعا سے فارغ ہونے کے بعد تیار ہو کر کمرے سے باہر آئے۔

''سراج......! سراج......''

سراج جانے کہاں تھا کئی بار پکارنے پر آیا۔ بھاگا بھاگا آیا تھا۔ سانس چڑھا ہوا تھا۔

''سیماب اور معظم تو ابھی سو رہے ہوں گے......؟''

''جی ہاں......''

''وقت پر انہیں جگا کر، تیار کرا کے اور ٹھیک ٹھاک ناشتہ کرا کے سکول بھیج دینا۔ ماں کے متعلق کچھ بھی بتا کر انہیں پریشان نہ کرنا......''

''میں تو کہتا تھا جی کہ آج انہیں چھٹی......''

''کیوں......؟'' قاسم جمال یکایک ہی تلخ ہو اٹھے۔ سراج کی بات کاٹتے ہوئے تُند سے لہجے میں بولے۔

''روبینہ ہسپتال میں ہے۔ یہ چھٹی لے کر سارا دن بیکار گھر میں رہ کر کیا کریں گے۔ وقت ہی کا حرج ہو گا نا......'' پھر انہوں نے سنگین سے لہجے میں حکم دیا۔

''بالکل کوئی چھٹی وٹی نہیں کی جائے گی۔ گھر کے سب کام معمول کے مطابق ہوں گے۔''

''جی بہت اچھا جی......'' سراج کا جھکا ہوا سر مزید جھک گیا۔

سیماب اور معظم کے علاوہ گھر کے متعلق کچھ اور بھی ضروری ہدایات وغیرہ دے کر قاسم جمال ہسپتال چلے گئے۔

سراج سے اتنا تو معلوم ہو گیا تھا کہ روبینہ دل کے وارڈ میں تھیں۔ وہاں پہنچے تو

وارڈ کے باہر ہی خرم اور نایاب لمبے برآمدے کی ایک دیوار کے ساتھ ٹیک لگائے کھڑے دکھائی دیئے۔

باپ کو آتے دیکھا تو نایاب اور خرم تیز تیز قدم اٹھاتے ہوئے ان کے پاس آگئے۔ دونوں کے چہرے مُرجھائے ہوئے تھے اور رنگت دھواں دھواں سی ہو رہی تھی۔

خود ان کا اپنا پریشانی اور غم سے بُرا حال تھا۔ بیٹے بیٹی سے کچھ پوچھنے کے لیے ابھی الفاظ ہی مرتّب کر رہے تھے کہ نایاب نے بڑھ کر ان کے گلے میں بانہیں ڈال دیں اور سینے کے ساتھ سر ٹیک دیا۔

''پاپا...... پاپا...... میری ماما......'' اور وہ سسک سسک کر رونے لگی۔

''ارے......!'' خرم اس کے شانے کو تھپکنے لگے۔ پھر جیسے حلق میں اٹکی ہوئی کوئی چیز نگل کر بڑی متانت سے بولے۔

''یہ کیا بات ہوئی......؟ ساری رات اتنے حوصلے سے گزاری ہے اور اب۔ اب کیا ہو گیا ہے۔ تم تو بڑی بہادر ہو۔''

بہن کو تھپکنے اور ڈھارس بندھانے کے بعد خرم باپ سے مخاطب ہو گئے۔

''رات اچانک ہی ہم سے باتیں کرتے کرتے ماما کو سینے اور بازو میں درد ہونے لگا۔ پھر پاپا درد اتنا بڑھ گیا کہ ماما پر نیم بے ہوشی کی سی کیفیت طاری ہونے لگی۔ تب ہمیں انکل فاروقی کو بلانا پڑا......''

قاسم جمال نے ایک لفظ نہیں بولا۔ سینے کے ساتھ لگے نایاب کے سر کو سہلاتے ہوئے چپ چاپ خرم کا بیان سنتے رہے۔

''انکل نے اچھی طرح معائنہ کرنے کے بعد ہمیں مشورہ دیا کہ ماما کو فوراً ہسپتال میں داخل کرنا چاہیے۔ آپ سونے کے لیے جا چکے تھے۔ اس لیے پاپا! ہم نے آپ کو ڈسٹرب نہیں کیا......''

''اب کیا حال ہے......؟'' آخر میں انہوں نے بس اتنا پوچھا۔

آواز بڑی گھمبیر اور افسردہ سی تھی۔ آنکھوں سے البتہ گہرے رنج کا اظہار ہو رہا تھا، مگر وہ اس وقت کسی کو پڑھنے، پرکھنے کا نہ وقت تھا اور نہ ضرورت......

''پتہ نہیں پاپا! ڈاکٹر اندر نہیں جانے دیتے......'' خرم کے بجائے نایاب نے ان کے سینے سے سر ہٹاتے ہوئے شکایت آمیز لہجے میں کہا۔

''کیوں......؟ قاسم سراسیمہ سے ہو گئے۔

''اس وارڈ میں ہر کسی کو آنے جانے کی اجازت نہیں دی جاتی۔ سب ہی مریض دل کے امراض والے ہیں۔ اس لیے......''

''کہتے ہیں یہ یہاں کا اصول ہے۔'' نایاب اسی طرح شکایت بھرے لہجے میں بولی۔

''تو پھر بیٹے! آپ نے رات یہاں برآمدے میں کھڑے کھڑے کیوں گزار دی......؟''

''تو اور کیا کرتے۔ ماما کو یہاں چھوڑ کر ہم گھر کیسے چلے جاتے؟''

''لیکن یہاں برآمدے میں کھڑا رہ کر رات گزارنے سے کیا فائدہ پہنچا تمہاری ماما کو......؟''

''وہ...... وہ......'' پاپا نے بات تو ٹھیک کی تھی۔ خرم ہکلانے لگا۔

''کوئی نرس آتی جاتی تھی یا کوئی بیرا یا وارڈ بوائے تو ہم ماما کا حال پوچھ لیتے تھے۔'' نایاب ذرا جرأت کر کے بولی۔

''پھر یوں ہمیں کچھ تسلی ہو جاتی تھی پاپا......!''

''کیا بتایا نرس یا بیرے نے......؟؟''

''پہلے سے بہتر ہیں اور نیند کی دوائی انہیں دی ہوئی ہے۔''

''اور ابھی دو دن تک کسی کو ان سے ملنے کی اجازت نہیں ملے گی۔''

نایاب بھرائی ہوئی آواز میں باپ سے ہمدردی حاصل کرنے کے لیے بولی۔ وہ ماں سے کبھی ایک دن بھی جدا نہیں رہی تھی۔ اسے واقعی بڑی ہمدردی کی ضرورت تھی۔

''تو پھر بیٹے! آپ یہاں خواہ مخواہ ہی کھڑا رہنے کی حماقت کیوں کر رہے ہیں......؟'' بجائے ہمدردی کے پاپا نے اصول کی بات کی۔

''ہر کسی کے اصول کا احترام کرنا چاہیے۔ چلو خرم......! بہن کو لے کر گھر چلو۔''

''لیکن پاپا......'' جانے خرم کیا کہنا چاہتے تھے۔ قاسم نے انہیں ٹوک دیا......

''لیکن ویکن کچھ نہیں...... چلو گھر...... خود بھی ناشتہ کرو...... اسے بھی کراؤ اور تیار ہو کر کالج جاؤ۔'' بیٹے بیٹی دونوں کو سمجھانے لگے۔

''چھٹی نہیں کرنی نایاب! تمہارا بی اے کا فائنل ہے۔ لیکچر شارٹ نہیں ہونا چاہیے اور خرم بیٹے! آپ سی۔ایس۔پی کی تیاری کر رہے ہیں۔ آپ کو اپنے وقت کی قیمت کا خود اندازہ ہونا چاہیے......''

''مگر...... ماما......'' دونوں کی گھٹی گھٹی، ڈوبی ڈوبی سی آواز ابھری۔

''آپ چلیں۔ میں ایک دو ڈاکٹروں کو مل کر اور ان سے بات کر کے آتا ہوں...... آٹھ بجے مجھے بھی دفتر پہنچنا ہے۔ ساڑھے سات بجے تک انشاء اللہ گھر آجاؤں گا...... پروردگار! روبینہ کو صحت اور زندگی دے۔''

دونوں چُپ چاپ کھڑے باپ کی بات پوری توجہ سے سن رہے تھے۔ دونوں کے شانے تھپکتے ہوئے قاسم جمال بڑی شفقت سے پھر بولے۔

''مجھے یقین ہے۔ خدا کے فضل و کرم سے تمہارا ماما ہفتے عشرے میں ٹھیک ہو کر گھر آجائے گی۔ اس کی دیکھ بھال کرنے والے یہاں ڈاکٹر ہیں، نرسیں ہیں۔ تم لوگ اپنے کام اور اپنے وقت کا دھیان رکھو۔ یہ وقت پھر نہیں آئے گا۔''

بات اصول کی تھی...... دونوں بہن بھائی نے ہمیشہ کی طرح باپ کے حکم کے آگے سر خم کر دیئے......

''چلو شاباش! تم دونوں جاؤ۔''

''آپ ڈاکٹر صاحب سے ماما کے متعلق پوری طرح معلوم کر کے آئیں۔''

''ہاں ہاں...... تم فکر نہ کرو......''

قاسم جمال دل ہی دل میں ہنس دیئے۔

''مجھ سے زیادہ روبینہ کا فکر تمہیں کب ہو گا۔ میرے بچو......! تمہارا ہمارا تو تھوڑے وقت کا ساتھ ہے۔ ایک اگلے گھر چلی جائے گی۔ دوسرے کو اس کی ملازمت یا اعلیٰ تعلیم نجانے کہاں سے کہاں پہنچا دے اور...... میری تو یہ لمحہ لمحہ کی رفیق ہے۔ ہم دونوں

نے تو زندگی کے چھبیس ستائیس سال اکٹھے گزارے ہیں اور باقی بھی اکٹھی ہی گزرے گی۔ روبینہ کے بغیر تو میں ایک لمحہ کے لیے بھی زندگی کا تصور نہیں کر سکتا۔''

اور وہ انہیں سوچوں میں گم ڈاکٹر صاحب سے روبینہ کی حالت و کیفیت کے متعلق تفصیل سے پوچھنے کے لیے چل دیئے۔

زندگی میں کبھی کوئی بے اصولی یا بے اعتدالی نہیں کی تھی اس لیے ذہن ہمیشہ مطمئن رہا اور ذہن مطمئن تھا تو اعصاب بھی بڑے مضبوط تھے۔ چھوٹی موٹی پریشانی یا فکر کو خاطر میں ہی نہ لاتے تھے۔

لیکن...... یہ روبینہ کا معاملہ۔ دل کا معاملہ بھی تھا۔ بہت پریشان تھے۔ اعصاب جیسے شکنجے میں کسے ہوئے تھے۔ اور...... قدم ہلکے ہلکے لڑکھڑا رہے تھے۔ البتہ...... صبر و برداشت اور ہمت و حوصلہ قائم تھا۔

چہرے پر ذہنی پریشانی اور تشویش کا ہلکا سا بھی عکس نہ تھا، جس سے ان کی اندرونی کیفیت کا حال کسی پر آشکار نہیں ہوتا تھا۔

●......●......●

قاسم جمال کی عمر پچاس سال کے قریب تھی۔ بچپن تو خود انہیں بھی یاد نہ تھا کہ کیسے گزارا، لیکن جب وہ باشعور ہوئے تو ذہن نے اچھے بُرے کی پہچان کرنا سیکھی۔ نیکی بدی میں تمیز کرنے کا ہوش آیا تو......

اس لمحے سے لے کر آج تک انہوں نے کوئی بے اصولی نہ کی تھی...... کوئی بے قاعدگی نہ کی تھی۔

یہ ان کی اچھی تربیت کا نتیجہ تھا یا شاید باپ سے ورثے میں یہ عادات ملی تھیں۔ ایک ایک لمحہ اصول کے تحت گزارا۔ ایک ایک پل باقاعدگی اور وقت کی پابندی کی نذر کر دیا۔

وہ ایک مثالی انسان تھے، ہر لحاظ سے مثالی۔ کسی غلط عادت کے وہ مالک نہ

تھے۔ کوئی بُری لت انہیں نہ تھی۔ دولت فراوانی سے پاس تھی پھر بھی...... کسی راہ پر کسی موڑ پر وہ بھولے بھٹکے نہیں۔

جو کچھ پڑھا اس پر عمل کیا۔ جو استادوں نے بتایا، کھلے کانوں سنا اور پابندی کے ساتھ اس کے پابند ہو گئے۔۔ جو ماں باپ نے سکھایا پوری طرح سیکھا۔ قول و فعل ایک جیسے نبھائے۔

بڑوں کا کہنا مانتے تھے۔ استادوں اور بزرگوں کی عزت اور احترام کرتے تھے۔ دل میں چھوٹوں کا لحاظ اور محبت تھی۔ یوں ان سب خوبیوں نے انہیں بڑی عزت و توقیر بخشی۔

پھر...... جُوں جُوں عمر بڑھتی گئی۔ وقت اور تجربہ ان کی عادات کو پختہ کرتا چلا گیا...... اور اب دوسری خوبیوں کے ساتھ ساتھ وہ ایک بااصول انسان تھے۔

ان کی شخصیت منفرد تھی۔ وہ پورے شہر میں اپنی اچھی عادات اور اُصول پرست ہونے کی وجہ سے مشہور و معرِوف تھے۔ ان کی مثال دی جایا کرتی تھی۔

یہی وجہ تھی کہ ان کی بیوی روبینہ کی بھی سب عزت کرتے تھے اور سب کی نگاہوں میں ان کے لیے ایک علیحدہ سا احترام ہوتا تھا۔ ذاتی طور پر وہ خود بھی بڑی اچھی تھیں، لیکن قاسم جمال کی بیوی ہونے کی حیثیت سے وہ اور بھی زیادہ جانی مانی جاتی تھیں۔

اور...... روبینہ کے علاوہ ان کے بچے تھے۔ دو لڑکے دو لڑکیاں۔

ان سب کو بھی معاشرے میں وہی مقام حاصل تھا۔ جو قاسم جمال کی اصول پرستی، دیانتداری اور اچھی عادات نے وضع کیا تھا۔ انہیں سب سے پیار، لحاظ اور محبت ملتی تھی۔

اور ایسا ہوتا بھی کیوں نہیں......؟ قاسم جمال نے جس انداز میں اپنی زندگی گزاری تھی، اس کی مثال بیوی بچوں کے سامنے تھی...... مثال کے علاوہ ان کی تربیت کا بھی بہت اثر تھا۔

اس لیے بھی وہ سبھی تعریف کے قابل تھے۔ پیار اور محبت کیے جانے کے اہل تھے۔ بااصول باپ کے بچوں کا بھی ہر لمحہ بڑے اصول اور تربیت سے گزرتا تھا۔ وقت کے

پابند تھے وہ بھی اور اچھی عادات اور بے حد حسین صورتوں کے مالک تھے۔

یوں ہر کہیں ان سب کو بھی باپ کی طرح سراہا جاتا تھا اور توصیف و ستائش ملتی تھی اور دوسروں کے مقابلے میں فوقیت دی جایا کرتی تھی۔

بڑی پُرمسرت، مطمئن اور پُرسکون زندگی گزار رہے تھے سب...... کسی بات، کسی چیز کی بھی کمی نہ تھی۔ اللہ تعالیٰ کی پوری عنایات اور نوازشات اس خاندان پر تھیں۔

پھر...... واقعی یہ عجیب سا حادثہ تھا...... جس نے نہ صرف ان کے خاندان ہی کو بلکہ پوری برادری اور پورے شہر ہی کو تجسّس میں ڈال دیا تھا۔

بیگم روبینہ جمال کو دل کا دورہ پڑا تھا اور وہ اب ہسپتال میں داخل تھیں۔

یہ خبر افواہ کی طرح بڑی تیزی سے پھیل گئی تھیں۔

● ...... ● ...... ●

وہ بے پناہ محبت کرنے والے انسان تھے اور جتنی محبت کرتے تھے اُتنے ہی بااصول بھی تھے...... محبت، جو صرف دل میں ہوتی ہے اور دل سے کی جاتی ہے، لیکن اصول نباہنا پڑتے ہیں...... اور وہ نباہنے میں انہوں نے کبھی کوتاہی نہیں کی تھی......

جو مرض روبینہ کو لگ گیا تھا اس کا تقاضا یہ تھا کہ مریض کو زیادہ سے زیادہ آرام ملے۔ یہاں تک کہ کسی سے بات چیت کرنے سے بھی مریض کو تھکن ہوسکتی تھی اور مرض بڑھ سکتا تھا۔

اس لیے دل کے امراض والے وارڈ میں ملاقاتیوں کے آنے کی بھی اجازت نہ تھی۔ قاسم جمال کو جب ہسپتال کے اس وارڈ کی اس پابندی کا علم ہوا تو انہوں نے سختی سے سب کو منع کر دیا کہ کوئی وہاں کا یہ اصول نہ توڑے۔

بچے تو پہلے ہی باپ کے حکم کے تابع تھے۔ جو قاسم جمال چاہتے وہی ہوتا۔ جو کہتے وہی کرتے۔ ہسپتال جانے سے منع کیا تو کسی نے ایک سے دوسرا سوال نہ کیا اور اپنے اپنے کام میں لگ گئے۔

بس سراج دونوں تینوں وقت جاتا اور کھانے پینے کی اور ضروریات کی دوسری چیزیں دے آتا۔ باقی دیکھ بھال نرسیں کر رہی تھیں اور علاج معالجہ ڈاکٹروں کی ذمہ داری تھی...... دوائیں قیمتی سے قیمتی اور اعلیٰ سے اعلیٰ قاسم ہر وقت مہیا کیے رکھتے۔

روبینہ جمال کلب میں، شہر میں، خاندان میں خاصی مقبول شخصیت تھیں۔ جس جس کو ان کے یکا یک بیمار پڑ جانے کا علم ہوا وہی ان کی عیادت کو آیا۔ سب پہلے گھر آتے تھے کہ ہسپتال کے کمرے کا یا وارڈ کا پتہ کریں، جہاں روبینہ جمال داخل تھیں اور پھر وہاں پہنچیں۔

مگر...... قاسم جمال کی ہدایت کے مطابق ہسپتال یا وارڈ کا پتہ کسی کو نہیں بتایا جاتا تھا...... وہاں تک پہنچنے کی خواہ مخواہ زحمت ہی ہوتی، ان کے بیڈ تک تو کوئی جا نہیں سکتا تھا اور وہ اپنے یا بیوی بچوں کی خاطر کسی کو بے جا تکلیف دینا کبھی گوارا نہ کرتے تھے۔

قاسم جمال نے زندگی میں نہ کبھی اپنے اصول توڑے تھے، نہ دوسروں کے۔ اور پھر ہسپتال تو ایسی جگہ تھی کہ جہاں کے اصول اور قواعد قائم رکھنا صرف انہیں کا نہیں، بلکہ ہر کسی کا فرض تھا۔

یوں گھر میں لوگوں کا ایک تانتا سا بندھا رہتا۔ دوسرے اصولوں میں قاسم جمال کا ایک اصول یہ بھی تھا کہ گھر آنے والے مہمان کو پوری عزت، توقیر اور احترام دیتے تھے، ہر انداز میں، ہر لحاظ سے اور ہر طریقے سے۔

اچھی سے اچھی جگہ مہمان کے بیٹھنے کے لیے وقف تھی اور اچھے سے اچھا اسے کھلایا پلایا جاتا تھا۔ خاطر و مدارات کی جاتی تھی۔ کوئی بھی ان کے گھر آ جاتا خالی کبھی نہ لوٹتا۔ چھوٹا بڑا کوئی بھی۔

کچھ قاسم جمال نے منع کر رکھا تھا اور کچھ اس طرح ہر وقت مہمانوں کی آمد اور ان کی خاطر تواضع میں لگ کر ماں کے پاس جانے کا کسی کو نہ موقع ملتا، ورنہ وقت اور جو تھوڑا سا ملتا بھی تو وہ خرم اور نایاب کے امتحان سر پر تھے۔

نایاب بی۔اے فائنل میں تھی، خرم سی۔ ایس۔ پی کی تیاری کر رہے تھے۔ ماں سے زیادہ باپ نے ان کی تربیت کی تھی۔ خاص اصولوں اور پابندیوں کے تحت۔

وقت پر کھانا، وقت پر سونا، وقت پر جاگنا، وقت پر پڑھنا اور وقت پر کھیلنا۔ کھیل بھی کوئی غلط قسم کا نہیں، مفید اور معلوماتی۔ یوں نایاب اور خرم اپنی اپنی جماعت میں ہمیشہ اوّل آتے۔

چھوٹی جماعتوں کے بعد کالجوں میں بھی ان کے اصول نہ بدلے، نہ باپ کی نگاہ میں بے پرواہی آئی۔ تبھی وہاں بھی ہمیشہ ایک نمایاں پوزیشن میں رہے۔

اور اب...... ماما کی بیماری کی پریشانی بھی تھی اور ہر وقت عیادت کے لیے آنے والے مہمانوں کی مہمانداری بھی۔ اس کے باوجود ان کی پڑھائی کے وقت کا قاسم جمال علیحدہ خیال رکھتے کہ اس میں کوتاہی نہ ہونے دیتے۔

پاپا کو ان کی پوزیشن کے قائم رہنے کا بہت فکر تھا اور پاپا کے فکر کو ہمیشہ ماما سے لے کر ملازموں، بچوں تک نے دل سے قبول کیا تھا۔

وہ ان سے اتنی محبت کرتے تھے، وہ اتنے اچھے تھے، اتنے ان کے بہی خواہ تھے۔ زندگی میں جو کچھ کیا، بچوں ہی کے لیے انہوں نے کیا تھا۔ پھر بدلے میں انہیں بھی ان کی توقعات اور امنگوں پر پورا اترنا چاہیے تھا نا۔

سب ہی اپنی بعض چھوٹی چھوٹی خوشیاں قربان کر دیتے مگر ان کا حکم ہر حال میں ضرور مانتے۔ ان کی ہر خواہش کا ہر طرح احترام کرتے۔

''آج پورے پانچ دن ہو گئے ہیں، میں نے ماما کی شکل نہیں دیکھی۔ سُنا آپ نے بھائی جان......''

''بہرہ نہیں ہوں......''

''تو پھر آپ نے کوئی جواب کیوں نہیں دیا......؟''

''کیا جواب دوں...... خود میرا اپنا حال خراب ہے...... بے حد اُداس ہو رہا ہوں ماما بغیر...... تمہیں کیا کہوں......؟''

''پاپا سے اجازت لے کر آج انہیں مل آئیں......''

''مل کیا آئیں...... ایک تو ان کمبخت ہسپتال والوں نے عجیب عجیب اصول وضع کر رکھے ہیں اور انوکھے قانون بنا ڈالے ہوئے ہیں......'' خرم ماں کی محبت میں

آج پہلی بار حرفِ شکایت زبان پر لائے تھے۔

"اور جہاں کوئی اپنا یا کسی اور کا اصول سامنے آیا تو ہمارے پاپا پتھر بنے۔ پھر نہ وہ کسی کے دل کا خیال کریں گے اور نہ جذبات کا۔ بس اصول ہی اصول ان کی نگاہوں میں ہوں گے......"

"سراج نے بتایا تھا کہ ماما اب پہلے سے بہتر ہیں...... اور وہ وہاں ایک ڈاکٹر ہیں وہ خاص طور پر ماما کا بہت خیال رکھتے ہیں۔ دوسرے مریضوں سے علیحدہ......"

"تب تو پرابلم حل ہو گئی......"

"کیا حل ہو گئی......؟"

"کہ ماما کا وہاں ہمارے سے علاوہ بھی کوئی خیال رکھنے والا ہے......"

"لہٰذا ہمیں خاموشی سے اور اطمینان سے بیٹھ جانا چاہیے اور ماما کو ملنے نہیں جانا چاہیے...... وہ صحت یاب ہو کر گھر آئیں گی تو خود ہی ہم سے مل لیں گی۔"

نایاب کی روشن اور خوبصورت آنکھوں میں یہ موٹے موٹے آنسو بھرے ہوئے تھے۔

"جانے مرد اتنے پتھر دل کیوں ہوتے ہیں۔ پہلے ایک پاپا ہی کم نہیں تھے۔ اب ان کے گدی نشین جناب خرم جمال صاحب بھی جوان ہو کر انہیں جیسے ہوتے جا رہے ہیں...... ٹھیک گدی سنبھالیں گے۔"

دیکھو دیکھو...... تم غلط بات کہہ رہی ہو......" خرم نے چڑ کر نایاب کی تردید کی۔

"تو اور کیا کہوں......؟"

"میرا یہ مطلب تھوڑا ہے......"

"پھر اور کیا تھا......؟"

"تم نے بتایا کہ ایک ڈاکٹر ہیں وہاں۔ وہ ماں کا دوسروں سے علیحدہ اور بہت خیال رکھتے ہیں۔ میں نے اطمینان کا اظہار کر ڈالا۔"

"آگے آپ نے میری بات پوری سنی ہی نہیں۔"

"تو سناؤ نا......"

''انہوں نے ماما کے لیے خاص طور پر یہ رعایت دی ہے کہ ماما کو ملنے والے یعنی ان کا شوہر قاسم جمال اور دو بڑے بچے خرم جمال اور نایاب جمال کسی بھی وقت ان کے پاس جاسکتے ہیں۔''

خرم کو نایاب کی بات پر ہنسی آ گئی۔

''ڈاکٹر صاحب کو ان سارے جمالوں کے نام اور پتے کیسے معلوم ہوئے ہیں؟''

''الہام ہوا ہو گا......'' نایاب بھی ہنس پڑی۔

''اور سراج کو بھی الہام ہوا ہے......؟''

''سراج کو تو ماما نے بتایا ہے اور اب وہ یقیناً ہمارا انتظار کر رہی ہوں گی۔''

''بعض اوقات سراج بے پر کی بھی اڑا دیا کرتا ہے۔''

''بلاؤں سراج کو...... خود پوچھ لیں۔''

''بلاؤ......''

''ہاں میں اتنی ہی خراب ہوں نا۔ میری بات کا اعتبار نہیں ۔کیا سراج کی بات کا اعتبار کر لیں گے۔''

نایاب بچوں کی طرح رونے لگی۔

''میرا دل اتنا اداس ہو رہا ہے ماما کے بغیر۔''

''تو رونے کی اصل وجہ یہ ہے اور بندوق میرے کندھے پر رکھ دی۔ شاباش بھئی شاباش......!''

نایاب نے خرم کی بات کا کوئی جواب نہیں دیا۔ بس روتی رہی۔

''ارے ارے! تم تو سنجیدگی سے رو رہی ہو۔ یہ کیسی بچوں کی سی حرکت ہے......''

خرم اپنی جگہ سے اُٹھ کر نایاب کے پاس جا کھڑے ہوئے۔ بڑے پیار سے اس کے سر پر ہاتھ پھیرتے ہوئے دھیمے سے لہجے میں کہنے لگے۔

''بیوقوف! میں یہ ساری پوچھ گچھ پاپا کی خاطر کر رہا تھا۔ بھلا کیا ہم ان کی

اجازت کے بغیر ہی ماما سے ملنے چلے جائیں گے؟"

نایاب نے چونک کر چہرے پر سے ہاتھ اٹھائے۔ پھر شرمندہ سی ہو کر جلدی جلدی آنسو پونچھنے لگی۔ اتنا رونے سے ہی اس کا سفید چہرہ سرخ ہو کر تمتمانے لگا تھا اور آنکھیں جیسے دُھل کر صاف شفاف ہو گئی تھیں۔ دو ہیرے جگمگ جگمگ کر رہے تھے۔ خرم اسے دیکھ کر مسکرانے لگے۔

"ذرا آئینے میں اپنی شکل دیکھو۔" وہ انہیں اس حلیے میں ہمیشہ سے زیادہ اچھی لگ رہی تھی، بہت حسین، بہت پُرکشش۔

"عجیب کیا لگے گی۔ زیادہ خوب صورت ہی لگ رہی ہوں گی......" خرم کو چڑانے کی خاطر نایاب شوخی سے بولی۔

"اپنی خوب صورتی پر بڑا مان ہے......؟"

"کیوں نہ ہو۔ اللہ نے جو نعمت دی ہے اس کا اعتراف کر کے شکریہ ادا کرنا بھی تو ایک عبادت ہے۔"

"آہا...... تو یہ عبادت ہو رہی ہے۔ اپنی تعریف کر کے، واہ واہ کیا کہنے۔" ہنستے ہنستے وہ پھر یکا یک افسردہ ہو گئی۔

"بھائی جان! آپ اِدھر اُدھر میں ٹال رہے ہیں۔ میں اس وقت آپ کے پاس اسی لیے آئی تھی کہ پاپا سے اجازت لے کر مجھے ماما سے ملوا لائیں۔"

"تو بلی کے گلے میں گھنٹی باندھنے کا کام تم نے میرے سپرد کر دیا ہے۔"

"ہائے ہائے۔ پاپا کے لیے کیسی مثال دے رہے ہیں۔"

"اوہ......!" خرم بُری طرح گھبرا گئے۔

"وہ...... وہ...... یہ پتہ نہیں محاورے کس نے بنائے ہوئے ہیں؟"

"اسی لیے۔ جس طرح ابھی ابھی آپ نے استعمال کیا ہے۔"

"بس اب چپ بھی کر جاؤ نا......" اور پھر ایک دم خرم نے بات بدل دی......

"تم تو ماما سے ضرور ملنا چاہتی ہو۔"

"ہاں...... بہت بُری طرح بے چین ہوں۔"

''میں بھی تو ان کی اولاد ہوں۔''

''آپ بیٹے ہیں اور ویسے بھی میری عمر کی لڑکی ماں سے زیادہ وابستہ ہوتی ہے۔''

''مگر میں نے تو سنا ہوا ہے کہ بیٹی کو باپ سے زیادہ پیار ہوتا ہے اور بیٹے کو ماں سے۔''

''میں پیار کی نہیں وابستگی کی بات کر رہی ہوں۔ باشعور ہوں اب اور آپ بھی کافی سیانے ہیں۔ میری بات سمجھیں نا۔''

نایاب کی آنکھیں پھر بھیگی چلی جا رہی تھیں۔

''اس عمر میں ماں ایک دوست کی طرح ہوتی ہے اور میں انہیں بہت مِس کر رہی ہوں اور آپ کو ایسی کوئی ضرورت نہیں بس صرف ایک اولاد والی محبت کی بات ہے نا۔''

''ارے سمجھتا ہوں سب کچھ باشعور بی بی! بس ایک گھبرا رہا ہوں تو پاپا سے اجازت لینے والے مسئلے سے۔ ورنہ تمہاری بھی پرابلم سمجھتا ہوں اور اپنی بھی......''

پھر شوخ نگاہی سے اس کی آنکھوں میں جھانک کر مزید کہنے لگے۔

''چلو مان لیا۔ گھر میں ماں کا وجود میری نسبت تمہارے لیے بہت ضروری ہے۔ دیکھو کیسے انصاف سے بات کر رہا ہوں۔ اب میں بھی باشعور ہو گیا ہوں نا......؟''

''آپ تو ہر بات میں مذاق کرنے لگتے ہیں۔'' نایاب ہنسنے لگی۔ ساتھ ہی خرم بھی ہنس دیئے۔

اور...... ان کی ہنسی کی آواز سن کر قاسم جمال کمرے میں آ گئے۔

''آپ...... آپ......'' دونوں کی ہنسی یکلخت تھم گئی۔

''آپ تو میٹنگ پر گئے ہوئے تھے۔'' دونوں ہی جلدی سے اُٹھ کر کھڑے ہو گئے۔ بہت احترام کرتے تھے باپ کا۔

''جلد ختم ہو گئی۔ مگر یہ تم دونوں بہن بھائی بیٹھے کیا گپیں لگا رہے ہو۔ جانتے ہو امتحان میں کتنے دن باقی رہ گئے ہیں؟''

گو پاپا کی آواز میں نرمی تھی، لیکن لہجہ وہی بارعب تھا، جس سے ہمیشہ سب گھر والے مرعوب ہو جایا کرتے تھے اور پھر جو بھی وہ حکم دیتے غیر ارادی طور پر اس کی تعمیل کرنے پر مجبور ہو جاتے۔ ان کی شخصیت ہی کچھ ایسی تھی۔

''گیں نہیں پاپا! یہ نایاب ابھی میرے پاس آئی تھی کہ آپ کی اجازت ہو تو ہم ماما کو مل آئیں......؟''

''میں اجازت کیوں نہ دوں گا، لیکن معاملہ ہسپتال کے اصولوں اور قواعد کا ہے۔ تم جانتے ہو کسی بھی اصول کی بے اصولی کرنا مجھے پسند نہیں۔''

''ہم پاپا! ہر اصول پر کاربند رہنے کو تیار ہیں۔ کبھی ہم نے بھی حتی الوسع خلاف ورزی نہیں کی۔''

''پھر......؟ یہ مطالبہ......؟'' وہ ایک دھیمی سی مسکراہٹ کے ساتھ بولے۔

''سراج نے بتایا کہ اس وارڈ کے ایک ڈاکٹر ہیں، جنہوں نے ماما کے لیے کچھ خصوصی مراعات دی ہیں۔''

''کیا......؟''

''کہ ان کے شوہر اور بچے جب چاہیں انہیں مل سکتے ہیں۔''

''کیوں......؟'' یکا یک ہی قاسم جمال کے لہجے میں تلخی گھل گئی۔

''یہ تو ہمیں پتہ نہیں......'' دونوں بہن بھائی سہم کر رہ گئے۔

''ویسے میں تمہیں جانے سے کبھی نہ روکتا مگر میری سمجھ میں یہ بات نہیں آئی کہ ہسپتال والوں کو پھر ایسے اصول وضع کرنے کی ضرورت ہی کیا تھی۔ جن کو پھر خود ہی توڑ بھی رہے ہیں۔''

''صرف ایک ڈاکٹر نے کہا ہے اور صرف ماما کے لیے......'' نایاب تو چپ کی چپ ہی رہ گئی۔ البتہ خرم جرأت کر کے بول پڑے۔

''ہمیں آم کھانے سے مطلب ہے پاپا۔ پیڑ گننے سے نہیں۔''

''لیکن میں ایسی بے اصولی پسند نہیں کرتا۔ نہ اپنے لیے، نہ کسی دوسرے کے لیے اور پھر سب انسان ایک جیسے ہوتے ہیں۔ تمہاری ماما کو اس ڈاکٹر نے بھلا کیوں ایسی

رعایت دی۔ اس کے لیے سب مریض یکساں ہونا چاہیے تھے۔''

''جب ہمیں یہ رعایت مل ہی گئی ہے پاپا! تو ہمیں فائدہ اُٹھا لینا چاہیے۔''

''اور اس خود غرضی کا فائدہ اُٹھاتے اُٹھاتے اُدھر بے شک نقصان ہو جائے۔''

''کس کا نقصان......؟''

''پڑھائی کا۔ امتحانات بھی تو سر پر ہیں۔ سب لوگوں کی نظریں تم دونوں پر لگی ہیں۔ نایاب ہمیشہ پہلی دو تین پوزیشنوں میں سے ایک لیتی رہی ہے اور اس بار تو سارے خاندان والوں کا خیال ہے کہ اوّل پوزیشن لے گی اور خرم تم بھی نمایاں کامیابی حاصل کرو گے۔''

''پاپا ایک دو گھنٹے کی تو بات ہے۔ میں رات کو اتنا جاگ لوں گی۔ پلیز پاپا! میرا دل بڑا اُداس ہو رہا ہے۔''

خرم ہی کی طرح اب نایاب نے بھی ہمت کر کے پاپا کے رُوبرو لب کھولے۔

''اچھا اچھا...... اب تو شام ہونے والی ہے۔ کل دیکھا جائے گا۔''

پاپا نے بات ٹالنا چاہی...... پھر ذرا دھیمے لہجے میں بڑبڑائے۔

''آج کل نوجوان نسل کو نہ جانے کیا ہے۔ زندگی میں کوئی اصول وضع کرتے ہی نہیں اور اگر کوئی اصول باقاعدہ ان کے سامنے پیش بھی کر دیا جائے تو اس پر کاربند نہیں ہوں گے۔ جانے وہ ڈاکٹر کیسا ہے۔ اپنا ہی ہسپتال ہے اور آپ ہی اس کے اصول، قوانین کو توڑ رہا ہے۔ کیسا غلط انسان ہے۔ ایک دم فضول۔''

وہ بڑبڑاتے بڑبڑاتے کمرے سے باہر نکل گئے۔ اور...... دروازہ بند ہوتے ہی نایاب اور خرم ایک دوسرے کی طرف دیکھنے لگے۔

نایاب کی روشن روشن حسین آنکھوں میں آنسو ستاروں کی مانند چمک رہے تھے۔

''کبھی کبھی تو میرا دل چاہتا ہے کہ نہ صرف یہ گھر بار ہی بلکہ دنیا ہی چھوڑ دوں......''

''ارے نہ نہ...... ایک ہی ایک میری بہن ہو...... تمہیں کچھ ہو گیا تو میں اکیلا رہ جاؤں گا......''

''اور سیماب...... وہ آپ کی بہن نہیں......؟''

''وہ معظم کی ہے۔''

نایاب مسکرا پڑی۔ اسے بھی خرم سے معظم کی نسبت زیادہ پیار تھا۔ وہ بھی خرم ہی کو اپنا بھائی، اپنا دوست، اپنا سب کچھ سمجھتی تھی۔

پاپا کا فیصلہ سن بیٹھی تھی۔ بڑی دلگرفتہ ہو رہی تھی۔ چند لمحے خاموشی سے گزرے تو پھر ماں کا خیال آ گیا۔ آنکھوں میں اٹکے ستارے ٹوٹ ٹوٹ کر گرنے لگے۔

''پاپا کی اصول پرستی نے ہمارے ساتھ بڑی زیادتیاں اور ظلم کیے ہیں۔''

وہ مدہم سے لہجے میں بڑبڑائی۔ زندگی میں پہلا موقع تھا جب حرفِ شکایت زبان پر لائی تھی۔

''اب ایسے بھی تو نہ کہو...... جتنے اچھے ہمارے پاپا ہیں، اتنا کوئی اور آدمی اچھا دیکھا ہے......'' خرم نے جان بوجھ کر اس کی تائید نہیں کی۔ اس طرح وہ خود کو زیادہ مظلوم و بے بس سمجھنے لگے گی۔ حالانکہ دل سے خرم اس کے ہم نوا تھے۔

''اتنے قابل ہیں ہمارے پاپا...... اتنے مشہور۔ اتنی اچھی شخصیت کے مالک۔ اتنے امیر۔ دنیا کی ہر آسائش ہمارے لیے مہیا کر رکھی ہے۔ ہیں نا......؟''

نایاب چپ چاپ سنتی رہی۔ جواب کوئی نہیں دیا۔ خرم پھر بولنے لگے۔

''تم نے اور بھی اپنی کلاس فیلوز اور ان کے پاپا دیکھے ہوں گے۔ کسی کے پاپا ایسے ہیں۔ جیسے ہمارے ہیں۔ کم از کم میرے ساتھ پڑھنے والوں میں سے تو کسی کے پاپا ایسے نہیں۔ سب ہی مجھ پر رشک کرتے ہیں......''

''وہ بھی ٹھیک ہے......'' خرم نے اتنی لمبی چوڑی تقریر کر ڈالی تھی۔

نایاب ان کے ساتھ متفق ہو ہی گئی۔ جلدی جلدی اپنے آنسو خشک کرتے ہوئے بولی۔

''واقعی جیسے ہمارے پاپا ہیں، ایسے کسی اور کے نہیں ہیں۔''

پھر وہ مسکرا پڑی۔ بھیگی بھیگی آنکھیں تھیں اور چہرے پر مسکراہٹ پھیلی تھی۔ دھوپ اور برسات کا بڑا خوب صورت سا ملاپ تھا۔

حسین پہلے ہی بہت تھی، اس عالم میں تو بالکل ہی قاتل بن گئی۔ خرم جمال نے بڑے پیار سے بہن کے اس روپ اور اس جمال کو دیکھا۔ پھر ایک قہقہے کے ساتھ کہنے لگے۔

''اور مجھے اپنے پاپا پر اس لیے بھی فخر ہے کہ انہوں نے میرے لیے تم جیسی بہن پیدا کی۔ بالکل ایک چڑیل جیسی......'' وہ ہنستے ہوئے بولتے چلے گئے۔

''آنکھ، ناک، کان، دانت، کوئی بھی تو چیز ڈھنگ کی نہیں ہے۔ ساری زندگی پاپا کی اصول پرستی اور باقاعدگی میں گزری اور ستم کیا ہوا۔ اپنی ہی بیٹی کی ہر چیز بے اصول اور بے قاعدہ ہوگئی۔''

''کب بھائی جان! کب۔ ٹھیک تو ہے سب کچھ۔ میری ساری سہیلیاں کہتی ہیں کہ میری شکل آپ سے بہت ملتی ہے۔'' وہ خرم ہی کے سے شوخ انداز میں مسکرائی......

''اور آپ مجھے کافی خوبصورت لگتے ہیں۔''

''ارے ارے! یہ کیا فرما رہی ہو......'' خرم زور سے ہنسے۔ ''اللہ نہ کرے میری اور تمہاری شکل ملتی ہو۔ ویسے تمہیں یہ علم ہونا چاہیے کہ چڑیل صرف مؤنث ہوتی ہے۔ مذکروں میں چڑیل یا ڈائن کا کوئی تصور نہیں۔''

''اور...... گستاخی معاف بھائی جان......'' نایاب نے انتہائی ادب کے ساتھ بھائی کو اس کے چھیڑ کا جواب دیا۔

''اگر مذکر کوئی چڑیل یا ڈائن نہیں ہوتا تو پھر مؤنث بھی کوئی شیطان نہیں ہوتی۔ شیطان صرف مذکروں میں پائے جاتے ہیں۔''

''ٹھہر جا چڑیل......!'' خرم اس کی طرف لپکے۔ ''بھاگ میرے کمرے سے۔''

''مجھے کمرے میں سے نکالنا مشکل ہے۔ البتہ میں چاہوں تو ایک منٹ میں آپ کو آپ کے کمرے سے ہی نکال سکتی ہوں......'' شوخی سے آنکھیں چمک رہی تھیں۔

''وہ کیسے......؟''

''لاحول پڑھوں تو......''

اور خرم نے ایک دم نایاب کو بازو سے پکڑا اور کھینچتے ہوئے کمرے سے باہر نکال

آئے۔

''میرے لیے لاحول پڑھتی ہے چڑیل! اور دیکھ میں نے تجھے نکال بھی دیا۔ چل اب جاکر پڑھ...... اگر کل ماما کو ملنے جانا ہے تو کل کے حصے کا آج ہی پڑھ لے۔ تب شاید پاپا سے اجازت مل جائے۔''

''اونہوں، کوئی فائدہ نہ ہوگا۔'' نایاب قدرے مایوسی کے ساتھ پاپا کے کمرے کی طرف دیکھتے ہوئے آواز دبا کر بولی۔

''اب ان کے سر میں ہسپتال کے اصولوں کی خلاف ورزی نہ کرنے کا سودا سما جائے گا نا۔''

''تم پھر پاپا کے خلاف بات کر رہی ہو۔ بڑے جو کچھ کہتے ہیں ہمیشہ درست کہتے ہیں۔''

خرم نے بڑا ہونے کے ناطے اپنی چھوٹی بہن کو سمجھانا اپنا فرض سمجھا۔

●......●......●

جب سے اس ہسپتال میں ملازم ہوئے تھے، ڈاکٹر ایاز نے پہلی بار دو دن کی چھٹی لی تھی۔ ورنہ وہ اتنے ذمّہ دار اور فرض شناس تھے کہ اپنے سے زیادہ مریضوں اور اپنے فرائض کا خیال رکھتے تھے۔

لیکن یہ دو دن قربان کرنا ہی پڑے۔ ڈاکٹر طارق ان کے بے حد عزیز دوست تھے اور اس کی شادی تھی۔ بقول اس کے، پہلی بار تو ہو رہی تھی۔ جانے پھر دوبارہ موقع ملے نہ ملے، اس لیے اس کے عزیز ترین دوست ڈاکٹر ایاز کی شمولیت انتہائی ضروری تھی۔

ڈاکٹر طارق اسی شہر کا رہنے والا ہوتا تو پھر معاملہ سیدھا سادا ہوتا۔ ایاز ڈیوٹی بھی دے لیتے اور شادی میں بھی شرکت کر لیتے۔ ایک دو گھنٹے کا وقت تو ڈیوٹی کے اوقات میں سے بھی نکالا جا سکتا تھا۔ طارق کی خوشی مقصود تھی نا۔

مگر وہ...... پشاور کا رہنے والا تھا۔ فاصلہ کافی تھا اور ساتھ ہی اس کی ضد یہ بھی

تھی کہ برات میں بھی ایاز شامل ہوں اور دعوتِ ولیمہ میں بھی۔ یوں انہیں چھٹی لینا ہی پڑی۔

ایاز کا ایک بھی بہانہ طارق نے نہ سنا۔ اگر وارڈ کے دو انتہائی سیریس مریضوں کا کہا تو فوراً ہی ڈاکٹر شاہد اور ڈاکٹر شفاعت کے نام بتا دیئے کہ وہ دونوں ڈاکٹر ایاز کی غیر حاضری میں ان کے مریضوں کا خیال رکھیں گے، بالکل انہیں کی طرح۔

طارق ایاز کو جانتا تھا، ان کی طبیعت کو جانتا تھا۔ اس لیے پہلے ہی شاہد اور شفاعت کو تاکید کر آیا تھا۔ یوں ڈاکٹر ایاز بالکل ہی مجبور و بے بس ہو گئے۔

اُن کا مزاج عام انسانوں سے مختلف تھا۔ دعوتوں، پارٹیوں، شادیوں اور دوسرے ہنگاموں میں بہت کم حصہ لیتے تھے۔ پس یا وارڈ میں رہتے اور یا پھر ڈیوٹی کے اوقات کے علاوہ اپنے کمرے میں۔

کیوں......؟ ایسا کیوں تھا......؟

اس کی وجہ آج تک کسی کو معلوم نہیں ہو سکی تھی۔ بظاہر خشک مزاج بھی نہیں تھے۔ بداخلاق بھی نہ تھے۔ مغرور و متکبر بھی نہ تھے۔ کوئی جسمانیُ یا صورت و شکل میں بھی عیب یا نقص نہ تھا۔

ایک خوب صورت سی مسکراہٹ ہر وقت نہ صرف ہونٹوں پر بلکہ پورے چہرے پر چھائی رہتی، جو ان کی مردانہ وجاہت کی وجیہ و پُرکشش بنا دیتی تھی۔

بداخلاق نہ تھے کہ کسی کے ساتھ کوئی حسد، عناد یا رقابت نہ رکھتے تھے۔ بدمزاج نہ تھے کہ وارڈ میں جو مریض آتا اس کی دلی خواہش یہی ہوتی کہ اس وارڈ کی ڈیوٹی چوبیس گھنٹے ہی ڈاکٹر ایاز کریں۔

وہ ہر ایک کو بڑی توجہ اور خلوص دیتے تھے۔ تکلیف یا بیماری کی تفصیل سننے اور دوائیوں اور علاج کے متعلق ہدایات دینے کے علاوہ بھی مریضوں کے ساتھ ایک تعلق قائم رکھتے۔

اِدھر اُدھر کی گفتگو کرتے، چھوٹی چھوٹی پُر مذاق باتیں کر کے انہیں ہنساتے، ان کا دل لگاتے بہلاتے۔ ان کے چھوٹے چھوٹے گھریلو یا ذاتی مسائل سنتے۔ ان میں دلچسپی

لیتے۔ سُلجھاتے اور ہمدردی کرتے۔ یوں انہیں ہر طرح خوش رکھنے کی کوشش کرتے۔

سب ہی مریض کہتے تھے کہ ڈاکٹر ایاز تو ان کا آدھا مرض یُوں ہی دور کر دیتے ہیں۔ اس طرح خاصے مقبول تھے وہ...... نہ صرف اپنے ہی وارڈ اور مریضوں میں ہی، بلکہ اردگرد جو دوسرے وارڈ تھے ان میں بھی، جہاں ان کی مستقل ڈیوٹی نہیں بھی تھی۔

اس لیے کہ ذرا کسی دوسرے وارڈ کے ڈاکٹر کو غمی خوشی یا بیماری کے لیے چھٹی لینا ہوتی دو چار دن کی یا دو چار گھنٹے کی تو ڈاکٹر ایاز کو اپنی ڈیوٹی انجام دینے کو کہہ دیتے۔ وہ بصد خوشی اور پورے خلوص اور جوش و خروش کے ساتھ تیار ہو جاتے۔ راضی برضا ہو جاتے۔

یوں بہت سارے ڈاکٹر اُن کے احسان مند تھے اور دوست تھے۔ ہسپتال کا بہت سارا دوسرا عملہ نرسیں، بیرے اور وارڈ بوائے وغیرہ ان کے واقف تھے اور بہت سارے وارڈوں کے مریض ان کی راہ دیکھتے رہتے۔

پھر...... جدھر سے گزر جاتے ہیلو ہیلو ہوتی۔ سلام کیے جاتے۔ خیر خیریت پوچھی جاتی۔ کوئی ہنسی مذاق کا فقرہ ان پر چست کر دیتا۔ کسی کو یہ چھیڑ دیتے۔ ہر طرف جیسے بہار پھیل، بکھر جاتی۔ مسکراہٹیں رقصاں ہو جاتیں۔ ہنسی اور قہقہوں کی پھلجھڑیاں چھوٹ پڑتیں۔

ان عادت و اطوار اور ایسے مزاج کے باوجود وہ کسی تقریب یا ہنگامے میں جانا پسند کیوں نہیں کرتے تھے۔ اس کی وجہ آج تک کوئی نہ جان سکا۔

مگر...... ڈاکٹر طارق بہت ضدی ثابت ہوا۔ ان کے مزاج اور طبیعت کو جانتے بوجھتے ہوئے بھی ضد کر بیٹھا۔ جس مان اور اعتماد کے ساتھ اس نے ضد کی تھی، ڈاکٹر ایاز وہ توڑ نہ سکے۔

تب...... اس کی خوشی کی خاطر اپنے دل کو مجبور کر کے انہوں نے دو دن کے لیے چھٹی کی درخواست دے دی۔ پہلی پہلی چھٹی تھی۔ پہلی پہلی درخواست، پچھلا ریکارڈ بھی بہت اچھا تھا۔ نہ صرف اچھا بلکہ بہترین تھا۔ چھٹی فوراً منظور ہو گئی۔

دو اڑھائی دن ہی تو غیر حاضر رہے تھے۔ واپس وارڈ میں آئے تو یُوں لگا جیسے کئی صدیاں کہیں اور گزار آئے تھے۔ سب کچھ ہی بدلا بدلا لگ رہا تھا۔

لگتا بھی کیسے نہیں۔ ان کے پیچھے تین مریض صحت یاب ہو کر اپنے اپنے گھروں کو سُدھار گئے تھے۔ دو کو موت نے اپنی آغوش میں لے لیا تھا اور چار نئے مریض جانے کون سی راہ پکڑنے کے لیے زندگی کے اس موڑ پر آ گئے تھے۔

صحت پا کر جانے والے کی خوشی اور مرنے والوں کا غم دل میں لیے وہ نئے داخل ہونے والوں کے چارٹ وغیرہ دیکھ رہے تھے کہ اچانک ہی نگاہ تین نمبر بیڈ پر جا پڑی۔

سفید لباس میں ملبوس سفید سفید سی رنگت اور باوقار چہرے والی ادھیڑ عمر کی خاتون سفید بستر پر دراز اُنہی کی طرف دیکھ رہی تھیں۔

چارٹ ہاتھ میں تھا۔ نرس سے کیس ہسٹری پوچھ رہے تھے۔ بات نامکمل چھوڑ کر ڈاکٹر ایاز ان کے پاس جا کھڑے ہوئے۔ ایک بے حد خوب صورت اور زندگی سے بھرپور تبسم خاتون کے ہونٹوں پر تھا۔

وارڈ میں اور بھی مریض تھے، لیکن ایک تنہا وہ چہرا ایسا تھا جس پر ایسا جاوداں قسم کا تبسم انہیں دِکھائی دیا تھا۔ حیرت میں ڈوبے انہیں دیکھتے چلے گئے......

''یہ بیگم روبینہ جمال ہیں۔'' نرس نے ان کی نگاہوں کے زاویے کو دیکھتے ہوئے، ان کے بلا کچھ پوچھے ہی بتانا شروع کر دیا۔

''جس دن آپ چھٹی پہ گئے تھے۔ اسی رات داخل ہوئی تھیں۔''

''ہوں......'' ڈاکٹر ایاز جیسے ہمہ تن گوش تھے۔

''بہت تکلیف تھی...... اتنی...... کہ چوبیس گھنٹے بے ہوش رہنے کے بعد ہوش میں آئی تھیں۔''

''اوہ......!'' ڈاکٹر ایاز کے ہونٹوں سے کلمۂ حیرت نکلا۔ نرس کی طرف متوجہ تھے۔ ایک بار پھر نگاہ اس چہرے پر مرکوز کر دی، جس پر دوسروں کی طرح مایوسی اور مردنی نہیں چھائی تھی بلکہ ایک انتہائی جاندار سی مسکراہٹ پھیلی تھی۔

''یہ...... یہ...... آپ کو دل کا مرض کیوں لاحق ہو گیا......؟'' ڈاکٹر ایاز کے خیال میں جو کچھ آیا وہ لبوں تک لے آئے۔

''پروردگار کی مرضی......'' بیگم روبینہ جمال کی آواز میں ابھی نقاہت تھی، لیکن لہجے میں قناعت اور حوصلہ تھا۔

ڈاکٹر ایاز بہت متاثر ہوئے۔ ان کی توجہ اور چہرے کے تاثرات بھانپتے ہوئے نرس جلدی جلدی اس مریضہ کی کیس ہسٹری انہیں بتانے لگی تھی۔

لیکن...... کیس ہسٹری جتنی نرس نے بتائی تھی اس سے کہیں زیادہ وضاحت کے ساتھ تو وہ ان کے چہرے پر پھیلی ان مسکراہٹوں میں اپنی آنکھوں سے دیکھ چکے تھے اور دیکھ رہے تھے۔

زبان پر نہ کوئی ہائے وائے تھی، نہ شکوہ شکایت اور نہ ہی پیشانی پر کوئی شکن...... اتنے بڑے، اتنے مہلک مرض کو رضائے الٰہی جان کر انتہائی صبر، شکر اور حوصلے کے ساتھ سینے سے لگا لیا تھا اور بڑی مسکرا رہی تھیں۔

ڈاکٹر ایاز سبھی مریضوں پر یوں خصوصی توجہ دیا کرتے تھے، جیسے ہر کوئی علیحدہ سے ان کا اپنا تھا، مگر بیگم روبینہ جمال کے وجود میں جانے کون سا ایسا مقناطیس تھا کہ وہ بغیر جانے بوجھے ان کی طرف کھنچتے گئے اور آپ ہی آپ خصوصی توجہ سے بھی زیادہ توجہ انہیں دینے پر مجبور ہو گئے۔

اور اب...... وارڈ میں داخل ہوئے تو سب سے پہلے نگاہ تین نمبر بیڈ پر جاتی۔ وہ بھی جیسے انہیں کی راہ دیکھ رہی ہوتی تھیں۔ بے اختیارانہ مسکراہٹوں کا تبادلہ ہوتا۔

وہیں دور سے ہی ڈاکٹر ایاز ہاتھ کے اشارے سے سلام کرتے۔ وہ بڑے وقار سے گردن کو ذرا سا خم کر کے جواب دے دیتیں۔ پھر وہ اپنے کام میں مصروف ہو جاتے۔

پورے وارڈ کا راؤنڈ لیتے۔ ہر مریض کے پاس اتنا وقت گزارتے کہ اس کی اچھی طرح تسلی ہو جاتی۔ خود سوال جواب کرتے۔ اس کی ہر بات توجہ اور دھیان سے سنتے۔

اور پھر...... آخر میں۔ سب سے آخر میں بیگم روبینہ جمال کی باری آتی۔

راؤنڈ لیتے لیتے ان کا بیڈ کیو میں آ بھی جاتا تو وہ چھوڑ جاتے۔ شاید اس لیے کہ وہ ان کے پاس دوسروں کی نسبت زیادہ وقت گزارنا چاہتے تھے۔

اور زیادہ وقت اس طرح گزر سکتا تھا کہ دوسرے مریضوں سے فارغ ہو جاتے یعنی اپنی ڈیوٹی نبھا لیتے، فرض سے سبکدوش ہو جاتے تو پھر...... پھر دل کے تقاضوں کو پورا کرتے۔

وہ بھی جیسے منتظر ہوتیں۔ ڈاکٹر ایاز بیڈ کے پاس پہنچتے تو دھیمی سی مسکراہٹ واضح ہو کر خلوص و محبت کا روپ دھار، پورے چہرے کا احاطہ کر لیتی۔

''آپ انشاء اللہ بہت جلد صحت یاب ہو جائیں گی۔''

بیگم روبینہ جمال کی نبض محسوس کرنے کے بعد ڈاکٹر ایاز نے ان کا ہاتھ سہلاتے ہوئے بڑی اپنائیت اور خلوص سے کہا تو انہیں یوں لگا جیسے ان کا ہاتھ ڈاکٹر ایاز نے نہیں خرم جمال نے سہلایا تھا۔ وہ بڑی شائستگی اور وقار کے ساتھ مسکرا دیں۔

''ہوں......؟ یقین ہے تمہیں......؟'' ڈاکٹر ایاز خرم کے تقریباً ہم عمر ہی ہوں گے۔ بڑا فرق ہوا تو ایک یا دو سال بڑے ہوں گے۔ بس۔

وہی یگانگت، بے تکلفی اور پیار ان کے ہونٹوں پر لہرا گیا، جو خرم کو دیکھتے ہی اس کے لیے من میں اُتر آتا تھا۔

ڈاکٹر ایاز توجہ بھی تو اس طرح دے رہے تھے۔ ان کا خیال بھی تو اس طرح رکھ رہے تھے۔ بلکہ...... بلکہ...... شاید خرم سے کچھ زیادہ...... یا کافی زیادہ...... ایسا ہی محسوس ہوتا تھا۔

''بالکل...... پکا یقین......'' ڈاکٹر ایاز کے لبوں پر پھیلی مسکراہٹ گہری ہو گئی......

''اس لیے...... کہ آپ کا وجود، آپ کا تبسم، آپ کا صبر، آپ کا حوصلہ، جب دوسرے مریضوں کو صحت مند کیے دے رہا ہے تو خود آپ کیوں نہ جلد صحت یاب ہوں گی......''

''شکریہ ڈاکٹر صاحب......''

ابھی کس بے تکلفی سے کہا تھا۔ ''یقین ہے تمہیں......؟'' کتنا مزہ آیا تھا ان کے اس ''تمہیں'' کہنے کا اور اب...... وہ پھر ڈاکٹر صاحب بن گئے تھے۔ ایاز کے جی کو ان کا یہ تکلف اچھا نہ لگا......

''میرا نام صاحب نہیں ایاز ہے۔''

''سچ......؟'' ڈاکٹر ایاز کا مطلب سمجھتے ہوئے وہ خوشی سے بے قابو سی ہو کر بولیں۔

''آپ مجھے پوری بے تکلفی کے ساتھ اس نام سے مخاطب کر سکتی ہیں۔''

''لیکن دوسرے مریض تو......''

''دوسروں کی بات چھوڑیں......'' ڈاکٹر ایاز ان کی بات پوری ہونے سے پہلے ہی بول پڑے۔

بھلا وہ کیوں خود کو دوسروں جیسا سمجھتی تھیں۔ کیا انہیں اپنے اور دوسروں کے درمیان جو فرق تھا، اس کا احساس نہ تھا۔

''اگر انہیں نہیں ہے تو ڈاکٹر ایاز تم خود کرا دو، کیونکہ یہ فرق تمہاری نگاہ اور تمہارے دل نے وضع کیا ہے۔''

''دیکھیے......'' انہوں نے بڑی اپنائیت سے روبینہ جمال کو مخاطب کیا......

''ایک رشتہ ہوتا ہے ڈاکٹر اور مریض کا......''

''وہ کون سا......؟'' بیگم روبینہ مسکرائیں۔

''کیا نہیں ہوتا......؟''

''وہی تو پوچھ رہی ہوں کہ رشتہ تو ضرور ہوتا ہے اور ہر رشتے کو نباہنے کے کچھ اصول اور قاعدے ہوتے ہیں۔''

''جی ہاں...... ڈاکٹر اور مریض کے درمیان جو رشتہ ہوتا ہے نا، وہ بھی نباہنے کا ایک خاص اصول ہے اور وہ یہ کہ دونوں ہی پُرخلوص ہوں۔ ڈاکٹر اپنی پوری توجہ اور خلوص سے مریض کا علاج کرے اور مریض اپنے پورے خلوص اور توجہ سے اس رشتہ کی لاج رکھنے کے لیے صحت یاب ہونے کی کوشش کرے۔''

''کیا وہ مَیں نہیں کر رہی...... میں نے تو ہمیشہ ہر رشتہ پورے خلوص سے نبھایا ہے......'' وہ ایک دم سنجیدہ ہوتے ہوئے ذو معنی سے انداز میں بولیں۔

''کر رہی ہیں...... لیکن میرا مطلب اس ساری تشریح سے کچھ اور تھا۔''

”کچھ اور تھا......؟“

”جی ہاں......“ ڈاکٹر ایاز ان کے قریب جھک آئے۔

”میں نے اس رشتہ کے علاوہ آپ کے ساتھ ایک اور بھی رشتہ قائم کر رکھا ہے، مگر زبان پر لاتے ہوئے......“ اور وہ مزید کچھ کہے بنا خاموش ہو گئے۔

بیگم روبینہ جمال چونک پڑیں۔ بڑی سمجھدار تھیں۔

”وہ کون سا بیٹے......؟“

”آپ......؟ آپ نے مجھے بیٹا کہا ہے...... خود ہی...... جو تعلق، جو رشتہ، میں نے دل ہی دل میں قائم کیا ہوا تھا وہ آپ، اپنے آپ ہی ہونٹوں تک لے آئیں......“ ڈاکٹر ایاز کے لب تھرتھرا اٹھے۔ لہجہ مرتعش سا تھا......

”ہاں......“ بیگم روبینہ جمال نے غور سے ان کی آنکھوں میں دیکھا۔ شاید جذبات کی شدّت کی وجہ تھی۔ وہاں، ان کی آنکھوں میں ایک نامعلوم سی نمی تیر رہی تھی۔

”تو کوئی بُری بات ہو گئی......؟“ وہ محض اس لیے شوخ اور پُر مذاق سے انداز میں مسکرائیں کہ ایاز کی آنکھوں کی نمی معدوم ہو جائے۔

”اوہ! یہ بات بُری ہو سکتی ہے بھلا...... وہ بھی اس وقت، جب کہ مجھے اس کی اشد ضرورت تھی۔“

”اشد ضرورت......؟“

”ہاں...... مجھے بیٹا کہنے والی ہستی موجود نہیں ہے اور آپ جو شہر کی مشہور معروف شخصیت ہیں۔ اس کے علاوہ اتنے اچھے اخلاق والی اتنی مخلص، آپ نے مجھ بیٹا کہہ دیا۔ اس سے بڑا انعام مجھے زندگی میں اور کوئی نہیں مل سکتا۔ کوئی بھی نہیں۔“

ڈاکٹر ایاز بے حد جذباتی ہو رہے تھے۔ گُھٹے گُھٹے، دبے دبے سے لہجے میں اتنی بات کی اور پھر جلدی سے پلٹ کر وارڈ میں سے باہر نکل گئے۔

جانے کیوں......؟ کیوں وہ اس وقت اتنے اُداس، اتنے پژمردہ اور پریشان سے ہو گئے تھے۔ بیگم روبینہ کچھ کہنا چاہتی بھی تھیں۔ ڈاکٹر ایاز کے لیے کوئی بہت ہی پُرخلوص اور پیار و محبت بھرا فقرہ۔

مگر انہوں نے موقع ہی نہیں دیا۔ وارڈ سے ہی نکل گئے۔ ان کے جانے کے بعد وارڈ کا دروازہ بند بھی ہو گیا۔ وہ پھر بھی بڑی دیر اس بند دروازے کی طرف دیکھتی رہیں۔

''یہ دوا لے لیجیے......'' نرس کی آواز پر وہ چونکیں۔

''یہ...... یہ ایاز......'' انہوں نے اس بے تکلف انداز میں بات کرنا چاہی جس کی خواہش ایاز نے کی تھی، لیکن ان کی پوری بات سنے بنا ہی نرس جلدی سے بول پڑی۔

''جی ہاں...... یہ ڈاکٹر ایاز ہیں۔ امراضِ قلب کے ماہر۔ انہیں یہاں کے ہسپتال میں آئے صرف آٹھ دس مہینے ہوئے ہیں۔ بڑے محنتی ہیں اور دوسروں کا دل میں ڈھیروں ڈھیر درد بھی رکھتے ہیں۔''

جتنا وہ کئی سوال کر کے پوچھتیں، نرس نے خود ہی اس سے کہیں زیادہ وضاحت کر دی اور آخر میں دوا ان کی طرف بڑھا دی۔

''ان کا گھر کہاں ہے......؟'' بیگم روبینہ نے دوا ہاتھ میں لیتے ہوئے پوچھا۔

''گھر......؟ ان کا گھر کوئی نہیں......''

''کیا مطلب......؟''

''یہاں ہسپتال میں ہی رہتے ہیں۔''

''والدین، بیوی، بچے۔ کیا سب ی......؟'' بیگم روبینہ جمال ایک عجیب سے انس اور لگاؤ کے جذبے کے تحت، جو انہیں ڈاکٹر ایاز کے لیے محسوس ہو رہا تھا۔ ان کے حالات جاننے کے لیے جیسے مجبور سی ہو گئیں۔

''بیوی بچے کہاں سے آئیں گے......؟'' وہ زور سے ہنس پڑی۔

''کنوارے ہیں......''

خرم کی بھی تو ابھی شادی نہ ہوئی تھی۔ یہ تو انہوں نے محض بات کرنے کی خاطر پوچھ لیا تھا۔ ورنہ اس جواب کی تو وہ پہلے سے ہی متوقع تھیں۔

البتہ اصل میں جو پوچھنا چاہ رہی تھیں، وہ نوک زبان پر اب آیا۔

''والدین......؟'' یہ مختصر سا سوال کرتے ہوئے ان کا لہجہ متجسّس اور بے چین

ساتھا۔

''کچھ معلوم نہیں۔ اکیلے ہی رہتے ہیں۔ کھانا وغیرہ میس سے کھاتے ہیں۔''

پھر نرس نے اپنے آپ ہی قیافہ لگایا۔

''ماں باپ کسی دوسرے شہر میں رہتے ہوں گے۔'' وہ ان کے متعلق اس سے زیادہ نہیں جانتی تھی۔ قیافے بھی ختم ہو گئے۔

بیگم روبینہ جمال کوئی اور سوال نہ کر دیں۔ وہ اپنی کم علمی کا اظہار بھی کرنا نہیں چاہتی تھی۔ مڑ کر جلدی سے دوسرے مریضوں کی طرف متوجہ ہو گئی۔

●......●......●

''نیند نہیں آ رہی کیا......؟'' ڈاکٹر ایاز کی نرم سی دھیمی سی آواز تھی۔ بیگم روبینہ نے چونکتے ہوئے رُخ پھیرا۔

''آپ......؟ تم......؟ بیٹے! تم اس وقت......؟''

ان کے اس تکلف اور پھر بے تکلفی بھرے انداز سے ڈاکٹر ایاز کے چہرے پر ایک مسرت میں ڈوبی مسکراہٹ پھیل گئی۔

''میں ڈاکٹر ہوں وارڈ کا...... اور یہ میری ڈیوٹی ہے۔''

''رات کے ایک بجے......؟''

''رات کی ڈیوٹی پوری رات ہوتی ہے اور میں روز اس وقت راؤنڈ کیا کرتا ہوں......''

''اس لیے کہ کوئی مریض جاگنے کی بدپرہیزی نہ کر رہا ہو......؟'' بیگم روبینہ نے پُرمذاق لہجے میں پوچھا۔

''جاگنے کی بدپرہیزی......'' ڈاکٹر ایاز ہنس پڑے۔

''بہت مزے کی بات کہی آپ نے بیگم جمال......!''

''مجھے میرے بچے ماما کہتے ہیں۔'' بیگم روبینہ جمال نے ڈاکٹر ایاز کی بات کاٹتے ہوئے تنبیہ بھرے لہجے میں کہا۔

''ماما......؟ تو......؟ تو کیا میں بھی......؟'' وہ بڑی بُری طرح ہکلا کر رہ گئے۔

''ہاں بیٹے! جس طرح میں تمہیں بیٹا کہتی ہوں۔ اسی طرح تم بھی مجھے کہہ سکتے ہو......''

''ماما...... ماما......'' ڈاکٹر ایاز نے دو تین بار زیرلب دہرایا...... پھر قدرے حیرت سے بیگم جمال کے باوقار، پُرکشش اور مشفق چہرے کی طرف دیکھا۔

''ہاں بیٹے! میں مذاق تو نہیں کر رہی۔ آؤ یہاں کچھ دیر میرے پاس بیٹھو۔ مجھے نیند نہیں آ رہی۔''

ڈاکٹر ایاز نے لپک کر ان کے قریب آتے ہوئے ان کی نبض پر ہاتھ دھر دیا۔

''نیند کیوں نہیں آ رہی آپ کو...... آپ کے لیے نیند بہت ضروری ہے ما......ما......''

تجرباتی طور پر وہ اس لفظ سے انہیں مخاطب کرنا چاہتے تھے کہ کیا یہ پیش کش محض زبانی کلامی یا اخلاقی ہی تھی یا واقعی پوری خلوص نیت سے کی گئی تھی، اسی لیے ماما کو دو ٹکڑوں میں توڑ کر بڑی جھجک کے ساتھ ادا کیا۔

اور...... اس لفظ کی ادائیگی کے ساتھ ہی ان کے چہرے پر خوبصورت سی سرخی لہرا گئی۔ ایاز کچھ اور بھی وجیہ ہو گئے۔ بیگم روبینہ بڑے غور سے ان کے چہرے کو دیکھ رہی تھیں۔

ان کی یہ سرخ و سفید رنگت، کھڑی ناک، بھرے بھرے مردانہ ہونٹ اور روشن روشن سیاہ آنکھیں، یہ ناک نقشہ اور رنگ روپ جیسے وہ پاکستانی نژاد نہ تھے۔

یقیناً مشرق اور مغرب کے ملاپ سے یہ وجاہت بھرا مجسمہ تیار ہوا تھا۔ بیگم روبینہ سوچ رہی تھیں اور شاید شکل وصورت کے ساتھ ساتھ مشرق ومغرب کے اوصاف بھی ان کی فطرت میں شامل ہوئے تھے۔

''بے حد نرم خُو تھے۔ بہت دھیمے لہجے میں بات کرتے تھے۔ بہت خلوص ومحبت والے تھے۔ اپنی ڈیوٹی کو پوری دیانتداری کے ساتھ انجام دیتے تھے......''

یہ بیگم روبینہ جمال کا ان کے متعلق مشاہدہ تھا۔ بستر پر چُپ چاپ پڑی انہیں

آتے جاتے دیکھتی رہتیں۔ ان کی بول چال، ان کی گفتگو کا انداز، دوسروں کے ساتھ ان کا رویہ، سب کچھ ہی دوسرے ڈاکٹروں سے بہت مختلف تھا۔

خود انہیں تو خیر وہ ماں کی طرح سمجھتے ہی تھے مگر دوسرے بھی سب مریضوں پر پوری توجہ اور دھیان دیتے تھے۔ نرسوں کے ساتھ بڑے مہذّب لہجے میں بات کرتے۔ کبھی انہیں اپنے سے کمتر نہ جانتے۔ وارڈ کے بیروں اور جمعداروں کے ساتھ حقارت آمیز سلوک نہ کرتے۔ وہ کسی کو حقیر سمجھتے تھے۔

اور ان کی یہی سب صفات دیکھ کر ہی اور ان سے متاثر ہو کر ہی بیگم روبینہ جمال جو تقریباً انہی کی عمر کے بچوں کی ماں تھیں، انہیں بیٹا کہنے پر مجبور ہو گئیں۔

اللہ رکھے اپنے دو بیٹے تھے۔ مزید کوئی بیٹا بنانے کی ضرورت تو کوئی نہ تھی۔ مگر ایاز کی شخصیت اور عادات نے ان کا من موہ لیا۔

''ماما...... ماما...... کتنا پیارا لفظ ہے۔'' ڈاکٹر ایاز لکڑی کا بنچ گھسیٹ کر ان کے سرہانے کے قریب لے آئے اور اس پر بیٹھتے ہوئے بیگم روبینہ سے مخاطب ہوئے۔

''ہے نا بہت پیارا لفظ......؟'' وہ بڑے پیار سے، بڑے لاڈ سے انہیں سے پوچھ رہے تھے۔

اس وقت ڈاکٹر ایاز سوٹ بوٹ نہیں پہنے ہوئے تھے۔ اوور آل نہیں پہنا تھا۔ ٹائی نہیں لگائی تھی بلکہ رات کے ڈھیلے ڈھالے شلوار قمیض میں ملبوس تھے۔ بہت اچھے لگ رہے تھے۔ بہت اپنے لگ رہے تھے۔ بالکل خرم جمال جیسے۔ بیگم روبینہ جمال انہیں دیکھتی ہی چلی گئیں۔

''ماما تمہیں بہت اچھا لگا......؟'' آنکھوں میں، ممتا کی جوت لیے وہ پوچھنے لگیں۔

''جی ہاں...... میں اپنی ماں کو بھی ماما ہی کہا کرتا تھا۔'' یہ کہتے کہتے ڈاکٹر ایاز کی آنکھیں بھیگ کر جھک گئیں۔

بیگم روبینہ نے کچھ پوچھنا چاہا مگر...... وہ ابھی کسی مناسب انداز میں سوال کرنے کے لیے الفاظ ترتیب دے رہی تھیں کہ ایاز پہلے ہی بول پڑے۔

''آخر آپ کو نیند کیوں نہیں آ رہی...... آنی چاہیے۔''

''پتہ نہیں کیوں......؟''

''کوئی فکر یا پریشانی ہے......؟''

''فکر...... پریشانی......؟'' وہ کچھ سوچتے ہوئے ہولے سے بولیں۔

''یوں دیکھا جائے تو بیٹے! میری زندگی میں ان کا دخل تو نہیں ہونا چاہیے۔ سب کچھ ہی تو خدا نے دے رکھا ہے۔''

''پھر......؟ کوئی بات ضرور ہوگی۔'' ایاز نے پورے وثوق سے کہا۔

''آپ کے اندر......''

ڈاکٹر ایاز کی اس بات پر بیگم روبینہ مسکرا پڑیں۔

''میرے اندر......'' پھر ہنسنے لگیں...... اور پھر...... قدرے توقف کے بعد گویا ہوئیں۔

''یوں تو ایاز بیٹے! لگتا ہے تم پر خدا کی سب عنایات ہیں، لیکن باتوں کے دوران مجھے محسوس ہوا جیسے اندر سے تم بھی۔''

''اوہ......!'' عجب پھیکی سی مسکراہٹ ایاز کے ہونٹوں پر پھیل گئی۔

''آپ بہت عقلمند ہیں ماما...... بہت عقلمند......''

اپنی بات کیسے ٹال گئی تھیں اور ایاز کے اندر جو کچھ تھا وہ کیسے سمجھ گئی تھیں۔ ذہانت ہی کی بات تھی۔ ایاز بہت متاثر ہوئے۔

''تو پھر اپنی ماما کو بتاؤ گے نہیں کہ......''

''کیوں نہیں......'' ان کی قدر ایاز کے دل میں زیادہ ہو گئی تھی۔ بغیر لگی لپٹی یا حیل وحجت کے پوری سچائی سے بولے۔

''ماما نہ صرف زبان سے کہہ دیا بلکہ دل سے بھی مان لیا ہے تو پھر کچھ بھی چھپاؤں گا کیوں......؟''

بیگم روبینہ جمال کو اپنائیت بھری نگاہوں سے دیکھتے ہوئے اٹھ کر کھڑے ہو گئے۔

''میں ذرا وارڈ کا ایک چکر لگا آؤں۔''

''میرا خیال ہے سب سو رہے ہیں......'' روبینہ کا دل نہیں چاہ رہا تھا کہ اس وقت ایاز ان کے پاس سے اُٹھ کر جائیں...... وہ بڑی دلچسپی سے ان کی گفتگو سن رہی تھیں۔

''لیکن ماما! یہ بھی تو ہوسکتا ہے کہ آپ کی طرح کوئی صرف آنکھیں بند کیے پڑا ہو اور سونے کے بجائے کچھ سوچ رہا ہو۔''

وہ مسکرا پڑیں۔ ''لیکن میرا تمہیں کیسے پتہ چلا تھا کہ میں جاگ رہی ہوں۔ میری بھی تو آنکھیں بظاہر بند تھیں۔''

''اور جو آپ کے سینے پر پڑے آپ کے ہاتھ کی انگلیاں حرکت کر رہی تھیں۔''

''اوہ......!''

''ماما! ہم مریضوں کو خالی خولی بس دوائیاں اور انجکشن ہی نہیں دیتے رہتے بلکہ نفسیاتی طور پر بھی ان کا علاج کرتے ہیں اور بعض مریض دواؤں سے زیادہ ہمارے سائیکلوجیکل ٹریٹ منٹ سے صحت یاب ہو جاتے ہیں۔''

اور ڈاکٹر ایاز اپنا فقرہ پورا کرتے ہوئے اٹھ کر دوسرے مریضوں کی طرف چلے گئے۔ پورے وارڈ کا چکر لگاتے لگاتے اور نرسوں کو کچھ ضروری ہدایات دیتے ہوئے وہ واپس روبینہ جمال کے بیڈ کی طرف آئے تو ان کے ہونٹوں پر مسکراہٹ تھی اور نگاہیں ایاز ہی کے وجود پر جمی تھیں......

''مجھے کافی وقت لگ گیا۔ آپ کو ابھی تک نیند نہیں آئی......؟''

''آ رہی تھی مگر میں نے بڑی مشکل سے خود کو بیدار رکھا۔''

''اوہو...... ایسا نہیں کرنا تھا۔ نیند آپ کے لیے بہت ضروری ہے۔''

''اور مجھے لگ رہا تھا اپنے ایاز بیٹے کے ساتھ چند باتیں کر لینے کے بعد جو نیند آئے گی وہ زیادہ گہری اور پُرسکون ہوگی۔''

ڈاکٹر ایاز نے ایک پُرکشش سی مسکراہٹ کے ساتھ پھر اسی بنچ پر بیٹھتے ہوئے بیگم روبینہ کی نبض تھام لی۔

''یہ تم بار بار میری نبض کیوں محسوس کرتے ہو؟''

''ماما! کیا اپنا فرض نہیں ادا کروں......؟'' ماما کا لفظ بہت دھیمے اور میٹھے سے سر میں ادا کرتے تھے۔ جسے اس کے ساتھ ہی ان کے دہن میں شیرینی سی گھل جاتی تھی۔ ایک علیٰحدہ اور انوکھی سی لذت حاصل ہوتی تھی۔

پھر...... ساتھ ہی ان کی آنکھوں میں ایک خوب صورت سی چمک لہرا جاتی تھی۔ بیگم روبینہ جمالؔ بہت ذہین تھیں، بہت سمجھدار تھیں۔

ایاز کی کیفیت دیکھتے ہی ان کا احساس ایک منٹ میں انہیں ان کی والدہ تک پہنچا دیتا تھا۔ اب بھی ایسے ہی ہوا۔ ایاز کی آنکھوں کی خوبصورت اور حیات افروز چمک ہی کو دیکھتے ہوئے ان کی بات کا جواب دینے کے بجائے وہ انتہائی مشفق اور خلوص بھرے لہجے میں پوچھنے لگیں۔

''تمہاری ماں کہاں ہے بیٹے......؟''

''ماں...... ماں......'' ڈاکٹر ایاز ڈوبے ڈوبے چہرے سے بیگم روبینہ کو دیکھتے ہی چلے گئے۔ آنکھوں سے وہ زندگی سے بھرپور چمک غائب ہو چکی تھی اور...... اب وہاں ویرانے آباد تھے۔

''اوہ...... یہ میں نے کیا کیا......؟'' بیگم روبینہ پریشان سی ہو گئیں۔ پتہ نہیں ایاز کے کن دُکھوں پر انہوں نے نشتر رکھ دیا تھا...... معذرت کرنے کے لیے وہ ابھی کچھ کہنے ہی لگی تھیں کہ یکا یک ایاز چونکے۔ آنکھوں میں پھر وہی جوت اتر آئی۔ ہونٹوں پر ایک مسکراہٹ سی پھیل گئی۔

''آپ نے میری ماں کا پوچھا ہے...... کہاں ہے......؟''

''ہاں...... لیکن......'' یوں تو ایاز کی کیفیت اب ٹھیک تھی، مگر ان کے اس سوال سے پہلے جو انہیں تکلیف پہنچی تھی۔ جس کا اظہار ان کی زبان نے تو نہیں البتہ انداز نے ضرور کر دیا تھا اور وہ سمجھ بھی گئی تھیں۔ تب اس ذکر سے گریز کرنے کے لیے کچھ کہنے لگی تھیں کہ ایاز پہلے ہی بول پڑے۔

''میری ماں میرے سامنے ہے۔ نہیں ماما......؟'' ڈاکٹر ایاز نے جھک کر بڑے

ہی دلفریب انداز میں ان کی آنکھوں میں جھانکا۔

''ہاں ہاں...... کیوں نہیں...... کیوں نہیں......'' کہنے کو تو بیگم روبینہ نے کہہ دیا۔

لیکن...... ان کی آنکھوں میں تجسّس اسی طرح موجود تھا۔

جانے کیا وجہ تھی۔ ماں کے ذکر سے وہ اتنا ویران سا کیوں ہو گیا تھا......؟ وہ سوچنے لگیں۔

''کیا بات ہے ماما......؟ آپ کیا سوچ رہی ہیں......؟''

''کچھ نہیں......''

''نہیں ماما! کچھ ہے۔ آپ مجھ سے کچھ چھپا رہی ہیں......''

''میں نے تو نہیں بیٹے! تم نے مجھ سے کچھ چھپایا ہے۔'' اور ان کے اندر جو الجھن تھی وہ بڑی سچائی کے ساتھ زبان پر لے آئیں۔

''اوہ...... آپ کا اشارہ سمجھ گیا ہوں۔'' ایاز یکدم سنجیدہ ہو گئے۔

''آپ سے نہ کچھ چھپانا چاہتا ہوں اور نہ کچھ چھپا سکتا ہوں۔ بس صرف اس موضوع سے بچنا چاہتا ہوں۔ آپ کی خاطر ماما! صرف آپ کی خاطر۔''

''میری خاطر......؟'' روبینہ جمال نے تعجب سے انہیں دیکھا۔

''آپ کو مجھ سے پیار نہیں......؟''

''ہے...... بہت...... بہت......'' وہ خلوصِ دل کے ساتھ یکا یک بول پڑیں......

''یقین نہ آئے تو......''

''یقین ہے...... اسی لیے تو کچھ بھی بتانے سے گریز کر رہا تھا۔ آپ دل کی مریضہ ہیں اور آپ کے اس سوال کا جواب کوئی اتنا خوشگوار نہیں ہے۔ کہیں آپ کو کوئی تکلیف نہ پہنچ جائے۔ بہت حساس دل کی مالک ہیں نا۔ پھر میرے فرض میں کوتاہی ہو جائے گی۔''

ڈاکٹر ایاز نے انہیں سمجھانے کی پوری پوری کوشش کی۔ لیکن...... بیگم روبینہ جمال کے دل میں ایاز کے لیے جو ممتا اتر آئی تھی، وہ اب خاموش نہیں رہ سکتی تھی۔

''میں وعدہ کرتی ہوں کہ تمہارے فرض پر آنچ نہیں آنے دوں گی، کیسا بھی

تمہارا جواب ہوا۔ اس کے اثرات دل تک نہیں پہنچنے دوں گی۔"

وہ ایک نمایاں سی بے تابی کے ساتھ بولیں۔ ایاز کے اندر کوئی دکھ تھا تو وہ ہمدردی، خلوص اور تسلی کے چند بولوں سے اس زخم پر مرہم بھی تو رکھ سکتی تھیں۔ ضروری نہیں تھا کہ صرف دل کو لگا کر بیماری بڑھا لیتیں۔

انسان ایک دوسرے کے دکھ بانٹنے کے لیے ہوتے ہیں۔ قول سے، فعل سے، محبت سے، پیار سے، خالی خولی دل میں احساس یا غم بھر لیا تو کیا ہوا۔

"اور اب تم نے میری بات کا جواب دینے میں دیر لگائی تو ڈر ہے کہیں یہ والی صورت، تمہارے فرض پر آنچ نہ لے آئے۔ تمہارے لیے میرے دل میں جو مامتا ہے وہ بے تابی بن کر دل پر اثر انداز نہ ہو جائے۔"

"سچ ماما! آپ مجھے اتنا اپنا سمجھتی ہیں؟" ڈاکٹر ایاز عجیب سے جذبوں میں سرشار انہیں تکنے لگے۔

"مجھے فخر ہے کہ ایسی پُرخلوص اور مشفق ہستی نے مجھے اپنا بیٹا بنایا ہے...... ورنہ ماما! آج تک میرے پاس صرف محرومیاں ہی محرومیاں تھیں۔"

"تمہاری ماں......؟" بڑی دیر سے یہ سوال اندر دبائے تھیں اور تو سب کچھ ایاز کے پاس تھا اور سب کچھ ہونے کے باوجود، کوئی محرومی اگر ہو سکتی ہے تو یہی...... ہاں یہی...... یہ ان کا ذاتی تجربہ تھا۔

"ماما! مجھے علم ہی نہیں کہ میری ماں کہاں ہے......؟" اتنی دیر سے وہ جس سوال کا جواب دینے سے بچ رہے تھے آخر...... حلق میں جیسے کوئی بھاری سی چیز پھنسی ہوئی ہے...... ایک دم سے نگل لی...... یا پھر اُگل دی......

"کیا مطلب......؟" بیگم روبینہ نے ان کے اس غیر متوقع سے جواب سے حیران ہوتے ہوئے اُٹھ کر بیٹھنے کی کوشش کی۔

"دیکھیے...... آپ وعدہ خلافی کر رہی ہیں...... لیٹے لیٹے اور حیران ہوئے بغیر میری بات سُنیے......"

ایاز نے انہیں کندھوں سے پکڑ کر واپس لٹاتے ہوئے ان کا ہاتھ تھام لیا۔ پھر

ہولے ہولے ان کا ہاتھ سہلاتے ہوئے چپکے سے، بالکل نامحسوس انداز میں ایک ہاتھ ان کی نبض پر دھر دیا۔

وہ نارمل تھیں...... تشکر و اطمینان بھرا ایک سانس لیتے ہوئے آہستہ سے بولے......

''میری ماں انگریز ہے...... باپ پاکستانی......'' بیگم روبینہ جمال کا تجسّس دور کر دینا ہی بہتر تھا۔ وہ خود ہی تفصیل سے بتانے لگے۔

''میں چھ سال کا تھا۔ جب دونوں میں علیحدگی ہوگئی اور پھر میری ماں نے اپنے کسی ہم وطن انگریز کے ساتھ شادی کر لی۔''

''پھر......؟'' ایاز سانس لینے کے لیے ذرا رُکے تو روبینہ جمال نے بے قراری سے پوچھا......

''شادی کر کے وہ جانے کہاں چلی گئیں...... اس کے بعد میں باپ کے پاس ہی رہا ہوں......''

''پھر تمہاری ماں تمہیں کبھی نہیں ملی......؟''

''نہیں......''

''تمہیں یاد آتی ہے......؟'' بیگم روبینہ کی آنکھوں میں ایک درد سا لہرایا......

''اکثر...... لیکن اب کچھ دنوں سے نہیں......''

''کیوں......؟''

''آپ پوچھ رہی ہیں......؟ آپ نے شاید دل سے مجھے بیٹا نہیں مانا......'' ڈاکٹر ایاز شگفتہ انداز میں بولے۔

''اوہ......!'' بیگم روبینہ نے مسکراتے ہوئے ایاز کا ہاتھ اپنے دونوں ہاتھوں میں جکڑ لیا۔

''مانا کیوں نہیں...... پگلے! دل و جان سے مانا ہے...... پھر ایسی بات نہ کہنا......''

اور...... انہیں ہلکی سی، مامتا بھری، ڈانٹ دینے کے بعد ان کی آنکھوں میں غور سے دیکھتے ہوئے پھر گویا ہوئیں۔

''تمہاری حقیقی ماں کیسی تھی......؟''

''چند سال تک تو اس کا ہیولیٰ سا آنکھوں میں بسا رہا۔ وقت کے ساتھ ساتھ پھر وہ ہیولیٰ ایک حسرت بن گیا۔ تب اس کا کوئی نقشہ یا حلیہ نہیں تھا...... اور اب......''

وہ بڑے غور سے بیگم روبینہ جمال کے چہرے کو دیکھنے لگے۔

''جب سے آپ کو دیکھا ہے۔ لگتا ہے آپ جیسی تھیں۔ ایسی ہی سفید اور سرخ سی۔ ایسے ہی تیکھے تیکھے نقوش۔ ڈیڈ سے سنا تھا بڑی خوبصورت عورت تھیں۔''

''اس کے بعد تمہارے باپ نے دوسری شادی کر لی......؟''

''نہیں...... انہیں ماما سے بہت پیار تھا۔''

''ماما......؟'' بیگم روبینہ جمال چونکیں۔

''میں اپنی ماں کو ماما ہی کہا کرتا تھا۔ شاید یہی لفظ مجھے آپ کے اتنا قریب لے آیا ہے......''

''مجھے حالانکہ اپنی اولاد سے امی کہلوانا پسند تھا۔ مگر میرے دیور نے بھی ایک انگریز عورت سے شادی کی تھی۔ اس کے بچے اسے ماما کہا کرتے تھے اور پھر ان کے دیکھا دیکھی میرے بچے بھی ماما کہنے لگے۔''

''شاید اسی لیے...... کہ مجھے اسی لفظ کے تعلق سے بندھ کر ماں ملنا تھی۔''

''ہاں...... شاید......'' ایاز ہی کی سوچوں میں کھوئی ہوئی تھیں۔ مختصر سا جواب دے کر پھر گم سم سی ہو گئیں۔

''اب آپ سو جائیے ماما......!'' انہیں چُپ چُپ دیکھ کر ایاز بولے۔

''نہیں...... ابھی تھوڑی دیر اور تم سے باتیں کروں گی...... مجھے تم پر بہت پیار آ رہا ہے اور جب تک اس جذبے کی شدت میرے ہوش و حواس کے علاوہ میرے پورے وجود میں پھیل کر مجھے ایک عجیب سی لذت سے سرشار کیے دے رہی ہے، میں نیند کی دُھند میں ڈوب کر اس کی آنچ کم نہیں کرنا چاہتی......''

''اوہ......!'' ان کی شفقت، محبت اور خلوص کے سامنے ایاز کا سر عقیدت سے جھک گیا۔

''آگے بتاؤ...... ماں کے بعد تمہاری دیکھ بھال کس نے کی......؟''

وہ ان میں، ان کے حالات میں پوری دلچسپی لے رہی تھیں۔

''ڈیڈ نے...... وہ مجھے بہت پیار کرتے تھے...... مگر......''

اور...... جیسے آگے وہ کچھ کہہ نہ سکے...... لب بھینچ کر آنکھیں بھی میچ لیں......

''مگر کیا......؟'' بے چین سی ہو کر انہوں نے ایاز کے سر پر ہاتھ رکھ دیا۔

''میں ڈاکٹری کی تعلیم حاصل کر رہا تھا۔ جب وہ مجھے اس دنیا میں تن تنہا چھوڑ گئے......'' کپکپاتے ہونٹوں سے انہوں نے بتایا۔

''اوہ......!'' بیگم روبینہ نے انتہائی دکھ سے ایک آہ بھری۔ ایاز نے جلدی سے ان کی نبض تھام لی۔

''زندگی نے تمہیں اتنے زخم دیئے ہیں میرے بیٹے......!'' وہ ہولے سے بڑبڑائیں۔

''ماما! اب سب کچھ ٹھیک ہے۔ میرے سب زخم مندمل ہو گئے ہیں۔''

ایاز گھبرا گھبرا کر ان کے دل کی دھڑکن مشین میں دیکھنے لگے...... گو کچھ دیر پہلے جیسی ٹھیک نہ تھی۔ مگر بہت ابتر بھی نہیں تھی۔ وہیں سے نرس کو ایک دوا بتائی کہ جلد لے کر آئے۔

''میں ٹھیک ہوں ایاز......!''

''خدا آپ کو ٹھیک ہی رکھے۔ صرف احتیاط کے طور پر یہ دو گولیاں نگل لیں۔''

نرس سے لے کر خود انہوں نے اپنے ہاتھوں بیگم روبینہ کا سر ذرا سا اونچا کر کے گولیاں منہ میں ڈال دیں۔ پھر اپنے ہاتھ سے انہیں پانی پلا کر آرام سے بٹھا دیا۔

''جب تمہارے والد فوت ہوئے ہیں تم اس وقت کہاں تھے......؟'' وہ ایاز ہی کے متعلق سوچے جا رہی تھیں...... ''یہاں پاکستان میں......؟''

''نہیں...... انگلستان میں...... میرے ڈیڈ نے ماما کے بعد نہ وہ شہر چھوڑا، نہ ملک، نہ گھر۔''

''پھر تمہاری ماما کو پتہ چلا......؟''

''مجھے کچھ معلوم نہیں۔ میں ہوسٹل میں تھا۔ ان کی آخری رسومات میں شرکت ضرور کی۔ پھر چونکہ میرے امتحانات تھے۔ میں دوسرے دن ہی واپس ہوسٹل چلا گیا۔''

''پاکستان کب آئے اور اپنے والد کے رشتہ داروں سے ملے......؟''

بیگم روبینہ جمال ایاز کے متعلق سب کچھ ہی جان لینا چاہتی تھیں۔ ان کے ماضی کی داستان دلچسپ بھی تھی، منفرد بھی تھی۔ اور...... دردانگیز بھی۔ ان کے لیے دل میں بہت سارے جذبے اتر رہے تھے۔

''ڈیڈ کی خواہش کے مطابق پھر میں نے وہیں اعلیٰ تعلیم حاصل کی اور اب آٹھ دس مہینے پہلے پاکستان آیا ہوں۔''

''ڈاکٹری کی اعلیٰ تعلیم اور یہ نوکری......؟''

''ماما! میں یہاں اجنبی تھا۔ نہ کوئی سفارش پاس تھی اور نہ مال و دولت۔ جو بھی نوکری مل گئی۔ بس...... لے لی......'' پھر بڑے دلآویز انداز میں مسکرائے اور قناعت بھرے لہجے میں بولے۔

''ماما! اللہ کی مخلوق کی خدمت ہی کرنا ہے نا...... وہ اس نوکری مین بھی کر رہا ہوں...... کیا فرق پڑتا ہے......نہیں......؟''

''لیکن......'' ایاز کی قناعت نے انہیں خاصا متاثر کیا۔ پھر بھی...... کچھ بے چین سی ہوکر بولیں۔ ''وہاں تمہارا مستقبل زیادہ روشن ہوسکتا تھا۔''

''ضرور ہوسکتا تھا، لیکن مجھے ڈیڈ نے زیادہ پیار دیا تھا۔ اس لیے میں نے ہمیشہ ماں کے وطن کو پردیس اور پاکستان کو ڈیڈ کے تعلق سے اپنا دیس جانا اور آپ نے یہ نہیں سنا۔ دیس کی آدھی پردیس کی ساری سے بہتر ہے۔''

''ہاں...... یہ درست ہے۔'' ڈاکٹر ایاز اس چھوٹی عمر میں اتنے بڑے اور اونچے خیالات رکھتے تھے۔ بیگم روبینہ جمال کو کچھ اچنبھا بھی ہوا مگر ساتھ ہی بے حد مسرت بھی ہوئی۔

''ماما! آپ کو شاید یقین نہ آئے مگر میں ایک انگریز عورت کے بطن سے جنم لے کر بھی اور عمر کے پچیس سال دوسرا مذہب رکھنے والے لوگوں اور ملک میں گزارنے کے

باوجود پورا اور پکا مسلمان ہوں۔ میرے ڈیڈ خود بھی نمازی اور روزہ دار تھے اور مجھے بھی انہوں نے ایسی ہی تعلیم دی۔"

"یہ تو بڑی اچھی بات ہے۔" وہ ڈاکٹر ایاز کی باتوں سے بہت متاثر ہو رہی تھیں۔ "اور یہ سب سن کر مجھے بے حد خوشی بھی ہوئی ہے۔" بیگم روبینہ جمال کی آنکھیں نیند سے بوجھل ہونے لگی تھیں۔

"اسی لیے پھر تعلیم مکمل کرتے ہی میں اپنے مذہب اور اپنے وطن کے لوگوں کے پاس چلا آیا۔"

"یہاں تمہارے باپ کے رشتہ دار تمہیں ملے......؟"

"نہیں...... کسی کا پتہ ہی نہیں تھا۔ ویسے کوشش کرتا تو ضرور مل جاتے۔"

"پھر کیوں کوشش نہیں کی......؟ کرنا چاہیے تھی۔"

ایاز بیگم روبینہ کی اس بات کا کوئی جواب نہ دے سکے۔ چپ سے ہو کر انہیں دیکھتے رہ گئے...... وہ اپنی آنکھیں جھپکے جا رہی تھیں۔

"تم نے بتایا نہیں ایاز......! کیوں ملنے کی کوشش نہیں کی......؟" انہوں نے دوبارہ پوچھا۔

ایک لمحے کے لیے ڈاکٹر ایاز نے کچھ سوچا...... پھر ایک خوبصورت اور معصوم سی مسکراہٹ کے ساتھ بولے۔

"اتنی ضرورت بھی نہ تھی ماما! یہ ہسپتال کے لوگ، مریض، ڈاکٹر، سبھی تو میرے اپنے ہیں...... اور...... اور......"

انہوں نے بڑے غور سے بیگم روبینہ جمال کی آنکھوں میں دیکھا...... "بغیر کھوج کے بغیر، تلاش کیے مجھے یہاں اپنی ماما مل گئیں۔ جو یہاں کی نہ تھیں۔ پھر بھی یہاں مل گئیں۔ یونہی دوسرے رشتہ دار بھی مل جائیں گے۔ ویسے اصل رشتہ تو وہی ہوتا ہے ماما! جسے دل بنائے اور من مانے۔"

"بہت خوب صورت بات۔ بہت مناسب بات کہی تو۔ اصل رشتہ خون کا نہیں جذبے اور دل کا ہوتا ہے...... اور...... اور......"

بیگم روبینہ جمال مزید نجانے کیا کہنا چاہتی تھیں۔ ان کی زبان لڑکھڑائے جا رہی تھی اور آنکھیں باوجود پوری قوت سے کھولنے کے کھل نہیں پا رہی تھیں۔ آپ ہی آپ بند ہوئی جا رہی تھیں۔

ڈاکٹر ایاز نے انہیں خواب آور دوا کھلا دی تھی۔ بہت رات جاگ چکی تھیں۔ بہت دیر باتیں کر چکی تھیں۔ اب ان کے لیے سونا بہت ضروری تھا۔

''اور......'' آگے وہ کچھ بھی نہ کہہ سکیں۔ آنکھیں بند ہو گئیں اور گردن ایک جانب ڈھلک گئی۔

نیند ان پر پوری طرح غالب آ چکی تھی۔ ڈاکٹر ایاز کئی لمحے انہیں اس طرح پڑے ہوئے دیکھتے رہے، پھر مسکرا کر ایک اطمینان بھرا سانس لیا اور اٹھ کھڑے ہوئے......

●......●......●

ڈاکٹر ایاز راؤنڈ پر آئے تو بیگم روبینہ جمال پھر جاگ رہی تھیں۔ وارڈ کے اندر داخل ہوتے ہی پہلی نگاہ انہی پر پڑی تھی۔

ارادۃً بھی، اچانک بھی، کچھ ایسا تعلق اور اُنس سا ان کے ساتھ ہو گیا تھا کہ ہر وقت ذہن انہیں کے متعلق سوچتا رہتا اور دل چاہتا کہ ان کے پاس بیٹھے رہیں، ان سے باتیں کرتے رہیں۔

ان کا مشفق لب و لہجہ، ان کے خلوص میں ڈوبے الفاظ، ان کی نگاہوں سے پھُوٹتی ماں‌تا کی پیار و محبت کی کرنیں، ڈاکٹر ایاز کے اندر محرومیوں نے جو تاریکیاں پھیلا رکھی تھیں وہ سب دور ہو جاتیں۔ من میں روشنیاں ہی روشنیاں اتر آتیں۔

ڈاکٹر ایاز کی ماں کی طلب والی پیاس اتنے اچھے انداز میں بجھی کہ ان کا رواں رواں سیراب ہو اٹھتا۔ ان پر نشے کی سی کیفیت طاری ہو جاتی، سرور سے وہ جھوم جھوم جاتے۔

بیگم روبینہ جمال کے وجود نے ان کی ساری محرومیاں، ساری تشنگیاں دور کر دی تھیں۔ وہ ان کے احسان مند تھے۔

اچھا ہی ہوا۔ وہ پاکستان چلے آئے۔ بیگم روبینہ جمال سے ملنے کے بعد انہوں نے یہ کئی بار سوچا، سینکڑوں بار سوچا، ہزاروں بار سوچا اور اللہ کا شکر ادا کیا۔

اور...... اس وقت بھی وہ انہی کے متعلق بڑی میٹھی میٹھی اور حیات آفریں سوچیں سوچتے ہوئے وارڈ میں داخل ہوئے تھے۔

وہ جاگ رہی تھیں۔ نگاہ سے نگاہ ٹکرائی۔ جب وہ آئی تھیں تو پہلے کچھ دن تو انہیں یہ بے خوابی کی شکایت نہیں ہوئی تھی۔ ایک بجنے والا تھا اور وہ ابھی تک سوئی نہ تھیں۔

شاید دواؤں کا اثر تھا...... نیند ٹھیک آتی تھی۔ اب انہیں فاقہ تھا۔ دوائیں کم ہوئیں تھیں۔ تو نیند بھی کم ہونے لگی تھی...... مگر...... ایسا ہونا نہیں چاہیے تھا۔ وہ متردّد تھے۔

سب سے پہلے ان کے پاس جانے کی تمنا دل میں رکھنے کے باوجود ایاز دوسرے بیڈ کی طرف چلے گئے۔ پھر تیسرے، چوتھے پھر ان کے بیڈ کے سامنے سے گزر گئے۔ وہ انہی کی طرف دیکھ رہی تھیں۔

''آپ کی باری آخری ہے۔'' ڈاکٹر ایاز مسکرا کر آگے بڑھ گئے۔ انگلی اٹھا کر اور مسکرا کر بات کرنے کا انداز بیگم روبینہ جمال کو بڑا معصوم اور بڑا پیارا لگا۔ دل سے ان کے لیے دعا نکلی اور چہرے پر مسکراہٹ پھیل گئی۔

دوسرے مریضوں کو دیکھتے دیکھتے اور نرسوں کو ہدایت دیتے دیتے انہیں بہت وقت لگ گیا۔ حالانکہ زیادہ تر مریض سوئے ہوئے تھے، لیکن پھر بھی ان کے متعلق نرس سے ہی اچھی طرح کچھ پوچھا، کچھ بتایا، سمجھایا۔ دو بڑے سیریس تھے۔ ان کے پاس کافی وقت گزارا۔

''ماما کہیں سو نہ جائیں۔'' کام کرتے کرتے دو تین بار یہ خیال آیا بھی، لیکن پھر بھی اس طرف نہیں آئے۔ دوسرے مریضوں کے بھی ان پر کچھ حقوق تھے۔

''ہمیشہ دل کی بات نہیں مانا کرتے ڈاکٹر ایاز! فرض پہلے اور جذبے بعد میں۔'' خود کو سمجھا کر کام میں مصروف رہے۔

اور...... جب فارغ ہو کر آئے تو سچ مچ بیگم روبینہ جمال سو چکی تھیں۔

''اوہو...... ماما! ہمارا انتظار تو کیا ہوتا۔ ہم نے سوچا تھا کہ آخر میں آپ کے

پاس آئیں گے۔ سارے فرائض سے فارغ ہوں گے تب پھر ڈھیر سارا وقت اپنی ماما کے پاس گزاریں گے۔"

جھک کر ان کے سرہانے لگے چارٹ کو غور سے دیکھتے ہوئے وہ ہولے ہولے بڑبڑائے۔

"ماما تو اس لیے سوگئی تھیں کہ ماں کو فوقیت دینے کے بجائے بیٹے نے اس کی باری آخر میں رکھ دی ہے۔"

بیگم روبینہ جمال بند آنکھوں سے بول پڑیں تو ایاز چونکتے ہوئے ایک دم مسکرا اُٹھے۔ آنکھوں میں روشنیاں سی اُتر آئیں۔

"باری آخر میں رکھنے کا مقصد یہ تھا کہ فرائض سے فارغ ہو چکا ہوں گا۔ پھر ڈھیر سارا وقت آپ کے پاس بیٹھوں گا۔ دل کے اندر کوئی بے سکونی تو نہ ہوگی کہ ابھی یہ کرنا ہے وہ کرنا ہے۔"

اسٹول بیڈ کے نیچے سے نکال کر وہ اس پر بیٹھ گئے۔

"پھر آدھی رات ہے اور آپ جاگ رہی ہیں؟"

"نیند نہیں آتی۔"

"کیوں؟ کوئی پرابلم ہے؟ کوئی گھریلو...... کوئی بچوں کی...... کوئی شوہر کی...... جو کوئی بوجھ ہے آپ کے دل پر وہ اتار پھینکیے۔" انہوں نے جھک کر بڑے پیار سے بیگم روبینہ جمال کی آنکھوں میں جھانکا۔

"ڈال دیجیے اپنے اس بیٹے کے کندھوں پر اور خود تندرست ہو جائیے۔ میں آپ کو ٹھیک ٹھاک دیکھنا چاہتا ہوں۔ ایک ڈاکٹر اور مریضہ والے تعلق سے بھی اور ماں بیٹے والے رشتے سے بھی۔"

بیگم روبینہ چُپ چاپ ڈاکٹر ایاز کی باتیں سنتی رہیں اور کچھ سوچتی رہیں۔

"کیا میرا مقام؟"

"نہیں نہیں......" بیگم روبینہ اپنے خیالات سے چونکیں۔ ایاز کی بات درمیان میں سے ہی پکڑ لی۔

''تمہارا مقام میری نگاہوں میں کیا ہے، یہ مت پوچھو۔ آنے والا وقت خود بخود ہی بتا دے گا۔ میں تو صرف یہ سوچ رہی تھی کہ''

بات کرتے کرتے وہ خاموش ہو کر پھر کھو سی گئیں۔

''کیا سوچ رہی تھیں......؟'' ڈاکٹر ایاز نے ایک نمایاں سی بیقراری کے ساتھ پوچھا۔

''یہی کہ...... یہی کہ...... درصل بات بڑی چھوٹی، بڑی معمولی ہے۔ میرا خیال ہے میں ہی غلط رنگ میں لیتی ہوں۔'' وہ کسی دبدھا میں پڑیں تھیں، اور...... نہ کہہ پا رہی تھیں اور نہ کہے بنا رہ سکتی تھیں۔ ایاز کا انداز، ایاز کی تسلیاں، زبان کھول دینے پر مجبور بھی کر رہی تھیں۔

''بتایئے تو سہی...... مجھے اتنا یقین ہے کہ آپ جیسی عقل مند اور سمجھدار خاتون غلط رنگ میں نہیں لے سکتی بلکہ۔''

''بلکہ...... بلکہ کیا......؟'' وہ ڈوبی ڈوبی سی ابھریں۔

''میں نے جیسا آپ کو سمجھا ہے آپ بہت بڑے ظرف کی مالک ہیں اور بڑے ظرف والا انسان بڑی سے بڑی بات کو چھوٹی کہہ کر نظرانداز کر دے گا، مگر یہ دل یہ تو اثر قبول کرے گا ہی اور آپ کے دل نے کر بھی لیا۔ بس...... کچھ اسی کے حال پر رحم کر لیں۔''

ڈاکٹر ایاز بڑی اپنائیت سے انہیں سمجھا رہے تھے۔

''مجھے ابھی ابھی ماں ملی ہے ماما! بہت سالوں کی جدائی کے بعد...... میں اسے پھر کھونا نہیں چاہتا۔''

ڈاکٹر کا ہاتھ ان کی نبض پر تھا۔ بیگم روبینہ نے ان کے اسی ہاتھ پر اپنا دوسرا ہاتھ رکھ دیا۔

''میں خود بھی زندہ رہنا چاہتی ہوں۔ تمہارے لیے بھی اور اپنے دوسرے بچوں کے لیے بھی۔ لیکن...... لیکن......''

''لیکن کیا۔ آپ انشاء اللہ زندہ رہیں گی۔'' ایاز پُرزور لہجے میں بولے۔ ''بہت

برس۔ ہمارے پاس رہیں گی۔"

"کیسے......؟" انہوں نے ناامیدی سے ایاز کی آنکھوں میں دیکھا۔

"میں کیسے زندہ رہوں گی۔ جبکہ...... جبکہ۔"

"ہاں ہاں۔ کہیے جو کچھ دل میں ہے۔ مجھ سے جھجکیے نہیں۔"

"وہ...... وہ دیکھو نا۔" تھوڑا سا جھجکنے، ہچکچانے کے بعد آخر وہ رندھی ہوئی آواز میں دل کی بات زبان پر لے ہی آئیں۔

"تقریباً ایک ہفتہ ہو گیا مجھے یہاں آئے ہوئے۔ قاسم دو یا تین بار مجھے ملنے آئے ہیں۔ وہ بھی دو دو چار چار منٹ کے لیے اور بچے...... بچے...... ایک بار بھی نہیں۔"

آخری الفاظ جیسے بڑی مشکل سے حلق سے نکلے اور پھر ان کے رخساروں پر آنسو قطار در قطار بہنے لگے۔

"ارے...... ماما...... ماما......" ایاز بے قرار سے ہو گئے، لیکن سمجھ میں نہیں آ رہا تھا کہ کیا کہیں۔

"یوں ایاز! تم ہی بتاؤ۔ میں کیسے صحت مند ہو سکتی ہوں۔ دوسروں کا بھی تو ساتھ، تھوڑا سا ہی۔"

"تھوڑا سا نہیں ماما بہت! بہت حصہ ہونا چاہیے۔ تب ہی تو میں نے کہا تھا کہ آپ کے لیے نہ کوئی وقت کی پابندی ہے اور نہ کوئی ہسپتال کا قانون یا اصول۔ آپ کے پاس جب آپ کا کوئی بچہ یا شوہر آنا چاہے آسکتے ہیں۔ یہ بھی آپ کی بیماری کا ایک علاج ہے۔ بہت ضروری علاج...... ماما......! مگر حیرت ہے۔"

ایاز دن کو ہسپتال میں ہوتے نہیں تھے اس لیے انہیں اس بات کا علم ہی نہیں تھا۔ اب بیگم روبینہ جمال کے منہ سے سنا تو حیرت کے مارے دم بخود سے رہ گئے۔

"تم نے کہا تھا نا۔ لیکن قاسم کے اصول تو ہمیشہ اٹل ہوتے ہیں۔ وہ نہ خود کبھی بے اصول ہوتے ہیں اور نہ تمہاری دی گئی اس بے اصولی والی رعایت کو قبول کریں گے......؟"

"کیا واقعی......؟"

''تبھی تو دیکھو تمہاری رعایت بے فائدہ ہی رہی۔''

''حیرت ہے۔ آپ جیسی سلجھی ہوئی اور منفرد سی شخصیت والی خاتون کے شوہر کو تو ملنے والی ایسی رعایت کا ایک ایک پل سمیٹ لینا چاہیے تھا۔''

ایاز بیگم روبینہ کے سراپا کو بڑے غور سے دیکھ رہے تھے۔ کوئی کمی ان کی شخصیت میں نہ تھی۔ بڑے خوش قسمت وہ لوگ تھے جن کی یہ تھیں۔ وہ رشک کر رہے تھے ان سب پر۔

''یہی تو دُکھ ہے۔'' ایک ہمدرد کو سامنے پا کر بیگم روبینہ جمال نے دل کے سارے چھالے پھوڑ دیئے۔

''نہ خود سمیٹا نہ بچوں کو اس میں سے کچھ حصہ لینے دیا۔ یہ تو کبھی انہوں نے سوچا ہی نہیں کہ جذبے اصولوں سے زیادہ نازک ہوتے ہیں۔ قیمتی ہوتے ہیں اور حساس ہوتے ہیں۔''

ان کے آنسو رخساروں پر بہے جا رہے تھے اور ایاز کے ہاتھ پر دھرے ہاتھ کی گرفت سخت ہوتی جا رہی تھی۔

''جذبے ٹوٹیں تو دل ٹوٹ جاتے ہیں۔ اندر کچھ بھی نہیں رہتا۔ اصول ٹوٹیں تو...... تو بعض وقت ٹوٹنے والے اصول ٹوٹے دلوں کو جوڑنے والا مرہم بن جاتے ہیں۔ کیوں ایاز! جب کسی کی خاطر کوئی اپنے اصول توڑے گا۔''

''تو ماما'' ایاز نے جلدی سے ان کی بات، ان کے دل کی بات ایک خواہش کی طرح پوری کر دی۔

''اس سے بڑی سعادت اور خوشی اور محبت اور کوئی نہیں ہو سکتی۔''

''بس یہی خوشی، یہی سعادت اور محبت آج تک میرے نصیب میں نہیں ہوئی۔''

ڈاکٹر ایاز نے ان کی بات ان کے دل کا درد سمجھ لیا تھا۔ بیگم روبینہ کی آنکھوں میں ایک چمک سی پیدا ہوئی۔ رخساروں پر ٹپکنے والے آنسو وہیں تھم گئے۔

''سارے شہر میں قاسم کے اصول پرست ہونے کی شہرت ہے۔ سب ان کی عزت کرتے ہیں، قدر کرتے ہیں۔ لیکن مجھے محسوس ہوتا ہے جیسے یہ عزت اور قدر کا تاج

محل میری محبت کے مزار پر تعمیر ہوا ہے۔"

بیگم روبینہ جمال جوش میں اپنا دردِ دل بیان کیے جا رہی تھیں۔ ان کے لیے یوں جذباتی ہونا ٹھیک نہ تھا، لیکن دل کی بھڑاس نکالنا بھی مناسب تھا۔ اس لیے ان کی نبض پر ہاتھ دھرے ایاز چپ چاپ بیٹھے سنتے رہے۔

"میں ہر بار ہاری ہوں اور ان کے اصول ہمیشہ جیتے ہیں۔ کبھی ایک لمحہ بھی اپنا کوئی اصول توڑ کر انہوں نے مجھے نہیں دیا...... اور...... اور دعویٰ محبت کا ہے۔"

ایک بار پھر ان کی آنکھیں جھلمل جھلمل کرنے لگیں۔ ایاز بس صرف دیکھتے سنتے رہے، نہ بولنے سے منع کیا، نہ آنسو بہانے سے اور نہ خود بولے۔

"جہاں اصول نہیں ٹوٹیں گے، جذبے ٹوٹیں گے تو پھر اس گھر میں خوشی اور سکون کیسے مل سکے گا۔ وہاں تو ٹوٹے دل ہی ملیں گے اور ٹوٹے پھوٹے انسان مجھ ایسے۔ آج دل کی بیماری لگی ہے، کل رخصت ہو جاؤں گی۔"

"نہیں ماما! نہیں اور کچھ نہیں تو اپنے اس بیٹے کی خاطر آپ کو زندہ رہنا پڑے گا۔"

ایاز بے کل سے ہو کر اپنے رومال سے ان کے آنسو صاف کرنے لگے۔

"آپ کے اس بیٹے کو تو اب ہی ماں ملی ہے۔ اتنی جلد تو یہ خود بھی اپنی محرومیوں کو واپس گلے لگانے کے لیے تیار نہیں۔ میری قوتِ ارادی ماما! آپ کو بھی قوت ارادی بخشے گی۔ انشاء اللہ۔"

بیگم روبینہ جمال کی نبض نارمل نہیں رہی تھی۔ تھوڑی سی گڑبڑ تھی۔ ایاز گھبرا گئے۔ لیکن چہرے سے اظہار نہ ہونے دیا۔ اسی طرح مسکراتے رہے۔

"نرس۔" ان کے پکارنے پر نرس قریب چلی آئی۔

"انہیں دوا دو۔"

"وہ تو دے چکی۔" وہ عجلت سے بولی، لیکن۔ ڈاکٹر ایاز کے چہرے کو بغور دیکھنے کے بعد ان کی نگاہوں کا مفہوم سمجھتے ہوئے یکدم چونکی۔

"ارے! وہ والی تو دینا بھول ہی گئی۔" اور وہ جلدی سے مڑ گئی۔ ایاز زیرِلب

مسکرا دیئے، سمجھ دار تھی بہت۔ ”کب تک دواؤں سے مجھ کو کھڑا کرنے کی کوشش کرو گے؟“ بیگم روبینہ جمال ایک زہر خند سے بولیں۔ ”اندر سے کھوکھلی ہو چکی ہوں۔ کسی دن ایک دم ہی ڈھیر ہو جاؤں گی۔“

”یہ دوا تو لیں۔“ نرس کے ہاتھ سے لے کر ایاز نے خود دوا اور پانی کا گلاس ان کی طرف بڑھایا۔

”آپ اندر سے کتنی کھوکھلی ہیں ماما! یہ آپ سے بہتر میں جانتا ہوں۔“

دوا لینے کے بعد بیگم روبینہ پھر ڈاکٹر ایاز سے مخاطب ہوئیں۔ ”میں تو ان کے اصولوں، قاعدوں اور قانون پر قربان ہو ہی گئی اب کہیں اولاد۔“ پھر وہ کچھ کہتے کہتے چپ سی ہو گئیں۔

”ہاں ہاں کہیے۔“ ایاز ان کی ہستی، ان کے وجود، ان کی گفتگو میں پوری توجہ سے دلچسپی لے رہے تھے۔ وہ بے توجہی کا شکار ہوئی تھیں۔ محبت کرنے والے سب اردگرد موجود تو تھے، لیکن اس محبت کے اظہار کا نہ کبھی وقت نکالا اور نہ کوشش کی اور سب کچھ میسر ہونے کے باوجود ان کا اندر خالی ہوتا چلا گیا۔ ”اولاد کو بھی اسی راہ پر چلانا چاہتے ہیں۔ بلکہ اپنی کوشش میں کافی کامیاب ہیں، لیکن آج کل بظاہر تو باپ کا ہر حکم سنتے اور مانتے ہیں۔ مگر مجھے ڈر ہے اندر بغاوت کے جراثیم نہ پل رہے ہوں۔ آج کی نسل کب کسی پابندی کی پابند ہوئی ہے۔“

تو...... یہ ان کی پرابلم تھی۔ اپنی تو صبر اور برداشت سے گزار لی تھی، ان بچوں کے لیے پریشان تھیں۔ تب ہی یہ مہلک بیماری لگ گئی تھی۔ ڈاکٹر ایاز بڑے دکھ سے بڑی ہمدردی سے انہیں دیکھ رہے تھے۔

”کیوں ایاز......؟ ٹھیک کہہ رہی ہوں نا......؟“ آہستہ آہستہ بیگم روبینہ کی آواز میں بوجھل پن آنے لگا تھا۔ ایاز نے ابھی ابھی خواب آور دوا جو دے دی تھی۔

”بالکل ٹھیک کہہ رہی ہیں آپ۔“ انہوں نے ان کی ہاں میں ہاں ملائی۔

”اور اب...... یہ فکر مجھے...... کھائے...... جا رہا ہے......“ اب ان کی آواز لڑکھڑانے بھی لگی تھی۔

''فکر کرنے کی بالکل ضرورت نہیں۔ آپ ابھی صرف اپنی صحت کی فکر کریں۔ آپ کے بچوں کو آپ کی ضرورت ہے ان فکروں کی نہیں۔''

اور...... ڈاکٹر ایاز کے ہونٹوں پر مسکراہٹ پھیل گئی۔ بیگم روبینہ جمال کی آنکھیں بند ہو چکی تھیں اور وہ نیند میں پوری طرح ڈوب چکی تھیں۔

''ماما! آپ واقعی گریٹ ہیں۔ ایسی ہی ماں کی ہمیشہ مجھے تمنا رہی ہے جو اولاد کی فکر میں خود کو بھول جائے۔''

اب ڈاکٹر کے بجائے ایک بیٹے کے جذبے سے سرشار ایاز نے جھک کر انہیں چادر ٹھیک طرح سے اوڑھائی اور آہستہ آہستہ انہی کے متعلق نرس کو کچھ ہدایات دے کر وارڈ سے نکل گئے۔

●......●......●

دروازے پر بڑے زور زور سے دستک ہو رہی تھی۔ جب ڈاکٹر ایاز کی آنکھ کھلی۔ اتنی گہری نیند تھی کہ کتنی ہی دیر سمجھ نہ سکے یہ سب کیا ہو رہا تھا؟

''اوہ......!'' اور پھر جب نیند کی مدہوشیاں ٹوٹیں تو جلدی سے اٹھ کر دروازہ کھولا۔

''کون......؟'' وہ آنکھیں ملتے ہوئے پوچھ رہے تھے۔ ان میں ابھی تک پوری طرح ہوش کی جوت نہیں آئی تھی۔

''وہ جو تین نمبر بیڈ والی ہیں نا......'' وارڈ کا بہرہ کہہ رہا تھا۔

''ہاں ہاں کیا ہوا انہیں؟'' تین نمبر کا لفظ سنتے ہی جہاں ہوش و حواس پوری طرح بیدار ہو اُٹھے، وہیں پورے تن سے جیسے جان سے بھی نکل گئی۔ وہ بیگم روبینہ جمال تھیں۔ ''انہوں نے آپ کو بلایا ہے۔''

''مجھے......؟ اس وقت......؟ خیریت سے تو ہیں نا......؟'' کپکپاتے لہجے کو بڑی مشکل سے متوازن کرتے ہوئے وہ ایک بیقراری بولے۔

''جی ہاں...... بالکل ٹھیک ہیں۔'' بہرے کے چہرے پر کوئی ایسا ویسا تاثر نہ تھا۔ ایاز کی تشویش دور ہوگئی۔

''پھر...... پھر اس وقت بھلا میری ضرورت کیوں پڑ گئی۔''

متجسس سے انداز میں سوچتے ہوئے انہوں نے کلائی کی گھڑی دیکھی۔ سہ پہر کے ساڑھے چار بج رہے تھے۔

پچھلی ساری رات انہوں نے جاگ کر گزاری تھی۔ پھر صبح آٹھ بجے سے دو بجے تک کی بھی ڈیوٹی دی تھی۔

ڈاکٹر ایاز ایک اکیلے انسان تھے، نہ گھر تھا نہ گھر گرہستی۔ یہ سب جانتے تھے۔ ان کے کندھوں پر کسی گھریلو ذمہ داری کا بوجھ نہ تھا۔

مگر...... یہ کبھی کسی نے نہ جانا کہ وہ بھی ایک گوشت پوست کے بنے انسان تھے۔ گھریلو ذمہ داری بے شک ان پر کوئی نہ تھی مگر ہسپتال کی ذمہ داریاں تو پوری طرح نباہتے تھے اور نہ صرف یہ کہ نباہتے تھے بلکہ جان لڑاتے تھے۔ لہٰذا آرام کے لیے بھی کچھ وقت چاہیے تھا۔

یہ بھی کسی نے نہ سوچا تھا اور دوسرا کوئی سوچتا بھی کیوں۔ جب انہیں ہی اپنا خیال نہیں تھا تو پھر کوئی دوسرا کیوں کرتا۔

چار راتوں کے جاگے ہوئے ہوں۔ چھ دنوں کی مسلسل ڈیوٹی دی ہوئی ہو۔ تھکن سے چُور چُور اور بے آرامی سے جسم اکڑا ہوا ہو...... اس عالم میں بھی کوئی دوسرا ڈاکٹر اپنی ڈیوٹی انہیں کرنے کو کہتا تو فوراً تیار ہو جاتے۔

نہ صرف کسی اشد ضروری کام کی خاطر ہی، کوئی پارٹی ہے، کوئی پکنک ہے۔

عزیزوں رشتہ داروں یا دوستوں یاروں کے ساتھ فلم کا پروگرام بن گیا ہے۔ ایک منٹ میں قرعہ ڈاکٹر ایاز کے نام نکل آیا۔

اور ایاز اللہ میاں کی گائے، ہر وقت اور ہر حال میں دوسروں کے کام آنے کے لیے تیار بر تیار رہتے۔ تھکن، بے آرامی اور کئی کئی راتوں کی بے خوابی کے باوجود یوں ہشاش بشاش اور تازہ دم ہو کر پھر ڈیوٹی دے دیتے، جیسے کئی دن کی چھٹی گزار کر آئے

تھے۔ اور دن رات آرام کیا تھا۔

آج بھی ان کے ساتھ یہی ہوا تھا۔ رات روبینہ جمال کے پاس سے اٹھ کر آفس میں آئے تو اسی وقت اطلاع آ گئی کہ وارڈ کے ایک مریض کی حالت اچانک نازک ہو گئی تھی۔

بھاگے بھاگے پہنچے۔ انجکشن دیئے۔ دوائیاں دیں۔ نبض تھام کر بیٹھے رہے۔ کئی بار دل کو مساج دے دے کر اسے حرکت میں لانا پڑا۔ پوری رات اسی طرح گزر گئی۔ صبح سات بجے جا کر اس کی حالت سنبھلی تو اطمینان کا سانس لے سکے۔

یہ پانچ چھ گھنٹے جس قسم کے اعصابی اور ذہنی تناؤ میں گزارے تھے، اس نے پورے جسم کو تھکا کر رکھ دیا تھا۔ آٹھ بجے ڈیوٹی ختم ہوئی تو وہ آج کا پورا دن آرام اور صرف آرام کرنے کا ارادہ کرتے ہوئے اٹھ ہی رہے تھے کہ فون کی گھنٹی بج اٹھی۔ نرس قریب آئی بھی، لیکن خود انہوں نے بڑھ کر رسیور اٹھا لیا۔ فون کی یہ کال اُنہی کے لیے تھی۔ اب یہاں جس ڈاکٹر کی ڈیوٹی تھی، وہ ان سے مخاطب تھا۔

اچانک ہی اسے کوئی بہت ضروری کام پڑ گیا تھا اور وہ ڈاکٹر ایاز کو اپنی ڈیوٹی دینے کے لیے کہہ رہا تھا۔

''تمہارا یہ احسان جلد چُکا دوں گا ایاز۔'' ہمیشہ کی طرح آج پھر اس نے یہی کہا۔

''نہیں نہیں..... احسان کیا.....'' ڈاکٹر ایاز عاجزی سے بولے۔

''انسان ہی انسان کے کام کرتا ہے۔''

اور ہمیشہ کام آنے والا انسان ہی پھر کام آ گیا۔ احسان اکٹھے ہوئے جا رہے تھے، ہوتے جاتے۔ کام تو چل ہی جاتا تھا نا اور ایاز نے کبھی کچھ جتایا ہی نہ تھا، اس لیے کام نکلوا کر سب بے پرواہ ہو جاتے۔

ابھی رسیور رکھا ہی تھا اور وارڈ میں واپس جانے کے متعلق ڈاکٹر ایاز سوچ ہی رہے تھے کہ ناشتہ کر کے جائیں گے۔ پوری رات ٹینشن میں گزاری تھی۔ اب تو بھوک بھی محسوس ہو رہی تھی کہ وارڈ کا بیرا آ گیا۔

اسی مریض کی حالت پھر بگڑ رہی تھی، جس کے لیے ساری رات جاگے تھے اور اتنی محنت کی تھی۔

اسی طرح، اسی لباس میں، بغیر ناشتہ کیے، ایک سادی چائے کی پیالی بھی نصیب میں نہیں ہوئی تھی۔ وہ اُٹھ بھاگے۔ ایک انسانی زندگی کا معاملہ تھا اور ڈاکٹر ایاز کی نگاہ میں اس سے زیادہ قیمتی چیز اور کوئی نہ تھی۔

اور پھر...... پوری ہوشیاری اور مستعدی کے ساتھ ایک بار کام میں جت گئے۔ رات والی ہی حالت اس مریض کی تھی۔ ایک لمحہ کے لیے بھی سانس لیے بغیر وہ اس کی زندگی قائم رکھنے کی تگ و دو میں مصروف ہو گئے۔ نہ اپنا ہوش تھا، نہ تن بدن کا، نہ اردگرد کا۔

ان کی محنتوں اور کوششوں کا نتیجہ تھا شائد یا پھر کوئی معجزہ۔ اس مریض کی حالت بہتر ہونے لگی۔ اتنی کہ اس کی زندگی کی قوی امید تھی اب۔

اطمینان کا سانس لیتے ہوئے انہوں نے گھڑی دیکھی۔ دو بج رہے تھے۔ ادھر سے تسلی ہوئی تو اپنے سارے حواس بیدار ہو اُٹھے۔ بھوک بھی بہت تھی، لیکن تھکن کے مارے تو بُرا حال تھا۔ اتنا کہ دل چاہ رہا تھا کہ انہیں ایک قدم بھی نہ چلنا پڑے اور کوئی اٹھا کر انہیں بستر پر ڈال دے۔ اور وہ بس سو جائیں۔ ایک لمبی نیند!

''ہیلو ڈاکٹر ایاز......! سب ٹھیک ٹھاک ہے نا!''

انہوں نے نگاہیں اٹھائیں۔ دو بجے شروع ہونے والی ڈیوٹی والے ڈاکٹر سامنے کھڑے تھے۔ کوئی جواب دینے سے پہلے اندر ہی اندر اللہ کا شکر ادا کیا کہ وہ وقت پر پہنچ گئے تھے۔

گو اب وہ مریض بہت بہتر تھا، لیکن پھر بھی وہ وارڈ کو خالی نہیں چھوڑنا چاہتے تھے۔ کسی وقت بھی اس کی حالت پھر بگڑ سکتی تھی۔ دل کا روگ ہوتا ہی ایسا ہے۔ جب تک بالکل ٹھیک نہ ہو جاتا کوئی خطرہ مول نہیں لیا جا سکتا تھا۔ ایک لمحے کی بھی بے پرواہی مہلک ثابت ہو سکتی تھی۔

اور...... ان میں اب اتنی سکت نہ تھی کہ ایک دو گھنٹے یا پانچ دس منٹ کے لیے

بھی مزید یہاں رُکتے۔

''کیا بات ہے؟'' وہ ڈاکٹر پھر پوچھنے لگے۔ ''ڈاکٹر زوار کہاں ہیں؟''

''انہیں کام تھا اور ان کی ڈیوٹی بھی مجھے ہی دینا پڑی تھی۔''

ڈاکٹر ایاز اپنی چیزیں جلدی جلدی سمیٹتے ہوئے بولے۔

''اچھا ہوا تم وقت پر آ گئے۔ میں بہت تھک گیا تھا۔'' پھر جلدی جلدی اس مریض کے متعلق سارا کچھ بتایا کہ رات کیسے گزری تھی اور اب تک حالت کیسی رہی اور کون کون سی دوائی دی تھی اور کون کون سی دینا چاہیے تھی۔ سب کچھ جلدی جلدی انہیں بتا کر وہ بڑی تیزی سے وارڈ سے نکل آئے۔

انہیں نہیں پتہ چلا کیسے کمرے میں پہنچے۔ وارڈ سے نکلتے وقت تو لگتا تھا ایک قدم بھی نہیں اٹھایا جائے گا، لیکن اللہ نے ہمت دے ہی دی۔ کچھ اپنی قوت ارادی کام آئی، کہیں گرے پڑے نہیں، کوئی اور حادثہ نہیں ہوا۔ صحیح سالم، ٹھیک ٹھاک کمرے تک پہنچ گئے۔

بھوک بھی کافی تھی، لیکن پیٹ کی بھوک سے زیادہ جسم کو آرام کی بھوک نے ستایا ہوا تھا۔ ٹوٹی ڈال کی طرح بستر پر گرے اور پھر انہیں کوئی ہوش نہ رہا۔

اڑھائی گھنٹے کی نیند چھتیس گھنٹے کی بے آرامی اور تھکن کے لیے کافی تو نہ تھی، مگر...... کسی کو مایوس لوٹانا بھی ان کے مذہب میں جائز نہ تھا اور یہ...... یہ تو معاملہ بھی تین نمبر بیڈ کا تھا۔ بیگم روبینہ جمال کا۔

پتہ نہیں کیوں انہیں ان کی ضرورت پڑ گئی تھی۔ ایک دم دل میں تشویش سی بھی اتر آئی۔

ایک دن پہلے بھی مصروفیت کی وجہ سے وہ نہ نہا سکے تھے اور نہ شیو وغیرہ ہی کر سکے تھے۔ اب بھی تازہ دم ہونے کے لیے غسل کرنا چاہتے تھے مگر چاہتے ہوئے بھی نہیں کیا۔ لباس بھی تبدیل نہیں کر سکے۔ بیگم روبینہ کا خیال آئے جا رہا تھا۔

اسی وقت، اسی طرح وارڈ کی طرف چل دیئے۔ پورا آرام نہیں کیا تھا۔ سستی سی چھائی ہوئی تھی، لیکن چہرے پر ہمیشہ والی مسکراہٹ یوں پھیلی تھی کہ سستی عیاں ہی نہ ہو رہی

تھی۔

''ماما...... خیریت تو ہے...... آپ نے اس وقت یاد کیا ہے؟''

بیگم روبینہ جمال کے بیڈ کے قریب پہنچ کر ایاز نے جھکے ہوئے سر کو اٹھایا۔

''ہاں......'' ان کی آواز معمول سے کہیں زیادہ مسرور و شاداں تھی۔

''یہ میرے بچے آئے ہیں۔ تمہیں ان سے ملانا تھا۔''

اس وقت ایاز کو احساس ہوا کہ بیڈ کے اردگرد کچھ اور لوگ بھی موجود تھے، مگر انہوں نے توجہ ہی نہیں دی تھی۔ بیگم روبینہ کے کہنے پر یکدم نگاہیں اٹھ گئیں۔

''اس سے ملو...... یہ خرم ہے' میرا بڑا بیٹا۔''

''السلام علیکم......'' خرم جمال نے ماں ہی کے سے خلوص اور گرمجوشی کے ساتھ سلام کر کے مصافحہ کے لیے ہاتھ آگے بڑھا دیا۔

''میں ایاز۔''

اور ابھی ڈاکٹر ایاز نے اپنا تعارف پورا بھی نہیں کرایا تھا کہ خرم انتہائی خوش اخلاقی سے ہنس کر بولے۔

''آپ سے تو بہت اچھی طرح متعارف ہو چکے۔ آپ ہماری ماما کے اصلی بیٹے ہیں۔ ہم سے بھی کئی درجہ بڑھ کر اصلی کہ اس بیماری میں ان کو اپنا بہت سارا وقت دیتے ہیں۔ بہت خیال رکھتے ہیں۔''

جس بے تکلفی سے خرم گویا ہوئے تھے، اسی بے تکلفی سے ایاز بولے۔

''آپ بھی تو حقیقی بیٹے بنیے نا۔ ہمارے بننے سے یہ اتنی جلدی روبصحت نہ ہوں گی جتنی جلدی آپ کی توجہ انہیں کرے گی۔''

''کہاں ایاز بیٹے! اپنا نصیب ایسا کہاں۔ اب بھی دیکھ لو صرف دو چار منٹ کے لیے آیا ہے۔ جس سے ماما کی آنکھوں کی پیاس بھی نہ بجھے گی۔''

''کیوں...... اتنے کم وقت کے لیے کیوں؟'' ایاز بیگم روبینہ کے چہرے پر پھیلی افسردگی کو دیکھتے ہوئے پُرزور لہجے میں خرم سے مخاطب ہوئے۔

''آپ یہاں ماما کے پاس ٹھہریں اور بہت وقت ٹھہریں گے۔''

''ضرور ٹھہرتا ڈاکٹر صاحب! میرے لیے اس سے بڑی خوشی اور کیا ہو سکتی ہے لیکن۔'' خرم نے آنکھوں کے گوشوں سے ماں کو دیکھا۔ پھر قدرے آواز دبا کر بولے۔

''پورے پانچ بجے مجھے پاپا کو فیکٹری سے لے کر ایک ضروری میٹنگ میں جانا ہے۔ میرے پاپا خود بھی ایک بااصول اور وعدہ کے پکے انسان ہیں اور اپنی اولاد میں بھی ایسی خصوصیات اور اوصاف دیکھنا چاہتے ہیں، اور میں۔''

پھر ایک عجیب سی مسکراہٹ خرم کے لبوں پر پھیل گئی۔ ایاز اسے کوئی عنوان نہ دے سکے۔

''میں تو ڈاکٹر صاحب! ولی عہد ہوں۔ میری غلطی تو معافی بھی نہیں پا سکتی کہ مجھ سے میرے چھوٹوں نے سبق سیکھنا ہے۔''

خرم نے عجلت سے پھر گھڑی دیکھی۔

''اوہ! پانچ بجنے میں صرف دس منٹ رہ گئے اور فیکٹری کا راستہ کم از کم پندرہ منٹ کا ہے۔ باپ رے باپ، آج گاڑی کو طیارے کی رفتار دینا پڑے گی۔ اچھا ماما! ڈاکٹر صاحب! خدا حافظ اور نایاب! موج کرو۔ عیش کرو۔ چھ بجے تک ماما کے پیار کی بہاریں لوٹو۔ باپ کی طرح وقت کا پابند ہوں۔ پورے چھ پہنچ جاؤں گا۔''

خرم نے جُھک کر ماں کی پیشانی پر بوسہ دیا اور عجلت کی وجہ سے ایاز کے لیے صرف ہاتھ ہلاتے ہوئے تیز قدم اٹھے، وارڈ سے باہر نکل گئے۔

ڈاکٹر ایاز حیران پریشان کھڑے خرم جمال کو جاتے ہوئے دیکھتے رہے۔ اتنے دنوں بعد ماں کو ملنے آئے۔ چلے بھی گئے۔ دیکھنے میں تو بڑے اچھے، پیارے اور پُرکشش سی شخصیت کے مالک تھے۔ طبیعت بھی اور مزاج بھی ٹھیک ٹھاک، زندہ زندہ اور شگفتہ لگتا تھا پھر؟

''ایاز......!'' بیگم روبینہ جمال کی آواز نے ہی انہیں ان کی سوچوں سے نکالا جو وہ خرم بیگم روبینہ اور قاسم جمال کے متعلق سوچ رہے تھے۔

''جی ماما......!'' وہ واپس مڑے تو...... نگاہیں بیڈ کی دوسری سمت بنچ پر بیٹھی ایک لڑکی پر جاٹکیں۔

''ہاں۔ یہ نایاب ہے۔ میری بڑی بیٹی۔ خرم کی نسبت یہ ذرا کم گو ہے۔''

اور ڈاکٹر ایاز اس کی کم گوئی کے متعلق تو نہیں البتہ اس کے متعلق ضرور کچھ سوچنے پر مجبور ہو گئے تھے۔

بیگم روبینہ جمال سے بہت ملتی جلتی صورت تھی اس کی، مگر حیا و شباب کی نوخیزی نے وہ رنگ آمیزی کی تھی کہ آفتیں مچائی تھیں۔ وہ طوفان بپا کیے تھے، وہ قیامتیں توڑی تھیں کہ...... الامان......

یہ سارا وارڈ ابھی تک صحیح سلامت کیوں تھا۔ سب کچھ، سب کچھ ان آفتوں اور طوفانوں کی نذر کیوں نہیں ہو گیا تھا۔ وہ تو...... وہ تو اس کے روپ کی فراوانی میں بہے چلے جا رہے تھے۔

''ارے ایاز صاحب! تم ڈاکٹر ہو۔ مریضوں اور مریضوں سے ملنے والوں کے لیے صرف ایک ڈاکٹر۔ اپنے مقام سے نیچے نہیں اترو۔ کسی کو یوں نگاہ بھر کر دیکھنا اور پھر اس کی خوبصورتی سے متاثر ہونا۔ تمہارا کام نہیں۔ تم بس۔''

''فورتھ ایئر میں پڑھتی ہے۔'' بیگم روبینہ جمال کی آواز پر وہ چونکے۔

''بڑی لائق ہے میری بیٹی۔ ہمیشہ کلاس میں ٹاپ کرتی ہے۔''

اور ڈاکٹر ایاز کو اب روبینہ کی آواز میں آنسوؤں کا ایک ترنم سا محسوس ہوا۔

''پڑھائی میں مصروف رہتی ہے نا۔ اس لیے اسے میرے پاس آنے کا بھی وقت نہیں ملتا۔ اس بار یونیورسٹی میں پوزیشن لینے کا ارادہ ہے۔ خدا اسے کامیاب کرے۔''

سارے طوفان، ساری قیامتیں تھم گئیں۔ اب ایاز کی نگاہوں میں صرف فرض تھا۔

''مس نایاب! آپ کو اپنی ماما کی زندگی سے زیادہ اپنی پوزیشن عزیز ہے؟''

''نہیں نہیں......'' جھکی جھکی پلکیں اٹھا کر وہ یکدم بول پڑی۔

''یہ کیسے ہو سکتا ہے؟''

''کیسے ہو سکتا ہے، کیا ہوا......؟ ہو رہا ہے۔'' ان کے چہرے سے مسکراہٹ معدوم ہو کر برہمی پھیل گئی۔ ''سو فیصد ہو رہا ہے۔''

بیگم روبینہ کی آنکھوں کی نمی جیسے ایک طوفان کی صورت اختیار کر گئی تھی جو ان کے دل و دماغ کو اُلٹ پلٹ کیے دے رہا تھا۔

''آپ روزانہ اپنی ماما سے ملنے کیوں نہیں آتیں......؟'' باز پرس کرنے کے انداز میں وہ ایک تحکم کے ساتھ بولے۔

''وہ...... وہ دراصل......'' نایاب مجرم بنی سر جھکائے کھڑی ہکلا رہی تھی۔

''آپ کو کیا اس بات کا علم نہیں کہ آپ لوگوں کی توجہ آپ کی ماما کو جلد صحت یاب کر سکتی ہے۔''

''کچھ مجبوریاں ایسی ہیں ڈاکٹر صاحب!''

''مجبوریاں...... مجبوریاں......'' اس کی پوری بات سنے بِنا ہی وہ جھنجھلا کر بول پڑے۔

''جہاں ایک انسان کی زندگی اور موت کا سوال ہو کیا وہاں بھی کوئی مجبوری آڑے آسکتی ہے؟'' اس وقت انہیں صرف ایک انسان کی زندگی کی قیمت کا خیال تھا اور وہ زندگی بھی روبینہ جمال کی، جو ان کے خیال میں بہت قیمتی تھی۔ دنیا کی ساری دولتوں سے زیادہ قیمتی۔

اور...... سامنے کون کھڑا تھا۔ وہ کس سے بات کر رہے تھے۔ کس کو ڈانٹ رہے تھے۔ کس پر اُلجھ رہے تھے اور سارے معاملے میں اس کا کتنا قصور تھا؟؟

اس کا انہیں کوئی ہوش نہ تھا۔ وہ تو بس اتنا جانتے تھے کہ بیگم روبینہ جمال کو تندرست ہو جانا چاہیے تھا اور ان کے گھر والوں کا اس میں بڑا ہاتھ تھا۔ وہ چاہتے تو بہت جلد صحت یاب ہو سکتی تھیں۔

انہی کی دانستہ یا نادانستہ بے پرواہیوں اور بے توجہی نے انہیں یہاں ہسپتال میں ڈالا ہوا تھا...... اور...... یہ جو سامنے تھی یا تھا انہیں تو یہ بھی خیال نہیں تھا۔ بس اتنا احساس تھا کہ جو کوئی بھی تھا وہ اسی گھر کا ایک فرد تھا۔

اور...... اگر ایک فرد کو بھی اس کی ذمہ داری، اس کے فرض کا احساس دلا دیتے تو شاید۔ شاید باقی سارے گھر والے سمجھ جاتے اور روبینہ جمال صحت یاب ہو جاتیں۔

بہت ضروری تھیں ان کی توجہ ان کے لیے، ان کی زندگی کے لیے، صحت مندی کے لیے۔

''کچھ آپ کے ہسپتال کے اصول اور پھر کچھ پاپا کے اپنے بھی اصول ہیں۔''

نایاب نے پھر صفائی پیش کرنے کی کوشش کی۔ آواز بھرائی ہوئی تھی، لہجہ کٹا پھٹا سا تھا، لب تھرتھرا رہے تھے۔

اور...... روبینہ جمال چپ چاپ لیٹی دونوں کو دیکھ رہی تھیں۔ نایاب کی بے بسی اور ڈاکٹر ایاز کی برہمی، جوش اور چہرے پر پھیلا جلال۔ بڑی خوبصورت سی مسکراہٹ ان کے ہونٹوں پر پھیلی ہوئی تھی۔ آنکھوں میں ابھی تک نمی بھی تھی۔ جواب قدرے گہری ہوگئی تھی۔

''کبھی مجبوریاں، کبھی اصول، میں پوچھتا ہوں کیا ہماری ماما کی زندگی ان سے بھی حقیر ہے۔ آپ کو اصول وضوابط زیادہ عزیز ہیں ان سے؟''

''لیکن۔ لیکن ہم پاپا کی حکم عدولی بھی تو نہیں کر سکتے۔ ویسے، ویسے۔''

ترنم آواز کا تھا یا آنسوؤں کا، وہ چونکے، نگاہیں اٹھائیں، نایاب کی خوبصورت آنکھوں سے آنسو اس کے شہابی رخساروں پر ٹپ ٹپ گر رہے تھے۔

''مجھ سے تو اپنی پڑھائی بھی آج کل نہیں ہو پا رہی۔ ماما کے بغیر گھر کاٹنے کو دوڑتا ہے۔ کچھ بھی اچھا نہیں لگتا۔ کچھ بھی اچھا نہیں لگتا۔''

دو نازک نازک سپید سے ہاتھ اٹھے اور انہوں نے چہرہ ڈھانپ لیا۔ پھر اس کا سارا وجود لرزنے لگا۔

''نہیں بیٹے! پڑھائی کی طرف سے غافل نہیں ہونا اور آپ کے پاپا بھی جو کچھ کہتے ہیں درست کہتے ہیں۔ انسان کو بااصول ہونا چاہیے۔''

''اور آپ...... آپ بے شک۔'' آنکھوں میں الجھن سی لیے انہوں نے بیگم روبینہ کو دیکھا۔ دیکھنے سے زیادہ وہ انداز گھورنے والا تھا۔

''ہاں...... میری کوئی بات نہیں۔ میں ٹھیک ہو جاؤں گی۔''

''آپ کی کوئی بات کیوں نہیں؟'' تب ڈاکٹر ایاز چیخ سے پڑے۔ ''ماما! ایک بار ماں چھن جائے تو دوبارہ نہیں ملا کرتی...... اور باقی سب کچھ ہو سکتا ہے۔ سب کچھ ہو سکتا

ہے۔''

''لیکن بیٹے!'' نایاب روئے جا رہی تھی۔ اس کی طرف دیکھتے ہوئے روبینہ جمال نے کچھ کہنا چاہا۔

''ماما! آپ اس معاملے میں کچھ نہ بولیں۔'' ڈاکٹر ایاز نے اسی جوش کے ساتھ ان کی بات قطع کر دی۔

''آپ کو اپنی ایک ماں کی زندگی کی قیمت کا شاید اندازہ نہیں اور مجھے نہ صرف اندازہ ہے بلکہ بہت تجربات ہیں۔ میں نہیں چاہتا کل یہ بچے انہی محرومیوں کی آگ میں جلیں جن میں، مَیں ساری زندگی جلا ہوں۔''

بیگم روبینہ کے ہونٹوں پر ایک مشفق سی مسکراہٹ لہرا اٹھی۔ آنکھوں میں خلوص و پیار بھر کر ایاز کی طرف دیکھا۔ ان کی خاطر وہ یہ سب کچھ کہہ رہے تھے۔ وہ بے حد اچھے لگے، بہت اپنے لگے۔

دوسری نظر نایاب پر ڈالی۔ ایاز کے متعلق اسے جو کچھ بتایا تھا۔ ٹھیک ہی بتایا تھا۔ کتنا مخلص اور ہمدرد تھا۔ اس کی تائید کے لیے اس کی طرف دیکھا تھا۔

مگر وہ تو ابھی تک ہاتھوں میں چہرہ لیے رو رہی تھی۔ اتنے دنوں بعد ملی تھی۔ مسکراہٹوں کے بجائے اس کے چہرے پر آنسوؤں کے موتی تھے۔ بے تحاشا ترس آ گیا۔

''لیکن ایاز! اس بیچاری کا بھی کوئی قصور نہیں۔''

''نہیں ماما! یہ آپ کی بڑی بیٹی ہیں۔ گھر میں ان کا ایک مقام ہو گا اور یہ......؟''

''ہمارے گھر میں سب سے بڑے پاپا ہیں اور بس صرف ان کا ہی مقام ہے۔'' روتے روتے اس نے ہاتھ چہرے سے ہٹاتے ہوئے کہا اور بیگم روبینہ نے محسوس کیا۔ اس کے لہجے میں طنز کا ایک عنصر تھا اور انداز میں بغاوت۔

''ہاں......'' روبینہ جمال کا لہجہ ایک دم سخت ہو گیا۔ ''وہ بڑے ہیں اور ان کا مقام بھی بلند اور علیٰحدہ ہے اور ہونا بھی چاہیے۔''

اب بیگم روبینہ جمال کی آنکھوں میں نمی نہیں تھی۔ نہ ہی اپنے ساتھ ہونے

والے بے توجہی اور بے پرواہی کے سلوک یا رویے کے دکھ کی ذرا سی بھی جھلک، جس کا گلہ، جس کی شکایت چند دن پہلے وہ ایاز کے روبرو کر چکی تھیں۔

''وہ جو کچھ بھی کہتے ہیں، غلط نہیں کہتے۔ تم سب کو ان کا حکم ماننا چاہیے۔ وہ سب سے محبت کرتے ہیں۔ اتنی کہ کم ہی کوئی باپ اپنی اولاد سے کرتا ہوگا۔''

ایاز سمجھ گئے۔ وہ عقل مند عورت، باپ اور اولاد کے درمیان ذرا سی بھی باغیانہ فضا پنپنے نہیں دینا چاہتی تھی۔

تبھی...... تبھی تو...... اسی کوشش میں، سب کچھ دل میں سنبھالے، سمیٹے، چھپائے اس حال کو پہنچ گئی تھیں...... اور اتنے دنوں سے دل کو لے کر دل کے وارڈ میں پڑی تھیں۔

وہ بھی ٹھیک تھیں۔ نہ صرف ٹھیک بلکہ بہت عظیم تھیں۔ شوہر کو بھی پوری عزت اور وقار خود بھی دیتی تھیں اور اولاد سے بھی دلواتی تھیں۔

اور...... اولاد کے بھی سارے حقوق و فرائض پورے کرتی تھیں۔ پوری ممتا، پوری توجہ دیتی تھیں...... اور خود، چکی کے دو پاٹوں میں پس رہی تھیں۔

کاش...... ڈاکٹر ایاز نے سوچا۔ ان کی ماں بھی ایسی ہوتی۔ مگر...... اس نے تو نہ شوہر کے ساتھ وفا کی اور نہ اولاد ہی کے حق حقوق نبھائے۔

سارا جوش، سارا غصہ سرد پڑ گیا۔ اب صرف نگاہوں میں بیگم جمال کا ایثار و خلوص بھرا پیکر تھا اور...... دل میں یہ خیال، یہ پچھتاوا۔

کہ نایاب اسی عظیم عورت کی بیٹی تھی۔ انہیں اس کے ساتھ اتنا سخت رویہ اختیار نہیں کرنا چاہیے تھا۔ بیگم روبینہ نے جو اپنے گھر اور گرہستی کے لیے ایک اچھی فضا اور خوبصورت ماحول قائم کیا ہوا تھا۔ انہیں اس میں دخل اندازی نہیں کرنا چاہیے تھی۔ انہیں اس میں ناگواری پیدا کرنے کا کوئی حق نہ تھا۔

''ایاز......!'' انہی سوچوں میں کھوئے تھے کہ روبینہ جمال کی آواز سماعت سے ٹکرائی۔ ''کیا سوچ رہے ہو بیٹے......؟''

''جی......'' وہ چونکے......

''کچھ نہیں...... کچھ نہیں......''

ساتھ ہی غیر ارادی طور پر نگاہ نایاب کی طرف اٹھ گئی۔ اس کے ہاتھ چہرے پر سے ہٹ تو گئے تھے، لیکن وہاں وہ سارے تاثرات ابھی تک موجود تھے۔ جنہوں نے اسے رُلا دیا تھا۔

کچھ پریشانی، کچھ شرمندگی، کچھ شکایت، کچھ مجبوری اور بے بسی اور کچھ...... وہ پتہ نہیں کیا تھا۔ ڈاکٹر ایاز کی طرف جو نگاہیں اٹھی تھیں۔ ان کا مفہوم وہ نہیں سمجھ سکے تھے۔

''ماما......!'' جلدی سے بیگم روبینہ جمال کی طرف جھک گئے۔

''مجھے معاف کر دیں۔ آپ بھی...... اور......'' پھر انہوں نے سر اٹھا کر نایاب کی طرف دیکھا۔

''ان سے معافی دلا دیں۔ سب کچھ آپ کی محبت میں ہو گیا......''

''نہیں نہیں......'' بیگم روبینہ جمال نجانے کیا کہنا چاہتی تھیں، مگر ایاز جلدی سے مڑے اور تیز تیز قدم اٹھاتے ہوئے وارڈ سے نکل گئے۔

آنکھوں میں نایاب کی صورت بسی تھی۔ وہ نگاہیں دل کے اندر اتر گئی تھیں جو، جو...... جن کا مفہوم وہ نہیں سمجھ سکے تھے۔ بالکل نہیں سمجھ سکے تھے۔

● ...... ● ...... ●

''ماما! آپ نے بہت اچھے شاہکار تخلیق کیے ہیں۔''

''میں نے......؟ بیٹے! میں تو نہ ادیبہ ہوں نہ کوئی فنکارہ۔ تمہیں غلط فہمی ہوئی ہے۔'' وارڈ میں پڑے تین سیریس مریضوں کا خیال نہ ہوتا تو اس وقت ڈاکٹر ایاز بڑے زور سے قہقہہ لگاتے۔

''بڑی بھولی ہیں آپ ماما! میں تو آپ کے بچوں کی بات کر رہا تھا۔''

''میرے بچوں کی......؟'' وہ اب بھی نہیں سمجھی تھیں یا پھر شاید طبیعت میں عاجزی تھی۔ اپنی زبان سے کچھ نہیں کہنا چاہتی تھیں۔ فخر یا تکبر کی بات ہو جاتی جو جائز نہ تھی۔

''میں خرم اور نایاب کی بات کر رہا تھا۔ دونوں ہی مجھے بہت اچھے لگے۔''

''شکریہ......!'' وہی عاجزی ہونٹوں پر آ گئی۔ ''اللہ کا مال ہے۔''

''ماما! جس کے پاس خدا کی دی ہوئی ایسی ایسی نعمتیں موجود ہوں، اسے دل کا مرض لاحق ہونا چاہیے؟''

ڈاکٹر ایاز کی اس بات پر بیگم روبینہ جمال کے چہرے پر ایک افسردہ سا تبسم پھیل گیا۔

''تمہارا کہنا بھی بجا ہے مگر انہی کی خاطر تو شاید یہ روگ لگا۔''

پھر انہوں نے ایاز کو پاس بیٹھ جانے کا اشارہ کیا۔ ایاز نے بیچ کھینچ کر بالکل قریب کیا اور بیٹھ گئے۔

''بے جا سختی ہو رہی ہے بچوں پر۔'' انہوں نے بہت ہولے سے، بہت اپنا جان کر ایاز سے اپنا دردِ دل وضاحت سے بیان کرنا شروع کر دیا۔ ''اور میں کچھ کہہ بھی نہیں سکتی۔ باپ کا اور اولاد کا معاملہ ہے۔ ابھی تو یہ باپ کے ہر اصول کو مانتے ہیں اور پوری پابندی سے اس پر کاربند ہو جاتے ہیں بغیر چون و چراں کیے، اور میں، میں محسوس کر رہی ہوں کہ ایسا نہیں ہونا چاہیے۔''

''پھر آپ اگر محسوس کرتی ہیں تو بولتی کیوں نہیں؟''

''اگر میں نے کچھ بھی زبان پر لانا شروع کر دیا نا تو......تو انہیں بھی احساس ہونے لگے گا۔ آخر وہ دل و دماغ رکھتے ہیں اور پھر ایسا نہ ہو انہیں باپ سے نفرت ہو جائے اور بغاوت پر اُتر آئیں۔''

ایک طویل سا سانس لے کر وہ خاموش ہو گئیں۔ ایاز ان کے چہرے کے اُتار چڑھاؤ کو بڑے غور سے دیکھ رہے تھے۔ فکر و تردّد کے سائے لہرا ضرور رہے تھے، لیکن ہونٹوں پر خفیف سا تبسم بھی تھا۔

''انسان کی زندگی بھی عجیب ہوتی ہے۔'' وہ مسکراتے ہوئے بڑبڑائیں۔

''اور خود انسان اس سے بھی زیادہ عجیب ہوتا ہے۔''

ڈاکٹر ایاز نے تو روبینہ جمال کے متعلق بات کی تھی۔ وہ اپنی ذات، اپنی شخصیت

سے واقعی عجیب تھیں۔ انوکھی، بڑی اچھی، بڑی مخلص اور...... ڈاکٹر ایاز کی سوچ ان کو نذرانہ عقیدت پیش کر رہی تھی۔ بہت منفرد...... سب سے جدا۔ سب سے اعلیٰ۔

''ہاں...... بہت عجیب......'' مگر انہوں نے ایاز پر ہی ان کی بات چست کر دی۔ ''مگر کچھ انسان۔ سب نہیں۔ کوئی کوئی۔ ایاز جیسے۔''

''کیا؟ کیا کیا میں نے ماما......؟'' وہ یک دم گھبرا گئے۔ پھر سنبھلتے ہوئے ان کے قریب ہو کر بولے۔ ''میں معافی چاہتا ہوں۔ جو کچھ ہوا سب آپ کی محبت میں تھا ماما......! آپ کی خاطر تھا۔''

وہ یہی سمجھے تھے۔ بیگم روبینہ جمال انہیں اسی لیے عجیب کہہ رہی تھی کہ انہوں نے آج نایاب کو اتنا ڈانٹا تھا۔ اتنا رلایا تھا۔ ان کے تو ڈاکٹر تھے، لیکن نایاب سے بھلا کیا تعلق تھا جو اس سے اس طرح پیش آئے تھے۔

''ارے پگلے! میں نے اس لیے تو تمہیں عجیب نہیں کہا'' وہ ہنس پڑیں۔ ''اس وقت تو تم مجھے بے حد اپنے لگے تھے۔ بہت پیارے۔ بہت مخلص۔''

ڈاکٹر ایاز نے بڑے احترام اور عقیدت سے ان کا ہاتھ تھام لیا۔

''مجھ پر غصہ نہیں آیا تھا؟'' وہ شوخی سے مسکرائے...... ''آپ کی اتنی پیاری بیٹی کو میں نے......''

''نہیں نہیں......'' وہ ان کی پوری بات سننے سے پہلے ہی کہہ اٹھیں۔ ''میں جانتی تھی تم یہ سب میری خاطر کہہ رہے ہو۔''

''لیکن میں آپ کی جگہ ہوتا نا'' اور اتنا کہہ کر ایاز چپ سے سو گئے۔

اب روبینہ جمال کو کیسے بتاتے کہ اس کے بعد ان پر کیا گزری تھی۔ اس وقت تو جوش کے عالم میں اسے ڈانٹ دیا تھا۔ ان کی محبت اور ان کے درد میں جو کچھ منہ میں آیا، کہتے چلے گئے تھے۔ ایک مریضہ اور ڈاکٹر کے تعلق کے تحت بھی اسے سمجھانے کی خاطر نہ کچھ اور سوچا نہ سمجھا۔ بس بولتے ہی چلے گئے۔

اس خوبصورت لڑکی کا رو رو کر برا حال ہو گیا تھا۔ انہیں اس وقت اس پر ترس نہیں آیا تھا اور پھر جب اپنے کمرے میں پہنچے۔ ہوش و حواس قابو میں آئے۔ تو......

من میں بے شمار پچھتاوے اتر گئے۔ اس کی حالت، اس کی کیفیت آنکھوں میں پھرنے لگی۔ یہ انہوں نے کیا کیا؟ بھلا اتنا جذباتی ہونے کی کیا ضرورت تھی؟

لیکن...... لیکن...... بیگم روبینہ جمال کو بھی صحت مند ہونا چاہیے تھا۔ اس کے آنکھوں سے ٹوٹتے گرتے آنسو آنکھوں میں گھوم گھوم کر جہاں دل پر اثر کر رہے تھے، وہیں بیگم روبینہ کی صحت کا خیال بھی آئے جا رہا تھا۔ ان کے ساتھ بھی ایک گہرا تعلق بندھ چکا تھا، جسے نظرانداز نہیں کیا جا سکتا تھا، کر ہی نہیں سکتے تھے۔

تب...... بس سوچتے ہی رہے۔ صبح کے بھوکے تھے۔ نیند بھی پوری نہیں ہوئی تھی۔ کچھ کھا پی لیتے، سو جاتے، آرام کرتے، مگر...... کچھ بھی نہیں کیا گیا۔ اسی واقعہ کے متعلق سوچوں میں کھوئے پڑے رہے۔

وہ ان کے متعلق کیا سوچتی ہوگی۔ پہلی ہی ملاقات میں کتنا غلط تاثر دیا تھا انہوں نے، ایک بے رحم، سخت دل اور بداخلاق سے انسان کا۔ ذرا اس پر، اس کے آنسوؤں پر انہوں نے ترس نہیں کھایا تھا۔

یہ انہیں ہو کیا گیا تھا؟ یہ انہوں نے کیا کر دیا تھا؟ ایک لمحے کے لیے بھی دل و دماغ اس کی سوچوں سے خالی نہیں ہو رہا تھا۔

اور اب...... وہی پریشانی تھی۔ وہی پچھتاوے تھے جو بیگم روبینہ جمال کے سامنے اس انداز میں زبان پر آ رہے تھے۔

''میری جگہ ہوتے تو کیا کرتے......؟'' وہ مسکرا کر پوچھ رہی تھیں۔

''تو ایسے خراب ڈاکٹر کو ڈانٹ دیتا۔ نکال دیتا وارڈ سے، پھر کبھی اس سے بات نہ کرتا، اسے بیٹا نہ کہتا۔''

بیگم روبینہ جمال زور سے ہنس پڑیں۔

''بڑے معصوم ہو۔ بڑے پیارے ہو۔'' وہ ڈاکٹر ایاز کے چہرے پر پھیلی سرخی کو محبت بھری نگاہوں سے دیکھ رہی تھیں۔

''تمہاری خلوص بھری توجہ، مجھے بہت جلد اچھا کر دے گی۔ مجھے یقین ہے ایاز۔ پورا یقین۔''

”پھر میں نے خواہ مخواہ ہی آپ کی بیٹی کو پریشان کیا۔“

”وہ تم نے اپنا فرض ادا کیا تھا۔ اچھا کیا۔ مجھے اس کی بھی خوشی ہے۔“

”کیا......؟ اس کے رونے سے آپ خوش ہوئیں......؟“

”تمہارے انداز سے خوش ہوئی اور...... اس پر صرف ترس آیا تھا۔“

”ترس آیا تھا......؟“

”ہاں...... اس لیے کہ وہ بے چاری ناکردہ گناہ پکڑی گئی تھی اور اسی لیے میں پریشان رہتی ہوں۔ اپنے جذبوں کو تو ہنسی خوشی میں نے قاسم کے اصولوں پر قربان کر دیا مگر اب اولاد کی باری ہے۔“

”کیا ایسا نہیں ہوسکتا کہ آپ اپنی ساری پریشانیاں مجھ پر ڈال دیں۔“

”تم پر......؟ مگر تم......؟ تم کیا کرلو گے۔ یہ ہمارا گھریلو معاملہ ہے۔“

”گھریلو معاملہ......؟ تو کیا میں آپ کا بیٹا نہیں ہوں؟“

”کیوں نہیں......؟“

”پھر اس تعلق سے آپ کے گھریلو حالات میں دخل دینے کا مجھے کوئی حق نہیں ہے؟“

”ارے حق کیوں نہیں ہے۔ دلی طور پر تو میں بہت سارے، بہت سارے حقوق تمہیں دے چکی ہوں۔ لیکن...... یہ معاملہ ذرا ٹیڑھا ہے۔ تم اس میں نہ ہی اُلجھو تو بہتر ہے۔“

”اب تو میں آپ کے، سب کے ساتھ ہوں۔“ ڈاکٹر ایاز فیصلہ کن انداز میں بولے۔

”اور ماما! آپ گھبرائیں نہیں۔ کوئی غلط سلط حرکت نہیں کروں گا۔ سائیکالوجی پڑھی ہوئی ہے۔ بہت نامحسوس طریقے سے اور بہتر انداز میں۔ اگر کچھ کر سکا تو کروں گا ورنہ پھر ہینڈز اپ۔“

بیگم روبینہ جمال ان کے انداز پر ہنس پڑیں۔

”ماں تو اپنے کو مل ہی چکی ہے۔ اسی پر قناعت کرلوں گا۔“

''ماں کے ساتھ ساتھ سبھی تجھے ملیں گے۔ میرا پورا گھرانا تیرا اپنا ہو گا۔ یہ میرا وعدہ ہے۔ میرا ارادہ ہے۔''

''بہت بہت شکریہ......'' ڈاکٹر ایاز کی آنکھوں میں روبینہ کے لیے ڈھیروں ڈھیر پیار اتر آیا۔ چہرے پر احسان مندی کے تاثرات پھیل گئے۔

''اور ماما! آپ سے معذرت کے ساتھ ایک بات کہوں؟''

''معذرت کی کیا بات ہوئی۔ تم کچھ بھی کہہ سکتے ہو۔ کچھ بھی۔''

''گو میں نے آپ کی بیٹی کے ساتھ کچھ اچھے انداز میں بات نہیں کی لیکن دیکھ لیجئے گا وہ کل پھر آئے گی۔ اسے احساس ہو گیا ہے کہ آپ کو اس کی ضرورت ہے۔''

''اوہ پگلا......! یہی تو تمہیں سمجھانے کی کوشش کر رہی تھی۔ اسے احساس بے شک ہو جائے، لیکن جب تک قاسم کے اصول بااصول رہیں گے۔ دوسرے کسی کا احساس کچھ محسوس نہ کر سکے گا۔''

''کیا مطلب......؟''

''بچے تو آنے کو روز آئیں۔ بلکہ چاہتے ہوں گے، مگر باپ سے جب تک اجازت نہ ملے گی، وہ نہیں آ سکیں گے۔''

''تو دلیر بنیں نا۔ لے لیں باپ سے اجازت۔''

''یہی تو ساری گڑبڑ ہے۔ ان کی پڑھائی خراب نہ ہو۔ کسی اور سے انہوں نے خود وعدہ نہ کیا ہو۔ کوئی گھر میں آیا گیا نہ ہو۔ جب سب طرف سے لائن کلیئر ہو گی۔ کسی کا کوئی اصول، کوئی وعدہ درمیان میں حائل نہ ہو گا۔ تب...... تب اجازت ملے گی۔''

بیگم روبینہ جمال کے چہرے پر افسردگی سی پھیل گئی تھی۔

''اور تب بھی شاید نہیں۔''

''کیوں......؟'' ڈاکٹر ایاز بے قرار سے ہو گئے۔ ''تب کیوں نہیں۔''

تب ہسپتال کے اصول آڑے آ جائیں گے۔ یہاں اس وارڈ میں آپ لوگ ہر کسی کو آنے کی اجازت نہیں دیتے، کیونکہ یہاں سارے مریض ہی دل والے ہیں۔''

''لیکن آپ کے لیے تو میں نے شروع شروع میں ہی کہہ دیا تھا۔ آپ کے

مرض کی نوعیت ایسی ہے کہ آپ کو خوش رکھنا ہے اور گھر والوں سے زیادہ خوشی اور کوئی نہیں دے سکتا۔"

"مگر اصول والی بات قاسم کے کان میں پڑ چکی ہے۔ وہ نہیں چاہیں گے ان کے گھر کے کسی فرد سے کوئی اصول ٹوٹے۔ کسی کا بھی...... وہ بہت بااصول انسان ہیں۔ بہت اصول پرست ہیں۔"

"اوہ......! تو پھر......؟"

"پھر......" روبینہ جمال ایک زخمی سی مسکراہٹ کے ساتھ بولیں۔

"پھر اگر بچوں کے جذبے شدت پکڑ گئے تو وہ باپ کے اصولوں سے ٹکرانے کی کوشش کریں گے۔"

"اپنے جذبوں کے اظہار کا تو انہیں حق ضرور دینا چاہیے۔"

"اصولوں کو محفوظ رکھ کر۔ وہ تو دیتے ہیں۔"

"اور جب اصول محفوظ نہ ہو سکیں۔ انہیں توڑ کر ہی جذبے پورے ہوں۔ تب؟"

"ایسا پہلے تو کبھی نہیں ہوا اور اب اگر ہوا، تو پھر پتہ ہے کیسے ہوگا۔"

"کیسے ہوگا......؟" ایاز نے گھبرا کر انہیں دیکھا۔ گھر گرہستی کی نفسیات کا انہیں کب تجربہ تھا......!

"بچے چھوٹی چھوٹی چوریاں کریں گے۔ آج تک انہوں نے باپ سے نہ کچھ چھپایا ہے نہ چھپانے کی کوشش کی ہے۔ جذبے منہ زور ہو جائیں گے تو...... مجھے یقین ہے ایسا ہوگا۔"

"اوہ۔ پھر تو معاملہ بڑا گڑبڑ ہو گیا۔ آپ کے لیے ان سب کی یہاں بڑی ضرورت ہے۔ خرم اور نایاب جب آپ کے پاس تھے، تو میں نے جو کچھ آپ کے چہرے پر دیکھا، وہ روز آپ کے چہرے پر ہونا چاہیے۔ دن کے چوبیس گھنٹے میں سے ایک آدھ گھنٹہ ہی سہی۔ آپ اس طرح بہت جلد اچھی ہو جائیں گی۔"

"اچھا ہونا تو خدا کے اور مقدر کے ہاتھ میں ہے۔" انہوں نے ایک طویل سا

سانس لیا۔ مایوسی تھی اس میں بہت۔

''خدا کے اور مقدر کے ہاتھ کے علاوہ انسان کے ہاتھ میں بھی بہت کچھ ہوتا ہے۔ بڑی طاقتیں دی ہیں خدا نے انسان کو۔''

''مگر ہر انسان کو نہیں بیٹے۔ قاسم جمال کو دی ہیں۔ ہم لوگوں کو نہیں۔''

''ارے نہیں نہیں۔ آپ کے پاس، آپ کی اولاد کے پاس بہت کچھ ہے۔ کل آپ کے بچے آئیں گے تو میں ان سے بات کروں گا۔''

''کل۔'' بیگم روبینہ مسکرا پڑیں۔

''بھول رہے ہو۔''

''نہیں۔ مجھے یقین ہے۔ وہ ضرور آئیں گے۔''

پھر ایاز کے چہرے پر تردّد سا لہرا گیا۔

''کیا ماما میرے سلوک کی وجہ سے آپ کہہ رہی ہیں۔''

''نہیں...... تمہارے متعلق کسی کی رائے غلط نہیں ہے۔''

''کسی کی بھی نہیں؟'' ایاز مسکرائے۔

''نایاب کی بھی نہیں؟''

''نہیں۔'' بیگم روبینہ ہنس پڑیں۔ پھر دوسرے ہی لمحے یکا یک سنجیدہ ہوتے ہوئے بولیں۔

''تمہیں اپنے متعلق ایک بات کا شاید علم نہیں ہے۔''

''کس بات کا ماما!'' انہوں نے چونک کر روبینہ کو دیکھا۔

''تم میں کوئی ایسی بات ہے ایاز! کہ...... کہ......'' جیسے وہ الفاظ نہیں مجتمع کر پا رہی تھیں۔

''بتائیے نا۔ مجھے گھبراہٹ ہو رہی ہے۔''

''تم دوسروں کو متاثر کر لیتے ہو۔''

''اوہ۔ نہیں ماما......!'' ایاز نے بہت خوبصورت انداز میں شرما کر سر جھکا لیا۔

''میں نے آج تک کبھی کسی سے کوئی بات نہ کی تھی۔ سب یہی جانتے ہیں

ہماری فیملی جیسی خوش قسمت فیملی دنیا میں شاید ہی کوئی اور ہو اور میں ہمیشہ اسی طرح سب کو ہشاش بشاش اور پُر مسرت دکھائی دی ہوں۔"

"بڑی اچھی بات ہے ماما۔"

"مگر تمہارے سامنے میں نے اپنا باطن کھول کر رکھ دیا۔ وہ سب کچھ جو کبھی کسی کو نہ بتاتی۔ تمہیں بتا دیا۔ کچھ بھی نہیں چھپایا۔"

"آپ کا بیٹا جو ہوں ماما......!"

"صرف بیٹا ہی نہیں۔ تم سچ مچ ایک مسیحا ہو۔ ایک چارہ گر ہو۔"

ان کے لہجے میں صداقت تھی ان کی آنکھوں میں سچائی کی چمک تھی اور زبان پر میٹھے میٹھے بول۔

"میرا فرض تو علیحدہ رہا تم نے جس طرح میری پریشانیوں کو سنا اور جس طرح تسلیاں دلاسے دے کر ان کا مداوا کرنے کی کوشش کی اور جس اخلاق اور خلوص اور ہمدردی سے میرے مرض کے علاوہ میرے حالات میں دلچسپی لی یوں...... یوں شاید دوسرا کوئی نہ کرتا۔ یقیناً کوئی نہ کرتا۔"

وہ ایاز کی تعریف میں بہت کچھ کہنا چاہ رہی تھیں۔

"مجھے یقین ہے ایاز! آج کی دنیا میں ایسے انسان بہت کم۔"

"مگر ماما......!" اور ایاز اپنی بے تحاشا تعریفوں سے گھبرا گئے۔ شرما سے گئے۔ چہرہ سرخ سا ہو گیا۔

"آپ یہ کیوں بھول رہی ہیں کہ میں آپ کا بیٹا ہوں۔ کوئی غیر نہیں ہوں۔ مجھے یہ سب ضرور کرنا چاہیے تھا۔ یہ میرا فرض ہے۔"

● ...... ● ...... ●

ڈاکٹر ایاز وارڈ میں داخل ہوئے تو بے ساختہ نگاہیں تین نمبر بیڈ کی طرف اُٹھ گئیں۔ ایک بے انتہا خوبصورت مسکراہٹ ان کے چہرے پر پھیل گئی اور یہ مسکراہٹ انہیں

ہمیشہ وجاہت کا ایک مکمل ترین نمونہ بنا دیا کرتی تھی۔

اس وقت ان کی ڈیوٹی بھی نہیں تھی۔ وقت بھی آرام کا تھا۔ ان کے کمرے کا اور وارڈ کا فاصلہ بھی کافی تھا اور یوں بھی اس وقت جبکہ نہ ان کی یہاں ضرورت ہوتی تھی، نہ ڈیوٹی اور نہ کوئی اور کام، تو وہ یہاں کبھی نہیں آیا کرتے تھے۔

مگر...... وہ چلے آئے تھے۔ نہ کسی نے بلایا تھا نہ اپنا کوئی کام تھا، نہ ضرورت نہ کسی سے ملنا تھا۔ آرام کا وقت بھی تج دیا اور چلے آئے۔

جانے کیوں؟ جانے کیوں؟ کوئی غیبی طاقت تھی جو انہیں کشاں کشاں لیے آئی تھی بلاوجہ ہی۔ بلاضرورت ہی، خود ان کی اپنی سمجھ میں بھی نہیں آرہا تھا کہ ایسا انہوں نے کیوں کیا تھا۔

دروازے میں کھڑے ابھی سوچ ہی رہے تھے کہ بیگم روبینہ جمال نے ہاتھ کے اشارے سے انہیں اپنے پاس بلا لیا۔

اور وہ جیسے اسی اشارے کے منتظر کھڑے تھے اور اپنا آرام اور وقت سب کچھ چھوڑ چھاڑ صرف ایک ان کے اسی اشارے ہی کے لیے کمرے سے یہاں تک چلے آئے تھے۔

''ہیلو......!'' وہ ان کے بیڈ کے قریب آئے تو پاس بیٹھی نایاب سے نظر مل گئی۔

اب یہ تو سراسر بداخلاقی تھی کہ ایک دن پہلے ملاقات ہوئی۔ تعارف ہوا، کافی کھٹا میٹھا، تلخ ترش، بلکہ اپنی طرف سے خاصی زیادتی ہوگئی تھی۔ یہ سب کچھ ہوا تو آج انجان بن کر صرف بیگم روبینہ ہی کی طرف متوجہ رہتے۔ اسے بالکل نظر انداز کر دیتے۔ غلط تھا یہ۔

''اچھا کیا آپ آج پھر تشریف لے آئیں۔ آپ کی ماں ماشاء اللہ اب بہت جلد تندرست ہوجائیں گی۔''

اتنی خوش اخلاقی سے بات کی کہ ضمیر کے اندر جو کل والی خلش تھی، اس کا بھی کچھ ازالہ ہو جائے۔ دانستہ انہوں نے یہ انداز اپنایا۔

اور پھر جان بوجھ کر ہی نایاب کا کوئی جواب سنے بغیر ہی وہ بیگم روبینہ جمال کی

طرف متوجہ ہو گئے۔ ایک منٹ ایک لمحے کے لیے بھی وہ اگر اور اس کی طرف دیکھتے رہتے تو کل والی ساری قیامتیں اور طوفان ماند پڑ جاتا تھے۔ آج وہ کل سے کہیں زیادہ کہیں زیادہ حسین دکھائی دے رہی تھی۔ جانے ان کی نظر کا قصور تھا یا پھر...... پھر دل کا...... اور یا پھر...... اس لڑکی کا، جو ان کے لوٹنے کا سامان کر کے آجاتی تھی۔

''ہوں...... تو بتائیے ماما! آپ نے ہمیں کس لیے اشارہ کیا؟''

نگاہیں بار بار بھٹک رہی تھیں۔ انہیں سیدھی جگہ پر رکھنے کی کوشش میں آواز لڑکھڑانے لگی۔ لہجہ کپکپانے لگا۔

''یہی بتانے کے لیے کہ تم ٹھیک کہتے تھے۔''

''کیا ٹھیک کہتے تھے......؟'' نایاب نے ڈاکٹر ایاز کی طرف دیکھتے ہوئے ماں سے سوال کیا۔

''کہ تم آج پھر آؤ گی۔''

''میں...... میں......'' نایاب بری طرح بوکھلا گئی۔

''وہ دراصل۔''

جانے وہ کیا کہنا چاہ رہی تھی۔ بات کچھ بن نہیں رہی تھی اور بات نہیں بنی تو خفت کے مارے چہرے پر سرخی پھیل گئی۔ سرخی پھیلی...... تو

ڈاکٹر ایاز...... جو اسے ہی دیکھ رہے تھے۔ انہیں رُخ دوسری سمت پھیرنا پڑ گیا۔ دل اس بُری طرح دھڑک رہا تھا کہ سنبھالنا مشکل ہو گیا۔ شکر یہ کہ کوئی مشین ان کو نہیں لگی ہوئی تھی...... ورنہ ابھی...... ڈیوٹی والا ڈاکٹر، نرسیں، سب ان کے اندر کا حال جان جاتے۔

یہ بھلا آج پھر یہاں کیوں آ گئی تھی؟ ایسی قیامت کو تو سات پردوں میں چھپ کر رہنا چاہیے تھا۔ باپ کی پابندیاں ٹھیک ہی تھیں۔ اصول بھی ٹھیک تھے۔ کیا اسے خود کو ہسپتال کے اصولوں کا علم نہیں تھا؟ آ گئی تھی اصول توڑنے اور لوگوں کو ڈسٹرب کرنے۔

انہوں نے ایک لمحے میں سوچ لیا کہ وہ اسے یہاں کے سارے قوانین و اصول سمجھائیں گے۔ جہاں تک ماما کا معاملہ تھا، وہ اسے خود سلجھا لیں گے۔ ماما کو بہت خوش رکھیں گے۔ مزے مزے کے لطیفے سنایا کریں گے۔ اچھی اچھی باتوں سے دل بہلایا کریں

گے۔

اور یہ اگر اسی طرح روز روز یہاں آنے لگی تو...... ایسا نہ ہو ماما کے ساتھ والے بیڈ پر انہیں لیٹنا پڑ جائے۔ وہ اپنے روپ کی فراوانی کے ساتھ روز درشن دینے لگی تو ایسا ہی ہو گا۔ یقیناً ایسا ہی ہو گا۔ وہ کہیں کے نہ رہیں گے۔ بے موت مارے جائیں گے۔ قتل ہو جائیں گے اس کے ہاتھوں۔

"تو بیٹے......!" اس کی گھبراہٹ کو بیگم روبینہ نے نجانے کیا سمجھا۔

"اس میں گھبرانے سٹپٹانے کی کیا بات ہے۔ تم اپنی ماما کے پاس آئی ہو۔"

"جی ہاں۔ جی ہاں۔" اس عقل مند عورت نے مسئلہ حل کر دیا تھا۔

نایاب نے اطمینان کا سانس لیا۔

تب...... ڈاکٹر ایاز کے چہرے پر ایک معنی خیز سا تبسم پھیل گیا۔ انگلستان میں تعلیم پائی تھی۔ مریضوں کے امراض کے ساتھ ساتھ نفسیات کا بھی مطالعہ کیا ہوا تھا اور وہاں کے معاشرے نے عورت کے متعلق تو دیدنی، شنیدنی، ہر قسم کا مطالعہ اور مشاہدہ کرایا ہوا تھا۔

اس کی اتنی سی گھبراہٹ سے ہی سب کچھ سمجھ گئے تھے۔ نگاہوں کا مفہوم تو اسی وقت سمجھ کر بھی نہ سمجھنے کی اداکاری کر لی تھی مگر آج...... اب...... یہ شرمیلی شرمیلی سی مسکراہٹیں، یہ جھکی جھکی سی نظریں۔ یہ لڑکھڑاتی، کپکپاتی سی آواز...... اور سب سے بڑھ کر...... اس کا یہاں موجود ہونا۔ کل کے بعد آج پھر۔ باپ کے اصولوں اور پابندیوں کے باوجود۔

"مجھے تو نہیں یقین تھا کہ تم آؤ گی۔" بیگم جمال بیٹی سے کہہ رہی تھیں۔

"لیکن۔ یہ شاید ایاز کی زبان کا اثر تھا۔"

"جی ماما! میں...... میں سمجھتی نہیں۔" وہ بے حد بوکھلائی ہوئی تھی۔

"کل ایاز نے خرم کو بھی اور تمہیں بھی ماں کی زندگی کی افادیت کا احساس دلایا تھا۔ تبھی...... تم آج پھر آ گئی ہو۔ پاپا سے اجازت آسانی سے مل گئی تھی۔"

"پاپا سے اجازت؟" وہ بری طرح گڑبڑا گئی۔

''اوہ۔'' ایاز کے چہرے پر ایک معنی خیز سا تبسم پھیل گیا۔

''بیگم روبینہ جمال آپ بڑی معصوم ہیں۔ بے حد بھولی بھالی۔ نہ کسی ڈاکٹر ایاز کے الفاظ میں اثر ہے اور نہ...... نہ کسی باپ یا ماں کی اجازت کی ضرورت۔ یہ تو ایک دل کا دوسرے دل کو دیئے گئے پیغام کا اثر ہے کہ ہم دونوں ہی یہاں موجود ہیں۔''

ایاز نگاہیں جھکائے بیٹھی نایاب کی طرف دزدیدہ نگاہوں سے دیکھے جا رہے تھے۔

''وہ پیغام...... جو انجانے میں ہی، بے زبانی کی زبان سے ایک نے دوسرے کو دے دیا۔ ہم سے تو آپ نے کچھ پوچھا ہی نہیں کہ ہم آج...... اس وقت یہاں کیوں ہیں۔ ہمیں تو کسی نے نہیں سمجھایا تھا۔ بس اپنے آپ ہی جیسے کچے دھاگے سے بندھے چلے آئے ہیں۔ کیا آپ نے پہلے کبھی ہمیں اس وقت یہاں دیکھا؟''

''وہ...... وہ......'' نایاب کی حالت قابلِ دید تھی۔ ''پاپا سے پوچھتی تو کبھی اجازت نہ ملتی ماما!'' آخر وہ کچھ اُلجھ کر بولی۔

''تو کیا بغیر پوچھے ہی چلی آئیں؟''

''جی ماما۔'' اس نے بڑی دلیری سے کہا۔ ''پاپا کہیں گئے ہوئے تھے۔''

''تو اب تم لوگ چوریاں کرنے لگ پڑے؟'' بیگم روبینہ جمال نے ہار جانے والے انداز میں سر تکیے پر ٹیک دیا۔

''چوری نہیں ماما۔ بس وہ آپ کے پاس آنے کو میرا دل چاہا تھا۔''

ڈاکٹر ایاز کے ہونٹوں پر بکھری مسکراہٹ گہری ہوگئی۔

''ماما! آپ خود ہی تو کہتی تھیں کہ جب جذبے منہ زور ہو جائیں تو دل بغاوت پر آمادہ ہو جاتا ہے اور پھر انسان چھوٹی چھوٹی چوریاں کرنے لگتا ہے...... اور...... آپ کی بیٹی پر شاید یہ وقت آ گیا ہے۔ ہمارا دل کہتا ہے ماما! اگر نہیں بھی آیا تو...... تو آجائے ہماری خاطر۔ ایسی ایسی حکم عدولیاں کرنے لگے۔ ہم بہت اکیلے ہیں ماما! بہت اکیلے۔ ہمیں زندگی میں ایسے جذبوں سے پہلے کسی نے نہیں نوازا۔ ہمیں ان کی بڑی ضرورت ہے۔''

''ایاز! تم کیا سوچنے لگے؟''

''میں......؟ میں......؟'' ایاز ایک دم چونکے۔ نگاہیں بیگم روبینہ جمال پر مرکوز کر دیں۔ بیٹی بے شک باپ سے اجازت لیے بغیر چوری چوری آ گئی تھی۔ اس نے زندگی کا پہلا جرم کیا تھا۔

لیکن وہ پھر بھی خوش تھیں۔ گالوں پر سرخی تھی۔ آنکھوں میں چمک تھی۔ لبوں پر مسکراہٹ، اور...... چہرے پر بکھرنے والے یہ رنگ ان کی صحت مندی کی نوید دے رہے تھے۔

اور...... جو جو تبدیلیاں ایاز نے بیگم روبینہ میں دیکھی تھیں، وہ ساری کی ساری خود ان پر بھی اثر انداز ہونے لگیں۔ ان کا دل کہتا تھا۔ نایاب نے یہ خوب صورت جرم ان کی خاطر کیا تھا۔

اس کی یہ معصوم چوری صرف ان کی اور ان کی خاطر تھی۔ ورنہ...... وہ خود اس وقت بغیر کسی کے بلائے، بغیر کسی کام یا ضرورت کے یہاں نہ موجود ہوتے۔

''تم نے بتایا نہیں بیٹے......!'' بیگم روبینہ نے پھر پوچھا۔ وہ خوش تھیں بہت۔ وہ باتیں کرنا چاہتی تھیں ان سے۔

''جی میں......'' کھوئے کھوئے، ڈوبے ڈوبے ایاز ایک بار پھر چونکے...... اُبھرے اور جلدی سے گویا ہوئے۔

''میں یہ سوچ رہا تھا ماما! کہ اگر آپ کے ساتھ روز روز ایسا ہونے لگے تو آپ اپنے اس بیٹے کو بہت جلد جدائی دے جائیں گی۔''

''تمہاری وجہ سے ہی تو یہ سب ہو رہا ہے۔ یہ خوشیاں، یہ لذتیں مجھے مل رہی ہیں تمہیں تو اب کبھی بھی جدائی نہ دوں۔''

''ہائے نہیں ماما......!'' نایاب گھبرا کر ایکدم بول پڑی۔ ''ہسپتال میں پڑے رہنا کوئی بڑی اچھی بات ہے اور پھر آپ کے بغیر گھر میں ہمیں کچھ بھی اچھا نہیں لگتا۔''

''پگلی بیٹی......!'' بیگم روبینہ ہنس پڑیں۔ چہرہ ہی نہیں...... ان کا تو جیسے سارا وجود کھل کھل کر رہا تھا۔

''میرا مطلب ہسپتال میں پڑا رہنے کا تھوڑا تھا۔''

''پھر جدائی تو آ گئی ہمارے درمیان۔'' ایاز کے ہونٹوں پر پھیلی مسکراہٹ کافور ہو گئی۔ انتہائی بے چارگی سے ماں اور بیٹی کو تکنے لگے۔

''کیوں......؟ ہسپتال کے علاوہ تم سے اور کہیں نہیں ملا جا سکتا۔''

بیگم روبینہ ایاز کے چہرے پر پھیلی افسردگی کو محسوس کرتے ہوئے یگانگت بھرے لہجے میں کہنے لگیں۔

''ہمارے گھر میں۔ تمہارے کمرے میں۔''

''آپ کے گھر میں؟ میرے کمرے میں؟'' ایاز کے افسردگی کے مارے دُھواں دُھواں ہو جانے والے چہرے پر اب تعجب پھیل گیا۔

''ہاں!'' بیگم روبینہ نے ایاز کے متعجب چہرے کو تعجب سے دیکھا۔

''کیا اس میں کوئی حرج ہے؟''

''میرے پاس اتنا وقت نہیں ہوتا کہ آپ کے گھر جا سکوں اور آپ...... میرے کمرے میں آپ کیسے آ سکیں گی؟'' ڈاکٹر ایاز کمتری کے احساس میں مغلوب سے ہو کر بولے۔ ''وہ جگہ آپ کے شایانِ شان نہیں ہے ماما!''

''کیوں؟ میرے شایان شان کیوں نہیں؟'' روبینہ نے بڑی بے تکلفی سے ایاز کو گھورا۔

''جہاں بیٹا رہتا ہے وہاں جانے سے ماں کی شان میں کوئی فرق نہیں آئے گا۔''

پھر وہ ایاز کو سمجھانے والے انداز میں بڑے خلوص اور شفقت کے ساتھ بولیں۔

''تم کسی جھونپڑی میں بھی ہو گے، میں تمہارے پاس آیا کروں گی ایاز! تم نے یہ بات مجھے صرف امارت کی کسوٹی پر رکھ کر کی ہے۔ میرے خلوص اور محبت کو نہیں پرکھا۔''

''نہیں نہیں۔ وہ تو جانتا ہوں ماما! اور آپ کیا جانیں میری نگاہوں میں آپ کا مقام کیا ہے؟'' ساتھ ہی ایاز نے ایک نگاہ نایاب پر ڈالی۔

وہ دونوں کی باتیں سن سن کر چپکے چپکے مسکرا رہی تھی اور رخساروں پر ایک خوبصورت سا شہابی رنگ دوڑ رہا تھا۔

''مقام کی بات ہے.تو پھر مجھے یہ بھی یقین ہے کہ اپنی ماما کو ملنے کے لیے تم وقت بھی نکال لیا کرو گے......ضرور...... ہیں نا؟''

''یہ بھی آپ نے درست کہا۔'' ڈاکٹر ایاز ہنس پڑے۔

''آپ کبھی مصروف ہوئیں، ملنے نہ آسکیں تو بیٹے کو ہی فرصت نکالنا پڑے گی۔ ہم تو مجبور ہو گئے ماما! آپ نے بالکل بے بس کر دیا۔''

نگاہیں بھٹک کر پھر نایاب کے وجود پر جا ٹکیں۔

''ماما! آپ کے علاوہ شاید کوئی اور بھی ہمیں مجبور کر دے۔ تب...... تب ماما! ہمارے پاس تو کچھ بھی کہنے کی گنجائش باقی نہیں رہی۔''

●......●......●

راؤنڈ لینے کے وقت ہمیشہ سارے وارڈ کا چکر لگا کر آخر میں، سب سے آخر میں ڈاکٹر ایاز بیگم روبینہ جمال کے پاس آیا کرتے تھے۔ یہ ان کا معمول بن چکا تھا۔

اور اسی حساب سے بیگم جمال بھی ان کے انتظار میں رہتیں۔ نیند آئی ہوتی تب بھی کوشش کر کے جاگتی رہتیں۔ ان کے آنے کا وقت ہوتا۔ وہ آتے...... نگاہیں ان پر مرکوز ہو جاتیں۔ جہاں جہاں وہ جاتے، نظریں ساتھ ساتھ چلتیں۔

ذہن سوچوں میں کھویا رہتا۔ انہی کے متعلق ہوتیں ساری کی ساری...... وہ ان کے لیے کچھ کرنا چاہتی تھیں۔ بہت کچھ کرنا چاہتی تھیں۔

اور آج...... آج تو وہ خاص طور پر ایاز کے انتظار میں تھیں۔ کل انہیں چھٹی مل جانا تھی اور وہ ان سے بہت ڈھیر ساری کچھ بہت ضروری باتیں کرنے کی خواہاں تھیں۔

مگر...... آج ڈاکٹر ایاز شاید انہیں بھول ہی گئے تھے۔ اپنے وقت پر آئے...... وارڈ کا راؤنڈ لیا...... ایک ایک مریض کو بڑی اچھی طرح دیکھا اور پھر...... آخر میں ان کی باری آئی تو...... بغیر ان کی طرف دیکھے...... بغیر کچھ کہے، وارڈ سے نکلے چلے گئے۔

کتنی حیرت کی بات تھی۔ بیگم روبینہ جمال متحیر سی انہیں دیکھتیں اور سوچتی ہی رہ گئیں۔

ان کا بیڈ چھوڑ کر جب ایاز اگلے مریض کو دیکھا کرتے تھے تو ہاتھ ہلا کر، مسکرا کر ابھی ان کے پاس آنے کا اشارہ کر کے آگے بڑھا کرتے تھے، مگر آج نگاہیں جھکائے چپکے سے گزر گئے تھے۔

شاید کوئی ضروری کام تھا۔ اسے نمٹا کر آنا تھا...... ورنہ ان کی طرف سے کسی قسم کی بے توجہی کا بیگم روبینہ کے دل میں ذرا سا شائبہ بھی نہیں تھا۔

تب وہ ان کا انتظار کرنے لگیں۔ بار بار کروٹیں بدلتیں۔ گردن اٹھا کر دروازے کی طرف دیکھتیں۔ ہر آہٹ پر چونک چونک پڑتیں۔

''کیا بات ہے؟'' نرس ان کی بے چینی دیکھ کر ان کے قریب چلی آئی۔

''آپ کو نیند کیوں نہیں آ رہی......؟''

''کچھ نہیں ویسے ہی۔'' بیگم روبینہ نے اسے ٹال دیا۔

''اگر نیند نہیں آ رہی تو کوئی دوا دوں؟'' وہ ٹلی نہیں، بڑی نرمی اور محبت سے بولی۔

کچھ بیگم جمال کا اخلاق اور شخصیت ایسی تھی کہ وارڈ کی سب نرسیں، بہرے اور ڈکٹر ان کی بڑی عزت کرتے تھے۔ کچھ ان کے شوہر شہر کے رؤسا میں شمار ہوتے تھے اور اس کے علاوہ بڑے بااصول اور اچھے انسان تھے۔ ان کے ناطے اور کچھ ڈاکٹر ایاز کی وجہ سے۔

وہ انہیں ماں کی طرح جانتے تھے۔ تو سبھی اسی طرح ان کا احترام کرتے تھے۔ ڈاکٹر ایاز خود بھی تو سب کے لیے قابل احترام اور قابل عزت شخصیت تھے۔ ان کی ذاتی خوبیوں کی وجہ سے سبھی انہیں علیحدہ مقام دیتے تھے، اسی لیے۔

انہوں نے جس ہستی کو پسند کیا، جس کو عزیز جانا، جس کو عزت دی، جس سے محبت کی، کیسے سب اسے بھی انہیں جیسا مقام اور حیثیت دیتے اور عزت اور احترام دیتے۔

''آپ نے بتایا نہیں۔ نیند کے لیے کوئی دوا دے دوں؟'' وہ خاموش رہیں تو

نرس نے دوبارہ پوچھا۔

''نہیں۔ میں خود ہی سونا نہیں چاہتی۔''

''کیوں......؟'' نرس تردّد سے بولی۔ ''رات کی نیند تو آپ کے لیے بہت ضروری ہے۔''

''مجھے ڈاکٹر ایاز کا انتظار تھا۔ آج میرے پاس آئے ہی نہیں۔''

''آپ ماشاء اللہ ٹھیک ٹھاک ہیں اب اور کل آپ کی چھٹی بھی ہو رہی ہے، شاید تبھی نہیں آئے۔''

''اور تبھی تو میں بھی چاہتی تھی کہ آج یہاں میرا آخری دن ہے۔ آج میں بہت دیر ان سے باتیں کروں۔''

''وہ آفس میں ہوں گے۔ بلا دوں؟''

''ہاں۔ضرور۔''

اور نرس نے اسی وقت انہیں فون کر دیا۔ بیگم روبینہ کی منتظر نگاہیں دروازے پر مرکوز ہو گئیں۔ فون کرنے کے دو منٹ بعد ہی ڈاکٹر ایاز وارڈ میں داخل ہو رہے تھے۔

بیگم روبینہ جمال کی طرف نہیں دیکھا۔ سیدھے نرس کی میز کی طرف بڑھے تو اس نے وہیں سے انہیں تین نمبر بیڈ کی طرف اشارہ کر دیا۔

''اوہ......!'' وہ ایک لمحے کے لیے ٹھٹکے اور پھر ادھر مڑ گئے۔

''آپ نے مجھے بلایا ماما!'' بیڈ کے پاس کھڑے ہو کر وہ جھکی جھکی آنکھوں سے پوچھنے لگے۔

''ہاں۔ آج تم میرے پاس آئے ہی نہیں، کیوں؟''

''آپ کل چلی جائیں گی۔ یہ سوچ سوچ کر میرا دل بڑا اُداس ہو رہا تھا۔'' وہ ان کی طرف جھکتے ہوئے بہت آہستہ سے بولے۔

''اور مجھے ڈر تھا ماما! کہیں میرے آنسو نہ نکل پڑیں۔ سب لوگ کیا سوچیں گے کہ ڈاکٹر ایاز کا اتنا چھوٹا دل ہے۔''

''اوہ......!'' بیگم رُوبینہ نے ان کی سادگی اور سچائی اور خلوص بھرے جذبوں کو

انتہائی قدر اور پیار کی نگاہ سے دیکھا۔

"اور میں اسی لیے آج تم سے ڈھیر ساری باتیں کرنا چاہتی تھی۔"

"کیا آپ کو بھی یقین ہے کہ اس کے بعد ہمارا ملنا جلنا ختم ہو جائے گا۔"

"اوہ نہیں...... بلکہ زیادہ ہو گا۔" وہ وثوق کے ساتھ بولیں۔

"تم نے پہلے دن اپنے اور میرے درمیان مریض اور ڈاکٹر والے جس تعلق یا رشتے کا ذکر کیا تھا، وہ بے شک ہسپتال سے جانے کے بعد ختم ہو جائے گا۔" وہ بڑے خوبصورت انداز میں مسکرائیں۔

پیار اور محبتوں سے لبریز نگاہ ڈاکٹر ایاز کے افسردہ اور متین چہرے پر ڈالی۔

"مگر ماں بیٹے کے جو کبھی نہ ٹوٹنے والے رشتے میں ہم بندھ چکے ہیں، وہ تو قائم رہے گا۔ سدا قائم رہے گا انشاء اللہ۔"

"سچی ماما؟" ڈاکٹر ایاز کے چہرے کی افسردگی دور ہو گئی۔ بنچ بیڈ کے نیچے سے کھینچ کر اس پر بیٹھتے ہوئے بڑے پیار سے پوچھنے لگے۔

"آپ میرے پاس آیا کریں گی نا؟"

"کیوں نہیں۔"

"لیکن۔" وہ کچھ کہتے کہتے رُک سے گئے۔

"ہاں ہاں کہو۔ جو کچھ دل میں ہے کہہ ڈالو۔"

"وہ ماما! میرا کمرہ۔" پھر وہ جھجکتے جھجکتے بولے۔ "بالکل چھوٹا سا اور بے ترتیب سا ہے۔"

ڈاکٹر ایاز کی اس معصوم سی پریشانی پر بیگم روبینہ جمال کو بے تحاشا ہنسی آ گئی۔

"ارے! کمرہ چھوٹا سا ہے تو کیا ہوا۔ ہم نے تو تمہارا دل دیکھا ہے۔ وہ بہت بڑا ہے۔ بہت بڑا اور رہی بے ترتیبی کی بات تو۔"

وہ ایاز کو سر سے پاؤں تک دیکھتے ہوئے معنی خیز سے انداز میں آہستہ سے بولیں۔

"اس کا بھی انتظام کر دیا جائے گا۔"

''اس کا انتظام......؟'' انہوں نے تجسّس سے بیگم روبینہ کی طرف دیکھا۔ ''وہ آپ کیا کریں گی؟''

ایاز کی بات کا جواب دیئے بغیر بیگم جمال نے اپنا ایک سوال کر دیا۔

''ایاز...... نہ صرف تمہاری تعلیم مکمل ہے بلکہ اب تم اس حیثیت میں ہو کہ گھر گرہستی کی ذمہ داری سنبھال سکتے ہو۔ پھر تم شادی کیوں نہیں کر لیتے؟''

''شادی......شادی......؟'' وہ کچھ سٹپٹا سے گئے۔

''ہاں ہاں شادی۔ تم اس قدر گھبرا کیوں گئے؟''

''وہ...... ماما! میں نے اس کے متعلق کبھی سوچا ہی نہیں۔''

''تو اب سوچو نا۔''

''نہیں۔نہیں۔''

وہ عجیب طرح اُلجھ گئے تھے۔ بیگم روبینہ حیرت میں ڈوب گئیں۔ کتنی ہی دیر چپ چاپ کچھ سوچتی رہیں۔ اتنی دیر ایاز نے بھی بات نہیں کی۔ وہ بھی چپ رہے۔ آخر بیگم روبینہ نے اس سکوت کو توڑا۔

''کیا تمہارا ارادہ بالکل ہی شادی کرنے کا نہیں ہے؟''

''میرا ارادہ؟'' وہ چونکے۔ ایک بار پھر گڑبڑائے۔

پھر خود کو سنبھالا...... اور پھر بڑے معصوم سے انداز میں مسکرائے۔

''دراصل ماما! بڑا عجیب سا مسئلہ ہے۔''

''عجیب سا؟ کیا؟''

''نہ میرے کوئی والدین ہیں۔ نہ والدین کے والدین۔ کوئی خاندان ہی نہیں اپنا۔'' وہ عجب کھسیانے سے انداز میں مسکرا رہے تھے، مگر ان کی یہ مسکراہٹ نہ تھی۔ ایک کھلا ہوا زخم تھا۔

''پھر......؟'' روبینہ جمال نے ہمدردی سے انہیں دیکھا۔

''آپ سمجھیں نا میری بات۔''

''تم سمجھاؤ بھی۔''

''جب میرے حسب و نسب کا خود مجھے ہی علم نہیں تو کوئی دوسرا...... کوئی دوسرا...... میرے جیسے۔'' اور وہ مزید کچھ نہ سکے۔

ایک بے بسی کے ساتھ بیگم روبینہ جمال کو تکنے لگے۔ ان کی ادھوری سی بات وہ پوری طرح سمجھ گئی تھیں شاید۔

''اوہ۔ تو یہ مسئلہ ہے؟ مگر یہ تو ایسا کوئی مسئلہ نہیں۔''

''کیا؟''

''ہاں...... یہ ایسا کوئی مسئلہ نہیں۔ تم بتاؤ...... تمہارا ارادہ کیا ہے۔ تم گھر بسانا چاہتے ہو یا نہیں؟''

''ماما! ماما!'' ایاز نے جذباتی سا ہو کر بیگم روبینہ جمال کا ہاتھ تھام لیا۔ پھر تھوڑا سا جھک کر مدھم سے لہجے میں بولے۔

''زندگی میں پوری طرح قدم جمانے کے بعد کون ایسا ہے جو یہ نہ چاہے گا۔ جس انداز میں...... میں رہتا ہوں وہ کوئی درست تو نہیں، لیکن بات وہی ہے۔''

چہرے پر سنجیدگی پھیلی تھی۔ کچھ پریشانی کے سائے بھی تھے۔ سوچ کی چند لکیریں بھی تھیں۔

''میری کوئی ضمانت نہیں...... کوئی خاندان نہیں...... پھر؟''

''پھر وہی بات۔'' بیگم روبینہ ان کی بات کاٹ دی۔

''ساتھ ماما کہتے ہو اور ساتھ ضمانت اور خاندان کی بات کرتے ہو۔ کم از کم میرے سامنے تو ایسے نہ کہو۔''

''جی یہ آپ...... کیا کہہ رہی ہیں......؟'' انہیں بیگم جمال کی بات کا یقین نہیں آیا تھا۔

''ہاں میں ٹھیک کہہ رہی ہوں۔'' وہ سنجیدگی سے بولیں۔

''تم میرے خاندان سے ہو۔ تم میرے ہو، تمہارا رشتہ میں طے کروں گی۔ میں تمہاری ماں ہوں۔''

انہوں نے ایاز کے سر پر ہاتھ دھر دیا۔ جیسے کوئی اپنی جان و ایمان کی قسم کھا کر

یقین دلائے۔

''آپ...... آپ ماما؟'' وہ احترام و عقیدت کے جذبوں سے مغلوب سے ہوگئے۔

''آپ کتنی اچھی ہیں، کتنی بلند ہیں...... لیکن......'' اور وہ یکایک اٹھ کھڑے ہوئے۔

''میں اس قابل نہیں۔ میں آپ کو اس آزمائش میں نہیں ڈال سکتا۔''

''کیسی باتیں کرتے ہو؟'' بیگم روبینہ جمال نے تعجب سے انہیں دیکھا۔ پھر ایک پیار بھرا تبسم ان کے ہونٹوں پر مچل گیا۔

''ماں سے تکلف نہیں کیا کرتے۔ کسی بھی قسم کا۔ جو کچھ دل میں ہے، بے تکلفی سے کہہ ڈالو۔''

''ڈاکٹر صاحب!''

نرس نے انہیں کسی مریض کے لیے پکارا تھا شاید۔ زندگی کے اتنے اہم مسئلہ پر بات ہورہی تھی اور وہ سوچ رہے تھے کہ......

بیگم روبینہ جمال جو اتنی مہربان تھیں، اتنی مخلص تھیں، دل کی بات ان سے کہہ ڈالیں۔ وہ دل کی بات، جو دوچار دن پہلے ہی دل میں اتری تھی اور پھر خوشبو کی طرح پورے وجود میں رچ بس گئی تھی۔ کچھ اس طرح کہ ان کی پہلی اور آخری تمنا، آرزو اور خواہش بن گئی تھی۔

بہت سارے لمحات، بہت سارے گھنٹے اور بہت سارا وقت انہوں نے اس کے متعلق سوچا تھا۔ پورے جان و دل سے سوچا تھا۔ پورے ارمانوں سے سوچا تھا۔

اور اب...... بیگم روبینہ جمال ایک ماں کا سا خلوص دل میں بھرے خود ہی انہیں پوری بے تکلفی کے ساتھ بات کرنے کے لیے کہہ رہی تھیں۔

''ڈاکٹر صاحب!'' نرس نے دوبارہ پکارا۔ ''جلدی آیئے۔''

نوک زبان پر آئے الفاظ تھم گئے اور وہ ایک حسرت کے ساتھ خود پر گڑی روبینہ جمال کی منتظر نظروں کو دیکھتے ہوئے اس بیڈ کی طرف چلے گئے، جہاں سے نرس نے

انہیں آواز دی تھی۔

اس مریض کی حالت تشویشناک تھی۔ وہ سب کچھ بھول بھال اپنے فرض کی طرف متوجہ ہو گئے۔ کوئی تمنا، کوئی آرزو، کوئی خواہش فرض کی راہ میں حائل نہیں ہوئی۔

●......●......●

آج کل ان کے مزاج پر، طبیعت پر، بڑی زبردست بوریت طاری تھی۔ نہ کسی سے بات کرنے کو دل چاہتا تھا۔ نہ کوئی کام کرنے کو، نہ کچھ کھانے کو اور نہ پینے کو اور...... اور نہ ہی وارڈ میں جانے کو...... قطعی نہیں۔

انہوں نے اپنے فرض سے کبھی کوتاہی نہیں برتی تھی۔ طوفان آجائے، آسمان پھٹ پڑے، دنیا اِدھر سے اُدھر ہو جائے۔ فرض کی طرف سے کبھی غافل نہیں ہوئے تھے۔

اس لیے ڈیوٹی پر تو ضرور جا رہے تھے، پوری باقاعدگی کے ساتھ۔ طبیعت نہ چاہتے ہوئے بھی۔ مگر...... باقی سب کچھ دل کے سپرد کر دیا تھا۔

نہ صبح ناشتہ کرتے، نہ رات کا کھانا کھاتے۔ دوپہر کو بھی ایسے ہی چپ چاپ پڑے رہتے۔ نہ کچھ کھانے کی خواہش ہوتی، نہ بھوک لگتی، نہ پیٹ کچھ طلب کرتا۔ ساری کی ساری حسیں جیسے سوگئی تھیں۔ بس ایک ذہن جاگ رہا تھا۔

ویسے تو پہلے بھی اپنی ذات سے غافل ہی تھے۔ دن میں ایک آدھ کھانا اکثر مس کر دیا کرتے تھے، مگر آج کل تو اکثر خالی پیٹ ہی لیے پھرتے تھے۔ بہت ہوتا تو دن میں ایک دو چائے کی پیالیاں پی لیتے۔

وہ بھی پہلے کی طرح خود بنانے کا تردّد نہ کیا، نہ کرنے کو دل ہی چاہا۔ ہسپتال میں جاتے آتے کسی ڈاکٹر نے کینٹین پر پلا دی یا پھر رات کی ڈیوٹی میں نرس بنا کر دے دیتی۔

ماما وارڈ سے چلی گئی تھیں تو یوں لگ رہا تھا جیسے ساری دنیا ہی ویران ہو گئی تھی۔ کچھ بھی اچھا نہیں لگ رہا تھا۔ کچھ بھی من کو نہیں بھا رہا تھا۔

یہ ڈاکٹر ایاز تھے، فرض کو فرض جانتے ہوئے پوری جان سے نباہنے والے، ورنہ ان کی جگہ کوئی اور ہوتا تو شاید کئی دن تک ڈیوٹی پر بھی جانے کے قابل نہ رہتا۔ کچھ ایسی ان کی حالت اور کیفیت تھی۔

تین نمبر بیڈ کی طرف نگاہ اٹھتی تھی تو دل پر کیا کچھ نہیں گزر جاتا تھا۔ ماما کا خلوص، پیار اور شفقت بھری مسکراہٹیں یاد آتیں، نظروں میں پھر پھر جاتیں۔

اور ساتھ...... ان کے جاتے جاتے یہ جو ایک انہیں دل کا روگ لگ گیا تھا۔ یہ اس سے بھی زیادہ تکلیف دہ تھا۔ بیگم روبینہ جمال کے چلے جانے سے وہ نگری بھی تو اُجڑ گئی تھی جو زندگی میں پہلی بار بسی تھی۔

دو جدائیاں، دو زخم، اکٹھے ہی ملے تھے۔ بڑی تکلیف ہو رہی تھی۔

''ڈاکٹر ایاز! تم نے خواہ مخواہ ہی ماما کے گھر کے لوگوں کو زیادہ سے زیادہ ان سے ملنے کے مواقع دیئے۔ انہیں اتنی ڈھیر ساری مراعات دیں۔ انہیں جلد از جلد صحت مند کرنے کے چارے کیے...... بیوقوف تھا تو ڈاکٹر ایاز! جو یہ سب کیا۔''

وہ یہاں تھیں تو کتنا اچھا لگتا تھا۔ کتنا مزہ تھا۔ ماں کی جدائی والے سارے زخم مندمل ہو گئے تھے۔ زندگی میں جیسے بہاریں آ گئی تھیں۔ اتنا پیار، اتنا خلوص، پہلی بار ملا تھا۔ بڑا انوکھا اور دل خوش کن تھا سب کچھ اور بے حد لذت بخش اور تسکین دہ۔

اور اب...... اپنے پاؤں پر خود ہی کلہاڑی مار لی تھی۔ ان کے گھر والے روز روز آنا شروع نہ کر دیتے تو وہ ابھی تک یہیں ہوتیں۔ سوچ میں تو خود غرضی بھری تھی، لیکن پھر بھی وہ سوچ رہے تھے۔

اس کے علاوہ...... وہ ان کے گھر والوں کو ہر وقت آنے جانے کی اجازت نہ دیتے تو...... نہ کوئی آتا...... نہ کسی سے ملاقات ہوتی۔ صرف ایک بیگم روبینہ کے ساتھ ہی اتنی اچھی طرح وقت گزر رہا تھا۔ گزرتا رہتا۔

اب کیا پا لیا...... وہ بھی گئیں اور من کی دنیا بسی بھی اور اُجڑ بھی گئی۔

اُجڑنے والی ہی بات تھی نا...... زندگی میں پہلی بار کوئی لڑکی انہیں اتنی اور اس انداز میں پسند آئی تھی...... کہ...... ہر چیز کے معنی ہی بدل گئے تھے۔ سب کچھ نیا نیا سا لگنے

لگا تھا۔

مریض آیا ہی کرتے ہیں۔ ان کے ملنے والے بھی پیچھے سے آیا کرتے ہیں، مگر وہ صحت یاب ہو کر چلے جاتے ہیں تو پھر کبھی نہیں آتے۔ گو ماما نے وعدے بہت کیے تھے مگر انہیں پورا یقین تھا کہ ایک بھی وعدہ پورا نہ ہوگا۔ اسی طرح ہوا کرتا ہے۔

وہ بڑے لوگ تھے۔ ان کے پاس انہیں ملنے کی فرصت کہاں اور رہا نایاب کا معاملہ...... ان کی نگاہ نے ہی اسے پسند کیا تھا نا اور ان کے دل نے ہی اس کی خواہش کی تھی نا...... خود اسے تو کسی بات کا علم نہیں تھا۔

کئی دن وہ آتی رہی۔ ایاز بھی اس وقت آجاتے تھے۔ ملاقات ہوتی تھی۔ باتیں ہوتی تھیں۔ اچھی خاصی گپ شپ رہتی تھی، مگر نہ انہوں نے کبھی ایسا کوئی اشارہ کنایہ کیا نہ کوئی بات کی...... اور نہ ہی اس کی طرف سے کوئی حوصلہ افزائی ہوئی۔

پھر اس کی جھکی جھکی نگاہوں اور بہکی بہکی مسکراہٹوں سے کوئی ایسا ویسا مطلب اخذ کر لینے کا انہیں بھلا حق بھی کیا تھا۔ ماں سے ملنے آتی تھی۔ ماں ہسپتال سے چلی گئی تو بس...... اب اس نے کس کے پاس آنا تھا۔

آخر میں اپنے ہی دل کو سمجھانے لگتے اور جب اس انداز میں سمجھاتے تو اندر ویرانیاں ہی ویرانیاں اُتر جاتیں۔ تاریکیاں ہی تاریکیاں پھیل جاتیں۔

یونہی شکستہ دل اور بے ترتیب سوچیں لیے ڈیوٹی انجام دیتے رہے۔

رات کو اسی طرح وارڈ کا راؤنڈ لیتے۔ گو تین نمبر خالی دیکھ کر دل بھر بھر آتا مگر پھر بھی فرض کی ادائیگی میں کوئی کوتاہی نہیں کی۔

ان کی حالت کو محسوس کرتے ہوئے رات کی ڈیوٹی والی دونوں نرسوں نے بیگم روبینہ جمال کے متعلق ان سے بہت ڈھیر ساری باتیں کر ڈالیں۔ اسی طرح جیسے وہ سچ مچ ان کی ماں تھیں۔ پھر ان کی تعریفیں بھی بہت کرتی رہیں کہ کسی طرح ڈاکٹر ایاز خوش ہو جائیں۔

یہ جو ان پر بیگم روبینہ کے جانے کے بعد سوگ کی کیفیت طاری ہوگئی تھی، وہ ان کے ذکر سے کچھ بحال ہو جائے۔ ان کے چہرے پر ہمیشہ کی طرح پھر مسکراہٹیں بکھر

جائیں...... مگر...... ان کی بھی ہر کوشش ناکام ثابت ہوئی......

دو تین دن اسی عالم، اسی کیفیت میں گزر گئے۔ ڈاکٹر ایاز کو، ہر آن ہر لمحہ بیگم روبینہ جمال کا خیال آتا رہا۔ پہلا اور دوسرا دن تو اداسی اور ایک جذباتی سی جدائی کے تحت انہیں سوچوں میں ڈوبے دُکھی سا گزرا مگر تیسرے دن وہ اُداسی اور دُکھ ایک گلہ، ایک شکایت بن گئے۔

اتنے دن وہ یہاں رہیں۔ کتنا ان کا خیال رکھا۔ بظاہر تو ان کا بھی بیٹا بیٹا کہتے منہ سوکھتا تھا...... مگر...... از دیدہ دور از دل دور۔

سب کچھ بھلا دیا انہوں نے۔ اب کہاں گیا تھا ماں بیٹے والا رشتہ اور اتنے دنوں کے خیال اور خدمت کا تعلق...... چار دن، جو ان کے لیے چار صدیوں کے برابر تھے، گزر گئے۔

ایسا ہی ہوتا ہے۔ یہ دنیا ہے ہی بے وفا اور عہد شکن۔ ان کے پاس کس چیز کی کمی تھی کہ وہ ایاز کے لیے تڑپ تڑپ اُٹھتیں۔ محرومیاں تو ساری ان کی وراثت تھیں۔ ان کے لیے تھیں۔ کسی کو کیا...... ماں کی ضرورت انہیں تھی۔ بیگم روبینہ کے پاس تو ایک چھوڑ دو دو بیٹے تھے۔ بول اٹھتا۔ ”ہٹ پاگل! کئی مریض آتے ہیں۔ کئی ان کے لواحقین ہوتے ہیں۔ بھلا ایک ڈاکٹر کو کسی کے متعلق ایسا ویسا خیال دل میں لانا چاہیے۔ قطعی نہیں...... بالکل نہیں...... بہت غلط ہو تم ڈاکٹر ایاز۔“

ڈاکٹر ایاز سر جھٹک کر اپنے آپ کو، دل کو سمجھانا چاہتے، لیکن اندر کا سرکش اور جذباتی انسان، جس کی عمر کا تقاضا بھی یہی تھا اور تنہائی اور محرومیوں کی طلب بھی یہی۔ وہ کسی طرح نہ مانتا...... تو...... وہ پھر...... پھر سمجھانے کی کوشش کرتے۔

”ڈاکٹر ایاز! کیوں اپنے راستے سے بھٹک رہے ہو۔ تمہاری منزل اور ہے۔“

”ڈاکٹر صاحب! آپ کا فون......“ نرس کی آواز نے ان کے خیالات سے انہیں چونکا دیا۔ ایک کتاب سامنے کھلی پڑی تھی، لیکن خیال چونکہ اس طرف نہیں تھا، اس لیے ایک لفظ بھی دکھائی دے رہا تھا، نہ اس کے معنی سمجھ میں آ رہے تھے۔

”ہوں......“ خالی خالی نگاہوں اور خالی دماغ سے اس کی طرف تکنے لگے۔

''آپ کا فون ہے ڈاکٹر صاحب......!'' وہ دوبارہ بولی۔

''اوہ......!'' جلدی سے اٹھ کر ریسور اس کے ہاتھ سے لے لیا۔ ''ہیلو......''

''آپ ڈاکٹر ایاز ہیں......'' دوسری طرف سے ایک خاتون نے پوچھا۔

''جی ہاں......فرمائیے...... میں ڈاکٹر ایاز ہی بول رہا ہوں۔''

خوب صورت، جوان، لائق وہ کس کھاتے میں آتے تھے۔

لیکن...... نایاب...... دل ہولے سے، چپکے سے ایک دھڑکن کے ساتھ۔

''میری آواز نہیں پہچانی بیٹے......؟''

''ارے ماما! آپ......؟'' وفورِ مسرت سے ڈاکٹر ایاز کی آواز لڑکھڑا سی گئی۔ بیگم روبینہ جمال کا فون آنے کی قطعی توقع نہ تھی، اس لیے یکدم ہی بہت جذباتی ہو گئے۔

''واقعی یہ آپ ہی ہیں......؟''

''کمال ہے۔ چار پانچ دنوں میں ہی بھول بھال گئے۔'' بیگم روبینہ جمال نے جیسے شکوہ کیا۔

''جسے دانستہ بھولنا ہو اسے بھلانے کے لیے صدیاں تو نہیں درکار ہوتیں ماما......''

ابھی ابھی اندر جو جنگ چھڑی ہوئی تھی، اس نے باہر بھی محاذ کھول دیا۔

''ایک لمحے میں ذہن سے نکالا اور پھینک دیا۔''

''تو تم نے وہ لمحہ پکڑ لیا اور ہمیں نکال پھینکا؟''

''اوہ......نہیں ماما! میں تو آپ کی بات کر رہا تھا؟''

''ہماری بات......؟ ارے میں ہی تو فون کر رہی ہوں۔''

''اتنے دنوں بعد خیال آیا اور آپ کو کچھ پتہ ہے کہ آپ کا یہ بیٹا آپ کو کتنا یاد کرتا رہا ہے؟'' دل کی بات پوری صفائی اور سچائی سے زبان پر آ گئی۔

''میں بالکل اکیلا ہوں! اور آپ کے پاس اور بیٹے بھی ہیں۔ میں نے سمجھا آپ اپنے گھر، اپنے اصلی بیٹوں میں جا کر اس بناسپتی بیٹے کو بھول گئیں۔''

''یہ بناسپتی بیٹا نہیں...... اصلی ہے...... بالکل اصلی۔ جس نے مجھے دوبارہ زندگی دی۔''

"توبہ توبہ...... یہ آپ نے کیا کہہ دیا۔ زندگی دینے والا تو خدا ہے۔"

"مگر وہ وسیلہ بھی تو کسی کو بناتا ہے۔ تم نے جس جس انداز میں میرا خیال رکھا ہے، میری خدمت کی ہے، وہ میں بھلا بھول سکتی ہوں کبھی۔ یہ جو اتنے دن گزرے تو وجہ یہ تھی کہ بے شمار لوگ عیادت کو آتے رہے۔ ایک لمحہ کی فرصت نہیں ملی...... ورنہ تم ایاز!"

"ارے ماما! ایسی باتیں نہ کریں۔ میں شرمندہ ہو رہا ہوں۔ آپ یہ بتائیں آپ کی صحت اب کیسی ہے......؟"

"میری صحت بالکل ٹھیک ہے۔ خوب خدمت کی بچوں نے...... آؤ گے تو دیکھنا کیسی سرخ اور موٹی ہو رہی ہوں۔"

ڈاکٹر ایاز کی بات پر بیگم روبینہ ہنس پڑیں۔

"ہاں ماما! آپ کو جو یہ مرض لاحق ہو گیا ہے اس کے لیے موٹاپا بہت خراب ہے۔"

"ارے! تو کیا تم سچ سمجھ گئے۔ پگلا بیٹا، چار دن میں بھلا موٹی ہو سکتی ہوں......؟"

"ارے نہیں......؟ لیکن میں تو تصور ہی تصور میں آپ کو اپنی موٹی سی ماما کے روپ میں دیکھ بھی رہا تھا......" ڈاکٹر ایاز بڑے شوخ ہو رہے تھے۔ اندر پھیلی ویرانیاں جیسے ساری کی ساری یکدم آباد ہو گئی تھیں۔ پورے چہرے پر مسکراہٹوں نے بڑے خوبصورت رنگ بکھیر دیئے تھے۔

"تصور ہی تصور میں کیوں......؟ پرسوں آ کر سچ مچ دیکھ جاؤ نا۔"

"پرسوں......؟"

"ہاں پرسوں میرے غسل صحت کی خوشی میں قاسم ایک پارٹی دے رہے ہیں اور میں سمجھتی ہوں، تمہارے بغیر یہ پارٹی نامکمل رہے گی۔"

"نہیں ماما! میں اتنا بھی اہم نہیں ہوں۔"

"تم کتنے اہم ہو، اس کا فیصلہ کرنا ہمارا کام ہے ایاز! بس پرسوں چلے آؤ۔"

"پرسوں کتنے بجے......؟"

''شام سات بجے......''

''کوشش کروں گا ماما......'' بظاہر ذرا تکلف کیا مگر اندر سے دل بولا۔

''آؤں گا، سر کے بل، سر کے بل۔''

''کوشش نہیں، تمہیں آنا ہو گا...... میں تمہیں سب سے متعارف کرانا چاہتی ہوں۔''

''مجھے......؟ لیکن ماما! میں نے کون سا ایسا بڑا کام کیا ہے؟''

''پھر وہی بات...... اور اگر تمہیں سچ مچ علم نہیں تو مجھے علم ہے اور میرے علم کو لاعلم کرنے کی کوشش تم مت کرو...... بس...... میں نے کہا ہے نا کہ تمہیں آنا ہے۔''

''آپ کا حکم ہے ماما! تو سر تسلیم خم ہے۔ ضرور حاضر ہوں گا۔''

''ہاں...... ضرور...... بہت لوگ آ رہے ہیں۔ بہت بڑی بڑی ہستیاں۔''

''دیکھئے ماما! آپ مجھے بڑی بڑی ہستیوں سے ڈرایئے دھمکایئے نہیں۔ مجھے کسی کی امارت وغیرہ کی کبھی پرواہ نہیں ہوتی...... اگر ہے، تو اس سے جس سے بات کر رہا ہوں۔''

''اچھا تو پھر بیٹے! آنا ضرور...... بہت تاکید ہے۔''

''آؤں گا ماما! ضرور آؤں گا۔ میں خود آپ کے بغیر بڑا اُداس ہو رہا تھا۔''

''بس پھر وقت کا خیال رکھنا۔ قاسم وقت کے بہت پابند ہیں اور اگر کوئی دوسرا وقت کی پابندی ملحوظ نہ رکھے تو انہیں بڑا غصہ آتا ہے۔''

''کوشش کروں گا تاکہ قاسم جمال صاحب کو مجھ پر غصہ نہ آئے۔''

''تمہاری اور ان کی پہلی ملاقات ہے اور میں یہ بھی چاہتی ہوں کہ تمہارا تاثر ان پر بہت اچھا، بہت ہی اچھا پڑے۔''

''او کے ماما......!''

''خدا حافظ......''

''خدا حافظ......'' ڈاکٹر ایاز نے رسیور رکھ دیا۔

جانے اس بات سے بیگم روبینہ جمال کا کیا مطلب تھا، لیکن ایاز بڑی ہستی مانتا

ہوں تو وہ بس میری ماما ہیں...... میں تو صرف آپ سے ملنے آؤں گا...... مجھے اور کسی سے کوئی سروکار نہیں۔''

''میرے شوہر اور میرے بچوں سے بھی نہیں؟''

''ارے......!'' ایاز نے ایک ہلکا سا قہقہہ لگایا۔ اس وقت تو سارا وجود ہی قہقہے لگا رہا تھا۔

''آپ، آپ کے شوہر اور بچے تو ایک ہی ہیں۔ دل میں بڑی خوشگوار سی دھڑکنوں نے ایک تلاطم سا بپا کر دیا۔

ایک طویل سا سانس لیتے ہوئے واپس اپنی جگہ پر جا بیٹھے اور...... بڑی میٹھی میٹھی اور سہانی سی سوچوں میں گم ہو گئے۔

ذہن میں اطمینان اور سکون تھا۔ جیسے کئی ماہ، کئی سال اور کئی صدیوں کی طویل مسافت کے بعد اچانک ہی، بالکل اچانک منزل کا نشان مل گیا تھا۔

چہرے پر مسکراہٹیں پھیلی بکھری تھیں اور آنکھوں میں روشنیوں کے قافلے اترے ہوئے تھے۔

●......●......●

''جس جس کو مدعو کرنا تھا، ان سب کو دعوت نامے بھجوا دیئے گئے ہیں نا؟''

قاسم جمال اخبار پڑھ رہے تھے، ساتھ ناشتہ کر رہے تھے اور ساتھ بیگم سے گفتگو۔ دفتر وہ کبھی ایک منٹ دیر سے نہیں پہنچے تھے اور نہ ہی کبھی اخبار کے مطالعہ میں ناغہ کیا تھا۔ دفتر جانے سے پہلے وہ ضروری ہوتا تھا۔

چونکہ آج اخبار دیر سے آیا تھا اور وہ ناشتے ہی کی طرح ان کی ضرورت تھا، اس لیے یہ سب کام انہیں اکٹھا ہی کرنا پڑ رہے تھے آج۔

اب بھی نگاہیں اخبار پر تھیں۔ پلیٹ میں کانٹا اور چمچ تیزی سے چل رہا تھا اور بات بیگم سے ہو رہی تھی۔

''جی ہاں۔'' روبینہ نے جواب دیا۔ ''تقریباً سبھی کو۔''

''تقریباً......؟'' انہوں نے ایک لمحہ کے لیے اخبار سے نظریں ہٹا کر روبینہ کو تعجب بھری سوالیہ نگاہوں سے دیکھا۔ ''تقریباً کا کیا مطلب؟''

جلدی تھی، نگاہیں پھر اخبار کی سطروں میں، کالموں میں اور سرخیوں پر بھٹکنے لگیں۔ انہیں غیر متوجہ پا کر روبینہ نے قدرے لاپرواہی سے جواب دیا۔

''لسٹ دیکھوں گی۔ جو دو چار رہ گئے ہیں، انہیں آج اطلاع دے دوں گی۔''

''آج......؟'' وہ غیر متوجہ نہیں تھے۔ نظریں بے شک اخبار پر تھیں، مگر کان روبینہ کے جواب پر لگے تھے۔

''یہ اصول کے خلاف ہے۔ کم از کم ایک دن کا وقفہ تو ہونا چاہیے۔ پہلے سے بھی کسی کا پروگرام ہو سکتا ہے۔ کہیں کوئی اپائنٹمنٹ ہو سکتی ہے۔ یوں پھر کسی ایک فریق کے ساتھ وعدہ خلافی ہو گئی اور روبی تمہیں معلوم ہے کہ مجھے اس قسم کی بے اصولیاں سخت ناپسند ہیں۔''

وہ یکا یک بگڑ اُٹھے تھے۔ بھڑک اُٹھے تھے اور روبینہ جمال اس وقت بات کو طول دینا نہیں چاہتی تھیں۔ ویسے بھی شوہر کے ساتھ کبھی بحث نہیں کی تھی۔ عادی تھیں ان کی ہر بات، ہر حکم پر لبیک کہنے کی۔ ''میں نے ویسے ہی کہہ دیا تھا۔ میرا خیال ہے میں سب کو ہی مدعو کر چکی ہوں۔''

انہوں نے بڑی سہولت ، بڑی نرمی سے بات ختم کر دی، کبھی کوئی بات غلط بھی تو انہوں نے نہیں کی تھی۔ ہمیشہ کی طرح فوراً دل کو سمجھا لیا۔

اچھی ہی عادات پر اور اصولوں پر سختی سے کاربند خود بھی رہتے تھے اور دوسروں کو بھی رہنے کی تلقین کیا کرتے تھے۔ یوں...... نافرمانی یا مخالفت یا بحث کی گنجائش ہی نہ رہتی تھی۔

لیکن...... ان کا موڈ قدرے خراب ہو گیا۔ بڑے اچھے اور خوشگوار موڈ میں ناشتہ کی میز پر بیٹھی تھیں۔ آج شام کی دعوت کا پروگرام پچھلے تین چار دن سے بن رہا تھا۔ بڑی گرما گرمی تھی۔ اس سے اپنی اہمیت کا احساس ہو رہا تھا۔

''ماما......!'' سیماب نے انہیں مخاطب کیا۔ ''ہم آج سکول سے چھٹی کر لیں؟'' ڈرتے ڈرتے دھیمی سی آواز میں پوچھا۔

ساتھ ہی اس نے پاس بیٹھے معظم کو چٹکی بھری تا کہ وہ بھی اس کی ہاں میں ہاں ملا کر اس کی مدھم آواز کو مستحکم کر دے۔

''ہاں ماما! اتنا بڑا فنکشن ہے۔ آج چھٹی دلوا دیں۔ ہمیں بھی تو کوئی تیاری کرنا ہے۔'' وہ چٹکی کا مطلب سمجھ کر جھٹ سے بولا۔

''تمہیں کیا تیاری کرنا ہے؟'' ماما نے ابھی کوئی جواب نہیں دیا تھا۔ قاسم نے اخبار سے نگاہیں اٹھاتے ہوئے اس پر مرکوز کر دیں۔

''وہ...... وہ پاپا...... کپڑے وغیرہ۔'' ماں کے بجائے باپ سے جواب ملے گا۔ اسے توقع نہ تھی، گھگھیانے لگا۔

''کپڑے......؟ کیا تمہارے پاس پہننے کے لیے کوئی کپڑا نہیں ہے؟''

''وہ...... وہ...... کپڑے تو بہت ہیں۔'' معظم پھنس گیا تھا اور یہ اسے سیماب نے پھنسایا تھا۔ کٹار جیسی تیز نگاہوں سے اسے گھورتے ہوئے بات بنانے کی کوشش کرنے لگا۔

''دعوت کی تیاری کے لیے پاپا! جوتے وغیرہ پالش کر کے رکھوں گا۔ آپ کہا کرتے ہیں نا کہ اپنا کام خود کیا کرو۔'' بوکھلاہٹ اور گھبراہٹ میں بیچارے سے یہی بات بن سکی۔

''جوتے دو منٹ میں پالش ہو جاتے ہیں۔''

''جی ہاں۔'' معظم نے جلدی سے سر جھکاتے ہوئے نگاہیں اپنی پلیٹ پر جما دیں۔

دو منٹ کے لیے چھ گھنٹے کی پڑھائی چھوڑو گے۔ کچھ عقل بھی ہے بھیجے میں۔'' قاسم اسے ڈانٹنے لگے۔

''میٹرک کا امتحان دے رہے ہو۔ اس کے لیے نایاب سے پوچھو پوزیشن لینے والوں کو کتنی تیاری کرنا ہوتی ہے۔''

''ہاں پاپا بہت۔'' نایاب نے سہمی سہمی آواز میں ان کی تائید کی۔ ''روزانہ دس بارہ گھنٹے پڑھنا پڑتا ہے۔''

نہ چاہتے ہوئے بھی اس نے باپ کی ہاں میں ہاں ملائی تھی، حالانکہ وہ خود ایک لمحہ پہلے ماما سے یہی بات کرنے والی تھی کہ آج معظم اور سیماب کو سکول سے چھٹی کروا دیں۔

اس لیے...... کہ دونوں اس کے ساتھ بازار جا کر اپنی اپنی پسند کی چیزیں خرید لائیں۔ سیماب بہت دنوں سے موتیوں کے کسی ہار کا مطالبہ کر رہی تھی جو اس نے انارکلی کی ایک دکان کے شوکیس میں دیکھا تھا اور معظم کی ٹائی اور بوٹوں کی فرمائش تھی۔

اچھا ہی تھا نا، آج ہی ان دونوں کی پسندیدہ چیزیں آجاتیں اور آج ہی وہ استعمال کر لیتے۔ بڑا مناسب موقع تھا۔ یوں دونوں کی خوشی کئی گنا بڑھ جانا تھی۔

مگر...... وہ یہ سب جانتے اور چاہتے ہوئے بھی کچھ نہ کہہ سکی۔ سوائے پاپا کی حمایت میں بولنے کے...... وہ بھی جو کچھ کہہ رہے تھے، ٹھیک ہی کہہ رہے تھے۔ ہمیشہ کی طرح وہ ان سے متفق ہو گئی تھی۔

بیگم روبینہ جمال سب کچھ دیکھ رہی تھیں، سن رہی تھیں۔ موڈ کچھ اور بگڑ گیا۔ ناشتہ ابھی پورا نہیں کیا تھا، بلکہ وہ تو ابھی صرف شاید پلیٹ میں سب کچھ لے کر سامنے رکھ ہی پائی تھیں...... کہ اسی طرح پلیٹ میز پر پرے کھسکائی اور خود کرسی کی پشت کے ساتھ ٹیک لگا کر بیٹھ گئیں۔

خرم نے دیکھا...... انہوں نے ناشتے سے ہاتھ کھینچ لیا تھا۔ کچھ نہیں کھایا تھا۔ سب کچھ اسی طرح پڑا تھا۔ ان کا دھیان ان ناگوار باتوں سے ہٹانے کے لیے انہوں نے گفتگو کا موضوع بدل دینا ہی مناسب سمجھا۔

''ماما! ڈاکٹر ایاز کو بلانا تو نہیں بھول گئیں؟''

''ڈاکٹر ایاز کون؟'' قاسم چونک کو پوچھنے لگے۔

''وہی جو ہسپتال میں ماما کا بہت خیال رکھتے تھے۔''

''ہسپتال کے اصول و قواعد توڑنے والا ڈاکٹر؟''

قاسم نے ایک ہلکا سا قہقہہ لگا کر ان کی جیسے پھبتی اُڑائی۔

''ایسے تو نہ کہیے۔ وہ بڑا اچھا انسان ہے۔'' روبینہ نے ان کی بات کا قدرے برا مناتے ہوئے ڈاکٹر ایاز کی طرفداری کی۔

''وہ انسان کبھی ایک اچھا انسان نہیں ہوسکتا جو کوئی اصول نہ رکھتا ہو۔''

''آپ کو کس نے کہا کہ اس کا کوئی اصول نہیں ہے؟''

''کسی نے نہیں کہا، لیکن دماغ میں اتنی عقل تو رکھتا ہوں۔ دیکھو نا ہسپتال کے قواعد وقوانین جب ایک ڈاکٹر خود ہی توڑ دے گا۔ تو پھر......''

پاپا کی بات ابھی پوری نہیں ہوئی تھی۔ درمیان میں ہی نایاب بول پڑی۔ مخاطب سیماب اور معظم کو کیا۔

''ساڑھے سات بجنے میں صرف پانچ منٹ رہ گئے ہیں عظمیٰ! سیماب!''

قاسم نے یکا یک اپنی بات ادھوری چھوڑ کر اس کی طرف دیکھا۔ نایاب کے لیے اس موضوع پر ماں اور باپ کے درمیان تکرار خاصی تکلیف دہ تھی۔ پاپا جس کو ایک غلط انسان کہہ رہے تھے' اس نے اسے نہ صرف اچھا بلکہ ہر لحاظ سے مکمل انسان کا درجہ دے کر اپنے دل میں بٹھا لیا تھا۔

اس لیے وہ نہیں چاہتی تھی کہ ڈاکٹر ایاز کا ذکر کسی غلط رنگ میں ہو۔ تبھی اس نے سیماب اور معظم کو وقت کا احساس دلایا تھا اور جو دراصل پاپا کے لیے تھا۔

''اوہ......! ساڑھے سات بجنے میں صرف پانچ منٹ رہ گئے ہیں؟''

نایاب ہی سے پوچھتے ہوئے قاسم گڑبڑا کر کھڑے ہو گئے۔ ناشتہ بھی پورا نہیں کیا۔ اخبار بھی ابھی بہت سارا پڑھنے والا رہتا تھا۔

''ان فضول اور بیکار قسم کی باتوں میں الجھ کر وقت کا احساس ہی جاتا رہا۔'' انہوں نے سر جھٹک کر جیسے سب کچھ جھٹک دیا۔

''خرم! سیماب اور عظمی کو تم سکول چھوڑ کر پھر کالج جانا۔ آج میرے پاس وقت نہیں ہے۔''

''بہت اچھا پاپا!'' خرم بھی ایک دم اُٹھ کھڑے ہوئے۔ پاپا کی تابعداری کرنے

میں وہ بہت مستعد تھے۔

''مگر بیٹے! تم تو ناشتہ کر لو۔ تمہارا تو ابھی کافی وقت ہے۔'' قاسم کمرے سے جاتے جاتے بولے۔

''لیکن ان دونوں کا سکول پورے ساڑھے سات بجے لگ جائے گا۔''

خرم کہہ رہے تھے، لیکن قاسم کے پاس اب کچھ بھی سننے کے لیے وقت نہ تھا۔ وہ دروازے تک پہنچ چکے تھے۔

''آپا! آپ کالج نہیں جائیں گی؟'' سیماب پوری آواز سے پوچھ رہی تھی۔

''چپ پاگل......!'' نایاب نے جلدی سے اس کے منہ پر ہاتھ رکھ دیا۔

''پاپا سن لیں گے۔'' وہ دروازے کی طرف دیکھتے ہوئے مدھم سے لہجے میں بولی، لیکن قاسم جا چکے تھے۔

''آپ چھٹی کریں گی تو میں بھی کروں گی۔ ہاں جی۔'' سیماب گلا پھاڑ کر چلائی۔

''باپ کو تو جا لینے دو۔ پھر فیصلہ کرنا کہ کس نے جانا ہے کس نے نہیں؟''

روبینہ نے قدرے آواز دبا کر اسے متنبہ کیا۔

''کیا پاپا کے جانے کے بعد آپ ہمیں چھٹی دلوا دیں گی؟'' معظم آنکھوں میں آس کی ایک خوبصورت سی چمک لیے ماں کی طرف تکتے ہوئے پوچھنے لگا۔

''کیا؟'' روبینہ نے اسے چونک کر گھورا۔

''چھٹی......'' سیماب گھٹی گھٹی، دبی دبی اور تھوڑی تھوڑی بلند سی آواز میں بولی۔

''ہاں چھٹی۔'' معظم نے نعرہ بلند کیا۔''آج کی چھٹی۔ پاپا چلے گئے۔ ہم چھٹی کریں گے۔''

بغاوت پھوٹ نکلی تھی۔

''تمہارے پاپا جو کچھ کہتے ہیں۔ وہ ٹھیک ہوتا ہے اور وہی ہونا چاہیے۔''

کسی مصلحت کی خاطر روبینہ نے اپنے الفاظ بدل دیئے۔

''آپ بھی تو ہماری ماں ہیں۔ آپ کا حکم ماننا بھی تو ہمارا فرض ہے۔''

معظم ماں کی آنکھوں میں آنکھیں ڈالتے ہوئے نپے تلے لہجے میں بولا۔

''تو مانا کرو نا۔'' روبینہ نے نظریں جھکا لیں۔

''آپ دیا کریں...... اپنا حکم...... صرف اپنا...... پاپا کا نہیں۔'' معظم کا انداز جارحانہ تھا۔

''ماما نے تو بس حکم عائد کرنے والے شعبے کا انچارج پاپا ہی کو بنا رکھا ہے۔'' سیماب شکایت آمیز لہجے میں بولی۔

''کبھی کبھی یہ پوسٹ خود بھی سنبھال لیا کریں۔''

احتجاج...... احتجاج ہی احتجاج۔ روبینہ گھبرا گھبرا کر نئی نسل کے ان بچوں کو تکنے لگیں۔

''یہ پوسٹ اگر ماما کو مل جائے نا تو یقیناً ہمارے لیے یہ ایک ایڈونچر ہو گا۔ بڑا خوبصورت اور مزیدار سا ایڈونچر۔''

سیماب کی معصومیت میں کہی گئی اس بات کا روبینہ پر تو نجانے کیا اثر ہوا تھا البتہ خرم اور نایاب ہنسنے لگے تھے۔

''چلو یہ ایڈونچر آج ہی ہو جائے۔ چھٹی۔ چھٹی۔''

سیماب اور معظم ماما کی کرسی کے اردگرد جا کھڑے ہوئے اور نعرے لگانے لگے۔

''ماما کا پہلا حکم...... چھٹی...... آج کی چھٹی۔''

دونوں ماما کا ایک ایک بازو اونچا اُٹھائے نعرے لگا رہے تھے اور نایاب اور خرم یہ سارا منظر دیکھ کر ہنس رہے تھے۔ بس ہنستے ہی جا رہے تھے۔

شور سن کر سراج کمرے میں آ گیا۔ عجیب سا نظارہ تھا...... وہ گھر جو سکون اور خامشی کا مرکز بنا رہتا تھا۔ نعروں سے اور ہنسی سے گونج رہا تھا۔ چند لمحے تعجب بھری نگاہوں سے وہ یہ سب دیکھتا رہا اور پھر......

''ہاں جی چھٹی...... آج بچوں کو چھٹی۔'' وہ بھی ناچ ناچ کر سیماب اور معظم کی حمایت میں کھلکھلا کھلکھلا کر ہنستے ہوئے نعرے مارنے لگا۔

ماما کا بگڑا موڈ بحال ہو گیا تھا۔ پہلے چہرے پر مسکراہٹ پھیلی۔ پھر وہ بھی ہنستے ہوئے ایک ایک کو تکنے لگیں۔

تب...... اس وقت، زندگی میں شاید پہلی بار ڈرتے ڈرتے چند لمحوں کے لیے ماما نے یہ شعبہ اپنے ہاتھ میں لے لیا۔ ڈاکٹر ایاز کی نصیحتیں اور باتیں پوری طرح یاد تھیں۔ وہ بھی تو یہی سب کچھ کہتے تھے جو آج بچوں نے اپنی زبان سے خود کہہ دیا تھا۔

''سنو خرم! تم کالج جاؤ۔ تمہارا چھٹی کرنا اچھا نہیں ہوگا اور نایاب! تم' سیماب اور عظمیٰ چھٹی کر لو۔''

''آہا جی چھٹی...... آہا جی چھٹی۔''

''ماما زندہ باد۔''

''ماما دی گریٹ۔ زندہ باد۔''

دونوں نے نعرے مارتے ہوئے وفورِ مسرت سے بے قابو ہو کر روبینہ کے گلے میں بازو حمائل کیے اور ان کے کھل کھل کرتے سرخ رخساروں کو چومنے لگے۔

''بس۔ بس۔'' روبینہ بھی پورے موڈ میں آگئیں۔ ''یہ شعبہ میں نے سنبھالا تو ہے مگر یہ جان لو کہ میں ایک راشی افسر نہیں بنوں گی۔''

''یہ رشوت نہیں ماما! اظہار تشکر ہے۔'' معظم نے جھک کر ایک بار پھر ان کا رخسار چوم لیا۔

''چلو۔ اپنا اپنا ناشتہ پورا کرو۔''

''اب تو سب ٹھنڈا ہو گیا۔''

''میں جی ابھی سب کچھ گرم گرم لاتا ہوں۔'' سراج اُڑتے قدموں کے ساتھ کچن کی طرف بھاگا۔

گرما گرم ناشتہ آنے لگا اور سب ہنس ہنس کر، ایک دوسرے پر فقرے چست کر کر کے کھانے پینے لگے۔ خرم کو کالج جانا تھا۔

جب جانا ہی تھا تو وقت پر پہنچتے۔ یہاں سے اس وقت اُٹھ کر جانے کو دل نہیں بھی چاہتا تھا۔ پھر بھی گرم گرم چائے کی ایک پیالی پی کر اُٹھ کھڑے ہوئے۔

''سنو نایاب! ڈرائیور خرم کو کالج چھوڑ کر واپس آ جائے گا۔ تم سیماب اور عظمیٰ کو ساتھ لے جانا۔''

''کہاں ماما؟''

''شاپنگ کرانے کے لیے۔ جو جو چیزیں یہ لینا چاہتے ہیں انہیں دلوا لاؤ۔ کوئی غلط سلط خریداری نہ ہو۔ میں پورے بھروسے کے ساتھ ان دونوں کو تمہارے ساتھ بھیج رہی ہوں۔''

''ہائے ماما! آپ بھروسہ کر کے تو دیکھیے۔ کیسے پورا اُترتی ہوں۔''

''چلو پھر جلدی ناشتے سے فارغ ہو جاؤ۔''

''بہت اچھا۔ جلدی کرو عظمیٰ۔ سیماب!''

''اور نایاب! مال پر ہی جاؤ گی یا انارکلی بھی جانا ہے؟''

''ماما! میرا ہار انارکلی سے ملے گا۔'' سیماب ناشتہ ختم کر کے اُٹھتے ہوئے بولی۔

''اور میں بھی انارکلی سے ہی گزارا کروں گا۔''

''گزارا کیا ہوا؟ ٹھیک ٹھیک بتاؤ تمہیں ٹائی کہاں سے لینا ہو گی اور جوتے کہاں سے؟''

''ارادہ تو لبرٹی مارکیٹ جانے کا تھا۔'' معظم بھی اُٹھ کھڑا ہوا۔ ایک ہلکی سی چپت سیماب کے سر پر لگائی...... مسکرایا۔

''مگر اس چڑیل نے اب انارکلی کہہ دیا تو انارکلی ہی سہی۔'' پھر ہنس کر نایاب کی طرف دیکھا۔

''سوچتا ہوں اب کہاں نایاب آپا لاہور کے ایک سرے سے دوسرے سرے تک چکراتی پھریں گی۔''

''مجھے پیدل تھوڑا جانا ہے۔'' نایاب مسکرائی۔ ''بیوقوف۔''

''پاپا کو اچانک ہی گاڑی کی ضرورت پڑ گئی تو آپا میری جان! شاید پیدل ہی جانا پڑے۔''

''کوئی بات نہیں۔ میں پیدل بھی بہت چل لیتی ہوں۔''

نایاب نے بڑے پیارے انداز میں کندھے اچکائے۔

''پیدل۔'' سیماب زور سے ہنسی۔ انہیں پیدل چلنے کون دیتا ہے۔ سڑک پر نکلیں نہیں تو لفٹ دینے والے کئی موجود۔''

''سیماب! یہ کیا بکواس ہے؟'' روبینہ نے بیٹی کو ایسی فضول بات کرنے پر ڈانٹا۔

''ماما! سچ کہہ رہی ہوں۔'' سیماب انتہائی سادگی اور معصومیت سے بولی۔ ''اس دن میں آپا کے ساتھ تھی۔ گاڑی ہمیں لینے نہیں آئی۔ انتظار کر کر کے آخر ہم پیدل ہی چل پڑیں تو کئی کار والوں نے ہمیں لفٹ دینے کی پیش کش کی تھی۔''

سیماب کی بات سنتے ہی روبینہ دونوں بیٹیوں کی طرف تکنے لگیں۔ اس کی بات غلط تو نہیں ہو سکتی تھی۔ زمانہ جس ڈگر پر چل رہا تھا، اس سے کچھ بعید نہ تھا۔

اس کے علاوہ...... انہیں اس بات کا بھی پورا پورا احساس تھا کہ ان کی نایاب حسن و رعنائی کا مجسمہ تھی۔ جدھر سے گزر جاتی کوئی نگاہ ایسی نہ ہوتی جو اسے دیکھے بغیر رہ سکتی۔ وہ اللہ میاں کا ایک انمول اور انوکھا سا شاہکار تھی۔

ذرا بیس تیس سال پہلے کا زمانہ ہوتا۔ وہ من ہی من میں سوچنے لگیں تو وہ اپنی اس بیٹی کو برقعہ ضرور اوڑھا دیتیں۔

سب نگاہیں اچھی تو نہیں ہوتیں۔ نظر لگانے والی نگاہیں بھی انہیں میں موجود ہو سکتی تھیں۔

اس کے جانے سے پہلے ڈھیر ساری قرآنی آیات اور آیت الکرسی وغیرہ پڑھ کر انہوں نے اس پر پھونک ماردی۔

●......●......●

نایاب نے آج بہترین لباس پہنا تھا۔ نہ ماما نے کہا تھا نہ سیماب نے معمول کی طرح آج کی اس خاص تقریب کے موقع پر آپا کے گلے میں بانہیں ڈال کر انہیں ان کا

بہترین سے بہترین لباس پہننے کی فرمائش کی تھی۔

یہ اس کی عادت تھی۔ کوئی بھی موقع ہوتا، کوئی تہوار، کوئی تقریب، اپنی بھول بھال اسے آپا کی فکر لگ جاتی تھی۔ اس کی نایاب آپا بہت حسین تھیں اور پھر جب خوبصورت لباس پہن لیتی تھیں تو سینکڑوں کی محفل ہو یا ہزاروں کی، وہ ایک ہی ایک دکھائی دیتی تھیں۔

اور پھر ہر نگاہ ان پر اُٹھتی تھی۔ ہر نظر ان کے چہرے کا طواف کرتی تھی، بار بار کرتی تھی اور پھر ہر زبان پر ان کی تعریف کے کلمات ہوتے تھے۔

اور سیماب، جسے اپنی آپا سے عشق کی حد تک پیار تھا، یہ سب دیکھتی، سنتی تو اسے یوں لگتا نایاب جیسے اسی کا تخلیق کیا ہوا شاہکار تھی۔ اسی کا کوئی کمال تھی...... اور یہ سب تعریفیں اسی کی تھیں۔ وہ اس کی بہن جو تھی، بے حد پیار کرنے والی بہن!

مگر آج جبکہ اتنا اہم دن تھا۔ معظم کے ساتھ صبح ہی سے اس کی ٹھن گئی تھی۔ علی الصبح اگر کوئی ایسی ویسی بات ہو جائے تو پھر سارا دن غلط سلط ہی گزرتا ہے۔ کئی بار اس نے معظم کو ماما کی بتائی ہوئی یہ گُر کی بات بتائی تھی، مگر وہ کچھ ایسا ڈھیٹ قسم کا انسان تھا کہ سمجھ کر بھی سمجھ نہیں پاتا تھا۔ بہت بگڑا تگڑا لڑکا تھا وہ...... یہ خالص اس کا ذاتی خیال تھا۔

سیماب اور معظم کا ایک ہی کمرہ تھا۔ یہ بات نہ تھی کہ کمروں کی کوئی کمی تھی۔ گھر میں اور بھی بہت کمرے تھے۔ ان جیسا وسیع و عریض بنگلہ تو اس پورے علاقے میں کسی اور کا نہ تھا۔

لیکن...... پتہ نہیں کیا بات تھی۔ وہ ایک دوسرے سے علیحدہ بھی نہیں رہ سکتے تھے۔ دونوں ہمیشہ جھگڑتے بھی رہتے تھے اور کمرہ بھی ایک ہی لیا کرتے تھے۔ کئی بار ماما نے کہا۔

''اب بڑے ہو گئے ہو۔ اپنا اپنا کمرہ علیحدہ کر لو۔ پڑھائی میں بھی سکون کی ضرورت ہے اور یوں بھی اپنے اپنے کمرے کی ذمہ داری سر پر پڑے گی تو کچھ سلیقہ آئے گا۔ صفائی رکھو گے۔ انسان بنو گے۔''

تب ایک دن ماما نے دونوں کے کمرے علیحدہ کر دیئے۔ سیماب کی چیزیں اس

کے کمرے میں پہنچا دی گئیں اور معظم کے لیے دوسرا کمرہ تیار کر دیا گیا۔ دن گزرا...... رات آئی...... اور پھر اگلی صبح ماما انہیں جگانے آئیں تو......

وہ یہ دیکھ کر ہکا بکا رہ گئیں کہ سیماب کا سارا سامان معظم والے کمرے میں منتقل ہو چکا تھا...... اور وہ دونوں ایک ہی بیڈ پر ایک دوسرے کے گلے میں بانہیں ڈالے سو رہے تھے۔

پہلے ہکا بکا رہ گئیں۔ یہ انہوں نے رات ہی رات میں کیسے سب کچھ کیا؟ اور پھر مسکرانے لگیں۔ دل میں ایک سرور سا سما گیا۔ ان کی اولاد کو آپس میں بہت پیار تھا۔ اتنا...... کہ ایک دوسرے کے بغیر رہ نہیں سکتے تھے۔ اتفاق میں برکت ہوتی ہے اور ان کے گھر میں بڑی رونق تھی۔ اللہ کی بڑی رحمت اور فضل و کرم تھا۔

اسی وقت روبینہ نے ملازموں سے کہہ کر سیماب کا بیڈ واپس اسی کمرے میں لگوا دیا اور یوں معظم اور سیماب پھر روم میٹ ہو گئے اور...... لڑائی جھگڑے پھر شروع ہو گئے۔

آج پھر...... وہی ہوا، جو اکثر ہوا کرتا تھا۔ اتفاق سے سیماب کی آنکھ پہلے کھل گئی۔ ویسے یہ اتفاق تقریباً روز ہی ہوا کرتا تھا۔ معظم سے سبقت لے جانے کے سلسلے میں چپکے سے اُٹھ کر وہ اس سے پہلے باتھ روم میں گھس جانا چاہتی تھی۔

کیونکہ...... اگر معظم پہلے چلا جاتا تھا تو وہاں اتنا زیادہ وقت لگا دیا کرتا تھا...... کہ سکول سے اکثر سیماب کو دیر ہو جایا کرتی تھی۔ جب کئی بار ایسے ہوا تو پھر اس کی یہ کوشش ہوا کرتی تھی کہ وہ معظم سے پہلے بیدار ہو جائے اور باتھ روم پر قبضہ کرے۔

اس کی خوشی کی انتہا نہیں تھی جب اس نے دیکھا۔ معظم ابھی تک پڑا خراٹے لے رہا تھا۔ وہ مسکراتی ہوئی باتھ روم کے اندر چلی گئی۔ دروازہ بند کرتے کرتے اسے یاد آیا کہ اس کا تولیہ تو کل دھوبی کو دھلنے کے لیے دے دیا گیا تھا اور دوسرا اس نے وارڈ روب سے نکالا ہی نہیں تھا۔

دبے دبے پاؤں باتھ روم سے نکلی۔ معظم کے بیڈ کے سرہانے کی طرف دونوں کے وارڈ روب تھے۔ آہٹ نہ ہونے پائے۔ اس ڈر سے پنجوں کے بل چلتے ہوئے وہاں تک پہنچی۔ وارڈ روب کا پٹ کھولا۔

''ہائے اللہ!'' خاموشی میں پٹ کھلنے کی چرچراہٹ اتنی تیز تھی کہ وہ دھک کر کے رہ گئی۔ وہ اس نے ادھ کھلا ہی چھوڑ دیا اور سانس بھی روک لیا۔

معظم کے خراٹوں کی آواز بند ہو گئی تھی، کیا وہ جاگ پڑا تھا؟ دھڑکتے دل کو تھامتے ہوئے بڑی آہستگی سے مڑ کر اس نے اسے دیکھا۔ اس نے کروٹ بدلی تھی، جس سے خراٹوں کی آواز ختم ہو گئی تھی لیکن آنکھیں ہنوز بند تھیں۔ جس کا مطلب تھا وہ ابھی سو رہا تھا اور نیند میں ہی اس نے کروٹ بدلی تھی۔

انتہائی اطمینان سے وہ واپس مڑی۔ وارڈ روب کا ادھ کھلا پٹ چوپٹ کھولا۔

''ہائے ہائے......'' جلدی میں تولیہ بھی نہیں مل رہا تھا۔ وہ عجلت سے باقی کپڑوں کو اِدھر اُدھر پھینکنے لگی۔

''شکر ہے......'' تولیہ مل گیا تو خوشی سے بے قابو ہوتے ہوئے اس کی آنکھوں میں نمی سی آ گئی۔ اس نے تولیے کو یکدم سینے سے لگا لیا۔

آج تو وہ معظم سے یقیناً جیت جائے گی۔ ایک بار پھر جھک کر اسے بڑے غور سے دیکھا۔ وہ ابھی سویا ہی ہوا تھا اور اس نے تولیہ بھی ڈھونڈ لیا تھا۔ مزید خوشی اس بات کی ہوئی کہ معظم کا تولیہ بھی دھوبی کے پاس جا چکا تھا۔ یوں اس کی تولیہ تلاش کرنے والی پرابلم جاگنے کے بعد موجود ہونا تھی۔

''اب مزہ آئے گا۔ جب وہ باتھ روم میں گھسے گا، وہاں تولیہ نہیں ہو گا۔ پھر واپس باہر نکلے گا...... میری طرح پانچ سات منٹ لگا کر وارڈ روب سے تلاش کرے گا...... اور اتنی دیر میں، میں ناشتے کی میز پر بیٹھی ہوں گی۔''

یہی سوچتے سوچتے اور مسکراتے ہوئے سیماب نے سینے سے لگے تولیے کو کندھے پر ڈال لیا اور معظم والے تولیے پر ڈھیروں کپڑے پھینکتے ہوئے اسے بالکل چھپاتے ہوئے وارڈ روب کا دروازہ بڑی احتیاط اور آہستگی سے بغیر کوئی آواز کیے بند ہی کر رہی تھی کہ اس کے پورے کے پورے وجود کو ایک جھٹکا سا لگا۔

وہ گرتے گرتے بچی...... سنبھلی...... پھر اسے احساس ہوا کہ اس کے کندھے پر سے کسی نے تولیہ کھینچ لیا تھا اور یہ جھٹکا اسی وجہ سے لگا تھا۔ ادھ کھلا پٹ چھوڑ کر پیچھے مڑی

تو دیکھا کہ معظم وہی تولیہ لیے باتھ روم میں گھس رہا تھا۔

"عظمٰی۔ عظمٰی۔" وہ چیخی چلائی۔ پیچھے بھاگی۔

معظم نے اس کی ایک نہ سنی۔ الٹا دروازہ بند کرنے سے پہلے اس کا منہ بھی چڑا دیا۔ سیماب وہیں نیچے بیٹھ کر، گھٹنوں میں چہرہ چھپا کر زار وقطار رونے لگی۔ اچھی بھلی جیتی ہوئی بازی ہار گئی تھی۔ رونا نہ آتا تو اور کیا ہوتا۔

ایسی ایسی شکستیں اکثر معظم اسے دیا کرتا تھا اور یہ اس کے آج کے دن کی شروعات تھیں۔ پھر تو اس کا سارا دن معظم کے ساتھ نوک جھونک میں اور جھگڑا کرتے ہی گزرا۔

ناشتے کی میز پر، انارکلی جاکر، مال پہ پہنچ کر، ہر دکان پر، سڑک پر، گاڑی میں، غرض ہر کہیں ان کا جھگڑا ہی ہوا۔

ان حالات میں اسے نایاب آپا کیسے اور کیونکر یاد آتیں۔ ادھر مہمان بھی آنا شروع ہو گئے تھے، بلکہ بہت سارے آ بھی چکے تھے۔ خود معظم سے لڑنے جھگڑنے کے بعد تیار ہو کر آئینے میں اپنا عکس دیکھ رہی تھی کہ اسی لمحے نایاب آپا یاد آئیں۔

خوبصورت وہ بھی بہت تھی، لیکن سب کے کہنے کے مطابق نایاب میں بات ہی کوئی اور تھی۔ ابھی اتنی عمر نہیں تھی کہ حسد یا رشک کا جذبہ دل میں ابھرتا اور وہ کچھ محسوس کرتی۔ ابھی تو وہ سنی سنائی سے ہی یا خوش یا غم زدہ ہو جاتی تھی...... اور نایاب آپا کی ہر زبان سے ہونے والی تعریف اسے بے انتہا خوش کر دیتی تھی۔

آئینے میں اپنا عکس دیکھا۔ نایاب آپا نے نہ جانے کون سا لباس پہنا ہو گا۔ یقیناً کوئی سادہ اور پرانا سا زیب تن کر لیا ہو گا۔ اس کے اندازے کے مطابق نایاب آپا کا دل تو بوڑھا ہو چکا تھا۔ ہر تقریب پر اکثر سادہ سا لباس ہی پہن لیتی تھیں۔ جبکہ......

جبکہ...... ماما نے ان کے اتنے اتنے خوبصورت ملبوسات تیار کروا کے رکھے ہوئے تھے جیسے انہیں کسی فیشن شو میں شامل ہونا ہو۔ اور...... ایسی تقریبات کسی فیشن شو ہی کی طرح تو ہوتی ہیں۔

مگر...... نایاب آپا کبھی نہ پہنتیں۔ خود سے کبھی نہیں۔ بس کبھی کبھار جب وہ

بہت ضد کر بیٹھتی یا پھر ماما کسی خاص موقع کے لیے اپنی عزت کی خاطر حکم دیتیں تو......

اور آج تو اسے یقین تھا۔ اس قسم کا کوئی خاص موقع بھی نہیں تھا کہ ماما اسے حکم دیتیں۔ پھر بس ایک وہی رہ گئی تھی جس نے کوئی قیمتی، زرق برق اور خوبصورت سا لباس نایاب آپا کے لیے منتخب کر کے انہیں وہ پہن لینے کی ضد کرنا تھی۔

سیماب سب کچھ چھوڑ چھاڑ، اپنی تیاری بھی پوری مکمل نہیں ہوئی، آپا کے کمرے کی طرف بھاگی۔ ساتھ ساتھ سوچتی جا رہی تھی کہ انہیں کون سا لباس پہننے کے لیے کہے گی۔

''ارے!'' کمرے کے بیچوں بیچ وہ حیران پریشان سی کھڑی تھی۔ کمرہ بھی خالی تھا۔ باتھ روم بھی خالی تھا۔ پہلے جو کپڑے آپا پہنے ہوئے تھیں وہ باتھ روم کے اندر سٹینڈ پر پڑے تھے، جس کا مطلب تھا وہ تیار ہو کر جا چکی تھیں۔ آج کے دن کا آغاز غلط ہوا تھا نا۔

''ہت تیری آپا کی بچی۔ جانے کیا گت بنا کر چلی گئی ہیں۔''

اونچی سی ایڑھی والی جوتی کے ساتھ اس سے تو چلا بڑی مشکل سے جاتا تھا مگر اس وقت بھاگنا پڑ گیا۔ اوپر گیلری میں کھڑے ہو کر نیچے ہال کی طرف دیکھا۔ نایاب آپا کہیں بھی نہیں تھیں۔

عادت کے مطابق منہ ہی منہ میں کچھ بڑبڑانے ہی لگی تھی کہ اچانک نگاہ ہال کے صدر دروازے کی طرف اٹھ گئی۔ ماما کے پہلو کے ساتھ لگی کھڑی آپا آنے والے مہمانوں کا استقبال کر رہی تھیں۔

''ہائے میں مر جاؤں۔'' وہ ایک طویل چیخ کے ساتھ تیزی سے زینہ اترنے لگی۔ جانے یہ لباس کب بنا تھا۔ اس نے دل ہی دل میں آپا کے لیے جو لباس منتخب کیا تھا یہ تو اس سے بھی کہیں زیادہ، کہیں زیادہ خوبصورت تھا۔

اور وہ پہن کر آپا حوروں، شہزادیوں، نواب زادیوں، رئیس زادیوں غرض سب زادیوں کو مات دے رہی تھیں۔ سیماب جلدی جلدی نیچے اتری۔ بھاگی...... کوئی سامنے آیا۔ اس سے راستہ رک گیا تو بدتمیزوں کی طرح دھکا دے کر ہٹا دیا۔ وہ اس وقت بالکل دیوانی ہو رہی تھی۔

''آپا...... آپا۔'' قریب پہنچتے ہی چلائی۔ ''یہ لباس کب بنوایا تھا؟ اور یہ سچے موتیوں کا زیور؟''

پھر وہ ایک دم بیگم روبینہ کے گلے میں بانہیں ڈال کر کھڑی ہوگئی۔

''ماما! آپ نے مجھے ایسا لے کرنہیں دیا۔ آپا کیسے ایک شاندار سی پری لگ رہی ہیں۔ وہ، کہانیوں کی دعا دینے والی اچھی پری...... اور میں...... میری طرف دیکھیں ذرا۔''

''ارے سیماب!'' نایاب نے اسے ماما سے علیٰحدہ کر کے اپنے بازوؤں میں بھرا اور گلے سے لگا لیا۔ ''میری جان! تُو تو خود ایک سُچا موتی ہے۔ میں نے تو یہ ماما کا پہن لیا تھا۔''

''ماما! آپ نے انہیں پہنا دیا اور مجھے نہیں دیا۔''

آج پہلی بار اس نے اپنی آپا سے مقابلہ کیا۔ شاید اس لیے کہ آج وہ ہر دن سے زیادہ اچھی لگ رہی تھی۔

''نایاب بڑی بھی تو ہے۔'' ماما نے آہستہ سے اسے سمجھایا۔ ''عید پر تم پہن لینا۔''

''چڑیل لگے گی یہ۔'' جانے معظم کہاں سے آن ٹپکا تھا۔ چڑیل کا خطاب دینے کے بعد اس نے شانوں پر بکھرے بکھرے سیماب کے بال بھی کھینچ دیئے تو اسے پتنگے سے لگ گئے۔

ابھی ابھی ماں بہن کے سامنے شکوے شکایات کے دفتر کھولے ہوئے تھے۔ سب کچھ بھول بھال معظم کے پیچھے لپکی۔ اس کی بات کا جواب دینا اور اس سے بدلہ لینا تو وہ کبھی فراموش نہ کرتی تھی۔ ماما اور نایاب اس کی ان معصومانہ اداؤں پر محظوظ ہوتے ہوئے ایک دوسرے کی طرف دیکھ کر مسکرانے لگیں۔

''سب مہمان تو آچکے...... اب روبی! تم اور نایاب اِدھر آجاؤ...... اور اپنے مہمانوں کی تواضع کرو۔''

قاسم جمال اپنے ایک دوست کے ساتھ باتیں کرتے ہوئے ان کے قریب آن کھڑے ہوئے تھے۔

''آپ کی بیٹی کی تعلیم مکمل ہوگئی؟'' قاسم کے دوست بڑے غور سے نایاب کو سر سے پاؤں تک دیکھ کر پوچھنے لگے۔

''ابھی نہیں۔ ابھی تو بی اے فائنل کا دے گی۔ پھر ایم۔اے کرنے کا ارادہ ہے۔''

''میرا بیٹا راحیل انجینئرنگ کرنے انگلینڈ گیا ہوا ہے۔ دو سال تک واپس آجائے گا۔'' وہ قاسم کا ہاتھ پکڑ کر ہال کی دوسری سمت لے جاتے ہوئے کہہ رہے تھے۔ پھر ان کی آواز مزید مدھم ہوگئی۔ بار بار مڑ کر نایاب کو بھی تک رہے تھے۔ اب ان کی آنکھوں میں اس کے لیے پسندیدگی کی چمک تھی اور ہونٹوں پر سوال۔ اس کے لیے...... قاسم جمال جواب میں جانے کیا کہہ رہے تھے۔

کوئی بھی فنکشن ہوتا۔ یوں...... نایاب کے دو چار سسر اور دو چار ساسیں تو ضرور بن جانے کو تیار ہو جاتیں...... اور جوان دل جانے کتنے تھے جن کی دھڑکنیں بے ترتیب ہو جاتی تھیں۔

مگر...... اسے تو ابھی پڑھنا تھا۔ بہت ڈھیر سارا...... یہ اس کی خواہش تھی...... اور اس کی خواہش کا احترام ماما اور پاپا دونوں کیا کرتے تھے، اس لیے کبھی کسی سے اس کے مستقبل کا وعدہ نہیں کرتے تھے۔

شاید اسی انداز سے گفتگو ہو رہی تھی۔ اب جو پاپا کے دوست نے نظر گھما کر اس کی طرف دیکھا تو آنکھوں سے چمک غائب ہو چکی تھی۔ نایاب نے محسوس کیا۔ کچھ بجھ سی گئی۔ اسے اچھا نہیں لگتا تھا یہ سب۔

''چلو آؤ نایاب!'' روبینہ جمال نے مسکرا کر اپنے حسین شاہکار کا ہاتھ تھام لیا۔ وہ کیوں بجھے...... لوگوں کو کچھ، صبر حوصلے سے کام لینا چاہیے۔

ذرا کہیں اچھی چیز نظر آئی فوراً اسے اپنی ملکیت میں لے لینے کو تیار ہو گئے۔ یہ کیا بات ہوئی بھلا...... وہ اپنے دل میں سوچ رہی تھیں۔

اور...... نایاب بھی نجانے کیا سوچ رہی تھی۔

انہوں نے مہمانوں کے پاس چلنے کے لیے کہا تو وہ وہی کھڑی رہی۔ نگاہیں

بیرونی دروازے پر جمی تھیں۔

''چلو نا۔'' روبینہ نے اس کے ہاتھ کو ہلایا۔ وہ چونکی۔

''لیکن ماما! ابھی سب تو نہیں آئے۔''

''میرا خیال ہے آ گئے ہیں۔'' انہوں نے ہال کی طرف ایک طائرانہ سی نگاہ دوڑائی۔ جس جس کو مدعو کیا تھا، تقریباً سبھی چہرے نظر آ رہے تھے۔

''ماما......!'' نایاب قدرے جھجکتے اور ہچکچاتے ہوئے مدھم لہجے میں بولی۔ ''آپ نے ڈاکٹر ایاز کو بھی مدعو کیا تھا۔''

''ارے ہاں......! میں لوگوں کے ہجوم میں یہ بھول ہی گئی۔ میں نے تو اسے بہت ہی تاکید کی تھی، لیکن وہ ابھی تک آیا کیوں نہیں؟''

''ان کی ڈیوٹی ہو گی۔''

''آٹھ بجے تھی، مگر ابھی تو سات بجے ہیں اور ویسے بھی اس نے وعدہ کیا تھا کہ آئے گا ضرور۔''

''تو پھر انتظار کرنا چاہیے۔''

''روبی۔'' قاسم جمال دور سے روبینہ کو اشارے کر رہے تھے۔ ''ان سے ملی ہو؟ نیازی کی نازی سے۔''

قاسم ہنس رہے تھے۔ بیگم روبینہ ادھر متوجہ ہو گئیں۔ ''جی ہاں...... ملی ہوں۔ بڑی اچھی لگیں۔''

''تفصیل سے نہیں ملی ہوں گی۔ تبھی صرف اچھی کہا ہے۔''

''تو کیا......''

''ارے ادھر آؤ۔ تفصیلی تعارف کراؤں۔'' قاسم نجانے نازی کے متعلق کیا بتانے کو بے تاب تھے کہ روبینہ کی بات بھی نہیں سنی۔

''جلدی سے آؤ۔ جلدی سے۔''

''تم نایاب! یہیں ٹھہرو۔ ایاز آتا ہی ہو گا۔ میں تمہارے پاپا کی بات سن آؤں۔''

”میں...... میں......؟“ نایاب گھبرا گئی۔ ”میں اکیلی ماما......؟“

”تم اکیلی ہو......؟“ روبینہ ہنس پڑیں۔ پھر نایاب کی گھبراہٹ کا مطلب نہ سمجھتے ہوئے سارے ہال کی طرف اشارہ کر کے عجلت سے بولیں۔

”یہ سب پتھر کے بت ہیں کیا؟“

”وہ...... ماما وہ...... میرا مطلب تھا۔“ وہ ہکلا کر، بوکھلا کر رہ گئی۔ بتا کچھ بھی نہ سکی۔

”اور میرا مطلب تھا تمہارے، میرے اور خرم کے علاوہ وہ یہاں کسی کو نہیں جانتا۔ خرم ابھی آیا نہیں۔ میں تمہارے پاپا کی بات سننے جا رہی ہوں۔ پھر ایک تم ہی رہ جاتی ہو، جو شناسا ہو۔“

بڑی اچھی طرح انہوں نے بیٹی کو ساری بات سمجھائی۔

”شرمیلا سا لڑکا۔ آتے ہی کوئی جانا پہچانا چہرہ دکھائی نہ دیا تو گھبرا جائے گا۔ تم یہیں ٹھہر کر اس کا انتظار کرو۔ آئے تو اسے وہ اُدھر جو سنہری صوفہ ہے' اس پر بٹھانا۔ اچھی طرح انٹرٹین کرنا۔ مجھے وہ ان آنے والے سب مہمانوں سے زیادہ عزیز ہے۔“

قاسم اشارے کیے جا رہے تھے۔ ان کی طرف دیکھتے ہوئے روبینہ جلدی جلدی نایاب کو پتہ نہیں اور کیا کیا کہتے ہوئے تیزی سے ان کی طرف بڑھ گئیں۔

”اور ماما! آپ کو اگر وہ سب سے زیادہ عزیز ہے تو ہماری بھی تو اس کے ساتھ دشمنی نہیں ہے۔ کہیں گی تو ساری رات کھڑی رہ کر انتظار کروں گی اور پھر یہ سنہری صوفہ کیا ہے۔ دل کی مسند پر بٹھا لوں گی۔ وہ آئے تو۔“

اور وہ بڑی بے قراری سے دروازے کی سمت دیکھنے لگی۔ آنکھوں میں انتظار کی ایک خوبصورت سی شمع روشن تھی، جس نے اسے مزید حسین کر دیا۔

●......●......●

آج تو دن کاٹے نہیں کٹتا تھا۔ ایک دم ہی ایک صدی کے برابر ہو گیا تھا۔

حالانکہ......

رات کی ڈیوٹی دی ہوئی تھی۔ تقریباً پوری رات جاگے تھے۔ پہلے تو کبھی کبھی جو آخری راؤنڈ ایک بجے لیتے تھے، اس کے بعد تھوڑا سا سونے کا موقع مل جایا کرتا تھا۔ خواہ کرسی پر ہی بیٹھے بیٹھے تھوڑا سا اونگھ لیتے تھے، آرام تو کچھ مل جاتا تھا۔

مگر...... پچھلی رات تو ایک منٹ کے لیے آنکھ جھپکنا تو کیا اونگھ بھی نہ سکے تھے۔ ایک مریض بہت سیریس ہو گیا تھا۔ ساری رات اس کے سرہانے بیٹھے رہے۔

کچھ شب بیداری، کچھ اعصابی تناؤ۔ کون سی دوا اس کے لیے ٹھیک رہے گی۔ کون سی نہیں۔ ایک دی...... پھر دوسری...... پھر تیسری...... کئی دوائیں دے ڈالیں۔ ذمہ داری کا شدت سے احساس تھا۔

ایک بار تو اس کے دل کی دھڑکن جیسے رُک ہی گئی تھی۔ مریض کے دل کی دھڑکن کیا رُکی۔ جیسے ان کی اپنی رک گئی۔ ایک عجیب سا غم رگ و پے میں اترتا محسوس ہونے لگا۔

پینتیس چالیس کے درمیان اس مریض کی عمر تھی۔ چھوٹے چھوٹے دو بچے تھے، جن کا باپ کے سوا اور کوئی سہارا بھی نہ تھا۔ دواؤں کے ساتھ ساتھ دعائیں بھی کرتے رہے کہ کسی طرح بچ جائے۔ تقریباً بیس پچیس منٹ تک تو اس کے دل کو مساج ہی دینا پڑا۔

ڈاکٹر ایاز کا ذہن ماؤف تھا اور بازو تھکن سے شل۔ پھر بھی اس کی زندگی کے لیے تگ و دو کیے جا رہے تھے، کیے جا رہے تھے۔ آخر...... پروردگار نے ان کی انتھک محنت اور خلوص سے مانگی دعاؤں کا اجر دے ہی دیا۔

فجر کی اذان کے وقت اس مریض کی حالت سنبھلنے کی امید ہو گئی۔ تب اسی وقت نماز کے ساتھ ڈاکٹر ایاز نے شکرانے کے دو نوافل بھی ادا کیے۔

پھر جب ان کی ڈیوٹی کا وقت ختم ہو گیا اور وہ اپنے کمرے میں آئے تو اس وقت انہیں اندازہ ہوا کہ وہ رات کیسی گزار کر آئے تھے۔ لیکن......

دوسرے ہی لمحے ہر قسم کی تھکاوٹ، اعصابی تناؤ، ذہنی پریشانی کا احساس جاتا

رہا۔ جب یہ خیال آیا کہ آج شام انہیں بیگم روبینہ قاسم کے ہاں جانا تھا۔

انہیں ملے بہت دن ہو گئے تھے۔ سات آٹھ دن بھی بہت، بہت لگ رہے تھے۔ آرام کرنا چاہا...... سونا چاہا...... کچھ نہ کیا گیا۔ ایک عجیب سی جذباتی کیفیت تھی۔ رگ و پے میں اس تصور کے ساتھ سرور سا اُترتا جا رہا تھا کہ شام کو...... سات بجے...... بیگم روبینہ جمال کے علاوہ کسی اور سے بھی ملنے والے تھے۔

اور...... شام ہونے میں ہی نہیں آ رہی تھی۔ وقت کاٹے نہیں کٹ رہا تھا۔ صدی بھی اتنی لمبی نہیں ہوگی جتنا آج کا دن ہو گیا تھا۔

نہ کچھ کھایا نہ پیا۔ بھوک ہی اُڑ گئی تھی۔ چپ چاپ بستر پر دراز تھے۔ نہ نیند آ رہی تھی...... نہ پوری طرح بیدار تھے۔ ابھی شام نہیں ہوئی تھی۔ وہاں پہنچے نہیں تھے، لیکن خیالوں ہی خیالوں میں وہ جیسے ان سب کے پاس بیٹھے تھے۔

بیگم روبینہ جمال اپنی باوقار شخصیت کے ساتھ مامتا بھری نگاہوں اور خلوص بھری باتوں سے جیسے ان کے سامنے تھیں۔ خرم تھے، معظم اور سیماب تھے، انہیں ابھی ملے نہیں تھے، لیکن بیگم روبینہ جمال کے بتائے ہوئے ان کے حلیوں کے مطابق، خود ہی ایاز نے دو معصومیتوں اور شوخیوں کے پیارے پیارے سے بت ڈھال لیے تھے۔ وہ بھی تھے ان کے تصورات میں، شرارتیں کرتے ہوئے، چہلیں کرتے ہوئے آپس میں جھگڑتے ہوئے۔ اور......

اور...... اس سوچ کے ساتھ تو ان کے حواس پر ایک انوکھا سا، ایک بے حد لذت بخش سا خمار چھانے لگا...... اور وہ سوچ تھی نایاب کی۔ اپنے حسین پیکر کو لیے ان کی آنکھوں میں سامنے اِدھر اُدھر شرماتی لجاتی پھر پھر رہی تھی۔ پھر وہ خود اپنے ہاتھوں میں ان کے لیے چائے بنا کر لائی۔

پھر انہوں نے کھانا بھی وہیں کھایا۔ بہت سارے مہمانوں نے آنا تھا، لیکن وہ جیسے ان سب کے درمیان اکیلے تھے۔ وہی محفل تھے، وہی مہمان خصوصی اور وہی سب کچھ۔ ان کے علاوہ اور کوئی نہ تھا وہاں اور سب، سب گھر والے انہیں کی خاطر داریوں میں مصروف تھے۔ عجیب سے کیف و نشاط میں ڈوبے رہے۔

دیوار گیر گھڑی نے ٹن ٹن چھ بجائے تو وہ اپنے خیالات سے چونکے۔ صدی گزر گئی تھی، لیکن اس کا آخری ایک گھنٹہ صرف پانچ منٹ میں گزرا تھا۔ وہ اپنے آپ پر، اپنی بے قراریوں پر اور پھر مصروفیتوں پر خود ہی مسکرا اُٹھے۔

''ڈاکٹر ایاز! تم تو پاگل ہو گئے۔''

خود کو کچھ اور کہتے۔ دماغ شاید دل کو سمجھاتا مگر پھر وقت کا احساس ہو گیا۔ سات بجنے میں صرف ایک گھنٹہ رہ گیا تھا۔

ارے! انہیں تو ابھی تیار بھی ہونا تھا...... اور آج کی تیاری۔ معمولی بات نہ تھی۔ زندگی میں جیسے پہلی بار کسی نے مدعو کیا تھا اور وہ پہلی ہی بار کسی کے ہاں مہمان جا رہے تھے۔ سب کچھ جیسے نیا تھا...... انوکھا تھا...... اور اہم تھا۔

سادگی پسند ڈاکٹر ایاز نے آج اپنا بہترین سوٹ نکال کر پہنا۔ خوبصورت اور باوقار رنگوں والی ٹائی لگائی۔ بکھرے اُلجھے بالوں کو بڑے اسٹائل سے سنوارا۔

وہ ڈاکٹر ایاز جنہوں نے اپنی ذات کی طرف، اپنے وجود کی طرف کبھی توجہ نہ دی تھی۔ آج بڑی احتیاط، بڑی پرواہ اور پورے خلوص سے اپنی ہستی کو سنوار، نکھار رہے تھے اور ترتیب دے رہے تھے۔

حیات کی، ساری زندگی کی اُلجھنیں جیسے آج سلجھ گئی تھیں۔ ساری زندگی محرومیاں جیسے آج ختم ہونے والی تھیں۔ دل و دماغ پُرسکون تھے اور روشن تھے، تاریکیاں چھٹ گئی تھیں۔

اور...... پھر...... جب آئینے میں اپنے بکھرے، ستھرے اور سلجھے ہوئے وجود کو دیکھا تو یکایک انہیں اپنی حیثیت کا احساس ہو گیا۔ وہ ایک ڈاکٹر تھے۔

یہ جذباتی لمحات، یہ فطری تقاضے، آخر وہ انسان تھے۔ یہ سب کچھ بھی درست تھا۔ ناجائز بات کوئی نہ تھی۔ مگر...... آٹھ بجے ان کی ڈیوٹی شروع ہو جانا تھی...... اور وہ سات بجے مدعو تھے۔

یکایک انہیں خیال آیا۔ اپنے فرض کا احساس ہوا۔

کیا ایک گھنٹے میں وہ فارغ ہو جائیں گے؟ سات بجے وہاں پہنچ کر آٹھ بجے واپس آ جائیں گے؟

ناممکن تھا...... بالکل ناممکن۔ ایک گھنٹہ تو اکیلی ماما کی معیت میں بیٹھنے اور ان کی مشفقانہ گفتگو سننے کے لیے بہت کم تھا اور...... اور...... وہاں تو اور بھی بہت ساری ہستیاں تھیں۔

خرم، سیماب، معظم اور سب سے اہم نایاب۔ صدیوں بعد، زمانوں بعد تو ان پر یہ وقت آیا تھا۔ ایک گھنٹہ بہت کم تھا...... بہت کم۔

ڈاکٹر جمشید ان کے بہترین دوست اور ساتھی تھے۔ آج کل ان کی بھی رات ہی کی ڈیوٹی تھی۔ گو دوسرے وارڈ میں تھے، لیکن وہ ایک دو گھنٹے کے لیے اپنے وارڈ کا خیال رکھنے کو کہہ جاتے تو وہاں سکون اور اطمینان سے دو تین گھنٹے گزار سکتے تھے۔ ڈاکٹر جمشید بڑے ذمہ دار انسان تھے۔

بڑی اچھی سوچ تھی۔ ایاز مطمئن ہو گئے۔ ایک بار پھر آئینے میں خود کو دیکھا۔ ہر انداز سے، ہر نگاہ سے...... وہ ٹھیک ٹھاک تھے۔ وہ قابل قبول تھے۔

سات بجنے میں ابھی بیس منٹ تھے۔ بیگم روبینہ جمال کے گھر تک پہنچنے کے لیے دس منٹ درکار تھے۔ باقی دس منٹ میں وہ اپنے وارڈ کے متعلق ڈاکٹر جمشید کو مل کر کہہ سکتے تھے کہ اس کا خیال رکھیں۔ یہ بھی ضروری تھا...... اور وہ بھی۔

بار بار وقت دیکھ رہے تھے اور حساب کر رہے تھے۔ اس لیے...... کہ قاسم جمال وقت کے بہت پابند تھے...... اور ڈاکٹر ایاز نہیں چاہتے تھے کہ پہلی ہی بار ان کا تاثر غلط قائم ہو۔ وہ پورے سات بجے ان کے گھر میں قدم رکھنا چاہتے تھے۔

تاکہ...... قاسم جمال کو اندازہ ہو جائے کہ ان کے علاوہ دوسرے لوگ بھی زندگی میں کچھ اصول رکھتے تھے۔ کچھ قاعدے قانون رکھتے تھے اور ان کے تحت زندگی گزارتے تھے۔

کمرے کو لاک کر کے وہ تیز تیز قدموں سے ہسپتال کی عمارت کے اندر داخل ہو گئے۔ ڈاکٹر جمشید کو بتانے کے لیے ان کے وارڈ تک ابھی پہنچے نہیں تھے کہ اپنے وارڈ کی

ایک نرس نے ان سے بھی زیادہ تیز قدموں سے آ کر ان کا راستہ روک لیا۔

''ڈاکٹر صاحب! شکر ہے آپ مل گئے۔'' اس کا سانس پھولا ہوا تھا۔ وہ بری طرح ہانپ رہی تھی۔

''کیوں؟ کیا ہوا؟'' ڈاکٹر ایاز اس کی حالت دیکھ کر بُری طرح گھبرا گئے!

''وہ...... رات والے مریض کی حالت پھر خراب ہو گئی۔ اچانک ہی ڈاکٹر صاحب!''

''تو ڈاکٹر زاہد کہاں ہیں۔ جن کی اس وقت ڈیوٹی ہے۔''

''ابھی ابھی انہیں کوئی فون آیا تھا، وہ چلے گئے۔''

''بغیر کسی اور ڈاکٹر کا انتظام کیے؟ وارڈ کو تو ایک منٹ کے لیے بھی ڈاکٹر کے بغیر نہیں چھوڑنا چاہیے، جبکہ معلوم ہو کہ کوئی مریض سیریس ہے؟''

''انہوں نے کہا تھا کہ ضرورت پڑے تو سرجیکل وارڈ سے ڈاکٹر ظہیر کو بلا لینا۔''

''پھر انہیں نہیں بلایا؟''

''میں ابھی ابھی ان کے وارڈ سے ہو کر آئی ہوں۔ وہ وہاں نہیں ہیں۔ سٹاف نے بتایا ہے وہ کسی مریض کو دیکھنے چلے گئے ہیں۔ ان کا کوئی رشتہ دار تھا...... اور ایمرجنسی تھی۔''

دونوں بھاگنے کے انداز میں تیز تیز قدم اٹھاتے وارڈ کی طرف جا رہے تھے۔

''بڑی غیر ذمہ داری کا ثبوت دیا ہے ڈاکٹر زاہد نے!''

''میں تو اس بات کا شکر ادا کر رہی ہوں کہ آپ آج ایک گھنٹہ پیشتر ہی ڈیوٹی پر آ گئے۔''

''اوہ......!'' ڈاکٹر ایاز چپ سے ہو گئے۔ وہ کس لیے آئے تھے' یہ بتا ہی نہ سکے۔

''آپ کوئی دوا بتا رہے تھے کہ وہ اس مریض کا آخری چانس......'' نرس نہ جانے کیا کیا کہہ رہی تھی اور ڈاکٹر ایاز بیگم روبینہ جمال کے گھر جانے کے متعلق سوچ رہے تھے۔ پندرہ منٹ باقی رہ گئے تھے سات بجنے میں...... اب کیا کریں؟

وارڈ کے اندر قدم رکھا تو پہلی نگاہ اسی مریض پر پڑی۔ دوسری نرس جو ڈیوٹی پر تھی وہ اس پر جھکی ہوئی جانے کیا کر رہی تھی۔ شاید اس کا سینہ مل رہی تھی۔

ڈاکٹر ایاز یہ سچویشن دیکھتے ہی ہر بات بھول گئے۔ بیگم روبینہ جمال کا گھر، دعوت، ان کے پیارے پیارے معصوم معصوم بچے، نایاب اور قاسم جمال۔ جو وقت کے اور وعدہ کے خود بھی بہت پابند تھے اور دوسروں کو بھی دیکھنا چاہتے تھے...... اور ڈاکٹر ایاز کی ان سے پہلی ملاقات تھی۔ پہلا تاثر آخری ہوتا ہے۔ اور...... اور سب کچھ۔

وہ بھاگ کر سیریس حالت والے مریض کے پاس پہنچے۔ پہلی نگاہ اس کے بیڈ پر پڑی اس مشین کی طرف گئی۔ سانسیں اُکھڑ رہی تھیں...... دھڑکنیں بے ترتیب تھیں۔

ایک عورت جو ابھی بیوہ ہو سکتی تھی اور دو بچے جو یتیم ہو سکتے تھے چند منٹ بعد...... پھر...... ان پر کیا گزرنے والا تھا...... اور کس کس طرح ان کی نگاہوں میں وہ سارے کے سارے انداز گھوم گئے۔

کبھی فاقے کرتے ہوئے، کبھی محنت مشقت کرتے ہوئے، کبھی بھیک مانگتے ہوئے اور کبھی چوریاں کرتے ہوئے...... اور پھر...... اور پھر...... جرم سزا، ہتھکڑی، جیل کی سلاخیں۔

ان کا سارا وجود لرز گیا۔ آگے بڑھے اور ایک دم مریض پر جھک گئے۔ نرس کو ایک جھٹکے سے پرے ہٹایا۔ اپنے دونوں ہاتھ اس کے سینے پر رکھے۔ ایک خاص انجکشن کے لیے اسے ہدایات دیتے ہوئے جلدی جلدی مساج کرنے لگے۔

پانچ...... چھ...... سات یا پھر دس منٹ کے بعد مریض کے دل کی دھڑکن پہلے سے کچھ بہتر ہو گئی۔ وقت نوٹ کرنے کا کسے ہوش تھا۔ کچھ دیر توقف کیا۔ وہ اپنے پھولے سانس ہموار کرنے کی کوشش کر رہے تھے کہ......

مریض کی دھڑکن پھر غلط ہونے لگی۔ ڈاکٹر ایاز نے جلدی سے کوٹ اُتار کر پرے پھینکا۔ ٹائی جو لٹک کر ان کے کام میں حارج ہو رہی تھی، کھینچ کر گلے سے اتاری۔ کچھ پتہ نہیں تھا کہ کیا کر رہے تھے۔ جلدی میں فرش پر ہی پھینک دی۔ اور...... پھر...... ایک بار پھر اس کی زندگی بچانے کی جدوجہد شروع کر دی۔

''نرس! میرے آفس کی الماری کے اوپر والے خانے میں ایک انجکشن پڑا ہے۔ وہ نکال لاؤ...... الماری کی چابی میرے کوٹ کی جیب میں ہے۔''

نرس بھاگی۔ ڈاکٹر ایاز کی ہدایت کے مطابق جلدی سے دوسرا انجکشن تیار کیا اور لگا دیا۔ ساتھ ساتھ وہ خود دل پر مساج کیے جا رہے تھے۔ ارد گرد کا کوئی ہوش نہ تھا۔ نہ اپنی خبر تھی۔ بس اس وقت جانتے تھے تو یہ کہ...... اس مریض کو زندگی ملنا چاہیے تھی۔

شاید ڈاکٹر ایاز کی خلوص بھری محنت کا پھل تھا یا اس مریض کی موت سے بیوہ ہو جانے والی عورت کی دعاؤں کا اثر، اور یا پھر ان بچوں کی تقدیر میں یتیمی، خانماں بربادی اور خستہ حالی نہ لکھی تھی۔ مریض کی حالت سنبھلنے لگی۔

''اللہ تیرا شکر ہے۔'' ڈاکٹر ایاز تھکا تھکا مگر اطمینان بھرا سانس لیتے ہوئے پاس دھری کرسی پر بیٹھ گئے، لیکن نبض اب بھی ہاتھ میں تھی...... اور بڑے غور سے اس کے پھولتے پچکتے سینے کو دیکھ رہے تھے۔

مریض کی سانسیں نارمل ہو گئی تھیں اور چہرے کی زردی پر آہستہ آہستہ سرخی غالب آنے لگی تھی۔ انجکشن کا اثر ہو رہا تھا۔ جیسے جیسے مریض کی حالت سنبھل رہی تھی ویسے ویسے ڈاکٹر ایاز کے چہرے پر خوشی و مسرت کا رنگ بکھر رہا تھا۔

جانے کتنا وقت گزر گیا۔ نہ انہیں احساس تھا نہ انہوں نے جاننے کی کوشش کی۔ وہ تو ایک زندگی بچانے کی تگ و دو میں ایسے مصروف ہوئے تھے کہ اور کوئی ہوش ہی نہ رہا تھا۔

جب وہ پوری طرح پُر امید ہو گئے۔ مشین کو چیک کرنے والی نرس نے دھیمی سی آواز میں انہیں مبارک دی تو ڈاکٹر ایاز کو ہوش آیا کہ...... اور تبھی انہیں معلوم ہوا کہ وہ کہاں تھے اور کیا کر رہے تھے۔

سر کو ہلا کر انہوں نے پھر مریض کی طرف دیکھا۔ زندگی کے آثار پورے یقین کے ساتھ لوٹ آئے تھے۔ خوشی و اطمینان کا ایک طویل سا سانس لیا۔

''سٹاف! صبح تو اس کی حالت کافی بہتر تھی۔'' ڈاکٹر ایاز نے اب پوچھ گچھ شروع کی۔

''جی۔ لیکن آپ نے کل رات سے جو دوا شروع کرائی تھی وہ ڈاکٹر زاہد نے بند کرادی تھی۔ شاید اس لیے۔''

''لیکن کیوں بند کرادی تھی؟'' انہوں نے گھبرا کر پوچھا۔ ''وہ جاری رہنا چاہیے تھی۔''

''سٹور میں موجود نہیں تھی اور مریض کے لواحقین خرید نہیں سکتے تھے۔''

''اوہ......!'' ایک بے پایاں دُکھ سے ڈاکٹر ایاز کا سر جھک گیا۔

ہسپتال کی انتظامیہ کے لیے بڑی افسوسناک بات تھی کہ دوا موجود نہ ہونے کی وجہ سے ایک جان ختم ہونے جا رہی تھی...... اور دوا کیوں نہیں موجود تھی؟

اب وہ کیا کہتے...... کس کو کچھ کہتے...... کئی دوائیں چوری ہو جاتی تھیں اور پھر اپنی آنکھوں سے انہوں نے دکانوں پر بکتی دیکھی تھیں۔ چپ سے ہو گئے۔

نرس کو بھی کیا کہتے۔ قصور اس کا بھی نہ تھا۔ قصور ڈاکٹر زاہد کا بھی نہ تھا۔ وہ بند نہ کراتے تو کیا کرتے؟

لیکن نہیں...... وہ مریض اس وقت ان کی ذمہ داری تھی۔ کچھ بھی کرتے...... جیب سے پیسے دے کر منگوا لیتے۔ اتنا دل نہیں تھا تو کسی سے مانگ تانگ لیتے۔ چندہ اکٹھا کر لیتے...... کچھ نہ کچھ ضرور۔ لاکھوں کی ایک زندگی کو چند ٹکوں کی خاطر ختم ہونے کے لیے چھوڑ نہ دیتے۔ وہ ایک معالج بھی تھے اور ساتھ ایک انسان بھی...... اور انسان کے دل میں انسانوں کا درد ہونا بہت ضروری ہے۔

اس کے علاوہ...... ایک غلطی انہوں نے اور کی تھی۔ وہ اس سے بھی بڑی غلطی تھی۔ انہیں اپنی ڈیوٹی کے ساتھ تو مخلص ہونا چاہیے تھا۔ انہیں بغیر کسی دوسرے ڈاکٹر کا بندوبست کیے یا نرسوں ہی کو پوری ہدایات دیئے، ڈیوٹی ختم ہونے سے ڈیڑھ گھنٹہ پہلے ہی نہیں جانا چاہیے تھا۔ ہرگز ایسا نہیں کرنا چاہیے تھا۔ یہ دل کا وارڈ تھا۔ یہاں تو کسی زندگی کے لیے ایک منٹ کا بھی خطرہ نہیں مول لیا جا سکتا تھا۔

اور پھر ان سوچوں کے بعد...... ڈاکٹر ایاز نے ہزاروں اور لاکھوں شکر ادا کیا کہ وہ خود آ گئے تھے۔ اچانک ہی...... ان کی ڈیوٹی شروع بھی نہیں ہوئی تھی۔ وقت سے بہت

پہلے آ گئے تھے۔

لیکن...... لیکن وہ بھلا آج کیوں وقت سے پہلے آ گئے تھے؟ اس مریض کی جان قدرت نے ان کے ہاتھوں بچانا تھی۔ شاید اسی لیے...... یا...... یا پھر۔

''اوہ......!'' بجلی کا ایک کوندا سا ذہن میں لپکا۔ یکا یک انہیں یاد آیا۔ وہ تو سات بجے بیگم روبینہ جمال کے گھر مدعو تھے۔ انہوں نے ان سے ضرور بالضرور پہنچنے کا وعدہ کیا ہوا تھا۔

سب کچھ یاد آ گیا۔ سب کچھ...... وہ پورے دن کی بے تابیاں اور بیقراریاں...... اور خوبصورت خوبصورت اور سہانے سہانے خیالات و تصورات اور پھر...... اپنے جذبات و احساسات۔

چہرے پر سرخی پھیل گئی۔ کان گرم ہو گئے۔ دل تیزی سے دھڑکنے لگا۔ وہ پورے ہوش و حواس کے ساتھ جذبوں اور محسوسات کی دنیا میں آ گئے۔ جلدی سے کلائی کی گھڑی دیکھی۔

''ارے!'' شاید ان کی گھڑی خراب تھی...... ساڑھے نو بجا رہی تھی۔

''نرس! وقت کیا ہوا ہے؟''

''سر! آپ نے گھڑی تو باندھی ہوئی ہے۔'' وہ بھی ریلیکس ہو گئی تھی۔ شوخی سے مسکرا کر ان کے بازو کی طرف اشارہ کر دیا۔

''میری گھڑی خراب ہے۔''

''کیا خرابی ہو گئی؟''

''آگے چلی گئی۔ ساڑھے نو بجا رہی ہے۔''

''تو آپ اس سے کیا توقع کر رہے تھے؟'' نرس مسکرائے جا رہی تھی۔

''میں تمہارا مطلب نہیں سمجھا؟''

''میرا یہ مطلب تھا کہ آپ کو کون سا وقت درکار ہے۔ گھڑی کو کیا بجانا چاہیے تھا؟''

''سات۔'' بے اختیار ان کے ہونٹوں سے نکل گیا۔

اور...... اگر یہ وارڈ نہ ہوتا...... یہاں مریض نہ پڑے ہوتے تو وہ کھل کر قہقہہ لگاتی۔ لیکن...... ایسے نہ کرسکی تو اس کی ہنسی ضرور نکل گئی۔ ''ڈاکٹر ایاز! آپ واقعی بڑے معصوم ہیں۔'' وہ من ہی من میں بڑبڑائی۔ ''یہ دنیا آپ کی نہیں ہے۔ آپ کو تو پانچ سات سو سال پہلے پیدا ہونا چاہیے تھا۔ جب لوگوں کے دل میں ایمان بھی تھا اور خلوص بھی۔ اب تو...... اب تو...... سب کچھ ہی گڑبڑ ہے۔ آپ کا گزارا ذرا مشکل سے ہی ہوگا ڈاکٹر ایاز!''

وہ سب کچھ جانتی تھی۔ اسے یہ معلوم تھا کہ ان کے ساتھ کیا زیادتی ہوگئی تھی۔ ڈاکٹر زاہد کی ڈیوٹی انہیں دینا پڑ گئی تھی...... اور اپنی کسی دوسری مصروفیت کے باوجود پورے خلوص سے انہوں نے یہ ڈیوٹی سرانجام دی تھی۔ وہ پہلے ہی ڈاکٹر ایاز سے بہت متاثر تھی...... اور آج تو...... وہ اسے اور بھی اونچے انسان دکھائی دینے لگے تھے۔

ہنستے ہنستے وہ یکا یک سنجیدہ ہوگئی۔ ڈاکٹر ایاز کے چہرے پر ایک مجبور سی بیچارگی پھیلی ہوئی تھی۔ اسے ترس آ گیا۔

''سر آپ کی گھڑی خراب نہیں ہے۔ ٹھیک ہے بالکل۔ اس وقت ساڑھے نو ہی بجے ہیں۔''

''ڈاکٹر صاحب!'' وارڈ کا بیرا کہیں گیا ہوا تھا۔ اسی وقت اندر آ گیا۔

''جب آپ چھ نمبر بیڈ والے مریض کے پاس تھے تو تھوڑے تھوڑے وقفے سے دوبار آپ کا فون آیا تھا۔''

''کہاں سے؟''

''جی یہ تو نہیں معلوم۔ ویسے کوئی عورت بول رہی تھی۔''

''کیا کہہ رہی تھی؟''

''آپ سے بات کرنا چاہتی تھی۔''

''پھر؟''

''میں نے کہہ دیا کہ ڈاکٹر صاحب مصروف ہیں۔ وہ اس وقت فون تک نہیں آسکتے۔''

"کوئی پیغام نہیں دیا؟"

"جی نہیں...... جب میں نے آپ کی مصروفیت کا بتایا تو آخر میں فون بند کرتے کرتے اتنا کہا تھا کہ وعدہ تو سات بجے پہنچنے کا کیا تھا۔ مگر بس جی...... پھر فون بند ہو گیا۔"

بیرا جلدی میں تھا۔ بتا کر چلا گیا۔

"اوہ......!" ڈاکٹر ایاز ہاتھوں میں سر تھام کر کرسی پر جیسے گر سے پڑے۔ "یہ کیا ہو گیا۔ پہلا ہی وعدہ اور وہ بھی پورا نہ کر سکے۔"

دل کے اندر ویرانیاں سی اُتر گئیں۔ بیگم روبینہ جمال نے کتنی تاکیدیں کی تھیں۔ اور...... یہ بھی کہا تھا کہ قاسم جمال خود بھی بااصول اور وعدہ کے پابند انسان تھے اور دوسروں کو بھی ایسا ہی دیکھنا پسند کرتے تھے۔

اور...... وہ چاہتی تھیں کہ ایاز کچھ اس طرح، اس انداز میں ان سے ملیں کہ وہ ان سے بہت متاثر ہوں۔ پہلا تاثر آخری ہوتا ہے۔

مگر...... یہ سب کیا ہو گیا۔ یہ کیا ہو گیا۔ انہیں لگ رہا تھا۔ جیسے زندگی کی ہر بازی ہار گئے تھے۔ کچھ بھی نہ رہ گیا تھا ان کے پاس۔ ایک دم سے ہی تہی دامن ہو گئے تھے۔

"یہ بھی کوئی زندگی ہے؟" وہ اپنے آپ سے بڑبڑائے۔

"ڈاکٹر صاحب، ڈاکٹر صاحب! مریض ہوش میں آ رہا ہے۔"

وفور مسرت سے دیوانی سی ہو کر نرس چلائی تو ڈاکٹر ایاز خیالات کی دنیا سے چونک کر حقیقی دنیا میں آ گئے۔

"ہاں یہی تو زندگی ہے...... اصل زندگی۔"

مریض کو آنکھیں کھولتے دیکھ کر ڈاکٹر ایاز کے چہرے پر ایک ملکوتی سا تبسم بکھر گیا۔

"ایسی ہی زندگی انسان کو گزارنا چاہیے۔ جیئے...... لیکن اپنے لیے نہیں، دوسروں کے لیے۔"

اور...... اب بیگم روبینہ جمال کی پارٹی میں جانے کا وقت نہیں تھا۔ ان سے وعدہ

خلافی ہو چکی تھی۔ لیکن...... اس کے باوجود وہ دل میں اطمینان و سکون لے کر رات کی ڈیوٹی دینے لگے۔

اور وہ اب وارڈ کا راؤنڈ لے رہے تھے۔ سب سے مسکرا مسکرا کر باتیں کر رہے تھے۔ معمول کے مطابق ہر ایک کا پوری خوش اخلاقی اور زندہ دلی سے حال چال پوچھ رہے تھے۔

●......●......●

آٹھ بجے ڈاکٹر ایاز کی ڈیوٹی ختم ہوئی۔ دوسرے ڈیوٹی پر آنے والے ڈاکٹر کی آمد سے پہلے ایک بار پھر اسی مریض کو دیکھنا اپنا فرض سمجھتے ہوئے اس کے پاس چلے گئے۔

اس کی حالت اب بہتر تھی۔ خوشی کی ایک لہر پورے وجود میں سرایت کر گئی۔ یہ زندگی خدا نے اسی مقصد کے لیے انہیں دی تھی...... اور انہوں نے پوری ایمان داری اور خلوص کے ساتھ اپنا فرض نبھایا تھا۔ وہ مطمئن تھے۔

مریض ہوش میں تو تھا، لیکن بولنے کی ابھی زبان میں سکت نہ تھی اور نہ اجازت۔ آنکھوں ہی آنکھوں میں وہ جس انداز میں وہ ڈاکٹر ایاز کا شکریہ ادا کر رہا تھا۔ اس سے پہلے ایسی تعریف و توصیف اور تشکر بھری نگاہیں انہوں نے نہ دیکھی تھیں۔ انہیں تو اپنی تمام تگ و دو کا یہیں اجر مل گیا تھا۔ بڑے خوبصورت انداز میں مسکرا رہے تھے۔

پھر نرس کو بلا کر اسے کچھ ہدایات دیں۔ اس کی بھی ڈیوٹی ختم ہو رہی تھی۔ اسے تاکید کی کہ اس کی جگہ آنے والی نرس کو خاص طور پر اس مریض کا زیادہ خیال رکھنے کو کہے۔ اس کی دوا اسے باقاعدگی سے اور وقت پر ملنا چاہیے تھی اور سب سے ضروری بات کہ کسی دوسرے ڈاکٹر کے کہنے سے بدلی نہ جائے، بلکہ اسی دوا کو جاری رکھا جائے۔

ادھر سے فارغ ہو کر دوسرے مریضوں کا بھی، چلتے چلتے حال چال پوچھا۔ کسی نے کچھ جواب دیا کسی نے کچھ۔ جس نے اپنی کوئی تکلیف بتائی اسے تسلی دلاسہ دیا۔ جس نے پہلے سے بہتر ہونے کی نوید سنائی۔ اسے پُر خلوص دعاؤں سے نوازا اور اس طرح ایک

ایک سے ملتے، گفتگو کرتے ہوئے وارڈ سے نکل گئے۔

باہر نکلے تو وہ ڈاکٹر صاحب مل گئے جن کی اب ڈیوٹی شروع ہو چکی تھی۔ کچھ دیر ان کے پاس کھڑے رہے۔ مختصراً وارڈ کے ہر مریض کا حال بتایا اور رات سیریس کاٹنے والے مریض کی دواؤں وغیرہ کے متعلق خاص طور پر انہیں ہدایت کی۔

زیادہ تر ڈاکٹر ان کی بات، ان کے مشورے کو خود اپنی تشخیص پر بھی ترجیح دیا کرتے تھے۔ باہر سے تعلیم حاصل کر کے آئے تھے۔ کئی سینئر ڈاکٹروں سے زیادہ نالج رکھتے تھے، اس لیے ڈاکٹر ایاز کی تشخیص کی کوئی بھی مخالفت نہیں کیا کرتا تھا۔

اور یہ حقیقت بھی تھی کہ ان کی دس گیارہ مہینے کی ملازمت میں ان کی کوئی غلطی پکڑی بھی نہیں گئی تھی۔ جبکہ دوسرے ڈاکٹر کچھ نالج کم اور کچھ بے پرواہی کی وجہ سے اکثر چھوٹی موٹی غلطیاں کرتے ہی رہتے تھے۔

اور اسی لیے تو ڈاکٹر ایاز پر دوسروں کی نسبت زیادہ ذمہ داریاں ڈال دی گئی تھیں۔ لیکن...... وہ پھر بھی خوش تھے...... مطمئن تھے۔

یوں فارغ ہوتے ہوتے انہیں آٹھ سے نو بج گئے۔ پچھلی رات انہوں نے کچھ نہیں کھایا تھا۔ وہ تو دعوت پر جانے والے تھے...... اور پھر اس مریض کی وجہ سے اپنی سدھ بدھ بھی نہ رہی۔ کچھ جب وقت ملا تو دعوت پر نہ جا سکنے کا ڈیپریشن اتنا تھا کہ کھانا کھانے کو جی ہی نہ چاہا۔ اس طرح رات فاقے سے ہی کاٹی۔

کمرے تک جاتے جاتے بھوک کا احساس شدید ہو گیا۔ سوچ جا رہے تھے۔ ”جاتے ہی پہلے چائے کی ایک دو تین پیالیاں اوپر تلے پی ڈالوں گا۔ یوں تھکن کم ہو جائے گی۔ پھر ناشتہ ٹھیک طرح سے کروں گا اور پھر دس بجے لمبی تان کر سو جاؤں گا۔“

پچھلی دو راتوں کے جاگے ہوئے تھے۔ پلک تک نہ جھپکی تھی، اس لیے آج صرف سونے کا پروگرام تھا۔ دوپہر کا کھانا بھی گول کر جانے کا ارادہ تھا۔ بس سونا ہی سونا...... دس بجے سے شام کے چھ بجے تک صرف سونا۔

بے خوابی کی وجہ سے آنکھیں گلابی گلابی سی ہو رہی تھیں...... اور قدم کچھ بے ترتیب سے پڑ رہے تھے۔ بڑی مشکل سے بھوک اور تھکن سے بدحال وجود کو گھسیٹ

گھساٹ کر کمرے تک لائے۔

''ارے!'' سارے ہوش و حواس یکایک چوکس ہو گئے۔ تھکان جانے کہاں چلی گئی۔ سارے وجود میں ایک انجانی سی قوت دوڑ گئی تھی۔ چال متوازن ہو گئی۔

دروازے کے سامنے موجود خوبصورت تراش خراش کے لباس میں ایک خوبصورت سے پیکر کو دیکھا تھا۔ پہلے ٹھٹکے۔ جھجکے۔ پھر ایک قدم آگے بڑھے...... تو...... ہکا بکا سے رہ گئے۔

ان کے کمرے کے دروازے کے ساتھ ٹیک لگائے نایاب چپ چاپ کھڑی تھی۔ حسن و رعنائی پہلے سے بھی فزوں تر تھا۔ کھڑے تکتے رہ گئے۔ اس نے جھکی جھکی لمبی پلکیں اٹھائیں۔

''آپ...... آپ......؟'' ان کی محویت کو اس نے دیکھ لیا تھا۔ گھبرا گئے۔

''یہ آپ۔'' کئی لمحات تو ہوش و حواس کو مجتمع کرنے میں لگے۔ پھر سلب شدہ قوت گویائی کو للکارا۔

''مس نایاب جمال! آپ اس وقت اور یہاں؟؟''

''جی ہاں۔'' اس نے بڑے ٹھہرے ہوئے انداز میں مختصر سا جواب دیا۔

''آج آپ کو کالج سے چھٹی تو نہیں تھی؟''

''جی نہیں۔''

''اور آپ کے پاپا چھٹی کرنا پسند بھی نہیں کرتے۔''

''جی ہاں۔ نہیں کرتے۔''

''پھر؟ خیریت تو ہے؟''

''کیا کمرے میں بیٹھنے کے لیے نہیں کہیں گے۔ چلی جاؤں واپس؟''

''کیوں نہیں۔ کیوں نہیں۔''

وہ گڑبڑا کر آگے بڑھے اور تالا کھولنے لگے۔ نایاب قریب ہی کھڑی تھی۔ بڑی سہانی سی مہک اس کے وجود سے اُٹھ رہی تھی۔

ڈاکٹر ایاز کو جیسے کوئی بھولی کہانی یاد آ گئی...... یہ تو نایاب آئی تھی، ان کی ماما کی

بیٹی۔ ان کے سپنوں کی دنیا۔ ان کی تمناؤں اور آرزوؤں کا مرکز!

مریض، وارڈ، ڈاکٹر، ناشتہ، چائے، نیند، بھوک، سب کچھ ذہن سے آؤٹ ہو گیا۔ اس وقت صرف اور صرف نایاب وہاں موجود رہ گئی اور یا پھر فاصلوں پر ماما، خرم سیماب، معظم اور قاسم جمال وغیرہ تھے۔ جن کا اس کے ساتھ تعلق تھا۔ بس...... باقی ساری دنیا جانے کن پردوں میں جا چھپی تھی۔

''چلیے اندر۔'' دروازہ کھولتے ہوئے بڑے انداز سے جھک کر اسے اندر چلنے کو کہا۔

جھکے تن کو تو اس نے دیکھ لیا ہو گا مگر جو من جھک کر اس کے قدموں میں لوٹ رہا تھا۔ وہ...... وہ...... اچھا ہی تھا۔ باطن سب سے چھپا رہتا تھا۔ ورنہ جانے کیا کیا ہو جاتا۔

کمرے کے اندر جا کر نایاب خود ہی ایک کرسی پر بیٹھ گئی۔ ڈاکٹر کی بوکھلاہٹ اور گھبراہٹ کو سمجھ رہی تھی۔ جیسا سلوک باہر کیا تھا، ویسا ہی اندر ہوتا۔ اضطراب و گھبراہٹ میں وہ اسے بیٹھنے کے لیے بھی نہ کہتے شاید۔

ڈاکٹر ایاز نے کوٹ بازو پر ڈالا ہوا تھا۔ ایک ہاتھ میں سٹیتھو سکوپ تھا اور دوسرے میں خوبصورت رنگوں والی ایک ٹائی۔ سب کچھ پلنگ پر پھینکا اور جانے کس لیے۔ شاید یہ سب چیزیں رکھنے کے لیے یا پھر کچھ نکالنے کے لیے، جا کر وارڈ روب کھولا۔ ابھی کچھ بھی کر نہیں پائے تھے کہ نایاب کی بھرائی ہوئی آواز سماعت سے ٹکرائی۔

''آپ نے ہمیں کس ناطے اتنا ذلیل کرایا ہے؟''

''کیا مطلب؟'' کچھ بھی کرنے کا موقع کون سا تھا۔ نایاب کی بات سے ذہن کے ساتھ ساتھ ہاتھ کو ایسا جھٹکا لگا کہ اندر سے کچھ چیزیں باہر گر پڑیں۔ مگر...... انہوں نے دیکھا تک نہیں۔ سب کچھ اسی طرح چھوڑ پلٹ آئے۔

''نایاب کی ہنس جیسی لمبی سپید گردن اُٹھی ہوئی تھی اور وہ انہیں کی طرف تک رہی تھی۔ خوبصورت آنکھوں میں آنسو ستاروں کی طرح جگمگا رہے تھے۔ کچھ نکل کر پلکوں کی جھالروں پر ٹکے ہوئے تھے۔ بڑا عجیب اور کافی حسین منظر تھا۔ وہ بے خودی میں اس

کے قریب چلے آئے۔

''آپ کو ذلیل کیا ہے؟'' ایک ٹک اسے تکے جا رہے تھے۔

''تو اور کیا۔'' ان کی نگاہوں کی گرمی سے گھبرا کر اس نے پلکیں جھکا لیں۔ ستارے ٹوٹ کر رخساروں پر بکھر گئے۔

''ماما نے اور میں نے ہی بے شمار تعریفیں کر کے پاپا کو راضی کیا تھا کہ آپ کو بھی مدعو کیا جائے۔''

''اس عزت افزائی کا شکریہ۔''

''عزت افزائی کا شکریہ۔'' نایاب نے چڑ کر ان کے الفاظ دہراتے ہوئے پھر نگاہیں اٹھائیں۔ آنکھوں میں دنیا بھر کے گلے شکوے تھے۔

''کوئی عزت افزائی کرے تو اس کا یوں شکریہ ادا کیا کرتے ہیں؟''

اس کے چہرے پر ایک دم سرخی پھیل گئی۔ حیا کی تھی یا غصے برہمی کی تھی۔ ڈاکٹر ایاز کو اندازہ تو نہ ہو سکا، لیکن وہ اس انداز میں، اس عالم میں ہمیشہ سے کہیں زیادہ کہیں زیادہ اچھی ضرور لگ گئی۔

''تو آپ ہی بتا دیجئے کیسے کروں؟'' شوخی بھری مسکراہٹ ان کے ہونٹوں پر پھیل گئی۔

''آپ کو آنا چاہیے تھا۔'' ان کی اس مسکراہٹ نے نایاب کو گھبراہٹ میں ڈال دیا۔

''میں آنے کو بالکل تیار تھا...... لیکن۔''

''بڑا آدمی خود کو سمجھتے ہیں نا۔'' اپنی گھبراہٹ پر قابو پانے کے لیے ان کی سنے بنا نایاب نے خود ہی بڑبڑانا شروع کر دیا۔

''سارا پروگرام گڑبڑ ہو گیا۔''

''وہ کیوں؟''

''آپ کی وجہ سے۔ ماما آپ کا انتظار کرتی رہیں۔ سات بجے کا کہا ہوا تھا سب کو۔ نو بجے فنکشن شروع ہوا۔ پاپا کا بھی موڈ خراب ہو گیا۔ وہ زبان کے، اصولوں کے

اور بات کے بڑے پکے ہیں اور آپ نے آنے کا وعدہ کر کے وعدہ خلافی کر ڈالی۔ نہیں آئے...... سوچیں ذرا ماما کتنی شرمندہ ہوئی ہوں گی۔"

وہ بولے جا رہی تھی۔ ایاز کو کچھ کہنے کا موقع ہی نہیں دے رہی تھی۔

"وہ تو سب جانتا ہوں۔" وہ سانس لینے کے لیے رُکی تو جلدی سے ڈاکٹر ایاز بول پڑے۔ "لیکن مس قاسم جمال! ادھر مقابلہ فرض کے ساتھ آن پڑا تھا اور فرض کو ہمیشہ جیتنا چاہیے۔ خصوصاً ایک ڈاکٹر کے فرض کو۔"

"لیکن......"

اور اب ڈاکٹر ایاز کی باری تھی۔ نایاب کو بات ہی نہیں کرنے دی۔ اپنی ہی کہتے چلے گئے۔ ادھر دل کا معاملہ تھا۔ صفائی پیش کرنا بھی ضروری تھا۔

"ایک مریض کی حالت بہت نازک ہوگئی تھی۔ اسے کیسے چھوڑ جاتا؟"

"اب کچھ بھی بہانہ بنالیں۔" وہ ایک پیارے سے دلربایانہ انداز میں بولی۔

"نہیں۔ ایمان سے بہانہ نہیں۔" جیسے کوئی بزرگ کسی ننھے سے بچے کو سمجھائے۔ اسی طرح وہ بے حد نرمی اور پیار سے اسے بتانے لگے۔

"ساری رات اسی کے سرہانے بیٹھ کر گزاری ہے۔ یہ دیکھا آپ نے، میرا کوٹ، میرا ڈریس، یہ ٹائی۔ میں ایسے تو نہیں وارڈ میں جایا کرتا۔ یہ سب تو آپ کے ہاں جانے کے لیے تھا...... اور پھر وارڈ میں یہی کہنے کے لیے گیا تھا کہ مجھے ڈیوٹی پر آتے دیر ہو جائے گی، اس لیے ڈاکٹر جمشید اتنی دیر وارڈ کی دیکھ بھال کرلیں۔"

جانے وہ سن بھی رہی تھی یا نہیں۔ ہوں ہاں ہی نہیں کر رہی تھی۔ گردن جھکی ہوئی تھی۔ نگاہیں جھکی ہوئی تھیں۔ پلکیں جھکی ہوئی تھیں۔

گود میں ایک کتاب، ایک فائل تھی۔ جن کے اوپر دونوں ہاتھ دھرے تھے۔ سفید سفید انگلیاں کانپ رہی تھیں اور کبھی کبھی کتاب کو پیانو کی طرح بجانے لگتیں۔ وہ کتاب تھی، سُر تال کیا نکلنا تھے۔ البتہ اندرونی کیفیت کا اظہار ہو رہا تھا۔ وہ بہت مضطرب تھی۔ وہ بہت پریشان تھی۔ ان کی وعدہ خلافی نے انہیں کافی ڈسٹرب کیا تھا۔

"معاف کر دیجیے۔" بے قصور ہوتے ہوئے بھی وہ بے اختیار اس کے سامنے

نیچے پنجوں کے بل بیٹھے ہوئے معذرت کرنے لگے۔ ”آپ کو شاید میری کسی بات کا یقین نہیں آیا۔“

بے خیالی میں انہوں نے اس کے ہاتھوں پر اپنا ہاتھ دھر دیا۔ یہ سوچا ہی نہیں کہ ان کا اس کے ساتھ کوئی تعلق، کوئی ناطہ نہ تھا۔

لیکن سوچنے کی گنجائش بھی نہ تھی۔ تصور ہی تصور میں انہوں نے اس کے ساتھ ایسے ناطے جوڑ رکھے تھے کہ اس وقت اس کے ہاتھوں پر ہاتھ رکھ دینا جیسے نہ کوئی غلط حرکت تھی...... اور نہ غیر قانونی، نہ ناجائز اور نہ خلاف شرع شریعت کوئی بات۔

وہ تو اسے ہر انداز میں اپنا سمجھے ہوئے تھے۔ یوں بھی اپنا اور ویسے بھی ماما کی بیٹی تھی۔ جس قدر ماما کو اپنا سمجھتے تھے، اسی طرح ان کے سارے خاندان کو اپنا سمجھتے تھے۔

اور یہ نایاب تو پہلے دن سے ہی اتنی اپنی محسوس ہوئی تھی کہ اسی اپنائیت میں اسے ڈانٹ بھی دیا تھا۔ اسے سمجھانے بھی بیٹھ گئے تھے۔ یہ وہی نایاب تو تھی۔

اور پھر یہی لمحہ تھا...... جب اس کی آنکھوں سے ایک ستارہ ٹوٹا...... ڈھلکا گرا...... تو وہ ایاز کے ہاتھ پر آن ٹکا۔ جیسے وہ آنسو نہیں چنگاری تھی۔

”ارے! یہ تم رو رہی ہو۔“ اپنا سمجھنے میں اگر کوئی رتّی یا ذرہ برابر کسر باقی تھی...... تو وہ بھی ختم ہوگئی۔ بے اختیار ہوتے ہوئے انہوں نے اس کے دونوں ہاتھ تھام لیے۔ اپنے ہاتھوں میں لے کر انہیں بڑے زور سے دبایا۔ پھر ہولے ہولے سہلانے لگے۔

”رونے کی اس میں کیا بات ہے؟“ جھک کر اس کا چہرہ تکے جا رہے تھے۔

نایاب کوئی بھی جواب دیئے بنا چپکے چپکے رونے لگی۔ پہلے ایک چنگاری گری تھی۔ ٹپاٹپ کئی آنسو ٹپک پڑے۔ پھر جیسے آگ سی لگ گئی۔ ایاز کے اندر کہیں جلنے تپنے لگے۔ بے حد تکلیف ہوئی۔

سمجھ میں نہیں آ رہا تھا کیا کریں۔ زندگی میں پہلے کبھی عورت نہیں آئی تھی، نہ ایسے دیکھی تھی...... نہ محسوس کی تھی۔

بہن بھی نہیں تھی۔ ماں بھی نہیں تھی۔ دادی، نانی یا خالہ، پھوپھی کا بھی کوئی تصور

نہ تھا۔

لڑکیوں کے ساتھ تعلیم ضرور حاصل کی تھی، لیکن اپنے حالات، اپنی ماں کی جدائی اور اپنے باپ کے ساتھ اس کے تعلقات کی وجہ سے، جس میں صرف اور صرف بے وفائی کی کہانی تھی، کبھی کسی لڑکی کی طرف رجوع ہی نہ کیا۔

کسی نے لفٹ دی...... بہت کوشش کی قریب آنے کی، لیکن باپ کے تجربات نے سب سے دور دور ہی رکھا۔

اور...... اب...... پاکستان آ کر پہلی عورت روبینہ جمال تھیں جن سے متاثر ہوئے۔ جن سے ماں کی طرح پیار ملا...... تو...... سارے جذبے بیدار ہو اُٹھے۔ زندگی کے سارے اسرار گویا گھل گئے۔

پھر...... جوانی کی عمر تھی۔ عمر کے تقاضوں نے سینے کے اندر ایک ہلچل سی مچا دی۔ نایاب اچھی لگی...... اپنی لگی...... زندگی کا مفہوم ہی بدل گیا تھا۔

لیکن یہ آنسو...... جب کبھی عورت کا پیار نہیں ملا تھا۔ دل کے اندر نازک اور حسین حسین سے احساسات نے جنم نہیں لیا تھا۔ سلگتے ہوئے جذبات نے تن من کو خوشگوار اور میٹھی میٹھی سی حدت نہیں بخشی تھی تو...... وہ آنسوؤں سے بھی شناسا نہ تھے۔ یہ بھی نہیں جانتے تھے کہ وہ کیسے کیسے اور کہاں کہاں اثر کرتے ہیں۔ بے خبر تھے، ان سب باتوں گھاتوں سے۔

آج پہلی بار وہ ایک پسندیدہ عورت کی آنکھوں سے ٹپکنے والے آنسو دیکھ رہے تھے۔ کچھ سمجھ میں نہیں آ رہا تھا کہ کیا کریں۔ دل بے کل بھی ہوا جا رہا تھا۔ دھڑ دھڑ دھڑک بھی رہا تھا، اندر کہیں درد اُٹھ رہا تھا۔ بے حد تکلیف ہو رہی تھی۔ ہاتھ پاؤں کانپ رہے تھے۔

جانے اسے کتنی پریشانی اٹھانا پڑی تھی۔ اس کے دل کو کتنا صدمہ ہوا تھا جو وہ یوں رو رہی تھی۔ آنسو بلاوجہ تو نہیں بہنے لگتے۔

ایاز اپنے آپ سے بے حد شرمندہ ہو گئے تھے۔ تب...... اور کچھ نہ بن پڑا تو جھک کر نایاب کے آگے ہاتھ جوڑ دیئے۔

خدا کے لیے روؤ نہیں۔ آئندہ ایسی حرکت ہوئی تو جو چاہے سزا دے لینا۔"

"نہیں...... نہیں۔" وہ ان کے شرمندگی کے مارے یوں جھکے ہوئے سر کو بھی نہ دیکھ سکی۔ یوں کانپتے ہوئے بندھے ہاتھوں نے اسے بے چین کر دیا۔ اس نے گھبرا کر ان کے دونوں ہاتھ تھام لیے۔

"مجھے تو اپنے آپ پر رونا آ رہا ہے۔"

"کیوں؟" ایاز حیران رہ گئے۔

"میں پاپا سے چوری ادھر آئی ہوں۔ مجھے ایسا نہیں کرنا چاہیے تھا۔"

اتنی معصومیت تھی اس کے چہرے پر کہ ایاز کو ترس آنے لگا۔

"ہاں۔ چوری نہیں آنا چاہیے تھا۔" اس کی تسلی کے لیے کچھ اور کہتے، لیکن جو دل میں بات آئی انتہائی سادگی کے ساتھ وہی کہہ دی۔

"یہ حرکت تم سے غلط ہو گئی۔" لگی لپٹی جانتے نہ تھے۔ غلط کو غلط اور صحیح کو صحیح برملا کہہ دیا کرتے تھے۔

"پہلے آپ نے غلطی کی پھر مجھ سے غلطی ہو گئی۔" نایاب نے مزید معصوم سی شکل بنا کر اعتراف کر لیا۔

"تو گویا اصل قصوروار میں ہوں۔" ایاز ہنس پڑے۔ "پھر اس کی تلافی کس طرح ہو؟"

"وہ تو ہو نہیں سکتی۔" وہ پھر رو پڑی۔ ایاز کے لیے پاپا کی رائے پہلے ہی اچھی نہ تھی۔ کل رات سے کچھ اور خراب ہو گئی۔ ڈھیر سارے دکھ پھر سینے میں اتر گئے۔

"کیا مطلب؟" پھر آنسو، ایاز نے تعجب بھری بے کلی سے پوچھا۔

پہلے تو اس نے اپنے آپ پر رونے کا کہہ کر بات ختم کر دی تھی...... اب کیا کہے؟ وہ روتی ہی رہی اور ایاز بری طرح گھبرا گئے۔

"کچھ پتہ بھی چلے؟"

اور آخر وہ بلک ہی پڑی۔ دل کی اصلی بات بھی زبان پر آ ہی گئی۔

"پاپا کی رائے پہلے ہی آپ کے متعلق اچھی نہ تھی اب اور خراب ہو گئی...... اور

اسی لیے مجھے رونا آئے جا رہا ہے۔ بے حد رونا آ رہا ہے۔''

''اچھا اچھا'' گھبرا گھبرا کر اس کے آنسو اپنے رومال سے صاف کرنے لگے۔

''تم روؤ نہیں۔'' پھر یکا یک جانے کیا سوجھی۔ ساری گھبراہٹیں کافور ہو گئیں۔ ہونٹوں پر ایک شوخ سا تبسم مچل گیا۔

''اور اگر میرے متعلق ان کی رائے خراب تھی اور مزید ہو گئی تو تم اتنا پریشان کیوں ہو رہی ہو؟''

''میں...... میں......؟'' وہ ساری گھبراہٹیں نایاب پر سوار ہو گئیں۔ ہاں تو...... معاملہ ڈاکٹر ایاز اور قاسم جمال کا تھا۔ وہ کیوں اتنی پریشان تھی۔ ایاز نے ٹھیک سوچا تھا، اس کی پیشانی پر ٹھنڈے پسینے سے آنے لگے۔

''وہ...... میں...... ماما کی وجہ سے...... وہ بہت پریشان تھیں۔ ساری رات جاگتی رہیں۔ کہیں پھر بیمار نہ پڑ جائیں۔'' بات سوجھ ہی گئی تھی۔ اس کے دل کی چوری مخفی رہ گئی تھی۔ اطمینان کا ایک طویل سا سانس لیا۔

''بس صرف ماما کی وجہ سے اتنی پریشانی تھی؟'' ایاز اس کی آنکھوں میں دیکھ کر مسکرا رہے تھے۔

''ہاں۔'' نگاہیں چراتے ہوئے وہ جلدی سے بولی۔ پھر اسی عجلت سے موضوع سخن بدل دیا۔ کہیں چور پکڑا نہ جائے۔

''آپ نے پوری رات ڈیوٹی دی ہے۔ آرام کرنا ہو گا۔'' فائل وغیرہ سنبھالتے ہوئے اُٹھ کھڑی ہوئی۔ ''میں اب چلتی ہوں۔ میرا پہلا پیریڈ مس ہو گیا۔''

''جہاں ایک ہوا ہے وہاں دوسرا بھی ہو جانے دو۔'' ایاز نے ایک ہاتھ سے فائل اور کتاب لے کر میز پر رکھ دی۔

''نہیں نہیں۔ مجھے جانا چاہیے۔'' وہ ایک دم ہی بری طرح گھبرا گئی۔ شاید اب احساس ہوا تھا۔ وہ ایک غیر مرد کے ساتھ کمرے میں اکیلی تھی اور ماں باپ کی اجازت کے بغیر کالج چھوڑ کر آئی تھی۔ بہت بری بات تھی' یہ...... بہت غلط۔

''اب تو ابھی نہیں جانے دوں گا۔'' ایاز نے اس کی کیفیت دیکھی ہی نہیں۔

اپنے ان لمحات اور خواب و خیال کی بناء پر، جو اس کی نذر کر چکے تھے۔ انتہائی اپنائیت اور یگانگت سے بولے۔

''اب آ ہی گئی ہو تو کچھ دیر بیٹھو۔ مجھے ماما کے متعلق بتاؤ۔ ان کی طبیعت کیسی ہے؟'' وہ نگاہوں کے سامنے رہے۔ بس دل یہ چاہ رہا تھا۔

بات کسی موضوع پر ہو...... اور ماما والا موضوع بھی اچھا تھا۔ ان کے ساتھ بھی دلی تعلق تھا۔

''ماما کل تک تو ٹھیک تھیں، لیکن رات والے واقعہ نے انہیں بہت ڈسٹرب کیا ہے۔''

''اتنی سی بات پر کیوں آخر وہ اتنا پریشان ہو گئیں؟''

''یہ اتنی سی بات ہے؟'' نایاب تھوڑی سی اُلجھ پڑی۔ ''آپ کو معلوم نہیں نا کہ ہمارے گھریلو حالات کیسے ہیں۔ ہمارے پاپا ایک اصول پرست انسان ہیں۔ ہمارے گھر میں ایسی وعدہ خلافی پہلے کبھی نہیں ہوئی اور دیکھئے آپ کے اس غلط فعل نے......''

''غلط؟'' ڈاکٹر ایاز نے اس کی بات کاٹی۔ ''ایک انسان کی میں نے جان بچائی ہے۔ یہ میرا غلط فعل ہے؟''

''اوہ۔'' وہ شرمندہ سی ہو گئی۔ اس کے رخساروں پر ندامت کی سرخی جھلک آئی۔ پلکیں جھکا کر ہولے سے بولی۔ ''میں پاپا کی بات کر رہی ہوں۔ آپ کی اس وعدہ خلافی والی غلطی نے، جو بے شک کسی نیک کام کی وجہ سے ہوئی، دوسری بہت سی باتیں غلط کر ڈالیں۔''

''بہت سی باتیں غلط کر ڈالیں؟ کیا مطلب؟''

''فنکشن دیر سے شروع ہوا۔ پاپا اور ماما کا جھگڑا ہوا۔ ہم سب بہن بھائی پریشان ہوئے۔ پھر سب سے بڑی غلطی میں نے کر ڈالی۔ آپ کو یہ سب کچھ بتانے کی خاطر پاپا اور ماما سے بغیر اجازت لیے کالج سے چھٹی کی۔ ادھر آئی، سب کچھ غلط ہو گیا نا۔ صرف ایک غلطی کی وجہ سے۔''

''تو۔'' ڈاکٹر ایاز بڑے ٹھہرے ہوئے لہجے میں بولے۔ ''نایاب بی بی! جیتے

جاگتے انسانوں کے ساتھ حادثے تو پھر ہوتے ہی رہتے ہیں۔ آپ شاید مشینوں یا کمپیوٹروں کی بات کر رہی ہیں۔'' ان کے لہجہ میں تھوڑی سی، ذرا سی، سختی آ گئی۔

''ذرا سی بھی وعدہ خلافی نہ ہو۔ بے اصولی نہ ہو۔ بے قاعدگی نہ ہو۔ یہ نہ ہو۔ وہ نہ ہو۔ ان انسانوں کے لیے یہ ممکن نہیں ہو سکتا جو ایک دل رکھتے ہیں، اس میں درد رکھتے ہیں، جذبات رکھتے ہیں۔ انسانوں میں بستے ہیں اور سب سے بڑی بات یہ کہ ایک ڈاکٹر کا اپنا کوئی وقت نہیں ہوتا۔ وہ مریضوں کے لیے ہوتا ہے۔ لہٰذا وہ کمپیوٹر سی زندگی نہیں گزار سکتا۔''

''آپ کا مطلب ہے کہ میرے پاپا کمپیوٹر کی سی زندگی گزارتے ہیں۔''

''جو کچھ آپ نے بتایا ہے اور جو کچھ ماما نے بتایا تھا، ان سے تو یہی ظاہر ہوتا ہے۔''

''ہائے نہیں۔'' اس کی ندامت میں پریشانی بھی شامل ہو گئی۔ ''ویسے میرے پاپا دل کے بہت اچھے ہیں۔ بڑے نیک اور پرہیز گار ہیں۔ آپ کبھی انہیں مل کر تو دیکھیں۔'' وہ گھبرا گھبرا کر باپ کی طرف سے صفائی پیش کرنے لگی۔

اور...... نایاب کی اس بات سے ایاز کے چہرے کی سختی پر نرمی غالب آ گئی۔ اس کی مجبوری کو سمجھ گئے۔ وہ باپ کے خلاف بھی کچھ کہہ سن نہ سکتی تھی اور ایاز...... ان کے لیے بھی نرم گرم جذبے دل میں بسائے تھی شاید۔ یہ صرف ان کی سوچ تھی۔ ابھی یقین کے ساتھ کچھ نہیں کہہ سکتے تھے۔ البتہ...... اپنے جذبوں کو تو اچھی طرح جانتے تھے۔ محسوس کرتے تھے۔ وہ مچل مچل کر انہیں گدگدانے لگے۔ اس کے قریب جھکتے ہوئے ہولے سے، سرگوشی کے سے انداز میں بولے۔

''ملیں گے، ضرور ملیں گے۔ کوئی اور چارہ بھی تو نہیں۔''

''جی۔'' ان کے انداز پر وہ گھبرا کر پیچھے ہٹ گئی۔ ان کی خوشبودار سانسوں کی حدت اس کے چہرے کو گرما گئی۔ دل دھڑ دھڑ دھڑکنے لگا۔

''میرا مطلب تھا جب ماما سے تعلقات رکھنا ہیں تو پھر پاپا سے مخالفت کیسے مول لے سکتے ہیں۔'' ڈاکٹر ایاز ہوش میں آ گئے۔ جلدی سے بات بنائی اور پرے جا کر بیڈ پر

بیٹھ گئے۔

دونوں خاموش تھے۔ اپنی اپنی سوچوں میں گم۔ نہیں شاید ایک دوسرے کی سوچوں میں گم تھے۔ نہ وہ اُٹھ کر جا رہی تھی۔ نہ وہ کچھ کر رہے تھے۔ جب کمرے میں آ رہے تھے تو بہت کچھ سوچا تھا۔ چائے پینا تھی۔ ناشتہ کرنا تھا۔ بھوک ستا رہی تھی۔ تھکن ستا رہی تھی۔ نیند ستا رہی تھی۔ کیا کچھ نہ تھا۔ مگر اب کچھ بھی نہ تھا۔

کوئی تکلیف نہ تھی۔ بھوک نہ تھی۔ نیند نہ تھی۔ وہ سامنے بیٹھی تھی۔ ہر خواہش، ہر طلب پوری ہو گئی تھی۔ تھوڑی تھوڑی دیر بعد نگاہ اٹھا کر اسے دیکھ لیتے۔ وہ سرخ سرخ گالوں پر سیاہ پلکوں کی جھالریں سجائے دنیا کی حسین ترین مخلوق بنی بیٹھی تھی۔ ان کے خوابوں کی تعبیر بنی بیٹھی تھی۔ آرزوؤں اور تمناؤں کی تکمیل بنی بیٹھی تھی۔

''ماما شاید آج آپ کو فون کریں۔'' کافی دیر کی خاموشی کے بعد آخر نایاب نے ہی سکوت کو توڑا۔ ''میرے یہاں آنے کے متعلق انہیں نہیں بتایئے گا۔''

''کیوں؟'' ڈاکٹر ایاز اس چوری کے پیچھے چھپے تمام جذبوں کو جان گئے تھے۔ پھر بھی جان بوجھ کر انجان بن گئے۔ آنکھوں میں شوخی جھلک آئی۔ اتنی دیر سے بیٹھے سوچ رہے تھے۔ ہر سوچ کا حل مل گیا تھا۔

''وہ...... دیکھئے۔'' نایاب قدرے سٹپٹائی۔ اب بھلا ان چوری چھپے کے جذبوں کو وہ کیا عنوان دیتی۔ کیا معنی پہناتی۔ خود سمجھ جاتے تو سمجھ جاتے۔

''دراصل بات یہ ہے کہ...... کہ...... وہ میرے امتحانات ہیں نا...... اور چھٹی نہیں ہونا چاہیے تھی۔''

''تو نہ کرتیں۔'' وہ اس کی، ان بہانہ سازیوں سے بے حد محظوظ ہو رہے تھے۔ شرارت سے بولے۔ وہ پریشان ہوتی تھی تو چہرہ بڑے خوبصورت رنگوں میں رنگ جاتا تھا۔

''بس غلطی ہو گئی۔'' آخر میں نایاب جھلا سی پڑی۔ میز پر سے فائل اور کتاب اُٹھا لی اور پھر اُٹھ کھڑی ہوئی۔

ایاز کو اس پر ترس آ گیا...... یا شاید اپنے آپ پر آ گیا تھا۔ اپنا بھی دل تو بے ایمان تھا۔ من شوخ تھا بہت۔ اسے ستا کر بھگانے کو تیار کر دیا تھا مگر...... جی نہیں چاہتا

تھا...... وہ ابھی جائے۔

کمرے میں کتنی رونق تھی۔ جیسے ایک دم ہی بہاروں کو ان کے اس ویرانے پر رحم آ گیا تھا۔

''پہلی بار میرے گھر آئی ہو۔'' جلدی سے اٹھ کر پھر اس کے ہاتھ سے کتاب اور فائل چھین لی۔ ''چائے وغیرہ پیئے بغیر تو نہیں جانے دوں گا۔ ماما کو پتہ چلا کہ ان کی بیٹی یہاں آئی اور ایسے ہی سوکھے منہ......''

''اوہ...... خدا کے لیے۔'' نایاب نے روہانسی ہو کر اس کی بات کاٹ دی ''میں نے آپ سے کہا ہے کہ میری آمد کا کسی کو علم نہ ہو۔''

''تو پھر ابھی بیٹھو...... ورنہ۔''

''بلیک میل کر رہے ہیں؟'' نایاب ہنس پڑی۔ ڈاکٹر کی یہ دھمکی بے حد اچھی لگی۔

''وہ تو اب کروں گا ہی۔'' وہ بھی ہنسنے لگے۔ ''پہلی بار میرے کمرے میں میرا ایک مہمان آیا ہے۔ اس کی تواضع بھی نہ کروں۔''

بڑی اپنائیت سے اسے کندھوں سے تھام کر واپس کرسی پر بٹھا دیا۔ ایسا نہ بھی کرتے تو نایاب نے پھر بھی رُک جانا تھا۔ خود اس کا اپنا دل بھی جانے کو نہیں چاہ رہا تھا۔

''ابھی میں نے بھی ناشتہ نہیں کیا۔''

''ابھی ناشتہ نہیں کیا؟'' وہ متعجب سی ہو کر کلائی کی گھڑی دیکھنے لگی۔

''تمہارے سامنے ہی تو ڈیوٹی سے واپس آیا ہوں۔''

''تو پھر کریں نا دس بج گئے۔''

''پہلے تیار کروں گا پھر کروں گا نا۔''

''آپ خود ناشتہ تیار کرتے ہیں؟''

''جی جناب۔ میں اکیلا ہوں اور مزدور آدمی ہوں۔ کسی مل اونر کا بیٹا نہیں ہوں کہ جس وقت اور جو جی چاہے وہ تیار ملے۔''

ڈاکٹر ایاز نے داہنی سمت ایک دروازے کی طرف اشارہ کیا۔

"یہ ادھر ایک چھوٹا سا کچن ہے۔ کھانا وغیرہ تو میس سے منگواتا ہوں۔ البتہ چائے اور ناشتے کا انتظام اپنا ہے۔ وہ یہاں جب موڈ ہو تو بنا لیتا ہوں ورنہ اکثر بغیر ناشتے اور چائے کے بھی کام چل جاتا ہے۔ مجبور کبھی نہیں ہوا۔"

"آپ کا کچن دیکھ سکتی ہوں؟"

"ضرور۔" انہوں نے آگے بڑھ کر دروازہ کھول دیا۔

نایاب اندر داخل ہو گئی۔ ایک چھوٹی الماری میں چائے بنانے کا سارا سامان موجود تھا۔ گیس کا چولہا لگا ہوا تھا۔ پاس ہی ایک میز پر ڈبل روٹی کے چند توس پڑے تھے۔ ایک پلاسٹک کے گول سے بڑے پیالے میں کچھ انڈے پڑے تھے۔ ایک نگاہ میں ہی سب کچھ دیکھ کر نایاب بولی۔

"آپ چل کر لباس تبدیل کریں، میں آپ کا ناشتہ بناتی ہوں۔"

"تم؟ گھر میں کبھی بنایا ہے؟"

"اس سے آپ کو کیا۔" وہ مسکرا پڑی۔ "نہ بھی بنایا ہو تو یہاں بناؤں گی۔"

"نہیں نہیں۔ تم میری مہمان ہو۔"

"چھوڑیئے یہ تکلفات۔ مہمان ہوں یا میزبان۔ ایک بات ہے۔"

"مگر۔ ارے! آپ کا دوسرا پیریڈ بھی مس ہو جائے گا۔"

"ہو جانے دیں۔ جہاں پہلا ہوا ہے دوسرا تیسرا بھی ہو جائے۔ بس آپ جائیں نا...... لباس وغیرہ تبدیل کریں۔"

ایاز بڑے پریشان تھے۔ ان کی نایاب...... ماما کی بیٹی...... پہلی بار آئی تھی اور وہ اس کے لیے کچھ بھی نہ کر سکے تھے بلکہ...... اس سے اپنی خاطر تواضع کرانے بیٹھ گئے تھے۔

"نہیں بھئی نہیں۔" وہ نایاب کو روکنے کے لیے آگے بڑھے۔ "گھر آئے مہمان......"

"اوہو۔" نایاب نے جلدی سے ماچس اٹھا کر دیا سلائی جلائی۔ شعلہ اٹھا۔ ایاز گھبرا کر ایک قدم پیچھے ہٹے۔ وہ مسکرا پڑی۔

"کہہ جو رہی ہوں آپ کے مہمان کے لیے بھی چائے بنا دوں گی۔ بس آپ اب میرا کچن چھوڑ دیجیے۔" اور وہی منّا سا شعلہ اس نے جھک کر چولہے کو دکھا دیا۔ بھک سے آگ جل اٹھی۔ نایاب کے پورے چہرے پر آگ کی سرخ سرخ روشنی کا عکس نُور بن کر پھیل گیا۔

ڈاکٹر ایاز اسے دیکھ رہے تھے۔ کتنی حسین تھی وہ اور کتنا پُر رونق لگ رہا تھا ان کا کچن اور کمرہ۔ ہاں...... وہ سوچ رہے تھے۔ آج ایک گھر لگ رہا تھا۔ عورت بغیر واقعی سب کچھ نامکمل ہوتا ہے۔ مرد بھی اور گھر بھی۔

●......●......●

"ہیلو۔"

"ہیلو۔"

"میں ڈاکٹر ایاز سے بات کرنا چاہتا ہوں۔"

"میں ڈاکٹر ایاز ہی بول رہا ہوں۔ فرمایئے۔"

"ڈاکٹر ایاز! السلام علیکم۔ پہچانا نہیں مجھے؟"

"جی؟ جی؟"

"میں خرم ہوں۔ آپ کی ماما کا بیٹا۔"

"اوہ۔ آپ۔ کہیے کیا حال چال ہے؟" آواز میں، لہجے میں، مسرت کی لہریں لہرا اُٹھیں۔

"میرا تو ٹھیک ہے۔ البتہ ماما کی طبیعت کچھ خراب ہے؟"

"کیا ہو گیا؟" خوشی کی جگہ پریشانی نے لے لی۔ ان کے چہرے پر بھی فکر و تردّد کے سائے لرزنے لگے۔

"بتاتی ہی نہیں کچھ، لیکن شکل سے لگ رہا ہے کہ کچھ ٹھیک نہیں ہیں۔ چہرہ اترا ہوا ہے اور چپ چاپ اپنے کمرے میں پڑی ہیں۔"

''میں ابھی آتا ہوں۔''

''لیکن آپ کی تو اس وقت ڈیوٹی ہو گی۔''

''ہوں تو ڈیوٹی پر ہی۔ مگر اللہ کا شکر ہے اس وقت سب مریض ٹھیک ٹھاک ہیں۔ میں ایک آدھ گھنٹے کے لیے وارڈ سے نکل سکتا ہوں۔'' ماما سے ملنے کے لیے ایک دم دل بے چین ہو گیا۔

''ڈیوٹی سے غیر حاضر ہونے پر کہیں کوئی حرج مرج نہ ہو جائے؟''

''ڈاکٹر جمشید کو کہہ آؤں گا۔''

''سوچ لیں۔''

''ماما کے لیے تو کچھ بھی کرنا پڑے، کروں گا۔''

''او کے۔ پھر ہم انتظار کرتے ہیں۔ لیکن نہیں...... سنیئے...... رات کے گیارہ بج رہے ہیں۔ اس وقت سواری ملنا مشکل ہو جائے گی۔ آپ کار پارک میں میرا انتظار کریں۔ میں گاڑی لے کر آتا ہوں۔''

''آپ کہاں تکلیف کریں گے۔''

''ارے تکلیف کیسی...... اور نہ ہی آپ پر کوئی احسان ہے۔ اپنی ماما کے لیے ہی کچھ کروں گا...... اور دیکھا جائے تو ماما کے لیے بھی نہیں۔ انسان خود غرض ہے صرف اپنے لیے۔''

''اپنے لیے؟'' ڈاکٹر ایاز خرم کی منطق نہ سمجھ سکے۔

''جی ہاں وہ جنت پانے کے لیے جو ماما پاؤں تلے دبا کر بیٹھی ہوئی ہیں...... اور ہم شیطانوں کی دنیا میں بھٹک رہے ہیں۔''

''اوہ...... ہاں۔'' خرم کی زندہ دلی پر وہ بھی ہنس دیئے۔ ''اگر جنت کا معاملہ ہے تو پھر دیر نہ کیجئے۔ فٹافٹ آجایئے۔ کتنا وقت لگے گا؟''

''تقریباً بیس منٹ۔''

''بس...... اتنی دیر میں مَیں بھی یہاں کے لیے کسی دوسرے ڈاکٹر کا انتظام کر لیتا ہوں۔ یوں تو اس وقت سب ٹھیک ٹھاک ہے۔ صرف کوئی ایمرجنسی آجانے کی صورت

میں ضرورت ہو گی۔‘‘

’’اللہ سب کی خیریت ہی رکھے۔ اچھا...... پھر کار پارک میں پہنچ رہا ہوں۔ خدا حافظ۔‘‘

’’خدا حافظ۔‘‘ ڈاکٹر ایاز نے عجلت سے ریسیور کریڈل پر دھر دیا۔

ڈاکٹر جمشید کی ساتھ والے وارڈ میں ڈیوٹی تھی۔ اکثر ان کے لیے ڈاکٹر ایاز کئی کئی گھنٹے ڈیوٹی دے دیا کرتے تھے۔ ڈاکٹر جمشید نے جب بڑی عجلت اور افراتفری کے عالم میں ڈاکٹر ایاز کو آتے دیکھا تو مسکرا پڑے۔

اس بندے کو اس حالت میں اور اس کیفیت میں انہوں نے کبھی نہ دیکھا تھا۔ معاملہ جذبوں کا تھا۔ فرض سے زیادہ وہاں جانے کے لیے ان کے جذبے مچل رہے تھے۔ زبان سے تو ایاز نے کچھ نہ بتایا تھا، مگر ان کے انداز سے جمشید نے بہت کچھ بھانپ لیا تھا...... اور بہت سارے اندازے لگا لیے تھے۔

بصد خوشی ان کی غیر حاضری میں ان کے وارڈ کا، ان کے مریضوں کا، خیال رکھنے پر راضی ہو گئے۔ وہ تو خود ڈاکٹر ایاز کے لیے کچھ کرنا چاہتے تھے۔

’’یار! ایک گھنٹہ کیا۔ تمہاری خاطر مسلسل چوبیس گھنٹے کی ڈیوٹی دینے کو تیار ہوں۔ جو میں اپنی خاطر بھی نہیں کر سکتا۔‘‘

’’بہت شکریہ...... بہت بہت شکریہ۔‘‘

ایاز جلدی جلدی کار پارک میں پہنچے۔ خرم نے بالکل صحیح وقت بتایا تھا۔ اِدھر ڈاکٹر ایاز نے گھڑی دیکھی۔ اٹھارہ منٹ میں وارڈ کی نرسوں کو ہدایات دینے اور ڈاکٹر جمشید کو ڈیوٹی کا کہنے کے بعد وہ کار پارک میں پہنچ گئے تھے۔ گھڑی کی سوئی جب عین بیس منٹ پر پہنچی تو خرم کی گاڑی کار پارک میں داخل ہوئی۔

باپ کی وقت کی پابندی کی عادت خرم میں بھی تھی۔ ایک منٹ آگے پیچھے نہیں ہوا تھا۔ ڈاکٹر ایاز بڑے متاثر ہوئے۔ اچھی عادت تھی۔ انہیں انتظار کی زحمت نہیں اٹھانا پڑی تھی...... ورنہ اس وقت...... اگر ایسا موقع آ جاتا تو ایک ایک لمحہ ان پر کس قدر بھاری گزرنا تھا۔ یہ کچھ انہیں ہی صحیح اندازہ تھا۔

''چلیے۔'' عین ان کے پہلو میں گاڑی روکتے ہوئے خرم نے کار کا دروازہ کھول دیا۔ ڈاکٹر ایاز کے اندر جذبوں نے بجلی کا کرنٹ سا بھرا ہوا تھا۔ جلدی سے بیٹھ گئے۔

''ماما کو نہیں بتایئے گا...... کہ میں نے فون پر آپ کو ان کی طبیعت کی خرابی کا بتایا ہے۔'' خرم نے گاڑی سٹارٹ کرتے ہوئے کہا۔

''کیوں؟''

''وہ شاید آپ سے ناراض ہیں۔ میں نے ان کی طبیعت خراب محسوس کی تو کہا کہ فون پر آپ سے بات کر لیں۔ پھر جو آپ کہیں گے وہ کریں گے مگر انہوں نے انکار کر دیا۔''

''اوہ......!'' ڈاکٹر ایاز کے چہرے پر دھواں سا پھیل گیا۔ ''مجھ سے قصور بھی ارادتاً کوئی نہیں ہوا، لیکن تقدیر نے قصوروار بنا بھی دیا۔''

''کل آپ آئے نہیں، اس کے متعلق کہہ رہے ہیں؟'' خرم نے پوچھا۔

''ہاں...... وعدہ خلافی پر شرمندہ بھی ہوں، لیکن جہاں تک ڈیوٹی کا تعلق ہے تو مجبور بھی بہت ہو گیا تھا...... اور اس مجبوری پر خوش بھی ہوں کہ ایک انسان کی جان بچ گئی۔''

''یہ تو بہت اچھا ہوا۔ میری نگاہ میں گریٹ ہیں آپ۔''

''ابھی تو مجرم ہوں۔'' ایاز ایک پھیکی سی ہنسی کے ساتھ بولے۔

''نہیں نہیں...... ہم تعلیم یافتہ لوگ ہیں۔ ہمیں ایک دوسرے کی مجبوری کو سمجھنا چاہیے اور پھر خصوصاً صاحب ایک انسان کی زندگی کا معاملہ ہو۔ میں تو آپ کو مبارکباد دوں گا کہ آپ نے پوری دیانتداری کے ساتھ اپنا فرض نبھایا۔ آپ سے کوئی کوتاہی نہیں ہوئی۔''

''شکریہ۔''

''میری ماما بھی بڑی سمجھدار ہیں۔ آپ کی مجبوری کے متعلق سنتے ہی فوراً راضی ہو جائیں گی۔''

باتیں کرتے ہوئے پتہ ہی نہیں چلا کیسے راستہ کٹ گیا اور کتنے وقت میں پورچ

میں گاڑی کھڑی کر کے خرم باہر نکلے۔ ایاز نے بھی سیٹتھو سکوپ اور بی پی آپریٹس سنبھالا اور باہر نکل آئے۔

''اُف توبہ۔'' انہوں نے اِدھر اُدھر نگاہ دوڑائی۔ کوٹھی کیا وہ تو کئی کنالوں میں پھیلا محل کا محل تھا۔ زینہ چڑھ کر بہت بڑا برآمدہ اور پھر......

کمرے، سازو سامان، فرنیچر، پردے، فرش، ستون، آرائش و زیبائش، ہر چیز قیمتی، ہر چیز میں خوبصورتی، ہر چیز میں ترتیب اور سلیقہ۔ بڑے اعلیٰ ذوق کے مالک تھے اس گھر کے مکین۔

خرم انہیں روبینہ جمال کے کمرے کا راستہ دکھا رہے تھے اور وہ اِدھر اُدھر دیکھ رہے تھے۔ آنکھیں چکا چوند ہوئی جا رہی تھیں۔

اس شان و شوکت کے مالک تھے یہ سب لوگ...... اور اسی شان و شوکت اور آن بان میں زندگی گزارنے والی ایک لڑکی سے وہ دل لگا بیٹھے تھے۔ غلط ہو یا درست؟ وہ سوچ رہے تھے۔ یہ دل لگانا کہیں دل لگی نہ بن جائے۔

ماما کا کمرہ آ گیا۔ خرم نے دروازے پر دستک دی۔

''کون ہے......؟'' ماما کی آواز تھی۔ ایاز کی ساری سوچیں وہیں تھم گئیں اور پورے وجود میں ایک مسرت کی لہر سی دوڑ گئی۔ ان کی آواز ہی سن کر تن من میں سکون و اطمینان سما جاتا تھا۔

''میں خرم ہوں اور ماما! میرے ساتھ کوئی اور بھی ہے۔'' ڈاکٹر ایاز کی طرف دیکھتے ہوئے لبوں پر ایک شوخ سی مسکراہٹ لیے خرم اندر بڑھ گئے۔ ڈاکٹر ایاز دو قدم پیچھے تھے۔

''اور کون ہے؟ تمہارا کوئی دوست......؟'' وہ اپنے بیڈ پر کمبل اوڑھے لیٹی ہوئی تھیں۔ اُٹھ کر بیٹھنے لگیں تو جلدی سے ایاز آگے بڑھ گئے۔

''السلام علیکم!'' اور ساتھ ہی بیگم روبینہ کو کندھوں سے تھام کر واپس لٹا دیا۔

''تم؟ تم کب آئے؟'' حیرت سے زیادہ ان کے چہرے پر خوشی کا عکس تھا۔ ہونٹ شاید مسکرانا چاہتے تھے، وہ انہوں نے بھینچ لیے تھے۔

''ابھی ابھی۔''

''یہ...... خرم نے تمہیں بلایا ہو گا؟'' چہرے پر خوشی کی پرچھائیاں اسی طرح تھیں، مگر ناراضگی کا اظہار کرنے کے لیے انہوں نے اپنی پیشانی پر کچھ تیوریاں ڈال لی تھیں، لیکن ان کا تاثر کوئی نہیں تھا۔

خرم چپ چاپ کھڑے مسکرائے جا رہے تھے۔ بات کوئی نہیں کی۔ ماما اور ڈاکٹر ایاز کی خفگی بھری گفتگو کا مزہ لیتے رہے۔

''اگر بلایا ہوتا تو کیا حرج تھا کوئی؟'' ایاز بھی مسکرانے لگے۔

''ہاں...... میں تم سے علاج نہیں کرانا چاہتی۔''

ایاز جانتے تھے ماما دل سے یہ بات نہیں کہہ رہی تھیں۔ بڑے پیار سے انہیں تکتے ہوئے ان کے پاس ہی بیڈ پر بیٹھ گئے۔

''مجھ سے علاج نہیں کرائیں گی تو اور کس سے کرائیں گی؟''

''اس شہر میں ڈاکٹروں کی کمی ہے کیا؟''

''کمی تو کوئی نہیں، لیکن ماما کا ایک ہی بیٹا ڈاکٹر ہے اور بیٹے سے زیادہ اچھی طرح اور دل لگا کر دوسرا کوئی علاج نہیں کر سکتا۔''

ساتھ ہی ایاز نے ان کی نبض تھام لی۔

''میرا کوئی بیٹا ڈاکٹر نہیں ہے۔'' خفگی بھی تھی۔ جس ہاتھ کی نبض ڈاکٹر ایاز نے تھامی تھی، وہ ہاتھ بھی نہیں چھڑایا۔ ''بالکل کوئی نہیں ہے۔''

''اللہ اسے سلامت رکھے۔'' ایاز نے جب بڑے خلوص سے اپنی ہی سلامتی کی دعا کی تو روبینہ جمال کی ہنسی چھوٹ گئی، لیکن انہوں نے جلدی سے ہونٹ دبا لیے۔

''وہ تو میری بھی یہی دعا ہے، لیکن تمہاری ان باتوں سے میری ناراضگی دور نہیں ہو گی۔''

''ایک منٹ میں۔'' ایاز نے پورے یقین کے ساتھ کہا۔ پھر مسکرا کر گردن موڑی۔ خرم کھڑے تھے۔ لبوں پر بڑا خوبصورت سا تبسم تھا۔

''خرم بھائی! ذرا چائے یا کافی کا انتظام کروائیے۔ میرے اور اپنے لیے...... اور

ماما کے لیے ایک دودھ کی پیالی۔ اگر گھر میں اوولیٹن ہو تو وہ بیچ میں ڈال دیں۔ آج سارا دن انہوں نے کچھ نہیں کھایا۔ بہت بری بات ماما!'' وہ پھر ان کی طرف متوجہ ہو گئے۔

''تمہیں کیسے پتہ چلا؟'' پیشانی ہنوز شکن آلود تھی۔ ''نبض سے یا بی۔ پی چیک کرنے سے یہ پتہ چل جاتا ہے؟''

''آپ کی تو ماما! صرف شکل دیکھ لوں تو سب کچھ معلوم ہو جاتا ہے۔''

''بہت خراب ہو۔'' بیگم روبینہ کھل کر مسکرا پڑیں۔

''دیکھئے ماما! غصہ تھوک دیجئے۔ آپ کی بیماری کے لیے کھانا کھانے کے بجائے غصہ کھانا زہر کھالینے کے برابر ہے۔''

''تو تم نے یہ زہر مجھے کیوں کھلایا؟ قاسم کے سامنے میں شرمندہ ہو گئی۔ اب تمہیں کیا بتاؤں۔ میں نے تمہاری کتنی تعریفیں کی ہوئی تھیں۔''

''مجھے معاف کر دیں ماما! لیکن آپ کو یہ سن کر یقیناً خوشی ہو گی کہ میں یہاں نہیں آیا تو ایک انسان کی جان بچ گئی۔ میں وہاں نہ ہوتا تو نجانے کیا ہو جاتا۔ ایک عورت بیوہ ہو جاتی...... دو بچے یتیم ہو جاتے۔''

''اوہ!''

''سچ ماما! یوں تو زندگی دینے والا خدا ہے، لیکن ایک ڈاکٹر کے بھی کچھ فرائض ہیں۔ رات بڑی مشکل پڑی۔ آپ تو وارڈ میں رہ آئی ہیں۔ دیکھتی رہی ہیں، کس کس طرح ڈوبتے دلوں کو ہمیں چلانا پڑتا ہے۔ کوئی بعض وقت اللہ کی مہربانی سے چل پڑتا ہے...... اور کبھی ساری کوششیں اور ساری تگ و دو ضائع ہو جاتی ہے۔ لیکن رات دو اڑھائی گھنٹے کی کوششوں نے واقعی ایک زندگی بچالی۔ خدا نے مجھے سرخرو کیا۔ کیا آپ کو اس بات کی خوشی نہیں؟''

''کیوں نہیں؟'' وہ جلدی سے بولیں۔

''تو پھر یہ ناراضگی کیسی؟''

''ہمیں کیا معلوم؟ بتا دیتے نا۔''

''اس وقت ہوش کسے تھا۔''

"اس کے بعد ہی فون کر دیتے۔"

"آپ نے ہمیں اپنا فون نمبر کب دیا؟"

"اوہ!" وہ نادم سی ہو گئیں۔ ایک لمحہ کے لیے کچھ سوچ کر تعجب سے چیخ اٹھیں۔

"ارے! مجھے تو اب خیال آیا ہے۔ نہ میں نے تمہیں گھر کا پتہ بتایا اور نہ ہی فون نمبر۔"

خرم چائے اور ماں کے لیے دودھ وغیرہ کا کہہ کر واپس آ گئے تھے۔ ماں کی بات سن کر شوخی سے ہنس دیئے۔

"ہمارے پاپا کافی مشہور ہستی ہیں ماما! ان کا پتہ معلوم کرنا کوئی مشکل نہیں ہے اور فون نمبر بھی بڑی آسانی سے معلوم کیا جا سکتا ہے۔ اس ڈاکٹر کو آپ کی پروا ہی نہیں ہے۔"

"دیکھیے...... دیکھیے ماما! یہ خرم میری اور آپ کی لڑائی کرانا چاہتے ہیں۔" ڈاکٹر ایاز احتجاج کرنے لگے۔

"تو اور کیا بھئی...... ماما سارا دن اٹوانٹی کھٹوانٹی لیے پڑی رہیں۔ ہم نے بہت جیلس فیل کیا۔ ان کے بیٹے ہم ہیں اور ماما نے آپ کے لیے یہ حال بنا لیا۔ نہ بھئی ایسے نہیں پٹتی۔"

خرم کے انداز پر ماما اور ایاز دونوں ہنسنے لگے۔

"اب تو جو کچھ بھی ہو۔ حسد کریں یا کچھ اور...... ماما کو تو ہم نے اپنی بالکل بالکل سگی ماما بنا لیا۔" وہ ایک سرور، ایک ترنگ سے بولے۔

"اور پاپا......" خرم نے جیسے انہیں خوفزدہ کرنے کی کوشش کی۔

"ان سے بھی ملاقات کرا دیں۔" ایاز بے خوفی آمیز مضبوطی سے بولے۔ "غلطی مان کر، مجبوری بتا کر معافی مانگ لیں گے۔"

"ابھی؟"

"بالکل۔ ابھی۔"

"لیکن اس وقت انہیں کراچی سے لانا ذرا مشکل ہے۔" خرم مسکرائے۔

"یہ ارمان پھر پورا کر لیجیے گا۔"

"کراچی کب گئے؟"

"آج شام ہی گئے ہیں۔ ڈائریکٹروں کی میٹنگ تھی...... تبھی تو...... یہ رات کا وقت اور یہ چہل پہل...... ورنہ۔"

اسی لمحے نایاب ٹرالی لیے اندر آ گئی تو خرم کی بات ادھوری رہ گئی۔ ایاز نے دیکھا اس کا سر جھکا ہوا تھا۔ اس نے ان کی طرف توجہ ہی نہیں دی جیسے انہیں جانتی ہی نہ تھی۔ "بے ایمان کہیں کی۔

"وہ...... سراج کہاں ہے؟" بیگم روبینہ نے پوچھا۔

"آج پاپا نہیں ہیں نا تو وقت سے پہلے ہی اپنے کوارٹر میں چلا گیا۔"

"بلایا تھا اسے؟"

"چلیں ماما! ایک دن اسے بھی ذرا ریلیکس ہو جانے دیں۔ تازہ دم ہو جائے گا۔" ساتھ ہی ایک نظر ایاز کو دیکھا۔ اس وقت بڑے اسمارٹ لگ رہے تھے۔ دل بڑا سا ہو گیا۔

"پاپا گھر میں موجود ہوں نا تو سب اعصابی تناؤ میں جکڑے رہتے یہاں، سوائے میرے۔"خرم شیخی مارنے لگے۔

"اونہوں۔" بیگم روبینہ جمال نے سرزنش کے طور پر خرم کو گھورا۔

"جی ہاں...... سوائے آپ کے...... سن رہی ہیں ماما! خرم بھائی کیا کہہ رہے ہیں کیسی بے پر کی اڑائی ہے۔"

پھر نایاب براہ راست ایاز سے مخاطب ہو گئی۔ ان سے نگاہیں چرانے سے کوئی کچھ اور نہ سمجھ لے۔

"گھر میں سب سے زیادہ پاپا سے بھائی جان ہی ڈرتے ہیں۔"

"اور آپ......؟" ایاز کو اس کی صبح والی حرکت یاد آ گئی۔ باپ سے چوری آ بھی گئی تھی اور ڈر کے مارے رو بھی رہی تھی۔

"میرا تو خیال ہے آپ بھی کچھ کم نہیں ڈرتیں۔" اور اس وقت ایاز کا اشارہ صبح والے واقعہ کی طرف تھا۔ نایاب سمجھ گئی...... ایاز کہیں بھانڈا نہ پھوڑ دیں۔ جلدی سے ان

کے کچھ کہنے سے پہلے ہی بول پڑی۔

''چائے پیئیں گے یا کافی؟'' گندے...... ٹیڑھی نگاہ سے انہیں دیکھا۔

''کیا دونوں چیزیں بنائی ہیں؟'' خرم نایاب کی طرف تکتے ہوئے بڑے ذومعنی انداز میں ہنس رہے تھے۔

''دونوں؟ نہیں تو۔'' وہ سٹپٹا گئی۔ ایاز کو دیکھ کر چہرے پر جو رنگ بکھرے تھے، وہ پھیکے سے پڑ گئے۔

''پھر پوچھ کیوں رہی ہو؟''

''اوہ......!'' خجل سی ہوتے ہوئے خرم کو دل ہی دل میں کوس کر خشک میوے کی پلیٹ اس نے ایاز کی طرف بڑھا دی۔

''آپ کی اولاد میں سے ایک ماما! بہت بیوقوف ہے۔'' خرم کی نگاہیں نایاب پر ہی ٹکی تھیں۔ اس کی وجہ ایاز کی موجودگی ہی نہیں تھی بلکہ یہ ان کی عادت تھی۔ وقت بے وقت بس اسے ہی چھیڑتے، ستاتے رہتے تھے، اس لیے اس کی ہر حرکت پر نظر رکھتے تھے کہ موقع ملے۔

''اور باقی تو جیسے سارے ٹھیک ٹھاک ہیں۔'' وہ بڑبڑاتے ہوئے جانے لگی۔

''ٹھیک ہی لگتے ہیں۔ البتہ نئے آنے والوں کے متعلق کچھ نہیں کہہ سکتے۔''

خرم اس وقت بہت زیادہ شوخ ہو رہے تھے۔ ''خود ہی دیکھ لو نا۔'' ساتھ ہی ڈاکٹر ایاز کی طرف اشارہ کر دیا۔

''سامنے تو بیٹھے ہیں۔''

''ہائے اللہ...... میرا یہ مطلب تھوڑا تھا۔'' نایاب پھر گھبرا گئی۔

ماما اور ایاز ہنسے جا رہے تھے۔ خرم بالکل سنجیدہ تھے۔

''دیکھ رہے ہو ایاز! یہاں ہر وقت یہ کچھ ہوتا رہتا ہے۔''

''یہی تو اصل زندگی ہے ماما! خوش قسمت ہیں یہ سب۔ ایک ہم ہیں۔ کبھی ہمارے کمرے میں آ کر دیکھیں۔ اُلّو بولتے ہیں وہاں۔''

''اچھا؟ تو ہم آج تک غلطی میں ہی رہے؟''

ڈاکٹر ایاز نے تو محاورہ بولا تھا، مگر خرم کی رگ شرارت پھر پھڑک اُٹھی...... ماما۔ ''انہوں۔ اونہوں۔'' ہی کرتی رہیں مگر انہوں نے ان کی اونہوں اور تیکھے تیکھے تیوروں کو نظر انداز ہی کر دیا۔ خرم کی بات پر نایاب کو بھی ہنسی آ گئی تھی، مگر اس نے ہونٹ بھینچ کر روک لی۔

''ہنسی آ رہی ہے تو کھل کر ہنسو۔'' خرم نے نایاب کے جھکے ہوئے سر پر ہلکی سی چپت لگائی۔

''ہنس لیں جی آپ بھی۔ کہہ لیں ہمیں اُلّو۔ نہ کبھی یوں فیملی میں رہے۔ نہ ایسی پیاری پیاری باتیں کرنا آئیں۔ نہ سننے کو ملیں۔'' ڈاکٹر ایاز کسی بھی بات کا برا منائے بغیر ہنستے رہے۔ پھر یکدم سنجیدہ ہو کر بڑی حسرت کے ساتھ بولے۔

''ہمیں تو آج ہی معلوم ہوا ہے کہ کہیں کہیں زندگی اتنی خوبصورت بھی ہوتی ہے۔''

''دیکھ لو نایاب! ڈاکٹر صاحب بھی میری خوبصورتی کی تعریف کر رہے ہیں اور لوگوں کی طرح۔''

''اپنے آپ کو ہی نہ سمجھ بیٹھیں سب کچھ۔ عظمیٰ اور سیماب آپ سے زیادہ خوبصورت ہیں۔''

''اب اپنا نام بھی لے دو۔ ان کا تو بہانہ ہی تھا۔''

اور خرم کی اس بات پر وہ وفورِ حیا سے لال گلال ہو گئی۔

''دیکھئے ماما! بھائی جان کیا کہے جا رہے ہیں۔''

''یہ آج ماما کی کمک کیوں بلا رہی ہو۔ روز تو بڑے کرّ وفر سے میرے ساتھ اکیلی ہی ایسی ایسی کئی جنگیں لڑ لیتی ہو...... اور فتح یاب ہوتی ہو۔''

''ارے مہمان کا تو کچھ لحاظ کرو۔'' ساتھ ماما ہنس رہی تھیں۔

''نہیں نہیں ماما!'' ایاز ایک دم تڑپ کر بولے۔ ''مجھے مہمان نہ کہیں۔ اپنے میں سے ہی مجھے بھی سمجھیں۔''

''سوری بیٹے......! لیکن خرم کو تو ایسے نہیں کرنا چاہیے۔ جوان بہن ہے۔ بہت

تنگ کرتا ہے اسے۔"

"ماما میں بھی تو بوڑھا نہیں ہوں۔ جوان ہوں بالکل...... اور پھر آج پاپا گئے ہیں۔ جمہوریت ہے...... جی چاہتا ہے خوب سب کو تنگ کروں۔"

"دیکھا ایاز! میرے خدشات ٹھیک ہی ثابت ہو رہے ہیں نا۔ میں چاہتی تھی باپ اور اولاد میں ایک بادشاہ اور رعایا جیسا فرق نہ ہو بلکہ دوست ہوں ایک دوسرے کے۔"

پھر بیگم جمال ڈاکٹر ایاز سے اپنے دل کی، اپنے من کی، چھوٹی چھوٹی دُکھ سُکھ کی باتیں کرنے لگیں۔ وہ پوری توجہ سے متوجہ تھے۔ اس طرح ان کا غبار نکل رہا تھا۔ ساتھ ساتھ تسلیاں دلاسے دے رہے تھے۔ بیگم روبینہ کی پریشانیاں اور فکر و غم ان کے ہمدردی بھرے بولوں سے جیسے یکایک ہی دور ہوئے جا رہے تھے۔ وہ اُٹھ کر بیٹھ گئی تھیں۔ چہرے پر سرخی پھیل رہی تھی۔

بیچ بیچ میں خرم کوئی نہ کوئی پھلجھڑی، پٹاخہ چھوڑ دیتے۔ کمرہ زعفران زار بن جاتا۔ سب، سب کچھ بھولے ہوئے تھے...... کہ یہ سب آپس میں کون تھے؟ سب ایک دوسرے کے تھے۔ جیسے بالکل اپنے کوئی غیریت، کوئی اجنبیت درمیان میں نہ تھی۔

یوں ہنستے ہوئے چائے پیتے ہوئے، خشک میوہ کھاتے ہوئے اور باتیں کرتے ہوئے انہیں وقت کا احساس ہی نہ رہا۔ اچانک سامنے دیوار پر لگی گھڑی نے دو بجائے تو ایاز چونک کر اٹھ کھڑے ہوئے۔

"ارے دو بج گئے اور میں ڈیوٹی پر ہوں۔"

"ڈاکٹر کبھی کبھی بس ایسے ریلیکس ہو جایا کرو۔" خرم بے تکلفی سے بولے۔

"جب مریض ٹھیک ٹھاک ہوں تو پھر کوئی حرج نہیں ورنہ...... اللہ میاں سے پٹائی ہونے کا ڈر ہے۔"

"ہاں بیٹا فرض ادا کرنا بھی ایک عبادت ہے۔" ماما نے ڈاکٹر ایاز کی ہاں میں ہاں ملائی۔

"خرم، اٹھو تم ایاز کو چھوڑ آؤ۔"

"ڈرائیور کو نہ کہہ دوں۔ نیند آ رہی ہے۔"

"ایاز ساری رات جاگے گا نا۔ تم اتنی دیر نہیں جاگ سکتے۔ نیند سے اتنا پیار نہیں کرنا چاہیے۔" ماما نے فہمائش کی۔ خرم چپ سے ہو گئے۔ ایاز اور نایاب کی طرف دیکھ کر سر کو کھجلانے لگے۔

"چلیے بھائی جان! میں آپ کے ساتھ چلتی ہوں۔ راستے میں پان کھائیں گے۔"

"دو بجے تمہارا ماما میٹھا پان لگا رہا ہوگا۔"

"اونہوں...... میرے کسی بھائی کی پانوں کی دکان نہیں ہے۔" روبینہ بچوں ہی کی طرح خوش مزاجی سے بولیں۔

"تو پھر ماما! یہ بات آپ نایاب کو سمجھائیے نا۔"

"اسٹیشن پر، مال پر، کوئی نہ کوئی کھلی مل جائے گی۔ لے جائیے نا۔"

ڈاکٹر ایاز نے نایاب کی سفارش کی۔ شاید ان کا بھی دل چاہ رہا تھا کہ وہ ضرور ساتھ جائے۔

"چلو لے جاؤ۔" ماں نے ایاز کی سفارش قبول کر لی۔ "بقول تمہارے بیچاری کو روز دس بجے تو کمرے میں نہ چاہنے کے باوجود گھس جانا پڑتا ہے۔ آج اس کی بھی جمہوریت تسلیم کرلو۔ جانے کی اجازت میں دے دیتی ہوں۔"

"اب ماما اپنے حقوق ٹھیک طرح سے استعمال کرنے لگی ہیں۔ زندہ باد۔"

وہ ہنس پڑی۔

"اچھا ماما! مجھے اجازت دیں اور کسی دن آئیں میرے غریب خانے پر۔"

"ہاں ماما چلیں گے۔" نایاب ایسے اشتیاق سے بولی جیسے پہلے وہاں کبھی نہیں گئی تھی۔ ڈاکٹر ایاز زیرِلب مسکرا پڑے۔ "دھوکے باز۔" ہولے سے بڑبڑائے۔

"ہاں ماما چلیں گے۔" خرم نے اس کی نقل اتاری۔ "ہر جگہ جانے کے لیے تیار ہو جاتی ہے۔ ناخواندہ مہمان۔"

"تو آپ کو بھی تو ڈاکٹر صاحب نے نہیں کہا۔ صرف ماما ہی کو کہا ہے۔"

''اور میں نے کب کہا ہے کہ ہاں ماما چلیں گے۔''

نایاب کے چہرے پر خرم کی اس بات سے دھند سی پھیل گئی...... اور وہ سارے رنگ معدوم ہو گئے جو ایاز کی موجودگی نے دیئے تھے۔ چپ سی ہو کر ٹرالی پرے ہٹانے لگی۔ ایاز دیکھ رہے تھے۔ افسوس ہوا خود پر۔ جلدی سے بولے۔

''نہیں بھئی خرم! میں سب کو کہہ رہا ہوں۔ سب آئیں...... نگاہیں ابھی تک نایاب ہی کے چہرے کا طواف کر رہی تھیں۔

''سب آئیں...... اکٹھے۔ ہسپتال میں؟ یعنی کہ کوئی حادثہ وغیرہ کرا لیں۔''

''توبہ توبہ۔ اللہ سے خیر مانگو۔'' ماما نے خرم کو ڈانٹ دیا۔

''کبھی کبھی تو بڑی خراب زبان بولنے لگتے ہو۔''

''ماما! آخر تو سب کو جانا ہی ہے۔ کسی نہ کسی طرح۔'' خرم کافی ڈھیٹ واقع ہوئے تھے۔ وہی زبان بولے گئے۔ ''اور یہ بات تو سب سے اچھی ہو گی...... کہ اپنے ڈاکٹر کے ہاتھوں میں۔''

''خرم۔ خرم۔'' ماما تقریباً چلا سی پڑیں۔ ''چوبیس گھڑیوں میں کوئی لمحہ قبولیت کا بھی ہوتا ہے۔''

''کیوں تنگ کر رہے ہیں ماما کو؟'' نایاب نے خرم کو آنکھ سے کچھ اشارہ کیا۔

''اوہ......'' وہ چونکے۔ واقعی ماما سے ایسی باتیں نہیں کرنا چاہیے تھیں۔

''میں اپنے کمرے میں آنے کے لیے سب کو مدعو کر رہا ہوں۔'' ڈاکٹر ایاز نے بات کا رُخ موڑا۔ ''مجھے بڑی خوشی ہو گی ماما۔''

''ہاں ہاں آئیں گے۔ ضرور آئیں گے۔'' انہوں نے بڑے پیار سے ڈاکٹر ایاز کو دیکھا۔ دوسری نگاہ خرم کی طرف اُٹھی۔ اس میں ابھی تک شکوہ تھا۔ وہ اپنی زندگی کو تو اتنا عزیز نہیں سمجھتی تھی۔ ان بچوں ہی کی خاطر ہر وقت کلمہ خیر زبان پر رہتا تھا...... اور وہی بچے ایسی باتیں کر کے ان کا دل جلاتے تھے۔ ایسی باتیں، جو انہیں مذاق میں بھی سننا گوارا نہ تھیں۔

بیٹھ کر باتیں کرتے کرتے تھک سی گئی تھیں۔ لیٹ گئیں...... ایاز جانے کو تیار

کھڑے تھے۔ پھر ان پر جھک گئے۔ نبض محسوس کی...... دوبارہ بی۔ پی چیک کیا۔

''دیکھئے ماما! اب دوبارہ مجھے ایک ڈاکٹر کی حیثیت سے یہاں نہ آنا پڑے۔ آپ بالکل ٹھیک ٹھاک رہیں۔''

''خرم کو سمجھاؤ میرے سامنے ایسی باتیں نہ کیا کرے۔''

''وہ تو سب کچھ مذاق میں کہہ رہے تھے ماما!'' ڈاکٹر ایاز نے خرم کی طرف سے صفائی پیش کی۔ ''ویسے آئندہ ایسا مذاق نہیں کریں گے۔ دیکھ لیجئے گا۔''

''ٹھیک ہے۔ آئندہ ہم زبان نہیں کھولیں گے۔''

''ارے نانا...... ایسا ظلم نہ کیجئے گا۔ آپ کی باتوں ہی سے تو گھر میں رونق ہے اور زندگی ہے۔''

''ہاں تو......'' نایاب جلدی سے بولی۔ ''اس کی تائید تو میں بھی کروں گی۔''

''ماما ناراض ہوتی ہیں تو ہمیں ایسی زندگی نہیں چاہیے۔''

''چل بے حیا۔'' ماما مسکرا پڑیں۔ خرم نے جلدی سے جھک کر ان کی پیشانی چوم لی۔ ''بس آپ خوش رہیں اور سلامت رہیں ماما۔'' ہمارے لیے یہی سب کچھ ہے۔ زندگی اور حاصل زندگی۔''

''کیسی خوشامدیں کر رہا ہے۔''

''کوئی مطلب ہو گا؟'' نایاب شوخی سے بولی۔

''تمہارے جیسا نہیں ہوں۔''

''میں نے کب۔''

''ارے ارے۔'' ایاز نے دونوں بازو بلند کر دیئے۔ آپ کی جنگ پھر چھڑنے والی ہے...... اور میری نوکری خطرے میں پڑ جائے گی۔ بہتر ہے مجھے رُخصت کر کے بعد میں پھر شروع کر لیں۔''

''ہاں خرم! ایاز کو چھوڑ آؤ۔''

پھر ڈاکٹر ایاز نے بیگم روبینہ کے لیے نایاب اور خرم کو چند ضروری ہدایات دیں۔ ساتھ ان کے کھانے پینے کے متعلق سمجھایا کہ کیسے کیسے خیال رکھیں اور ہمیشہ خوش رکھنے کی

بھی کوشش کریں...... اور...... پھر...... گھر جانے کو ان کا ذرا دل نہیں چاہ رہا تھا، لیکن اُدھر فرض تھا...... ایسی پُرلطف اور پیاری محفل انہیں فرض کی خاطر چھوڑنا پڑی۔

●......●......●

بیگم روبینہ جمال کی چند ملنے والیاں آئی ہوئی تھیں۔ تقریباً ہم عمر تھیں سب...... اور خرم اور نایاب جتنی عمر کے بچوں کی مائیں بھی۔ باتیں ہو رہی تھیں۔ جہیز اور بُری وغیرہ کے رسم و رواج کے متعلق۔

کچھ مائیں بیٹیوں کو جہیز دینے کے حق میں تھیں اور کچھ سمجھ دار اور پڑھی لکھی اس فرسودہ اور فضول رسم سے سخت نالاں۔ بحث بڑے زوروں سے چل رہی تھی۔

''بعض رشتے ہی ایسے ہوتے ہیں کہ لڑکی والوں کو جہیز دینا ناگزیر ہو جاتا ہے۔'' ایک ان رسم و رواج کے ہاتھوں ستائی ہوئی جلے دل سے بولیں۔

''کیا کریں لڑکی ساری عمر گھر تو نہیں بٹھائی جا سکتی۔ اس کے وداع کے لیے مجبور ہو کر بھی والدین کو بہت کچھ کرنا پڑ جاتا ہے۔''

اور یوں جہیز سے رشتوں، ناطوں اور اس سے اپنے اپنے بچوں کی پرابلمز کی باتیں چھڑ گئیں۔

کسی کی بیٹی معمولی سی شکل و صورت کی تھی۔ تب اس کا رشتہ نہیں ہو رہا تھا...... اور کسی کی زیادہ تعلیم حاصل کر بیٹھی تھی۔ اس کے قابل کوئی لڑکا نہیں مل رہا تھا۔

ہر بیٹی والی کو کسی نہ کسی پریشانی کا سامنا تھا۔ کوئی نہ کوئی مشکل درپیش تھی۔ مل بیٹھی تھیں تو دل کے گھاؤ ایک دوسرے کو دکھا رہی تھیں اور چھالے پھوڑ رہی تھیں۔

نایاب کب کی کالج سے آ چکی تھی۔ ماما ان بحث مباحثوں سے فارغ ہوتیں تو کھانا کھایا جاتا۔ پاپا کا حکم تھا کہ گھر میں دو افراد بھی ہوں تو مل کر کھانا کھائیں۔ یہ باعث برکت ہوتا ہے۔

اور اب تو معظم اور سیماب بھی اپنے اپنے سکول سے آ کر اس کے پیچھے پڑے

ہوئے تھے کہ کھانا جلد لگوائیں۔ بھوک سے برا حال تھا۔ بھوک سے نڈھال تھے مگر پھر بھی جھگڑا کرنے سے باز نہیں آ رہے تھے۔ بھوکے بٹیروں کی طرح ایک دوسرے کے ساتھ بے تحاشا لڑ رہے تھے۔

نایاب پریشان ہو کر کئی بار ڈرائنگ روم کے دروازے تک گئی۔ ماما کا رُخ ادھر ہی تھا۔ اشاروں اشاروں سے سب کچھ بتایا۔ مگر...... ماما بیچاری بھی کیا کرتیں؟ مہمان خواتین اُٹھتیں تو وہ بھی اٹھتیں نا...... انہیں دھکے دے کر نکالنے سے تو رہیں۔ انہوں نے بھی جواب میں مجبوری کا اظہار اشارے سے ہی کر دیا۔

عجیب مصیبت تھی۔ اِدھر وہ نہیں اُٹھ رہی تھیں' اُدھر معظم اور سیماب نے کھانے کے لیے دہائی مچائی ہوئی تھی۔ خود نایاب کو بھی بھوک لگی تھی۔ صبح ناشتہ بھی ٹھیک طرح سے کر کے نہیں گئی تھی۔ کیا کرے......؟

سوچ سوچ کر آخر ایک ترکیب سوجھ ہی گئی۔ سراج سے کہہ کر کھانا لگوا دیا اور خود سلام کر کے اندر مہمان خواتین کے پاس چلی گئی۔

''ماما سب کے لیے کھانا لگ گیا ہے۔''

''سب کے لیے؟ ارے نہیں نہیں۔'' بیگم صادق گھبرا کر بولیں۔ ''میں تو کھانا نہیں کھاؤں گی۔ گھر میں میرا انتظار ہو رہا ہو گا۔''

''میرے بھی بچے سکول اور کالج سے آ چکے ہوں گے۔ کیا وقت ہو گیا بھئی؟'' بیگم فاروق بھی گڑبڑا سی گئیں۔

''دو بج رہے ہیں۔'' نایاب نے جلدی سے وقت بتایا۔ ''آنٹی! صائمہ لوگ آپ کا انتظار کر رہے ہوں گے؟''

''نہیں انتظار تو نہیں۔ صائمہ تو اکثر وہیں سے کھا آتی ہے۔'' وہ ایک تفاخر سے سب کی طرف دیکھتے ہوئے بولیں۔ ''اللہ نے بہت دیا ہوا ہے۔ روز کے پندرہ بیس روپے خرچ کر ڈالنا تو معمولی بات ہے اس کے لیے۔ ٹک شاپ سے خود بھی کچھ نہ کچھ کھا لیتی ہے اور سہیلیوں کو بھی عیش کرا دیتی ہے۔''

''مگر ہمیں تو پاپا اور ماما یوں خرچ کرنے کے لیے کبھی کوئی پیسے نہیں دیتے۔''

"او......نونو۔" بیگم زُلفی ہمیشہ اردو میں یوں انگریزی ملا جلا کر بولا کرتی تھیں جیسے انگلستان میں کئی سال گزار آئی تھیں۔ ویسے ابھی تک تو وہ ملک سے باہر کبھی کہیں نہیں گئی تھیں۔

"تم اتنا رچ لوگ۔ تمہیں منی کی کیا کمی ہو گی۔ تم تو ڈیلی ففٹی بھی خرچ کرو تو معمولی بات ہے۔"

"وہ تو درست ہے آنٹی!" نایاب نے بڑے ادب سے انہیں جواب دیا۔

"لیکن اس طرح جو ہماری عادتیں بگڑیں گی۔ چلیے میں تو لڑکی ہوں نا......مگر میرے بھائیوں کے پاس زیادہ رقم ہو گی تو وہ بُری باتوں میں لگائیں گے۔ سگریٹ پئیں گے، فلمیں دیکھیں گے، فلاش کھیلیں گے، بُری صحبت میں پڑیں گے۔"

"ارے بیگم جمال! آپ کی بیٹی تو بڑی سمجھدار ہے۔" بیگم فاروق بڑے غور سے اس کی بات سننے کے بعد تحیر میں ڈوبی ڈوبی بول پڑیں۔

"میں اپنی ٹمی کو ایک دن بھی جیب خرچ نہ دوں یا کمی ہی کر دوں تو اس کا باپ تو میری شامت ہی لے آئے۔"

"آنٹی! میرے پاپا بڑے بااصول ہیں۔ وہ گھر میں ہی ہمیں ہر چیز لا دیتے ہیں۔ باہر پیسہ خرچ کرنا وہ اچھا نہیں سمجھتے۔ یوں بھی گھر میں ہر چیز کی صفائی ستھرائی کا خیال رکھا جاتا ہے۔ باہر کیا پتہ' پاک یا ناپاک یا کیسے چیز بنتی ہے۔ مکھیوں جراثیموں کا کون دوسروں کے لیے خیال رکھتا ہے۔ پیسے بھی خرچ کریں...... اور صحت بھی خراب...... اور مذہب بھی مشکوک۔"

"ارے ہاں...... نایاب کہہ تو ٹھیک رہی ہے۔" یوں تو سب کی نگاہوں میں ہی اس کے لیے تعریف و ستائش تھی۔ لیکن بیگم صادق تو بے اختیار کہہ بھی اٹھیں۔ "بڑی عقلمند بچی ہے...... میں صائمہ کو بتاؤں گی نا۔ وہ بھی کچھ عقل سیکھے۔"

"ماما چلیے نا...... کھانا تو لگ گیا۔" نایاب یہ سب سننے کہنے کے لیے تو نہیں اندر آئی تھی۔ جس مقصد کے لیے آئی تھی' وہ پھر زبان پر آ گیا۔

"بس بس ہم چلتے ہیں۔" سب اُٹھ کھڑی ہوئیں۔

''تم چھوٹے بہن بھائیوں کو لے بیٹھو' میں ابھی آتی ہوں۔'' بیگم روبینہ نے انہیں رخصت کرنا تھا' اس لیے اسے بھیج دیا خود وہیں کھڑی رہ گئیں۔

نایاب اپنی سکیم کی کامیابی پر خوش خوش باہر نکلی۔

''چلو عظمی! چلو سیماب! ماما ابھی آتی ہیں۔ میں نہ جاتی' تو سب نے شام تک بیٹھے رہنا تھا۔''

''اب چلی گئیں سب؟'' کھانے والے کمرے میں داخل ہوتے ہوتے معظم نے پوچھا۔

''بس جانے ہی والی ہیں۔ کھڑی ہیں سب۔ اور ماما کہتی ہیں ہم کھانا شروع کریں۔ وہ انہیں رخصت کر کے آ رہی ہیں۔''

پاپا اور خرم نے آج کھانے پر نہیں آنا تھا۔ نایاب، سیماب اور معظم کھانے کی میز پر جا بیٹھے۔ ماما کا انتظار کرنا بھی ضروری تھا۔ بھوک بھی زوروں کی لگی تھی۔ تینوں ماں کے انتظار میں سوچ کر اور ٹھہر ٹھہر کر چھوٹے چھوٹے نوالے لینے لگے۔

پھر...... پتہ نہیں کیا ہوا۔ بھوک یکدم ہی چمک اُٹھی۔ شاید تینوں ہی کی پسند کی چیز پکی ہوئی تھی۔ اس لیے مزید صبر نہ کر سکے۔ انتظار کے ہاتھوں تھک کر بھوک کے ہاتھوں بے بس ہو کر تینوں نے ہی ہتھیار ڈال دیئے۔

چھوٹے چھوٹے نوالے بڑے ہوتے گئے۔ سالن اور ڈالتے گئے اور کھاتے گئے۔ خوب ڈٹ کر کھاتے گئے۔

''ارے! ماما تو ابھی تک آئی نہیں۔'' پیٹ کے تنور ٹھنڈے ہو گئے تو تینوں کو ہوش آئی۔ چونک چونک کر ایک دوسرے کو تکنے لگے اور پھر...... اپنی بے صبری پر خود ہی ہنسنے لگے۔

''پاپا کا حکم ہے کہ دوپہر کے کھانے کے بعد تھوڑا سا آرام ضرور کرنا چاہیے۔'' معظم اُٹھ کھڑا ہوا۔ ''چلو سیماب! ہم تو چلیں آرام کرنے۔ اب ماما اور ان کے کھانے کا مسئلہ آپا کے سر...... یہ جانیں اور وہ۔''

''ہاں...... ہم چلتے ہیں۔'' سیماب بھی اُٹھ کر اس کے ساتھ چل دی۔

نایاب جانتی تھی۔ انہوں نے آرام کیا کرنا ہے۔ کسی نہ کسی موضوع پر بحث کرنا تھی اور پھر جھگڑا۔ ان کی تو زندگی کا موٹو ہی یہی تھا۔ جھگڑتے رہو اور سکھی رہو۔

اور یہ حقیقت بھی تھی۔ دونوں کی ایک دوسرے کے ساتھ صلح کم رہی تھی اور جھگڑا زیادہ۔ پھر بھی دونوں سکول سے آنے کے بعد ایک ایک لمحہ اکٹھا گزارتے تھے اور جھگڑا وگڑا کر کے خوش بھی بہت رہتے تھے۔

وہ دونوں چلے گئے تو نایاب بھی اُٹھی۔ جانے ماما اب تک آئی کیوں نہیں تھیں۔ وہ سب تو اسی وقت جانے کو تیار تھیں۔ نایاب وجہ معلوم کرنے کے لیے ڈرائنگ روم کی طرف چلی گئی۔

''میں نے آپ کو بتایا نا کہ میں نایاب کا رشتہ طے کر چکی ہوں۔'' ماما کی آواز نے اس کے قدم وہیں دروازے کے باہر ہی پکڑ لیے، پکڑ بھی کیا لیے جکڑ لیے۔

''یا تو مجھے بتادیں کہ کہاں' ورنہ پھر میں تو پیچھا چھوڑنے والی نہیں۔'' بیگم صادق کی آواز تھی شاید۔ ''مجھے نایاب بہت پسند ہے...... اور خصوصاً اس کے خیالات۔ آپ میاں بیوی نے اولاد کی تربیت بہت اچھی کی ہے۔''

پھر وہ اپنے خالد کی، جس کے لیے نایاب کو مانگ رہی تھیں تعریفیں کرنے لگیں۔

''مجھے یقین ہے دنیا بھر میں ایسی جوڑی کوئی نہیں بنی ہو گی۔ جیسی خالد اور نایاب کی رہے گی۔''

''استغفراللہ۔'' نایاب بڑبڑائی۔ آنٹی صادق نے تو انتہا کر دی تھی۔

''میں سچ کہہ رہی ہوں...... نایاب کی بات پکی ہو چکی ہے۔'' پھر ماما ان سے معافیاں مانگنے لگیں، مگر وہ کچھ سن ہی نہیں رہی تھیں۔ اصرار کیے جا رہی تھیں۔

''کہیں بات ختم بھی ہو۔'' نایاب جھنجھلا سی پڑی۔ کب تک اس کو بیچ میں رکھے بحث کیے جائیں گی۔ وہ انکار اور وہ اصرار۔

نایاب اندر داخل ہو گئی۔ یہی ایک طریقہ تھا، ان کی تکرار ختم کرنے کا...... اور واقعی اس نے اندر قدم رکھا تو خاموشی چھا گئی۔ باقی سب نجانے کب چلی گئی تھیں۔ بس

صرف بیگم صادق ہی باقی رہ گئی تھیں۔

''اچھا...... میں پھر آپ کو یہ بتا دوں۔ پہلا حق میرا ہے۔ آپ اگر کوئی فیصلہ کر چکی ہیں تو اس پر نظر ثانی کرنے کی کوشش کریں۔''

وہ اُٹھتے اُٹھتے پھر بولیں۔ ایک نگاہ نایاب پر ڈالی۔ سر سے پاؤں تک...... بڑی گہری نگاہ تھی۔ آنکھوں میں چمک سی آ گئی اور ہونٹوں پر مسکراہٹ پھیل گئی۔

''میں نے کہا نا کہ نظر ثانی کی گنجائش ہی نہیں۔'' ماما بیگم صادق کی نگاہوں کا انداز دیکھتے ہوئے ایک بار پھر معذرتی لہجے میں بولیں۔

ماما کے الفاظ میں، لہجے میں بڑی مضبوطی تھی۔ اب نایاب بھی چونکی۔ آج تک ماما نے اس سے یہ بات چھپائی کیوں؟ وہ بے حد پریشان ہو کر سوچنے لگی۔

ان کے خاندان میں بے جا شرم و حیا کا رواج ہی نہ تھا۔ لڑکوں کو تو کھلم کھلا اپنی شادی کی بات کرنے یا انتخاب یا پسند بتانے کا حق تھا اور لڑکیوں پر بھی کوئی پابندی نہ تھی البتہ اپنی فطری شرم و حیا کی وجہ سے اگر کوئی جھجکتی تو اپنی پسند، اپنی خواہش، اپنی کسی بہن یا کزن یا سہیلی کے ذریعے والدین تک پہنچا دیتی تھی۔ اس کو بھی پورا حق ملتا تھا۔

اور یہ آزادی، یہ رواج قاسم جمال کے بڑے بھائی عاصم جمال نے ڈالا تھا۔ اپنی شادی بھی اپنی پسند سے ایک فارنر لڑکی کے ساتھ کی تھی...... اور بہنوں بھائیوں کو بھی والدین سے پھر پورے حقوق دلوائے تھے۔

اور اس کے بعد آنے والی نسل کے لیے سب کو پیشتر ہی سے سمجھا دیا تھا...... کہ کوئی کسی پر زیادتی نہ کرے۔ کسی کو کسی کی آزادی سلب کرنے کا حق نہیں ہے، کیونکہ اس طرح پھر بچے باغی ہو سکتے ہیں اور ان کے خاندان میں کسی بھی معاملے یا مسئلے پر سمجھوتہ ہو جاتا تھا۔ بغاوت کبھی نہیں ہوئی تھی۔

جب ایسے آزاد خیال خاندان میں نایاب پلی بڑھی تھی تو پھر ماما نے اپنی مرضی سے اس کی بات کہیں کیسے پکی کر دی تھی...... اور اسے کوئی علم ہی نہیں تھا۔ یہ تو ناانصافی کی بات تھی...... اور...... نہ صرف ناانصافی بلکہ...... ظلم تھا، یہ...... نایاب کے اندر چیخ و پکار مچ گئی۔

بیگم صادق بھی تاکیدیں کرتی رُخصت ہوگئیں۔ ماما بھی کھانا کھانے کے لیے کھانے والے کمرے میں چلی گئیں۔ وہ سوچوں میں گم وہیں کھڑی رہی۔ پھر یکایک دل گھبرایا۔ ایسا نہیں ہونا چاہیے تھا۔ وہ ایسا کبھی نہیں ہونے دے گی۔

جلدی سے ماما کے پیچھے چل دی۔ ماما کھانے کے لیے سراج کو کہہ کر چپ چاپ منتظر بیٹھی تھیں۔ وہ بھی سامنے جا کر بیٹھ گئی۔

''تم نے ابھی کھانا نہیں کھایا؟'' ماما حیران سی ہو کر پوچھنے لگیں۔

''کھا لیا ہے۔''

''پھر جاؤ تھوڑا سا آرام کرلو۔''

اسی لمحے سراج گرم گرم کھانا لے آیا۔ وہ کھانے لگیں۔ دو چار نوالے لیے۔ نگاہ اٹھائی۔ نایاب ابھی تک بیٹھی تھی۔

''میں ٹھیک طرح سے ہی کھانا کھاؤں گی۔'' وہ بڑے پیار سے اسے تکتے ہوئے بولیں۔ ''تم جا کر آرام کرو۔''

''ابھی ابھی میں نے ایک بات سنی ہے ماما۔'' قاسم جمال کی ساری اولاد بڑی صاف گو تھی۔ نایاب نے بھی صاف بات کر دینا مناسب سمجھا۔ دل میں کڑھنے سے فائدہ؟

''کیا؟'' بیگم روبینہ جمال نے جہاں تک ان کا خیال تھا، کوئی غلط کام نہیں کیا تھا، اس لیے بغیر کسی گھبراہٹ کے پوچھنے لگیں۔

''ابھی آپ آنٹی صادق سے کہہ رہی تھیں کہ آپ نے میری بات کہیں پکی کر چھوڑی ہے۔''

''ہاں۔'' انہوں نے انتہائی اطمینان سے جواب دیا اور پھر کھانا کھانے لگیں۔

''مجھ سے پوچھے بغیر ہی ماما؟'' فطری شرم و حیا نے ماں کے ساتھ اس موضوع پر بات کرتے ہوئے اس کی گردن ضرور جھکا دی تھی مگر وہ گھبرائی ذرا نہیں تھی۔

''وہ تو بیٹے! میں انہیں ٹالنے کے لیے کہہ رہی تھی۔''

''لیکن ماما! آپ نے پہلے تو کبھی نہیں جھوٹ بولا۔ کسی کو ٹالنے کے لیے بھی نہیں۔

''ویسے جھوٹ تو آج بھی نہیں بولا۔'' ایک مشفق سی مسکراہٹ ان کے چہرے پر دوڑ گئی۔

''تو پھر بات وہی آ پہنچی۔ مجھے خبر ہی نہیں۔''

''تمہیں بتائے بغیر تو نہیں کر سکتی۔ شرع شریعت کا بھی حکم نہیں ہے۔''

''پھر......؟'' وہ قدرے اُلجھن میں پڑ گئی۔ ''بات کیا بنی......؟''

''سنو نایاب! تمہیں سچی سچی بات بتاؤں۔'' انہوں نے کھانا ختم کرتے ہوئے پلیٹ پرے سرکائی۔ نیپکن سے ہاتھ صاف کیے۔

''میں نے تمہاری بات پکی ضرور کی ہے مگر ابھی صرف اپنے دل ہی دل میں...... اور میں صادق کو اپنے دل ہی کی بات بتا رہی تھی۔ جھوٹ کوئی نہیں بولا۔''

''انہوں نے بڑے غور سے نایاب کے چہرے پر پھیلی ہوئی گھبراہٹ اور پریشانی کو دیکھا۔ پھر شفقت آمیز لہجے میں اسے سمجھانے کے طور پر بولیں۔

''دل پر ہر کسی کو اختیار ہوتا ہے۔ خصوصاً ایک ماں اپنی اولاد کے لیے تو دل ہی دل میں نجانے کیا سوچتی رہتی ہے۔ ایک رشتوں ناطوں ہی کا کیا ہے۔ وہ تو بیٹیوں کو دلہنیں بنا کر اور بیٹوں کو دولہا بنا کر خیال ہی خیال میں جانے کتنی بار دیکھتی ہے۔ پھر انہیں رُخصت کر کے آنسو دل میں ٹپکاتی ہے۔ بیٹوں کی بہوئیں لا کر گھر میں رونقیں اُتارتی ہے۔ خوشیاں بکھری دیکھتی ہے۔''

نایاب خاموش بیٹھی جانے کن سوچوں میں گم ان کی بات سن رہی تھی یا کچھ بھی نہیں سن رہی تھی۔ البتہ وہ اپنے جذبوں میں ڈوبی ایک تاثر سے کہے جا رہی تھیں۔

''اور پھر بات یہیں ختم نہیں ہوتی۔ ماں تو تصور ہی تصور میں پوتے پوتیوں اور نواسوں نواسیوں سے اپنی گود بھی بھر لیتی ہے۔ ماں کیا نہیں کرتی؟ ماں تو ایک دیوانی ہوتی ہے اور مامتا ایک دیوانگی کا نام ہے۔''

ماما نے نہ صرف اپنے جذبے کھول کر رکھ دیئے تھے بلکہ نایاب کی بات کا جواب بھی اسے وضاحت سے مل گیا تھا۔ وہ مطمئن بھی ہو گئی تھی مگر پھر بھی بے اطمینانی کی ایک لہر سی پورے وجود میں پھیل کر اسے بے چین سا بھی کیے دے رہی تھی۔

دل ہی دل میں ماما نے کس کے ساتھ اس کی بات پکی کر دی تھی؟ یہ سوال ہتھوڑے کی طرح اس کے دماغ میں ضربیں لگا رہا تھا اور یہ ضربیں دماغ سے ہوتی ہوئی اس کے دل تک پہنچ رہی تھیں، جہاں اس نے ڈاکٹر ایاز کو چپکے چپکے سے بسایا چھپایا ہوا تھا۔

ہائے ماما! میں کوئی آپ سے دور تھی۔ اپنا دل کھول کر مجھے بھی دکھا دیتیں۔ کہیں...... کہیں...... آپ کی اور میری پسند میں اختلاف نہ ہو جائے۔ پھر میں کیا کروں گی...... ماما! آپ دل کی بیمار ہیں۔ میں آپ کو کوئی صدمہ دے تو نہ سکوں گی، مگر میں خود زندہ درگور ہو جاؤں گی...... ماما! میں جیتے جی مر جاؤں گی۔

"کیا سوچ رہی ہو نایاب؟"

"جی؟" نایاب نے چونک کر سر اٹھایا۔

"کچھ نہیں،۔ کچھ نہیں ماما!"

"تم نے مجھ سے وہ رشتہ پوچھا نہیں؟"

"ماما! پوچھ کر کیا کروں گی؟ آپ کی نافرمانی نہیں کرنی۔ مجھے آپ کی زندگی اپنی سے زیادہ عزیز ہے۔"

"پگلی بیٹی! میں کوئی زیادتی کروں گی تجھ پر؟ اپنی اتنی پیاری بیٹی پر؟"

"اور ماما! میں بھی آپ کی پسند کا احترام کرنا پسند کروں گی۔"

"خواہ میری پسند تمہیں ناپسند ہو؟"

"ہاں ماما! یہ میرا آخری فیصلہ ہے۔"

"اور بیٹی! تم نے اپنی ماما کو اتنا غلط سمجھا ہے؟"

"کیا مطلب؟"

"تمہاری ماما تمہاری مرضی کے خلاف کچھ نہیں کرے گی۔ اولاد کی پسند ناپسند کا سب سے پہلے ماں کو علم ہوتا ہے۔"

"آپ کو...... میری پسند...... کا علم ہے؟" وہ بوکھلائی، سٹپٹائی، گھبرائی۔ "مگر ماما! میری پسند تو کوئی نہیں۔"

"مجھے یقین تھا کہ میری بیٹی کبھی جھوٹ نہیں بولتی۔"

"کیوں ماما! میں نے کون سا جھوٹ بولا؟" یہ پوچھتے ہوئے وہ ماں سے نظر نہ ملا سکی۔

"جھوٹ نہیں بولا تو دل کی بات بھی نہیں کی...... اور تو یہ جانتی ہی نہیں کہ تیرے دل کی بات ہی میرے دل کی بات ہے۔"

"میرے دل کی بات، آپ کے دل کی بات؟" وہ ماں کو متحیر نگاہوں سے دیکھنے لگی۔ "یہ آپ کیا پہیلیاں بجھوا رہی ہیں؟"

"میں نے پہلے دن پہلی ہی ملاقات میں ڈاکٹر ایاز کو تمہارے لیے منتخب کر لیا تھا۔"

"اوہ ماما!" نایاب نے ایک دم ہاتھوں میں چہرہ چھپا لیا۔

"میں نے ہمیشہ تم سے ماں کی نسبت دوستی کا رشتہ زیادہ رکھا ہے۔ کیا میرا فیصلہ غلط ہے؟"

"نہیں ماما! اور آج میں جان گئی ہوں کہ آپ گریٹ ہیں۔ آپ بہت سمجھدار ہیں اور عقل مند ہیں۔" پھر اس نے چہرے پر سے ہاتھ ہٹائے جو پیازی ہو کر اور بھی خوبصورت ہو گیا تھا...... اور ایک حجاب آلود سی مسکراہٹ اس پر پھیلی بکھری تھی۔ آنکھوں میں جیسے سارے آسمان کے ستارے جگمگ جگمگ کرنے لگے تھے۔

"مجھے آپ سے ڈر لگنے لگا ہے ماما!"

"ڈر کس بات کا؟" بیٹی کے اس روپ پر سے دل ہی دل میں قربان ہوتے ہوئے بولیں۔

"آپ دلوں کے حال جان لیتی ہیں۔" نایاب اپنی جگہ سے اُٹھی اور ماما کی کرسی کے پیچھے جا کھڑی ہوئی۔ پھر ان کے گلے میں بازو حمائل کر کے ان کے رخسار کا بوسہ لے لیا۔

"ماما، کس طرح آپ کا شکریہ ادا کروں۔ آپ کے سینے میں نہ صرف ایک مامتا بھرا دل ہی ہے، بلکہ آپ ایک بے حد محبت کرنے والی دوست بھی ہیں۔"

کتنی ہی دیر وہ ماں کے کندھے کے ساتھ سر ٹکائے جھکی کھڑی رہی۔ ماما اس کے ریشمی ریشمی بالوں کو سہلاتی رہیں۔ اس کی یہ خاموشی ماں کے حضور عقیدت و احترام کا اظہار تھی۔ انہیں یہ انداز بے حد اچھا لگا۔ شانے پر سے ہی اس کا سر جھکا کر پیشانی چوم لی۔

اور اسی لمحے نجانے نایاب کو کیا ہوا...... ایک جھٹکے سے اس نے اپنا سر اُٹھالیا۔

''کیا ہوا؟''

''لیکن...... لیکن ماما!'' وہ گھبراہٹ بھری مدھم سی آواز میں بولی۔

''پاپا کو کون منائے گا۔ وہ ایاز سے بہت چڑتے ہیں۔''

ماما اس کی اس معصوم سی پریشانی پر زور سے ہنس پڑیں۔

''یہ میری پرابلم ہے نایاب! تمہاری نہیں۔''

''اوہ!'' وہ اپنی بے قراریوں پر خجل سی ہوگئی۔ پھر اسی طرح ان کے شانے پر جھکتے ہوئے ہولے سے بولی۔

''شکریہ ماما!'' بہت بہت شکریہ۔ میں زندگی بھر آپ کی احسان مند رہوں گی۔''

اس نے پھر ماں کے گال چومے اور اپنے کمرے میں بھاگ گئی۔

●......●......●

آج ہیلتھ سیکرٹری نے ہسپتال کا دورہ کرنا تھا۔ کچھ ڈاکٹروں کے مطالبات اور شکایات تھیں۔ کچھ نرسوں کے اور کچھ دوسرے ملازمین کے۔ مہنگائی زیادہ تھی تنخواہیں کم تھیں۔ مریض زیادہ تھے اور نرسیں اور ڈاکٹر کم تھے۔

جو بھی اُٹھتا تھا پیسہ کمانے کے لیے ملک سے باہر چل دیتا تھا۔ نہ کسی کو ملک سے محبت تھی اور نہ ان کے خیال میں ملک انہیں پیٹ بھر کر روٹی دیتا تھا۔

خوش کوئی بھی نہیں تھا، اسی لیے وہ دورے پر آ رہے تھے، براہ راست خود ہسپتال کے عملے سے خطاب کرنے۔

کچھ ان کی شکایات سننے، کچھ ان کے مطالبات پر غور کرنے اور کچھ اپنی مجبوریاں بتانے۔ آپس میں سمجھوتہ بھی تو کیا جاسکتا ہے۔

ڈاکٹر ایاز کی انتظامیہ میں ڈیوٹی لگ گئی۔ بیچارے یہ بھی نہ کہہ سکے کہ رات کے پورے بارہ گھنٹے کی ڈیوٹی دے کر ابھی ابھی فارغ ہوئے تھے...... وہ بھی اس طرح کہ آج ان کے وارڈ میں تین مریض سیریس تھے۔ ایک کا رات تین بجے انتقال ہوگیا۔ دو کی حالت پہلے سے بہتر تھی۔

پوری رات انہوں نے بڑی پریشانی میں گزاری تھی۔ ایک پل کے لیے سونا یا اونگھنا تو کیا آرام سے کرسی پر بھی نہیں ٹک کر بیٹھے تھے۔ بھاگم دوڑ میں پوری رات کٹی تھی۔

اور اب پھر ڈیوٹی لگ گئی تھی۔ ہمیشہ کی طرح چپ چاپ انتظام میں مصروف ہو گئے۔ دس بجے ہیلتھ سیکرٹری کی آمد کا وقت تھا۔ انتظار کر کر کے سوکھ گئے۔ حال بد سے بدتر ہوگیا۔ آخر پونے بارہ بجے کے قریب وہ پہنچے۔

تب جلسہ شروع ہوا۔ انہوں نے ہسپتال کے عملے کو خطاب کیا۔ بہت ساری باتیں سمجھائیں۔ کچھ مطالبات منظور بھی کیے۔ کچھ شکایات و سوالات کے جوابات اور تسلیاں دیتے ہوئے ڈیڑھ بج گیا۔ جلسہ برخاست ہوا۔

ڈاکٹر ایاز اپنے کمرے میں پہنچے تو دو بج رہے تھے۔ میس کا ملازم کھانا لے کر آ گیا۔ بھوک بھی بہت تھی۔ صبح ناشتہ جو نہیں کیا تھا۔ بس...... گیارہ بجے چائے کی ایک نجانے کس نے پکڑا دی تھی...... بھلا ہو اس کا۔ اس پیالی نے کافی سہارا دیا۔

وہ کھانا ہمیشہ لباس تبدیل کر کے اور منہ ہاتھ دھو کر کھایا کرتے تھے مگر اس وقت، یہ سب کرنے کا وقت نہ تھا نہ ہمت، صرف ہاتھ دھوئے اور کھانا کھانے بیٹھ گئے۔

دو تین نوالے لیے تھے کہ بھوک کی طرف سے خیال ہٹ کر جسمانی تھکن کی طرف چلا گیا۔ ایک عجیب سی خوشی و مسرت رگ و پے میں دوڑ گئی۔ اس خیال سے کہ کھانے کے بعد وہ آرام سے سوئیں گے، خوب لمبی تان کر اور جی بھر کہ...... شام سات بجے تک بالکل سوئے رہیں گے۔

اسی تصور میں ڈوبے ڈوبے دو چار نوالے اور لیے...... اور پھر...... ان کے کان

یکا یک کھڑے ہو گئے اور دل اندر ہی اندر بیٹھ گیا۔ دروازے پر دستک ہو رہی تھی۔

وہ اس وقت کسی بھی ملاقاتی سے ملنے کو تیار نہ تھے۔ بھوک اور تھکن سے بدحال تھے۔ بس صرف کھانا اور سونا چاہتے تھے۔ چلو بھوک کا تو کچھ مداوا ہو گیا تھا۔ چند نوالے اندر چلے گئے تھے، جنھوں نے پیٹ کی جلتی آگ پر پانی کے چند چھینٹے ڈال دیئے تھے، مگر جسمانی تھکاوٹ ابھی اسی طرح تھی...... اور......کوئی آ گیا تھا۔ سستی سی چھا رہی تھی۔ انتہائی بے دلی سے اُٹھ کر دروازہ کھولا۔

''اوہ......!'' سامنے نایاب اپنے حسن کی تمام تر حشر سامانیوں کے ساتھ کھڑی قیامت خیز مسکراہٹیں بکھیر رہی تھی۔

''آپ......تم......؟ اس وقت......؟''

''کیوں......؟ آپ سے ملنے کا کوئی خاص وقت ہوتا ہے......؟'' حسن پہلے ہی قیامتیں ڈھا رہا تھا۔ آنکھوں میں جو شوخی مچلی تو طوفان آ گئے۔

''نہیں تو......نہیں تو...... آ جاؤ......'' دل، جذبات، زبان، سب کچھ ہی بے قابو سا ہونے لگا۔ جلدی سے پرے ہٹ کر اسے راستہ دے دیا......

''اوہ......تو اسی لیے میرے آنے سے گھبرا گئے تھے......'' اندر قدم رکھتے ہی وہ مڑ کر انہیں دیکھتے ہوئے بولی۔ ''کہ کہیں میں کھانے میں شریک نہ ہو جاؤں......''

''ارے سو بار...... سو بار...... اپنی طرف سے تو حاضر ہے سب کچھ لیکن۔'' وہ فقرہ مکمل کیے بغیر خاموش ہو گئے۔

''لیکن کیا......؟''

''کھا نہیں سکو گی......؟''

''کیوں......؟''

''یہ تمہارے کھانے والا نہیں......؟''

''آپ اگر کھا رہے ہیں تو مجھے کھاتے کیا ہوتا ہے؟''

''ہم درویش لوگ، روکھی سوکھی بھی کھا کر خوش ہو جاتے ہیں۔''

''آپ نجانے ہمیں کیا سمجھتے ہیں......'' ڈاکٹر ایاز جس کرسی پر بیٹھے کھا رہے تھے

نایاب بڑھ کر اس پر بیٹھ گئی۔ ''ہمیشہ اپنے آپ میں اور ہم میں ایک حدِ فاصل رکھتے ہیں۔''

''امیری اور غریبی ہی کی رکھتا ہوں نا...... کوئی بری ہے؟'' ایاز نے ہنستے ہوئے دوسری کرسی سامنے کھینچ لی۔

''اس کے لیے آج ہسپتال میں ہیلتھ سیکرٹری کا دورہ کیا تھا۔ ہمارے مطالبات پورے ہو گئے تو شاید ہم بھی آپ کے کچھ قریب پہنچ سکیں۔''

''کمال کرتے ہیں آپ بھی...... ہمارے خیال میں تو ایک ڈاکٹر کا مقام بہت بلند ہے۔''

''مقام ہی بلند ہے نا...... وہ بھی صرف خیالی خیالی......'' ایک پژمردہ سی ہنسی ان کے ہونٹوں پر بکھری...... ''سٹینڈرڈ تو جو ہے وہ کچھ ہمیں جانتے ہیں......''

''سٹینڈرڈ کو کیا ہے۔ میرے خیال میں وہ بھی ٹھیک ٹھاک ہی ہے۔''

''کیوں؟ ایک ڈاکٹر کی آمدنی کم ہوتی ہے کیا......؟''

''ملازمت کرنے والوں کا پوچھتی ہو تو نہ پوچھو۔ بس سفید پوشی کا بھرم قائم رہ جاتا ہے۔ البتہ جن کی پرائیویٹ پریکٹس ہے، جنہوں نے باپ دادا کی چھوڑی ہوئی وراثت سے یا بیرونی ممالک کی آمدن سے بڑے بڑے کلینک کھول رکھے ہیں۔ ایسے لوگ آپ جیسوں کی برابری ضرور کر سکتے ہیں مگر ہم نہیں......''

''چھوڑیے یہ بحث......'' نایاب نے دانستہ اس موضوع سے احتراز کیا۔

ایاز کے چہرے پر پھیلی مایوسی کی پرچھائیاں اس کے لیے بڑی تکلیف دہ تھیں۔

''تو پھر آؤ...... کھانا کھا لو......'' نایاب سامنے تھی۔ اس کی مسکراہٹ کی کوندتی بجلیوں نے ان کی مایوسی کی تاریکی کو دور کر کے روشنیاں سی بھر دیں۔ من میں...... تن میں۔

''میں سچ مچ بھی کھانا شروع کر دوں گی۔ پھر بیٹھے روئیں گے کہ پیٹ نہیں بھرا......''

''ارے روؤں گا نہیں......؟ خوش نہیں ہوں گا کہ کھانا ختم ہو گیا۔''

''کیا مطلب......؟''

''تم کھالو گی تو آج پہلی بار برتن خالی جائیں گے۔ ورنہ اپنے سے تو یہ صرف ان آتی جاتی سانسوں کو قائم رکھنے والی مجبوری کی بنا پر کھایا جاتا ہے...... اور بس......''

''کیا بہت بدذائقہ ہوتا ہے......؟''

''مجھے تو آج تک پتہ نہیں چلا کہ ذائقہ کیا ہوتا ہے۔''

''آپ کی مثال نہیں......''

''جھوٹ تو نہیں کہہ رہا۔ ٹھیکے پر میس چلتا ہے۔ اس طرح یا ٹھیکیدار کا پیٹ بھرے گا یا ہم لوگوں کا۔''

''اب تو چکھنا ہی پڑا......''

''چکھنا کیا...... کھاؤ......''

''کالج سے سیدھی اِدھر ہی آ رہی ہوں۔ بھوک بھی لگی ہوئی ہے۔''

''تو پھر تکلف کس بات کا......؟''

''تکلف کیوں کروں گی......'' بڑی بے تکلفی سے اُٹھ کر نایاب نے کرسی پر فائل اور قلم رکھتے ہوئے ایاز سے پوچھا...... ''ذرا ہاتھ دھو سکتی ہوں......؟''

''ضرور...... لیکن کھانے سے نہیں۔ وہ میرے ساتھ کھانا ہوگا۔''

ایاز کا موڈ بے حد خوشگوار ہو گیا تھا۔ نایاب بڑے دلفریب سے انداز میں ہنستے ہوئے غسل خانے میں چلی گئی...... اور وہ بیٹھے اس کے متعلق سوچتے رہے۔ اتنے بڑے باپ کی بیٹی تھی، مگر غرور و تکبر نام کو نہ تھا۔ بے حد سادہ...... بے حد مخلص، بے حد معصوم......!!!

انہوں نے کھانے کے لیے کہا۔ وہ بے تکلفی سے سچ مچ تیار ہو گئی۔ اب ایاز پریشان ہونے لگے کہ آج پہلی پہلی بار وہ ان کے ہاں سے کھانا کھانے لگی تھی اور کھانا کیا تھا؟

آدھی پکی...... آدھی کچی چپاتیاں، ایک پلیٹ پالک گوشت کی، جو خاصا بدمزہ تھا۔ گوشت گلا ہوا نہ تھا اور پالک گھاس کی مانند لگ رہی تھی۔ ایک پلیٹ پیاز اور قیمے کی تھی۔ یہ بڑے بڑے کچے کچے سے پیاز کے سفید سفید قتلے قیمے میں پڑے ہوئے دیکھنے

سے تو خوشنما لگ رہے تھے، مگر کھانے میں بالکل بدذائقہ۔

ہائے کیا کریں اب؟ ملازم بھی کھانا رکھ کر جا چکا تھا...... اور بھی کوئی نہیں تھا۔ بازار سے ہی کچھ منگوا لیتے۔ بڑی سخت شرم آ رہی تھی۔ اپنی مجبوری اور بے بسی پر دکھ سا ہو رہا تھا۔ ایک بار تو خود اُٹھ جانے لگے۔ مگر...... یہ بھی مناسب نہ لگا۔ کمرے میں اکیلا اسے چھوڑ جائیں...... اور کوئی ڈاکٹر یا کوئی اور، کسی کام سے آ جائے۔ نایاب کو ان کے کمرے میں دیکھ لے تو...... بری بات تھی...... نایاب کی زیادہ بے عزتی تھی۔

سوچ رہے تھے اور پریشان ہو رہے تھے، مگر حل کوئی نہیں سوجھ رہا تھا کہ نایاب ہاتھ منہ دھو کر اپنے دوپٹے کے پلو کے ساتھ ہی صاف کرتے ہوئے آ گئی۔

''ارے! تولیہ لے لیتیں......'' وہ اور بھی بوکھلا گھبرا گئے۔ پہلے ہی اُٹھ کر دے دیتے۔ مہمان نوازی تو انہیں کرنا آتی ہی نہ تھی۔ کس کدھر پھوہڑ تھے وہ......! سوچتے ہی رہ گئے۔

''اندر نہیں تھا۔ کوئی بات نہیں۔'' نکھرے نکھرے چہرے پر مسکراہٹ سجائے بڑی سادگی کے ساتھ آ کر وہ بیٹھ گئی۔

''کوئی اور پلیٹ تو ہے نہیں۔ تم کس میں کھاؤ گی......؟'' اب ایاز کو یہ فکر لگ گئی۔

''کیا میں آپ کو مسلمان نظر نہیں آتی؟ ارے بابا! بڑی باقاعدگی سے نماز ادا کرتی ہوں۔''

''میرا یہ مطلب نہیں تھا......'' وہ گڑبڑا گئے۔

''تو بس پھر...... آپ کا کھانا بھرشٹ نہیں ہو گا۔ ایک دو نوالے لینا ہیں اور وہ بھی روٹی کے ساتھ۔ آپ کا سالن جھوٹا نہیں کروں گی۔''

ایاز ہنس پڑے۔ ''میں تو تمہارے لیے کہہ رہا تھا، کیونکہ میں اس میں سے پہلے کھا چکا ہوں۔ یہ جھوٹا ہو چکا ہے۔ کیا تم میرا جھوٹا کھا لو گی؟''

''میرا خیال ہے آپ بھی مسلمان ہیں اور کلمہ پڑھ کر ہی کھایا ہو گا۔''

اس نے جذبوں کی بات نہیں کی، بلکہ مذاق میں ٹال دی، ورنہ اس کے جذبے

انہیں کیا مقام دے چکے تھے۔ وہ انہیں کیا بتاتی...... وہاں جھوٹے سچے کی تمیز تو رہ ہی نہ گئی تھی۔ من تو شدم والا معاملہ ہو چکا تھا۔ پھر کس کا جھوٹا اور کس کے لیے جھوٹا۔

نایاب نے ہنستے ہوئے چپاتی کا ایک نوالہ توڑا اور انہیں کی پلیٹ میں سے سالن لگا کر کھانے لگی۔

''میں آپ سے ایک ضروری بات کرنے آئی تھی۔''

''ضروری بات......؟'' وہ چونک کر اس کے جھکے جھکے گلابی گلابی چہرے کو تکنے لگے۔

''ہاں...... بہت ضروری بات۔'' اس نے نظریں اُٹھائیں۔

''پاپا سے چوری......؟''

''ہاں......'' اس نے اعتراف کر لیا...... اور پھر ایک حجاب آلود سی مسکراہٹ اس کے خوب صورت ہونٹوں پر پھیل گئی۔ ''ارے آپ بھی تو کھائیے۔''

''بس......''

''کیوں...... میری شکل دیکھ کر بھوک مر گئی؟''

''نہیں...... پیٹ بھر گیا......'' ایاز کے منہ سے بے ساختہ نکل گیا۔ ''تمہیں دیکھ لیا تو کوئی اور خواہش باقی نہیں رہ گئی۔''

بے خودی میں کہہ گئے تھے۔ نگاہیں نایاب کے چہرے پر جمی تھیں۔ وہ یکا یک سرخ ہو گیا تو انہیں بھی ہوش آیا...... اور وہ بھی چونکی۔

''تو پھر میں بھی نہیں کھاؤں گی۔''

''اچھا کھاتا ہوں۔'' انہوں نے اپنے سرشار و بدمست ہو جانے والے جذبات و احساسات کو سنبھالا۔ ''تو بات تو کرو۔ کون سی ضروری بات کرنے آئی تھیں۔''

''میں آپ کو کیسی لگتی ہوں......؟'' اس نے ایک دم ہی ایسا سوال کر ڈالا، جو عجیب تھا۔

''تم......؟ کیا مطلب......؟'' انہیں توقع ہی نہیں تھی وہ ایسا سوال کرے گی جس کا جواب وہ خود بھی اپنے آپ سے مانگتے تو شاید نہ دے پاتے۔

''دیکھیئے ڈاکٹر صاحب......''

''میرا نام ایاز ہے...... اور یوں بھی اب ہمارے ڈاکٹر اور مریض والے تعلقات نہیں ہیں۔ نہ ہی ہم وارڈ میں ہیں۔''

''چلیے ایاز صاحب ہی سہی۔''

''صاحب نہیں...... صرف ایاز میرا نام ہے۔ آگے والد کا لگا لوں تو ایاز شہاب ہو جاتا ہے، لیکن تمہارے لیے خالی ایاز......'' آج بڑے باتونی ہو رہے تھے، پتہ نہیں کیا ہو گیا تھا۔ اپنا آپ بھی بدلا جا رہا تھا۔

''توبہ توبہ...... چلیے خالی ایاز ہی سہی۔ ہاں تو میں کہہ رہی تھی خالی ایاز۔''

اور ایاز اس کی اس شوخی پر ہنسی سے بے اختیار ہو گئے۔ ''خدا کی قسم تم لاجواب ہو۔''

''لاجواب نہیں نایاب۔'' وہ انہیں کے سے لہجے میں شرارت سے بولی۔

''نایاب۔'' انہوں نے بڑی سعادت مندی سے اس کا نام دہرایا۔ ''واقعی بہت سوچ سمجھ کر تمہارا نام رکھا گیا ہے۔ اس کا سہرا کس کے سر ہے؟''

''بہت سارے لوگوں کے؟''

''بہت سارے لوگوں نے یہ ایک نام رکھا تھا؟''

''ہاں...... پیدا ہوئی۔ جس جس کو اچھی لگی۔ انہوں نے کہا۔ یہ تو دُرِ نایاب ہے جو روبینہ اور قاسم جمال کو مل گیا ہے۔''

''تو تمہارا پورا نام دُرِ نایاب ہے؟''

''جی...... بس ہو گیا......'' وہ شوخی بھری سنجیدگی سے کہنے لگی۔ ''لیکن میرے بھائی جان نے یہ حقیقت کبھی تسلیم نہیں کی۔ وہ اپنے آپ ہی کو سب کچھ سمجھتے ہیں......

''خرم نے......؟''

''وہی میرے بھائی جان ہیں۔ چھوٹے کا نام لیتی ہوں، معظم۔''

''اوہ......!'' ایاز مسکرا پڑے۔ پھر بڑی گہری نگاہ سے اس کو تکتے ہوئے مدھم سے، سرگوشی کے سے انداز میں بولے۔ ''چلو...... خرم نہیں کرتے تو ہم کیے لیتے ہیں۔''

''پکی بات؟ ہوں نا دُرِ نایاب؟''

''بالکل پکی......'' ایاز حیرت بھری مسکراہٹ سے اس کی اس بے تکلفی کو دیکھ رہے تھے۔ ایک دو نوالے لینے کے بعد اس نے کھانے سے ہاتھ کھینچ لیا تھا اور ان کی آنکھوں میں آنکھیں ڈال کر تکے جا رہی تھی۔ نگاہ میں بے حیائی بھی نہیں تھی۔ تقدس تھا، پاکیزگی تھی۔

''کس انداز میں سمجھتے ہیں؟''

''کس انداز میں؟'' ایاز مزید متعجب ہو گئے۔ ''یہ کیسی باتیں کر رہی ہو......؟''

''ٹھیک کر رہی ہوں۔ آپ بتایئے نا؟'' وہی سادہ اور سچا کھرا سا انداز، مار ڈالنے والا انداز۔

''کیا......؟''

''اگر آپ کا اور میرا ساری زندگی کے لیے ایک رشتہ قائم ہو جائے، تو؟''

''تو...... کیا؟'' وہ بے حد بوکھلائے ہوئے تھے۔ کچھ سمجھ میں نہیں آ رہا تھا۔

''جیسا بھائی جان کا اور میرا رشتہ ہے ویسا نہیں۔ ماما اور پاپا جیسا۔'' پہلے وہ بلاجھجک کہہ گئی۔ پھر یکایک اس کی آنکھوں میں حیا سمٹ آئی...... پلکیں جھک گئیں۔ گال سُرخ ہوکر تمتمانے لگے۔ ساری بات ان کی سمجھ میں آ گئی۔

''تو......؟ ارے سچ مچ...... کیا میں اتنا خوش قسمت ہو سکتا ہوں؟''

''ماما کی یہی خواہش ہے۔''

اس کی صاف گوئی، اس کی سادگی اور بغیر لگی لپٹی کے بات کرنے کی اور پھر حیا وحجاب سے نظریں جھک جانے کی ادا کچھ ایسی نیچرل تھی کہ ایاز کے لیے پسندیدگی اور چاہت اپنی تمام حدیں پار کر گئی۔

جیسے ایک وہی تھی، جس کے لیے وہ اس ملک میں آئے تھے، جس کے لیے انہیں خدا نے زندگی دی تھی، جس کے لیے ان کو جنم ملا تھا۔ جذبات پر قابو نہ رہا۔ نایاب کا ہاتھ تھام کر بے اختیار ہونٹوں سے لگا لیا۔

''ماما کی یہی خواہش ہے۔ تمہاری بھی نا......؟''

''ہاں...... میری بھی......'' وہ اسی طرح جھکی جھکی نگاہوں سے بولی۔

''ماما کی یہ خواہش پوری نہ ہوئی تو میں اور کہیں بھی شادی نہیں کروں گی۔''

''پکی بات......؟'' ایاز نے اس کے دونوں ہاتھ اپنے دونوں ہاتھ میں تھام کر دبائے۔ ''بالکل پکی بات ہے نا؟''

''بالکل پکی......'' اس نے مضبوط لہجے میں اقرار کیا۔

''تو آج میں بھی ایک مرد کی زبان کے ساتھ تم سے وعدہ کرتا ہوں کہ زندگی میں میرا کوئی ساتھی ہوگا تو وہ تم اور صرف تم ہوگی۔''

نہ نایاب نے کوئی لمبی چوڑی تمہید باندھی تھی، نہ ایاز نے ایسا کچھ کہا۔ دل کے تمام سچے جذبے، ساری صداقتیں، معصوم معصوم سے فقروں میں ایک دوسرے کے گوش گزار کر دیں۔

نہ نایاب نے محبت کے مارے ٹھنڈی یا گرم آہیں بھری تھیں...... اور واویلا مچایا تھا، نہ ایاز نے کچھ کیا۔ بس نارمل انداز میں ایک ایک سادہ فقرہ کہا۔ اس سے دونوں کو ایک دوسرے کے جذبات کی اتھاہ گہرائیوں کا علم ہو گیا۔

مزید کوئی بات کیے بنا نایاب اٹھ کھڑی ہوئی۔ ''میں اب جاؤں۔''

''بس......؟'' ایاز نے حسرت سے اسے دیکھا۔

''میرے یہاں آنے کا کسی کو علم نہیں ہے۔''

''جب تمہارے پاپا پسند نہیں کرتے تو ایسی چوریاں یا بے اصولیاں نہ کیا کرو۔''

''ضرورت تھی۔''

''کیا......؟''

''ماما کی خواہش کا پتہ چلا تو آپ کا عندیہ لینا چاہتی تھی کہ کہیں آپ ماما کی خاطر یا میری خواہش کو ملحوظ رکھ کر قربان علی خان نہ بن جائیں۔'' وہ مسکرائی...... ایسی جان لیوا مسکراہٹ تھی کہ ایاز جیسے بڑی مشکل سے بچ سکے۔

''اور مجھے یہ پسند نہیں۔''

''تھوڑی دیر اور رُک جاؤ......'' ڈوبے ڈوبے ایاز ملتجی لہجے میں بولے۔

''آپ کو آرام کرنا تھا۔''

''کوئی ضروری نہیں۔''

''کیوں ضروری نہیں......؟'' وہ تحکمانہ انداز میں کہنے لگی۔ ''پچھلی پوری رات ڈیوٹی دی ہے۔ پھر ہیلتھ سیکرٹری کا دورہ تھا۔ انتظام بھی آپ کے سپرد تھا۔خوب کام کیا...... تھکان نہیں ہوئی ہوگی؟ اور ابھی اگلی رات پھر ڈیوٹی دینا ہے۔''

''ایمان سے تمہیں دیکھ کر ساری تھکن دور ہوگئی۔'' بڑی معصومیت اور سادگی کے ساتھ بولے...... اور یہ حقیقت بھی تھی۔ اب انہیں محسوس ہی نہیں ہو رہا تھا کہ انہیں اتنی بے آرامی تھی اور وہ تھکے ہوئے تھے بلکہ ان کا جی چاہ رہا تھا، نایاب کچھ دیر اوران کے پاس ٹھہرے اور ایسی ہی سادہ سادہ اور معصوم معصوم سی باتیں کرتی رہے۔ اس طرح ان کی رہی سہی تھکن بھی دور ہوسکتی تھی۔

دل نے دل کا پیغام دل کے کانوں سے سن لیا تھا شاید۔ وہ واپس اپنی جگہ پر بیٹھ گئی۔ ''آپ ماما کو دیکھنے کب آئیں گے؟''

گفتگو کا موضوع کوئی بھی چھیڑا تھا...... تھی تو سامنے ہی نا۔ نگاہوں سے دُور تو نہیں ہوئی تھی۔ ایک سرور و ترنگ سی رگ وپے میں اُتر گئی۔ ان کی بات اس نے مان لی تھی۔

''وعدہ کوئی نہیں کرتا...... پیشہ ایسا ہے کہ ایک لمحے کا بھی علم نہیں۔ کسی وقت بھی ایمرجنسی ہوسکتی ہے اور پھر وعدہ خلافی۔''

''اور پاپا کی ناراضگی......'' نایاب نے ہلکا پھلکا سا ایک قہقہہ لگاتے ہوئے ان کی بات مکمل کر دی۔

''ہاں......'' وہ خجل سے ہو کر مسکرا دیئے۔ ''یہ پرابلم بڑی زبردست ہے۔''

''ہم گزارا کر رہے ہیں نا۔ ہم نے خود کو پاپا کی مرضی کے مطابق ڈھال لیا ہے۔ آپ کو بھی تھوڑا سا......''

اور ایاز نایاب کی بات پوری ہونے سے پہلے ہی بول پڑے۔

''تھوڑا سا کیا۔ تمہاری خاطر میں سارے کا سارا بدل جاؤں گا...... مگر...... وہاں

تک جہاں صرف ایک انسان ہوں۔ پھر جہاں سے ڈاکٹر شروع ہوتا ہوں، وہاں میں اپنا بھی نہیں رہ جاتا۔ پھر میں مریضوں کا ہوتا ہوں۔ وہ جو میری حیثیت ہے نا، اسے نہیں بدل سکتا۔"

"وہ تو ہم بھی آپ کو بدلنے کے لیے کبھی نہیں کہیں گے۔ آپ کو کیا پتہ...... شاید آپ کی وہی حیثیت مجھے پسند آئی ہے۔"

"شکریہ بہت بہت...... اور تمہارے خیالات سن کر مجھے خوشی ہوئی ہے۔"

"میری ماما کو بھی آپ کا وہی روپ پسند آیا ہے۔ جب آپ وارڈ میں ہوتے ہیں۔ مریضوں میں ہوتے ہیں اور ان کے دُکھ درد خندہ پیشانی سے سن رہے ہوتے ہیں اور اپنی بذلہ سنجی سے، اخلاق سے اور تسلی بھری باتوں سے، پُرخلوص دعاؤں اور صحیح دواؤں سے انہیں صحت کی طرف گامزن کرنے کی کوشش کر رہے ہوتے ہیں۔"

بات ختم کرتے ہی وہ پھر اُٹھ کھڑی ہوئی۔ "پھر......؟ کسی دن آیئے نا۔" جی اس کا بھی جانے پر آمادہ نہیں ہو رہا تھا۔ اٹھتے اٹھتے کوئی نہ کوئی بات چھیڑ دیتی۔ "پاپا سے آپ کی ملاقات کرائی جائے۔"

"ہائے...... مجھے بہت ڈر لگتا ہے۔" ایاز نے شرارت سے ڈرنے کی ایکٹنگ کی۔ نایاب اسے حقیقت سمجھی، تسلیاں دینے لگی، سمجھانے لگی۔

"ڈرنے کی کوئی بات نہیں، بس انسان سچا کھرا ہو، وعدے کا پکا ہو، اصولوں کا پابند ہو، پھر پاپا سمجھئے اسی کے ہو گئے، بے دام، بے مول۔"

"اوہ...... لیکن اتنی ساری صفات میں کہاں سے لاؤں۔ میری تو ایک ایمرجنسی آجائے، کوئی مریض سیریس ہو جائے تو میں سچا کھرا نہیں رہتا، وعدہ خلاف ہو جاتا ہوں۔ بعض اوقات کسی مریض کی بہتری اور زندگی کی خاطر، اصول بھی توڑ تاڑ کر رکھ دیتا ہوں۔"

"وہ تو میں اچھی طرح جانتی ہوں، لیکن پھر کیا کیا جائے۔ کہیں نہ کہیں، کچھ نہ کچھ تو کرنا ہی ہو گا۔ آخر میں پاپا کی بیٹی ہوں۔"

"کیوں نہیں...... سب کچھ کروں گا۔ تمہیں پانے کے لیے بخدا پاپا جیسا چاہیں گے ویسا بن جاؤں گا۔" وہ یکدم بہت جذباتی ہو گئے۔ "اپنی اس حد کو چھوڑ کر باقی سارے

کا سارا بدل جاؤں گا۔"

"تو پھر کب آ رہے ہیں پاپا سے ملنے؟" نایاب مسکرائی۔ ایاز کی باتوں سے انگ انگ میں سرور کی ایک لہر سی دوڑ گئی۔ کسی کا پیار پا لینے سے بڑی اور کوئی نعمت، کوئی سعادت نہیں۔ وہ بہت دولتمند تھی، اس کے پاس سب کچھ تھا دنیا کے سارے خزانے۔

"سوچ سمجھ کر وقت بتاؤں گا...... تا کہ پھر وعدہ خلافی نہ ہو جائے۔"

"ہاں یہ ٹھیک ہے...... پاپا بھی راضی رہیں گے۔"

"اور ہم بھی اور ہمارا خدا بھی۔"

"اچھا جی...... خدا حافظ......"

"خدا حافظ......" وہ سچ مچ جا رہی تھی۔ ڈوبے ڈوبے سے لہجے میں بولے۔

"سنیے......" لیکن باہر نکلتے نکلتے وہ پھر پلٹ آئی۔ "میں یہاں کبھی کبھار آ جایا کروں؟" وہ بڑے ہی ملتجی انداز میں پوچھ رہی تھی۔

"یہ بھی کوئی پوچھنے کی بات ہے؟" وہ آنے کی اجازت مانگ رہی تھی۔ جسے وہ ہر لمحہ، ہر پل اپنے اردگرد اپنے سامنے دیکھنا چاہتے تھے۔ کیسی عجیب بات تھی۔ اپنی حیات کے سارے در اس کے لیے وا کئے بیٹھے تھے اور وہ ابھی اجازت ہی طلب کر رہی تھی۔

"پوچھا اس لیے ہے کہ میری وجہ کوئی سکینڈل نہ بن جائے۔ پھر کہیں آپ کی بدنامی وغیرہ۔"

"نہیں نہیں...... ایسی کوئی بات نہیں۔ ڈاکٹروں کے پاس کیس آتے ہی رہتے ہیں۔"

"مجھ ایسے کیس......؟" شوخی پھر ہونٹوں پر مچل گئی۔

"اوہ نہیں...... تم پہلا اور آخری کیس ہو...... اس کے بعد دل کے سب در بند......"

"میرے امتحان ہوتے ہی ماما ہماری منگنی کر دینا چاہتی ہیں۔ پھر آپ سب کو بتا دیجئے گا۔ پھر تو یقیناً کوئی اعتراض نہیں کرے گا نا۔"

''ارے اب بھی کوئی اعتراض کر کے تو دیکھے۔ یہاں اردگرد بڑے بڑے تماشے ہوتے رہتے ہیں، لیکن ایاز کا دامن ہمیشہ بے داغ رہا ہے۔تم میرا کوئی فکر نہ کرو۔''

''اور اپنا......؟ اپنا بھی نہیں کروں......؟''

''نہیں......تمہاری فکر بھی میں خود ہی کرلوں گا۔کوئی بات کر کے تو دیکھے۔''

''میں عورت ہوں ایاز......''

''میری ہونا......؟''

''اچھا...... پھر اجازت......'' وہ ان کی مختصر سی بات سے ہی پوری طرح مطمئن ہوگئی......سرشار ہوگئی......

''پانچ منٹ اور نہیں رُک سکتیں؟''

''ضرور رُک جاتی، لیکن ڈرائیور بیچارہ سوکھ رہا ہے۔''

''گاڑی میں آئی ہو......؟'' ایاز گھبرا کر پوچھنے لگا۔

''ہاں......''

''تو کیا وہ پاپا کو نہیں بتا دے گا؟''

''نہیں...... میں اگر منع کر دوں تو بے شک جان بھی چلی جائے کبھی زبان نہیں کھولے گا۔''

''اتنی کڑی آزمائشوں میں ان غریبوں کو نہ ڈالا کرو۔''

''ان کے لیے میں بھی بہت کچھ کرتی ہوں۔''

''اور بدلے میں......''

''نہیں......'' نایاب نے جلدی سے ان کی بات کاٹ دی۔''وہ خوشی سے کرتے ہیں۔'' پھر عجلت سے بولی۔''پرسوں پھر آؤں گی۔ پاپا نے دورے پر جانا ہے۔ پھر ڈھیر ساری باتیں کروں گی۔''

وہ ان کے قریب ہو کر جھکی۔ ان کی آنکھوں میں آنکھیں ڈالتے ہوئے سنجیدگی بھرے لہجے میں بولی۔''ایاز! مجھے آپ کی مرضی اور آپ کو میرے حالات کا اچھی طرح علم ہونا چاہیے۔ زندگی تبھی سکھ سے گزرے گی...... اور خدا حافظ۔''

وہ ایک دم ہی نکلی چلی گئی۔ یہ کیا کہہ گئی تھی وہ......؟ وہ تو اسے پاکر اپنا ماضی، اپنے حالات، اپنا آپ......سب کچھ بھول چکے تھے...... وہ انہیں کیا یاد کرا گئی تھی۔

وہ ایک عجیب سی الجھن اور بے چینی میں ڈوبے ڈوبے جاکر بستر پر دراز ہو گئے۔

● ...... ● ...... ●

نایاب کی پھوپھو آسیہ کو ان کے ہاں آئے ہوئے سات آٹھ روز ہو گئے تھے۔ قاسم جمال کی طرح وہ بھی بڑی بااصول، وقت کی پابند اور ہر طرح کے اخلاق سے مزین خاتون تھیں۔

ان کے دو بچے فیصل اور سعد، خرم اور نایاب کے تقریباً ہم عمر تھے۔ اس کے بعد مزید اولاد نہیں ہوئی۔ ان کی خواہش کے باوجود بھی نہیں ہوئی۔ بہت علاج معالجے بھی کرائے، مگر ہر طرف سے مایوسی ہی ملی۔ وہ ایک بیٹی کے لیے ترستے ہی رہے۔

اور پھر...... اچانک ہی، پندرہ سال بعد، ایک پیاری سی، خوب صورت سی بیٹی نے جنم لیا۔ بات حیرت کی تھی۔ جس جس نے سنا، پہلے دانتوں میں انگلی ضرور دبا لی، لیکن پھر حیرت کے دور ہوتے ہی ہر کسی نے بے پایاں خوشی کا اظہار کیا۔ اس بچی کی پیدائش نے سارے خاندان کو ہی خوشیوں کے سمندر میں غوطہ زن کر دیا۔

کیونکہ، اس نسل میں وہ سب سے چھوٹی بچی تھی۔ سب بہن بھائیوں کے بچے اب بڑے ہو چکے تھے اور یوں وہ سب کا ہی کھلونا بن کر رہ گئی۔ جس گھر میں آسیہ جاتیں وہ گڑیا ہاتھوں ہاتھ لی جاتی۔

اسے ملے کچھ دیر گزر جاتی تو ہر گھر کے بچے اور بڑے اس کے لیے دھڑک اٹھتے...... اور جب وہ آ جاتی تو اس کا استقبال یوں ہوتا جیسے وہی وہ اس دنیا میں تھی...... اور کچھ بھی نہیں تھا۔

چار پانچ سال کی ہو گئی تھی۔ ابھی تک توتلی زبان میں باتیں کرتی تھی۔ اس کی

آواز بڑی مہین سی تھی بالکل بولنے والی گڑیا جیسی اور سبھی اس سے باتیں کرنا بہت پسند کرتے تھے۔ وہ بھی توتلی زبان میں، یوں وہ ابھی تک توتلی ہی تھی۔ کوئی بھی اس کی زبان سدھارنے کی کوشش نہیں کرتا تھا۔

روبینہ اپنے سسرال عزیزوں، نندوں اور دیوروں وغیرہ میں کافی مقبول تھیں۔ اپنے مزاج اور اخلاق و عادات کی وجہ سے تھی۔ ان کے ہاں سب بڑے شوق سے آیا کرتے تھے...... اور بڑے لمبے لمبے پروگرام بنا کر چھٹیاں گزارنے کی خاطر، پھر سب اکٹھے ہوتے، تو دن بڑے خوب صورت اور سہانے گزرتے، پکنکیں منائی جاتیں۔ سیر و تفریح کی جاتی، فلمیں دیکھی جاتیں۔ کیا کچھ نہ ہوتا۔

لیکن اس بار...... آسیہ اچانک ہی آ گئی تھیں۔ چھٹیوں کے بغیر، فیصل اور سعد کو بھی نہیں لائی تھیں۔ بس گڑیا اکیلی ساتھ تھی۔ بھائی کا گھر تھا، بہن رہنے آئی تھی۔ بس تھوڑی سی حیرت ہوئی، لیکن کسی نے بھی اظہار نہیں کیا۔ گڑیا ساتھ تھی۔ اکیلی ہی، پوری محفل کی محفل، اس لیے بھی کسی نے زیادہ توجہ نہیں دی، اسی میں مصروف ہو گئے۔

لمحہ بھر کی حیرت تھی، وہ لمحہ گزر گیا تو بات نارمل ہو گئی، مگر آسیہ تو دل میں جانتی تھیں کہ وہ کس لیے آئی تھیں۔ وہ ایک بہت ضروری کام سے بھائی کے پاس آئی تھیں۔

اور وہ ضروری کام تھا فیصل کے لیے نایاب کا رشتہ مانگنا۔ ابھی بات کوئی نہیں کی تھی۔ بس کسی مناسب سے موقع کی تلاش میں تھیں۔

نایاب کو پھوپھو کے آنے کی خوشی نے سرشار کیا ہوا تھا۔ سب سے زیادہ اس لیے کہ اس کے امتحانات ختم ہو چکے تھے۔ سیماب اور معظم سکول چلے جاتے تھے۔ پھر وہ اکیلی ہی گڑیا کی مالک ہوتی تھی۔

نوکر چاکر گھر کے کاموں کے لیے بہت تھے، اس کے باوجود ماں نے کچھ کام جو اس کے ذمہ لگا رکھے تھے، وہ جلد جلد نمٹا کر گڑیا کی مصروفیت میں گم ہو جاتی۔ اسے نہلاتی دھلاتی، لباس تبدیل کرتی۔ اس کے بال سنوارتی، کھانا ہر وقت کا اپنے ہاتھ سے کھلاتی...... اور روزانہ اس کی خواہش کے مطابق لمبی ڈرائیو پر اسے لے جاتی۔

پاپا کی چھوٹی گاڑی آج کل اس کے تصرف میں تھی۔ ڈرائیونگ سیکھی ہوئی تھی

جب بھی گڑیا کوئی ضد کرتی، کوئی چیز مانگتی، ماما سے اجازت لے کر پھر اسے خود ہی شاپنگ کرانے بھی لے جاتی۔

سوچ رہی تھی...... امتحانات کے بعد وقت بڑی بوریت میں گزرے گا مگر آسیہ پھوپھی کے آجانے سے اسے اتنی اچھی مصروفیت مل گئی تھی کہ بوریت کیا ہونا تھی۔ وہ تو اپنا آپ بھی بھول بیٹھی۔

گڑیا کے چھوٹے موٹے کاموں سے فارغ ہوتی تو پھر اس کی باتوں، اس کی کہانیوں سے دل بہلا رہتا۔ چھوٹی چھوٹی اسے بے شمار کہانیاں یاد تھیں۔ توتلی زبان میں جب وہ کہانی سناتی تو اتنا مزہ آتا...... اتنا کہ جی چاہتا بس بیٹھی سنتی رہے...... اور وہ سناتی رہے۔ یوں دن کیسے پر لگا کر اڑے جا رہے تھے، پتہ ہی نہیں چل رہا تھا۔

آسیہ پھوپھو پہلے ہی بھتیجی پر فریفتہ تھیں، اپنی گڑیا کے ساتھ اس کا سلوک اور پھر اتنے بڑے گھر میں پیدا ہو کر بھی جیسی اس کی تربیت ہوئی تھی۔ گھر کے دوسرے بھی کام کاج کافی کرتی تھی۔ ہنستی مسکراتی بھی رہتی تھی۔ بڑی خوش مزاج اور زندہ دل تھی۔ یہ سب دیکھ کر تو وہ بالکل ہی تن من اس پر نثار کر بیٹھیں۔ اب تو نایاب ان کی مانگ نہیں بلکہ ضرورت بن گئی تھی جو انہیں ضرور ملنا چاہیے تھی۔

اور...... پانچ سات دن پہلے گزرے تھے، پانچ سات دن اور گزر گئے۔ بھائی سے بات کرنے کا وقت ہی نہیں مل رہا تھا۔ وہ بھائی اور بھابی سے اکٹھے بات کرنا چاہتی تھی۔ بھابی تو ہر وقت پاس ہی ہوتی تھیں مگر بھائی ایسے تھے کہ وقت کا ایک ایک لمحہ ان کا مصروف گزر رہا تھا۔

دفتر کے علاوہ کبھی یہ میٹنگ تھی تو کبھی وہ، کبھی کسی پارٹی میں بلاوا ہوتا تو کبھی کسی کی رسم افتتاح، مشہور ہستیوں کا وقت بھی اپنا نہیں ہوتا۔ آسیہ پھوپھو سسرال میں اور اِدھر اُدھر ہر جگہ اپنے بھائی کی ان مصروفیات کا چرچا کیا کرتیں، بے انداز تعریفیں کیا کرتیں۔ ڈینگیں مارا کرتی مگر......

اس بار انہیں یہ سب کچھ ذرا اچھا نہیں لگ رہا تھا۔ شوہر کو پکا یقین دلا کر آئی تھیں کہ ان کا بھائی ان کی بات نہیں ٹالے گا...... اور یہاں، یہاں بات کرنے کا موقع ہی

نہیں مل رہا تھا۔

موقع مل جاتا تو بات ہو جاتی، بات ہو جاتی تو انہیں کچھ تسلی ہو جاتی۔ ابھی تو بھتیجی کو بہو بنانے کی خواہش روز افزوں بڑھتی جا رہی تھی اور ساتھ ساتھ نئے نئے خدشے بھی سر اُبھار رہے تھے۔

ڈاکٹر ایاز ان کے سامنے ہی دو تین بار قاسم جمال کے گھر آئے تھے۔ آئے تو تھوڑی دیر کے لیے تھے، لیکن ان کے ساتھ بیگم روبینہ کا سلوک دیکھ کر ان کا ماتھا ٹھنک اٹھا تھا۔ دماغ میں ٹن ٹن خطرے کی گھنٹیاں بج اُٹھی تھیں۔

"یہ ڈاکٹر ایاز یہاں کس لیے آتا ہے......؟" بہت سوچنے کے بعد آخر ایک دن آسیہ نے ناگوار سے لہجے میں بھابی سے پوچھ ہی لیا۔

"میں اسی کے زیر علاج رہی ہوں۔" انہوں نے بڑی سادگی سے جواب دیا تھا۔ "ہسپتال میں سب سے زیادہ متاثر مجھے اسی ڈاکٹر نے کیا۔ ورنہ میری ڈاکٹروں کے متعلق رائے کچھ ایسی اچھی نہ تھی۔ بڑا محنتی ہے۔"

پہلی بار اتنی ہی بات سن کر وہ خاموش ہو گئیں، مزید کوئی سوال نہیں کیا۔ شاید اس لیے کہ اس دن نایاب اس وقت ماں کے کمرے میں نہیں آئی تھی۔ وہ گڑیا کے ساتھ ہی اپنے کمرے میں بیٹھی اس کی کہانیاں سنتی رہی تھی۔

دوسری بار ایاز چند منٹوں کے لیے آئے تھے۔ وہ بھی یوں کہ اِدھر اسی سڑک پر ان کے ایک دوست کے والد کو دل کا دورہ پڑا تھا۔ اسے دیکھنے آئے تو ان کے ہاں بھی چلے آئے۔

"دیکھئے ماما! صرف پانچ منٹ کے لیے آیا ہوں۔ اتنا قریب آ کر پھر ملے بغیر جایا نہیں گیا۔"

"جا کر تو دیکھتے، ناخلف بیٹا قرار دے دیتی۔"

"اور پھر عاق کر دیتیں......؟" وہ بھی ماما کے ساتھ ہنس پڑے۔

"عاق تو میں کرنے والی نہیں..... کان کھینچ کر اولاد کو سیدھا اور ٹھیک ٹھاک کر دینے والی ماں ہوں۔"

''ویری گڈ! سچی ماما! بس میرے ذہن میں بھی ایسی ہی ماں کا تصور تھا جو عاق نہیں کرے بلکہ کان شان کھینچ کر بندہ بنا دے۔ ایک صحیح انسان بنا دے۔''

''انسان تو بیٹے! تمہیں پہلے ہی پروردگار نے بنایا ہوا ہے۔ ایک بڑا اچھا انسان اور مجھے تم پر فخر ہے۔''

''نہیں ماما! ابھی فخر وغیرہ بالکل نہیں کریں۔ کئی بار نماز گول کر جاتا ہوں۔ جب بالکل پکا پکا مومن بن جاؤں گا نا...... پھر۔''

''ارے......!'' سراج چائے کی ٹرالی لے آیا تھا۔ ''یہ...... میں نے تو نہیں کہا تھا...... میں تو اس کی باتوں میں لگ کر بھول ہی گئی تھی۔''

''چھوٹی بی بی نے بھجوائی ہے۔'' سراج نے بتایا تو...... اس لمحے آسیہ پھوپھو ذرا سا چونکیں۔ وہ چپ چاپ بیٹھیں ان دونوں کی باتیں بڑے غور سے سن رہی تھیں۔

''نایاب نے......؟'' روبینہ جمال حیران ہوئی تھیں۔ ''وہ خود کہاں ہے؟''

''وہ جی......'' سراج منہ تھوتھیا کر بولا۔ ''آپ نے ان کے ذمے اتنے سارے کام کیوں لگا رکھے ہیں۔ میں جی کیا مر گیا ہوں۔''

''نہیں سراج! لڑکیوں کو ہر کام سیکھنا چاہیے، وقت کا کوئی پتہ نہیں ہوتا۔''

''لیجئے ماما! پانچ منٹ ہو گئے۔ مجھے ہسپتال وارڈ میں واپس جانا ہے......'' ایاز گھڑی دیکھتے ہوئے بولے۔

خطرے کی گھنٹیاں بجنا بند ہو گئیں۔ ایاز آ کر جانے کے لیے اُٹھ بھی رہے تھے، نایاب کا ذکر ہوا۔ وہ چپ رہے تھے، نایاب نے بھی بس چائے بھجوا دی تھی۔ دوسرے مہمانوں کی طرح...... ان میں کچھ خصوصیت سمجھتی تو خود آتی، وہ نہیں آئی تھی۔ آسیہ کے دل کو تسلی ہو گئی۔

''چائے آ گئی ہے، اب ایک پیالی تو پی ہی لو۔'' روبینہ نے ایاز کو ازراہِ اخلاق ہی شاید روکا تھا۔ آسیہ نے سوچ لیا۔

''مگر''

''اگر مگر نہیں۔ میں تمہیں گاڑی سے بھیج دوں گی۔ تمہارا وقت بچ جائے گا۔''

ڈاکٹر کی حیثیت سے وہ ان سے متاثر تھیں، اسی لیے اتنی چاہت کا اظہار کر رہی تھیں۔ آسیہ کا دماغ ان کی ہر حرکت اور ہر فقرے کو معنی پہنا رہا تھا اور جی کو تسلیاں دے رہا تھا۔

''خرم گھر میں ہیں......؟'' ایاز نے پوچھا۔

''خرم تو نہیں ہے۔'' وہ ساتھ ساتھ جلد جلد پیالیوں میں چائے بنا رہی تھیں۔

''نایاب چھوڑ آئے گی۔ آج کل چھوٹی گاڑی اسی کے قبضہ میں ہے گڑیا کے لیے۔''

آسیہ کا سینہ فخر سے تن اُٹھا۔ ان کی اور ان کی بیٹی کی اتنی پرواہ اور قدر و قیمت تھی، سارے وسوسے دور ہو گئے۔ ان کی بات مان لی جائے گی۔ انہیں پکا یقین ہو گیا۔

''ارے ہاں یاد آیا۔ ایاز بیٹے! تم نایاب کی پھوپھو کو نہیں ملے؟''

وہ چپ چاپ بیٹھی تھیں۔ بیگم روبینہ جمال کو احساس ہوا۔ گفتگو میں انہیں بھی شریک ہونا چاہیے تھا۔ کیسی غیر اخلاقی حرکت ان سے سرزد ہو گئی تھی۔

''آسیہ! یہ ڈاکٹر ایاز......''

''میں ان سے تین چار دن پہلے مل چکا ہوں ماما!''

''اوہ......! ایک تو میرا حافظہ کچھ خراب ہو گیا ہے، بہت جلد بھول جاتی ہوں۔'' وہ خفیف سی ہو کر مسکرا پڑیں۔

''ہاں بھابی۔ پہلے بھی ایک دن یہ آئے تھے نا۔'' وہ بھابی کی بھول اور ندامت کو نظر انداز کرتے ہوئے شائستگی سے بولیں۔

''پھر آپ نے بتایا تھا کہ آپ کو وہاں ہسپتال میں سب سے زیادہ اچھے ڈاکٹر یہی لگے۔''

''ہاں ہاں...... یاد آ گیا۔''

''بہت شکریہ ماما!'' ایاز نے بڑے انداز سے سر خم کر کے ان کا شکریہ ادا کیا اور پھر آسیہ سے مخاطب ہو گئے۔

''اور مجھے بھی آج تک جتنے مریضوں سے واسطہ پڑا، سب سے اچھا یہ مریضہ لگیں۔ تبھی میں نے انہیں اپنی ماما بنا لیا۔ بالکل سگی سگی۔'' انہوں نے بڑے پیارے انداز میں سگی سگی پر زور دیا۔ روبینہ جمال مسکرا پڑیں اور آسیہ پھوپھی پریشان سی ہو گئیں۔

''بالکل سگی؟'' دل ہی دل میں سوال کیا۔ ''کس انداز میں؟'' مگر زبان تک نہ لائیں۔ پتہ نہیں اس سے ایاز کا کیا مطلب تھا۔ ویسے آثار تو کوئی ایسے نہ تھے۔ اپنے آپ کو خود ہی سمجھانے لگیں۔ بھابی روبینہ اپنی فطری سادگی کے ساتھ ہی اس سے گفتگو کر رہی تھیں اور چائے بھی سادہ ہی اس کے آگے رکھ دی تھی۔

اگر داماد بنانے کا ارادہ ہوتا تو کچھ تھوڑا سا ہی تکلف کرتیں، کچھ آؤ بھگت ہوتی۔ کوئی رکھ رکھاؤ ہوتا۔ وہ سوچ ہی رہی تھیں کہ ایاز جانے کو بھی تیار ہو گئے۔

''اچھا پھر ماما! اجازت دیں......؟''

''یہ آنا تو کوئی آنا نہ ہوا......''

''پرسوں ڈھیر سارے وقت کے لیے آؤں گا۔''

''پکا وعدہ ہے۔''

''بالکل پکا۔''

وعدہ لے کر ایک دم انہوں نے نایاب کو آواز دے دی۔

''جی ماما......'' وہ خود نہیں آئی۔ جواب میں صرف اس کی آواز آئی۔

''بیٹے! ذرا ایاز کو ہسپتال تک چھوڑ آنا۔''

''جی اچھا......'' اس نے پھر وہیں سے جواب دیا۔ ''لیکن کرایہ لگے گا ماما!''

روبینہ اور ایاز اس کے جواب سے ہنس پڑے، پھر دوسرے ہی لمحے وہ سنجیدہ ہو کر پوچھنے لگیں ''کتنا......؟''

''یہاں سے ہسپتال تک کا فاصلہ دیکھ لیں اور ساتھ ہی یہ بھی کہ ڈرائیو کون کر رہا ہے۔ دُرِّ نایاب قاسم جمال کی بیٹی۔ اونچے سٹینڈرڈ کا ڈرائیور ہے بی، اے، پاس......'' جانے کیا کر رہی تھی۔ وہیں سے جواب دیئے جا رہی تھی۔ خود کمرے میں نہیں آ رہی تھی۔

''پاس ابھی نہیں......؟ جب ڈگری مل جائے گی پھر بات کرے۔'' آسیہ پھوپھو بھی ہنستے ہوئے ان کے مذاق میں شریک ہو گئیں۔

''ڈرائیور پڑھا لکھا ہو یا جاہل، کرائے میں کوئی فرق نہیں ہوتا۔''

آسیہ کے بعد ایاز بولے۔ نایاب کے اس پیارے سے مذاق پر بڑی ترنگ میں

آ گئے تھے۔

''سوچ لیں...... کرایہ نہیں ملا تو دوسری طرح ہسپتال پہنچادوں گی۔''

''چلو پہنچا تو دیں گی نا؟''

''خدا نہ کرے۔'' روبینہ ایک دم سنجیدہ ہو گئیں، مگر آسیہ پھوپھو کو ہنسی آئے جا رہی تھی۔ بھتیجی کی باتیں بڑی اچھی لگ رہی تھیں۔ ایاز سے نہ کوئی ہمدردی تھی نہ لگاؤ...... بلکہ...... اگر ایسا ہو جاتا، راہ کا کانٹا ہی نکل جانا تھا۔ جو ابھی صرف لگ رہا تھا، پھانس نہیں بنا تھا۔

''بھابی! بچی مذاق کر رہی ہے۔ آپ سنجیدہ کیوں ہوئی جا رہی ہیں۔''

''مجھے ایسے مذاق نہیں پسند۔'' ماما ناراض ہونے لگیں۔ ایاز سے وہ دلی تعلق محسوس کرتی تھیں۔ ''کسی کی جوان جہان اولاد ہے۔ کیسے منہ بھر کر کہہ دیا ہے کہ دوسری طرح ہسپتال پہنچائے گی۔'' وہ برا مان جانے والے انداز میں بڑبڑا ہی رہی تھیں کہ خرم اندر داخل ہوئے۔

''ارے ماما! آپ خیال نہ کریں۔ ڈاکٹر کو اگر دوسرے طریقے سے ہسپتال میں پہنچائے گی تو خود بھی پہنچے گی...... انشاء اللہ۔ جب کوئی ایکسیڈنٹ ہوتا ہے تو ڈرائیور کو پہلے بھگتنا پڑتا ہے۔''

''ہائے ہائے کیسی باتیں کر رہے ہو سب۔'' نایاب پر بات آئی تو آسیہ پھوپھو فوراً اس کی ہمدردی پر اُتر آئیں۔

''خدا نہ کرے۔''

''خرم! تم کب آئے؟'' ماما نے پوچھا...... اور ساتھ ہی ایاز کے لیے چائے کی ایک پیالی اور بنا دی۔

''ابھی ابھی۔ بس آخری دو فقرے آتے آتے سنے ہیں۔''

''تو بہن کو کچھ سمجھاؤ، عقل کی باتیں کیا کرے۔''

''بہن اب سمجھنے سمجھانے کی عمر گزر چکی ہے۔ اللہ ہی ہے جو اس کے حال پر رحم کر دے اور کسی کی رکھی رکھائی اور بھولی بھلائی عقل اسے دے دے۔''

ایاز کو بڑی جلدی تھی اور چائے بھی مزے کی تھی۔ اچھا کیا ماما نے اور بنا دی۔ وہ جلد جلد پینے لگے۔ ''ماما میرا کیا کیا ہے...... دیر بھی کرا دی اور......'' ایاز خالی پیالی رکھتے ہوئے اٹھ کر کھڑے ہو گئے۔

''نایاب باتیں بنائے جا رہی ہے...... نکلتی نہیں باہر۔'' ماما ڈانٹنے کے انداز میں بولیں۔ ''بے چارے کو دیر ہو رہی ہے۔''

''بس نکل آئی ماما! میں گڑیا کو ساتھ لے جانے کے لیے تیار کر رہی تھی۔''

''چلو اب تم بیٹھی رہو یہیں۔ باتیں بناتی رہو، خرم آ گیا ہے، وہ خود ہی چھوڑ آئے گا۔''

''ہاں۔'' آسیہ پھوپھو کا اعصابی تناؤ یکدم رفع ہو گیا۔ بھابی کا یہ فیصلہ بڑا مناسب تھا، جلدی سے تائید کر دی۔

''خرم تو اب کہیں نہیں جاتا۔'' خرم نے ٹانگیں پسار کر صاف انکار کر دیا۔ ''بہت تھکا ہوا ہوں۔ پاپا کی ڈیوٹی کوئی آسان نہیں ہوتی۔ سمجھا کیا ہے آپ لوگوں نے۔''

اسی وقت نایاب سجی بنی گڑیا کو گود میں اُٹھائے آ گئی۔ ہاتھ میں گاڑی کی چابیاں بھی تھیں۔ آسیہ پھوپھو نے بڑے غور سے اسے سر سے پاؤں تک دیکھا۔ اس نے اپنے آپ کو کچھ نہیں کیا تھا۔ وہی لباس تھا، سادا اور باوقار سا۔ اسی طرح بال تھے۔ شانوں تک پھیلے ہوئے۔ چہرے پر بھی کوئی نمایاں تازگی نہ تھی جس سے معلوم ہوتا کہ ابھی ابھی دھو کر یا ہلکا ہلکا میک اپ ہی کر کے آ گئی تھی۔ کچھ بھی نہیں تھا، تسلی ہو گئی۔ ''پچاس روپے سر...... میرا میٹر خراب ہے۔'' ایاز کے آگے نایاب نے ہاتھ پھیلا دیا۔ وہ حالانکہ گڑبڑائے، لیکن نایاب بالکل نارمل تھی۔ جیسے ماما یا آسیہ پھوپھو یا خرم سے بات کر رہی تھی۔ اسی سادہ انداز اور اسی سادہ اور پیاری سی مسکراہٹ کے ساتھ بڑی اچھی لگ رہی تھیں۔

''ڈاکٹر! میٹر خراب رکھنے والے ڈرائیور کو کرایہ نہیں دیا جاتا بلکہ پولیس کے حوالے کیا جاتا ہے۔'' خرم شوخ سی مسکراہٹ کو ہونٹوں میں دباتے ہوئے بولے۔ ''جایئے اسے پولیس میں دے آیئے۔ خس کم جہاں پاک۔''

''نہ بیٹا! بہنوں کو ایسی بات نہیں کہتے۔'' آسیہ پھوپھو کا پھر نایاب کے لیے دل

مچل اُٹھا...... اتنی پیاری تھی۔ اتنے ارمانوں سے وہ اسے بہو بنانے آئی تھیں...... اور یہ لڑکا کیسی کیسی بدفالیں اس کے لیے منہ سے نکال رہا تھا۔

لیکن خرم نے جیسے پھوپھو کی بات سنی ہی نہیں۔ سنتے بھی کیوں؟ اپنے دل کو اچھی طرح جانتے پہچانتے تھے۔ نایاب کے لیے جو کچھ زبان کہہ ڈالتی، وہ دل سے تھوڑا ہوتا تھا۔ وہ تو صرف شرارت ہوتی تھی، جو مچل اٹھتی تھی اور پھر زبان بند نہیں رہ سکتی تھی۔

ورنہ دل...... وہ کوئی کھول کر تو دیکھتا۔ اس میں ان کی پیاری بہن کس شان اور کس لاڈ کے ساتھ بیٹھی تھی۔ پورے کے پورے دل میں اتنی جگہ بھی نہیں اس نے چھوڑی تھی کہ فطری تقاضوں کی خاطر کسی دوسری لڑکی کو بھی گھسا لیتے۔ ویسے جب تک تعلیم سے فارغ نہیں ہو جاتے تھے، وہ ایسا کرنا بھی نہیں چاہتے تھے، اسی لیے فی الحال نایاب ہی کو پورا قبضہ دے رکھا تھا۔ جو چاہتے اس سے سلوک کرتے۔ ملکیت تھی اپنی۔ کسی کو کچھ کہنے کا حق بھی کیا تھا۔

''چلو جاؤ بھی اب، خود میٹر خراب کر کے پولیس کے حوالے ہونا ہے اور ڈاکٹر بیچارے کو دیر کرا کے اس کی جواب دہی کرانی ہے۔''

''میں تو تیار ہوں۔ یہ خود ہی کھڑے آپ کی باتیں سن رہے ہیں۔''

نایاب کی بات پر ایاز چونکے، خجل سے ہو کر مسکرائے۔

''کیا کروں، بہت مزے کی ہوتی ہیں آپ سب کی باتیں۔ اتنی کہ انسان اپنا فرض بھول جائے۔''

''نہ نہ'' قاسم جمال کی بہن ایک دم بولیں۔ ''فرض کبھی نہیں بھولنا چاہیے۔'' ویسے بھی وہ اب ٹینشن برداشت نہیں کر سکتی تھیں۔ اب ایاز کو چلے ہی جانا چاہیے تھا۔

''پھوپھو۔ یہ سچ تھوڑا کہتے ہیں، بس اڑا دی...... ورنہ فرض کی خاطر تو یہ بندہ مر مٹ جانے کو تیار ہو جاتا ہے۔ ہم انہیں اچھی طرح جانتے ہیں''

''ارے نایاب! اب جاؤ بھی۔'' روبینہ کو ان کا احساس تھا۔ خود ہی چائے کی پیالی کی خاطر بٹھا لیا تھا اور اب دیر ہوئی جا رہی تھی۔ خدانخواستہ کچھ ہو گیا تو انہیں پر ساری بات آنی تھی۔

''چلیں جی۔ چل گڑیا رانی۔'' وہ چلتے چلتے بولی۔ ''ماما! واپسی پر مجھے کچھ دیر ہو جائے گی، گڑیا کے چند مطالبات ہیں۔''

''ایک تو ان مطالبات نے ہمارے ملک کو کہیں کا نہیں چھوڑنا۔ اب یہ گڑیا قسم کی چیزیں بھی اپنے مطالبات منوانے لگیں...... حد ہے نا۔''

خرم کی اس بات پر زور دار قہقہہ پڑا۔

''یہاں سے تو کبھی بھی جانے کو دل نہیں چاہے گا، مگر ایاز اگر سلامتی چاہتا ہے تو اب بھاگ ہی چل۔ اچھا ماما خدا حافظ، خرم، پھوپھو خدا حافظ۔''

ہاتھ ہلاتے ہوئے وہ تیزی سے نکل گئے۔ آسیہ پھوپھو کو کچھ سکون و قرار مل گیا، لیکن یہ خیال آیا ہی نہیں کہ دونوں اکٹھے گئے تھے۔ نایاب اور ایاز۔

نایاب نے گڑیا کو گود میں اٹھایا ہوا تھا۔ اسی طرح گاڑی تک پہنچی، ایاز بھی ساتھ آ ملے۔

''اسے گود میں لے کر ہی ڈرائیو کرو گی۔'' پورچ تک ساتھ چلتے ہوئے سرگوشی میں پوچھنے لگے۔

''نہیں ڈرائیونگ کرتے وقت آپ کی گود میں بٹھا دوں گی۔''

''کوئی خطرہ وطرہ تو نہیں ہے اس سے؟''

''ایسا پہلے کبھی موقع نہیں آیا جو تجربہ ہو جاتا۔''

''پھر آج ہو جائے تجربہ؟''

''بے ایمان۔'' نایاب مسکرا پڑی۔

اور گاڑی میں بیٹھتے ہوئے اس نے سچ مچ اسے ایاز کی گود میں بٹھا دیا۔ ''گڑیا یاد رکھنا یہ اتریں تو ان سے کرائے کے پچاس روپے لینا ہیں، میں بھول جاؤں تو تم یاد رکھنا۔''

''اور گڑیا بیٹے! انہوں نے مجھ سے پچاس روپے لے لیے تو واپسی پر انہیں حوالہ پولیس ضرور کر دینا۔''

''مجھے حوالہ پولیس کر کے پھر جناب خود کیا کریں گے؟'' نایاب نے گاڑی

سٹارٹ کر دی۔

''ڈاکٹری چھوڑ کر جیل کے سپرنٹنڈنٹ لگ جائیں گے۔ زندگی بھر ساتھ دینے کا وعدہ جو کر رکھا ہے۔''

ایاز کی اس شوخی بھری بات پر دونوں ہی دل کھول کر ہنسے۔ گڑیا کی سمجھ میں کچھ نہیں آیا تھا، مگر ان دونوں کو ہنستے دیکھ کر وہ بھی ہنس رہی تھی۔

''بہت دن ہو گئے کمرہ کو رونق نہیں بخشی؟'' ایاز نے سنجیدہ ہوتے ہوئے پوچھا۔

''پھوپھو آئی ہوئی ہیں، وقت نہیں ملا۔''

''اور یہ کیا حرکت کرتی ہو۔ سراج کے ہاتھ کیا کیا کچھ پکا کر بھیج دیتی ہو۔''

''بدمزہ ہوتا ہے کیا؟''

وہ مسکرا پڑے۔ ''تمہارے ہاتھ لگے ہوں تو کوئی بھی چیز بدمزہ کیسے ہو سکتی ہے۔ ویسے مناسب نہیں لگتا۔''

''اس میں غیر مناسب کیا ہے۔ میں تو اتنا جانتی ہوں کہ اس دن آپ جو کچھ کھا رہے تھے، مجھ سے وہ دو نوالے نہیں کھایا گیا تھا۔ تو آپ روز کھاتے ہیں...... اور اب مجھ سے اپنا کھانا نہیں کھایا جاتا۔''

''کیوں؟''

''اس احساس کے تحت کہ آپ کیا کھاتے ہیں...... اور میں کیا۔ تب میں نے سوچا شیئر کر لوں۔ اپنا بھی آپ کا بھی...... وہ تو پھوپھو آ گئیں۔ پلان کامیاب نہ ہو سکا۔ چلی جائیں گی تو انشاء اللہ ایسا ہی ہو گا۔ کبھی میں آ کر آپ کے ساتھ کھایا کروں گی۔ وہی جو کچھ آپ کھاتے ہیں...... اور کبھی آپ وہ کھایا کریں گے جو کچھ میں کھاتی ہوں۔''

''اوہ! تم کیسی عجیب لڑکی ہو۔'' اتنا خلوص و اپنائیت، اتنا ایثار و قربانی۔ یہ لڑکی اتنی گہرائیوں تک ان کے پیار میں ڈوبی ہوئی تھی۔ وہ شرمسار سے ہو گئے۔

''بس جی...... اب تو جیسی بھی ہوں گزارا کرنا پڑے گا۔'' اور وہ یہ کہہ رہی تھی۔ ایاز نے بڑی محبت سے اس کی طرف دیکھا۔ ایک انتہائی طویل سا ٹھنڈا سانس بھرا۔

''وہ تو اب کرنا ہی پڑے گا۔'' اور دونوں قہقہہ لگا کر ہنس دیئے۔

''لیجئے آپ کی منزل آ گئی۔'' ہسپتال کے کار پارک میں گاڑی کو بریک لگاتے ہوئے وہ بولی۔ ''اور میرا کرایہ...... ایاز! میں بالکل سنجیدہ ہوں۔''

''یعنی کہ کرایہ ضرور لو گی؟''

''ہاں۔''

''یہ لو۔'' ایاز نے جیب سے ایک سو کا نوٹ نکال کر اس کی پھیلی ہوئی صاف شفاف سفید سی ہتھیلی پر دھر دیا۔

''یہ نہیں۔'' نایاب نے نوٹ واپس کر دیا۔ ''آدھا...... میں نے جو کچھ خریدنا ہے' اس کی قیمت بھی اتنی ہے۔''

''لیجئے جناب...... یہ آدھا کر دیا۔'' وہ واپس جیب میں ڈالتے ہوئے ایاز نے پچاس کا نوٹ نکال دیا۔ ''لیکن حیران ہوں کہ یہ تو صرف پچاس روپے ہیں۔ تمہیں کوئی کمی ہے۔ سینکڑوں ہوں گے تمہارے پاس۔''

''وہ سب پاپا کے ہیں۔ آپ کی کمائی کے تو یہی ہیں نا...... ایک سوتی سوٹ پیس پسند آ گیا تھا وہ لینا ہے۔ آپ کی کمائی میں سے۔''

''حد کرتی ہو...... پہلی پہلی بار لے رہی ہو۔ کوئی قیمتی چیز لو۔''

''پہلی پہلی بار میں ہی حساب ختم کر دوں۔ ارے بابا! ابھی ہمارے مطالبات منظور نہیں ہوئے۔ کفایت شعاری سے کام چلانا ہے۔''

اور نایاب کی اس بات سے ایاز بالکل ہی اپنا آپ کھو بیٹھے۔ وہ نشہ نہیں کرتے تھے' لیکن انہیں اندازہ ہو گیا تھا کہ نشہ کیا ہو گا۔ وہ مست مست سے گاڑی میں سے نکلے۔

''آپا! میں چیونگم لوندی۔ مجھے تو ڈوکٹل چھاحب نے پیچھے دیئے ہی نہیں۔''

''یہ تمہارے ہی لیے ہیں گڑیا۔'' نایاب چونک پڑی۔ ایاز کی بات کہیں سچ نہ ہو جائے۔ گھر جا کر گڑیا کہیں ان کی ایک ایک بات ہی نہ بتا دے۔ اسے چکمہ دینے کی خاطر جلدی سے بولی۔

''وہ تو سب میں مذاق کر رہی تھی۔ میں اپنا پرس گھر بھول آئی ہوں نا۔ تبھی تمہاری خاطر ہی ڈاکٹر صاحب سے یہ لیے ہیں۔ تمہیں شاپنگ کرانا تھی نا۔''

''ول آپ کا پلپچھ تو یہ ہے۔'' نایاب کے کندھے کے ساتھ لٹکے ہوئے لمبے فیتے والے پرس کی طرف اس نے اشارہ کر دیا۔

''اوہ!'' نایاب پریشان ہوگئی اور ایاز مسکرا پڑے۔

''پھنس گئی ہو۔'' آہستہ سے بولے۔

''نہیں۔'' نایاب نے نفی میں سر ہلایا۔ پھر جلدی سے بلند آواز میں بولی۔ ''ارے ہاں مجھے خیال ہی نہیں رہا تھا کہ پرس میرے کندھے کے ساتھ لٹکا ہوا ہے۔ یہ لیجئے ڈاکٹر صاحب! اپنے پیسے واپس لے لیجئے۔''

نایاب نے ایاز کی جیب میں بند مٹھی ڈالی اور اسی طرح نکال لی۔ نوٹ اس کی مٹھی میں جکڑا ہوا تھا...... اور اب...... تھی تو بچی ہی۔ گڑیا اس کے چکمے میں آ گئی۔

''دیر ہو رہی ہے ورنہ۔''

''ہاں ہاں...... مجھے پورا احساس ہے۔'' ایاز کی بات پوری ہونے سے پہلے ہی نایاب بڑی عجلت سے گاڑی میں بیٹھی اور خدا حافظ کہتے ہوئے گاڑی تیزی سے موڑ دی۔

انارکلی میں اس نے کچھ خریداری کی، گڑیا کے لیے، اپنے لیے، بہت وقت نہیں لگا۔ جانتی تھی گھر میں سب کھانے پر انتظار کر رہے ہوں گے۔ جلد فارغ ہو کر واپس آئی۔

''اچھا ہے بس۔'' آسیہ پھوپھو نجانے کس کے متعلق کہہ رہی تھیں۔ ''آپ کچھ زیادہ ہی متاثر ہوگئی ہیں بھابی۔''

''تم نے اسے کبھی ہسپتال میں کام کرتے ہوئے نہیں دیکھا۔''

تو...... ابھی تک موضوع سخن ڈاکٹر ایاز ہی تھے۔ ارے میری پیاری ماما اور پیاری سی پھوپھو آپ کو اسے اتنا ڈسکس کرنے کی ضرورت ہی کیا ہے۔ میں تو فیصلہ کر چکی...... آخری فیصلہ...... اور ہمارے خاندان کی یہ روایت بھی ہے۔ آزادی مکمل آزادی۔''

پھر وہ اندر داخل ہوگئی۔ ماما اور پھوپھو کے علاوہ خرم بھی ابھی تک وہیں تھے۔ اسی طرح ٹانگیں پسارے اور آنکھیں موندے پڑے تھے۔

''چھوڑ آئیں...... کافی جلدی آ گئی ہو۔'' ماما نے تعجب کا اظہار کیا۔

''شاپنگ بھی کر آئی۔'' اس نے انہیں مزید حیرت میں ڈال دیا۔ اچھا لگتا تھا

انہیں زیادہ سے زیادہ حیران کرنا۔

"کیا خریدا؟" اس کے جلد آنے سے آسیہ پھوپھو کے سارے وسوسے دور ہو گئے تھے۔ وہ دلچسپی سے مسکراتے ہوئے پوچھنے لگیں۔

"گڑیا کا ایک ریڈی میڈ فراک، کچھ چیونگم وغیرہ اور اپنا یہ سوٹ۔" اس نے سب کچھ ان کے آگے ڈال دیا۔

"یہ کاٹن کا سوٹ تم پہنو گی؟" اس کے سوٹ کے کپڑے کو اچھی طرح جانچنے پرکھنے کے بعد آسیہ حیرت سے بولیں۔ ساتھ ہی اس کے ریشمی ریشمی وجود کو دیکھا۔

"کیوں کیا حرج ہے؟ پرنٹ تو دیکھیں۔"

"پرنٹ واقعی خوبصورت ہے۔" ماما نے تعریف کی۔

"کپڑا بھی اچھا ہے۔ پاکستان کا بنا ہوا ہے۔ سب کچھ ہی قابل تعریف ہے۔" نایاب یہ کہتے کہتے سوٹ پیس اٹھا کمرے سے باہر نکل گئی۔

"کوئی مجھ سے تو پوچھ کر دیکھے۔" من ہی من میں بڑبڑائی...... مجھے یہ کیسا لگ رہا ہے، لیکن خدا کے لیے پوچھے نہیں...... پھر مجھے جھوٹ بولنا پڑے گا۔

کتنی ہی دیر وہ آئینے کے سامنے کھڑی ہو کر کپڑا اپنے ساتھ لگا لگا کر دیکھتی رہی۔

"نایاب......!" خرم اسے پکار رہے تھے۔ کپڑا وہاں رکھ کر وہ جلدی سے چلی گئی۔

"پھر...... کرایہ لیا تھا۔" خرم نے پوچھا۔

"ہاں۔" ایک لمحہ کے لیے اردگرد دیکھا۔ گڑیا نہیں تھی...... سچ بول دیا۔

"کتنا؟"

"پچاس روپے۔"

"تو یہ تم نے بلیک کی نا...... کوئی اور سواری ہوتی تو دس روپے میں پہنچ جاتے بے چارے۔"

"رکشے میں۔ ٹیکسی کے تو بیس لگتے۔"

''اور تم نے پچاس لے لیے۔''

ماما اور پھوپھو اُن کی گفتگو سن کر ہنس رہی تھیں۔

''اتنی خوبصورت نئی گاڑی تھی۔ میں اپنا سٹینڈرڈ کیوں گراتی۔ ایسی گئی گزری نہیں ہوں۔''

''اور یہ روپے لیتے ہوئے شرم نہیں آئی۔''

''نہیں۔'' وہ سادگی سے مسکرا دی۔

''دیکھیے ماما! اور لوگ ڈاکٹروں کو فیس دیتے ہیں اور یہ پچاس روپے ہتھیا لائی۔''

''اپنا اپنا کمال ہے۔'' وہ بالکل لاپرواہی سے کندھے جھٹکتے ہوئے مسکرا کر باورچی خانے کی طرف چلی گئی۔ ''اپنا مال ہے کسی کو کیا ہے۔''

''کیسی ندیدی بیٹی ماں نے پیدا کی ہے۔'' خرم بھی مسکرائے اور ہولے سے بڑبڑا کر اُٹھ کھڑے ہوئے۔

آسیہ پھوپھو غور ہی کرتی رہ گئیں۔ کسی کے بھی انداز سے کوئی ایسی ویسی گڑبڑ والی بات ظاہر نہیں ہوتی تھی۔ کچھ اطمینان سا ہو گیا، لیکن پرسوں کے دن کا بڑی شدت سے انتظار تھا۔

خاص طور پر ایاز کہہ کر گئے تھے ''پرسوں آؤں گا۔ ڈھیر سارا وقت بیٹھوں گا۔'' کیا مطلب تھا اس کا اس سے؟ آسیہ نے سوچ لیا۔ اب وہ نگاہ رکھیں گی سب پر، بڑی گہری نگاہ۔ شاید کوئی ایسا معاملہ ہو۔

''ڈاکٹر بھی لائق ہے۔ خوبرو ہے۔ اچھے اخلاق والا ہے اور نایاب بھی لاکھوں میں ایک۔ کہیں...... کہیں...... ہائے نہیں۔ نایاب صرف میری بہو بنے گی۔

وہ اس وقت مزید کچھ سوچنا نہیں چاہتی تھی۔ اٹھ کر گڑیا کو دیکھنے چل دیں۔

● ...... ● ...... ●

آسیہ پھوپھو کو پرسوں کے دن کا بڑی شدت سے انتظار تھا۔ ڈاکٹر ایاز خاص طور

پر کہہ کر گئے تھے کہ پرسوں آئیں گے اور بڑی دیر وہاں رہیں گے۔ ان کے زیادہ وقت وہاں ٹھہرنے سے سب کچھ معلوم ہوسکتا تھا۔

ان کے دل میں کیا تھا اور ان لوگوں کے ان کے متعلق خیالات کیا تھے؟ صرف ڈاکٹر اور مریضہ والا ہی تعلق تھا...... یا کوئی اور بھی ناطے بندھ رہے تھے۔ استوار ہو رہے تھے۔

وہ دن آ گیا۔ آسیہ پھوپھو صبح سے ہی چوکس رہیں۔ ایک ایک پر کڑی نگاہ رکھتی تھیں۔ جو بات، کسی کے بھی درمیان ہوتی، کھلے کانوں اور پورے ہوش و حواس سے سنتیں۔ جو کچھ ہوتا رہا، کھلی آنکھوں اور پوری ہوشیاری سے دیکھتی رہیں۔

نایاب ہر روز کی طرح نارمل تھی۔ اسی طرح معمول کے مطابق صبح فجر کی نماز کے وقت اُٹھی۔ وضو وغیرہ کیا پڑھی، قرآن پاک کی تلاوت کی اور ناشتے وغیرہ میں مصروف ہوگئی۔

ظہر تک اس نے روز کی طرح چھوٹے موٹے کام کیے۔ کچھ وقت گڑیا کے ساتھ گزارا اور پھر دوپہر کے وقت ظہر کی نماز سے پہلے غسل کر کے لباس تبدیل کر لیا۔ لباس بھی وہی پہنا جو عام گھر میں پہنتی تھی۔ کوئی علیحٰدہ سے منتخب نہیں کیا۔ کوئی خاص سج دھج نہیں نکالی۔

اور بس...... اس وقت سے شام تک وہ ایسے ہی رہی۔ کوئی میک اپ نہیں کیا...... کوئی خاص اہتمام نہیں۔ شام کو ڈاکٹر نے آنے کا وعدہ کیا تھا۔ اس وقت تک تو وہ بالکل معمول کے مطابق ہی سب کچھ کرتی رہی۔

یوں پھوپھو کو اس کے کسی بھی فعل یا حرکت سے ایسا کوئی اشارہ نہ مل سکا جس سے وہ ایسا ویسا مطلب نکالتیں۔ البتہ ان کی بھابی روبینہ جمال سارا دن ایک ایک کو یاد دلاتی رہیں۔

"آج ایاز نے آنا ہے خرم! شام کو گھر میں رہنا۔"

بیٹے کو یاددہانی کے بعد شوہر سے ناشتے کی میز پر ہی پوچھنے لگیں۔

"آج شام آپ کا کیا پروگرام ہے؟"

"کیوں؟ تمہارا کوئی خاص پروگرام ہے؟"

"ڈاکٹر ایاز نے آنا تھا۔ میں نے سوچا تھا آپ سے آج اس کی ملاقات ہو ہی جائے تو اچھا ہے۔"

"ہو جائے گی کسی دن۔" وہ انتہائی بے نیازی سے بولے۔

ان کے جواب سے آسیہ کے وجود میں خوشی کی ایک لہر سے دوڑ گئی۔ یقیناً ایسی کوئی بات نہ تھی۔ ورنہ ہونے والے داماد کے لیے ایسی بے پروائی کا اظہار نہ کرتے۔

"کسی دن کیوں؟ آج ہی کیوں نہیں؟" روبینہ نے پھر پوچھا۔

اور جواب میں قاسم جمال نے رات کے دس بجے تک کا ایک ایک منٹ انہیں گنوا دیا کہ فلاں وقت آفس، پھر اس میٹنگ میں اور پھر ڈائریکٹروں کا ڈنر...... چلو جی قصّہ ختم۔

روبینہ چپ سی ہو گئیں اور آسیہ بھی پریشان رہ گئیں۔ ڈاکٹر ایاز کی طرف سے بے نیازی اور لاپروائی کے اظہار پر وہ خوش ہوئی تھیں مگر یہاں تو آج بھی ان کے پاس بہن کی ضروری بات سننے کا وقت نہ تھا۔

اور کئی دنوں سے یہی کچھ ہو رہا تھا۔ رات کے چند گھنٹے بڑی مشکل سے جو گھر میں آتے تھے، وہ ان کے سونے کا وقت ہوتا تھا یا دن میں جو پانچ پانچ دس دس منٹ کے لیے گھر آتے تھے تو اتنی جلدی میں ہوتے تھے کہ وہ بات نہ کر سکتی تھیں۔

یہ بات یوں پانچ دس منٹ میں کرنے والی تو نہ تھی۔ یہ تو بڑے سکون و اطمینان سے کرنے والی بات تھی۔ زندگیوں کا معاملہ تھا۔ کچھ تھوڑی سی تمہید باندھتیں، پھر بیٹے کی خصوصیات بتاتیں، پھر اپنے شوہر کی خواہش پر زور دے کر کہتیں کہ یہ رشتہ ضرور ہونا چاہیے ورنہ بھائی کی لڑکی نہ ملنے پر وہ اپنے سسرال والوں کو اور شوہر کو منہ دکھانے کے قابل نہ رہیں گی۔

ایسے ان کے بیٹے میں کوئی عیب نہیں تھا کہ بھائی بھاوج انکار کر دیتے۔

نایاب اگر لاکھوں کروڑوں میں ایک تھی تو ان کا بیٹا بھی ہزاروں میں ایک تو ضرور تھا۔ اچھی شکل و صورت والا...... ڈاکٹر ایاز جیسا ہینڈسم اور پُرکشش نہیں تھا تو بدصورت

بھی نہیں تھا۔ اس کے علاوہ قابلیت میں ان سے کم نہیں تھا۔ یہ ڈاکٹر تھا اور وہ انجینئر۔ سارا دن وہ دل ہی دل میں موازنہ کرتی رہیں۔

عادات بھی کوئی بُری نہ تھیں۔ خوش اخلاق بھی تھا۔ البتہ ایک بات تھی، جو انہیں ڈسٹرب کر رہی تھی۔ فیصل گھر میں، بہن بھائیوں میں سب سے بڑا تھا۔ اس پر کافی ذمہ داریاں پڑ سکتی تھیں مگر ڈاکٹر ایاز اکیلے تھے۔

ایک تو کمبخت آج کل کا رواج بھی انوکھا چل نکلا تھا کہ اکیلے لڑکے کو لوگ بھرے پرے خاندان والے پر ترجیح دیتے تھے، حالانکہ پہلے زمانے کے لوگ بھرا پُرا خاندان پسند کرتے تھے۔

انہیں یاد آیا...... ان کی دادی ماں کہا کرتی تھیں۔ ہم لوگ تو ایسی جگہ دیکھ کر بیٹی کا رشتہ طے کرتے ہیں جہاں گھر کے بہت سارے افراد ہوں تاکہ سب اپنے حصے میں سے ایک ایک نوالہ بھی کم کر دیں تو بیٹی کا پیٹ بھر جائے...... اسے فاقہ کبھی نہ آئے۔

مگر آج کل زمانہ بڑا خودغرض ہو گیا تھا۔ اس سوچ کے ساتھ ہی دوسری سوچ نے پھر کامیابی کی آس دلا دی۔ ڈاکٹر ایاز کے والدین اور خاندان کا کچھ پتہ ہی نہ تھا۔

یوں...... یقیناً قاسم جمال ایسے اکیلے لڑکے پر بھرے پُرے خاندان والے فیصل کو ترجیح دیں گے۔ ان کا خاندان کو دیکھا بھالا تھا۔ بہت اچھا اور اونچا خاندان تھا۔ کوئی موچی جولاہے پڑھ کر بڑے لوگ نہیں بن گئے تھے۔

کیا پتہ ڈاکٹر ایاز کا باپ بیرون ملک گیا تھا تو کس شعبے میں تھا۔ کیا پیشہ تھا اس کا وہاں۔ کوئی معمولی، لوہار، ترکھان یا بجلی وغیرہ کا کام کرنے والا یا اینٹیں ڈھونے والا کوئی مزدور تھا۔

اس زمانے میں تو ایسے ہی لوگ زیادہ تر جایا کرتے تھے۔ کب اتنا پڑھے لکھے ہوتے تھے کہ ڈاکٹر انجینئر بن کر جائیں اور پھر اس زمانے میں ڈاکٹر انجینئر کو اپنے ملک میں ہی بہت کچھ مل جاتا تھا۔ بیرون ملک جانے کی انہیں ضرورت پڑتی ہی نہ تھی۔

سارا دن چوکس بھی رہیں اور دماغ بھی ایسی ایسی سوچیں سوچتا رہا۔ کبھی خوش ہو جاتیں، کبھی پریشان ہو جاتیں۔

پہلے خرم اور پھر قاسم جمال کو بتانے کے بعد روبینہ سارا دن سراج کے پیچھے لگی رہیں۔

''آج رات کے کھانے پر یہ بنے گا، وہ بنے گا۔ ڈاکٹر ایاز کے پہنچتے ہی چائے بنانا، چائے کے ساتھ یہ یہ کچھ ہونا چاہیے۔''

کھانے پر ایاز کی پسند کی چیزیں انہوں نے پکوائیں۔ چائے کے ساتھ ایاز کی پسند کی چیزیں منگوائیں۔ وہ جو کچھ کر رہی تھیں، اس نے آسیہ کو ضرور دبدھا میں ڈال دیا تھا۔ ''آخر بھابی کا ارادہ کیا ہے؟'' اب صرف ایک ان کے متعلق ہی جھنجھلاہٹ سی باقی رہ گئی تھی۔

اور وہ ڈاکٹر ایاز کی مریضہ بھی تھیں۔ ایک ڈاکٹر اور مریض کے ناطے بھی پرواہ اور لگن سے کھانے وغیرہ پکوانا کوئی اچنبھے کی یا ابنارمل بات نہ تھی۔ جس طرح انہوں نے بتایا تھا کہ ڈکٹر ایاز نے ان کا علاج اس قدر تندہی اور خلوص سے کیا تھا کہ اس کا بدل وہ کسی طرح نہیں دے سکتی تھیں۔ اس حساب سے تو یہ کچھ بھی نہ تھا۔

ویسے اتنا وہ جانتی تھیں کہ روبینہ کا رشتہ، جب ان کے بھائی قاسم جمال کے ساتھ ہوا تھا تو روبینہ کی والدہ نے خاندان کی بڑی چھان بین کی تھی۔ ماں اور باپ دونوں کی طرف سے اولاد میں شریف خون ہونا چاہیے۔

بچوں کے چچا تایا اور ماموں خالائیں وغیرہ بھی ٹھیک ٹھاک ہونے چاہئیں ورنہ اگلی نسل پر اچھا اثر نہیں پڑتا۔ کہیں نہ کہیں جا کر خون اپنا رنگ ضرور دکھاتا ہے۔

ماں نے خاندان کی اتنی چھان بین کی تھی تو بیٹی کیسے ایک بے نام ونشان لڑکے کو اپنی بیٹی دے سکتی تھی۔

بس ایک اس دلیل نے انہیں بہت حوصلہ دیا اور سارے دن کی سوچوں نے جو ہونٹوں پر خاموشیوں کے قفل لگا رکھے تھے، وہ کھول دیئے۔ ایاز آئے تو وہ بھی بڑی خوش چونچاں بھابی کے پاس جا بیٹھیں۔

''آج ماما! میں بہت دیر آپ کے پاس بیٹھوں گا۔ بہت ڈھیر ساری باتیں کروں گا۔'' ایاز نے آتے ہی اعلان کر دیا۔ ''پچھلی ساری وعدہ خلافیوں کی کسر نکال دوں گا۔''

ماما کے پاس صوفے پر بیٹھتے ہوئے انہوں نے ماما کا ہاتھ تھام لیا۔

''سب سے پہلے بتایئے آپ کی صحت آج کل کیا کہتی ہے۔ دل دل دھڑکتا ہے یا......''

''ماما کا دل ہے بھی...... پہلے ڈاکٹر ایاز یہ تو معلوم کریں۔'' خرم نے اندر آتے ہی ڈاکٹر ایاز کی بات کاٹ کر اپنی شروع کر دی۔

''اگر ان کا دل ہوتا تو ہمارے، یعنی ان کے بچوں کے حالات اس سے بہتر ہوتے۔''

روبینہ کی دوسری طرف پہلو سے پہلو ملا کر خرم بیٹھ گئے۔

''کیوں؟ تمہارے حالات کو کیا ہو گیا......؟'' ماں نے پوچھا۔

''غریبی...... سر سے پاؤں تک غریبی نے ڈیرے جمائے ہوئے ہیں۔''

''ماں اتنی امیر......'' ماما کی طرف سر سے پاؤں تک اشارہ کرنے کے بعد خرم نے اپنی طرف اشارہ کیا۔ ''اور بیٹا...... اس کا حال دیکھیں۔''

''ہاں ہاں...... ماں کا دل نہیں ہے نا اس لیے بیٹا بیچارا غریب ہے۔ دیکھو ایاز......!'' پھر وہ مسکرا کر اسی باوقار انداز میں ایاز کے آگے خرم کی شکائتیں کرنے لگیں......

''یہ لڑکا خود بہت سست ہے۔ کئی گرم سوٹوں کا کپڑا، کئی شلوار قمیض سوٹوں کا کپڑا، کئی کمبی نیشن، جا کر دیکھو اس کی الماری میں پڑے ہیں......''

''خام مال ہے نا سارا...... کپڑا تو نہیں پہنا جا سکتا۔''

''یہ تمہاری کاہلی ہے...... سلنے نہیں دیتے۔ آج دے آؤ۔ کل ہی مل جائیں گے۔''

''درزی کے پاس ناپ شاپ دینے میں اور پھر ٹرائی لینے میں دُو دو گھنٹے لگاؤں اور ادھر پڑھائی میرا باپ...... اوہ سوری......'' خرم نے چونک کر ماں کی طرف دیکھا...... ''میرا مطلب تھا ماما! پاپا نے ایک ایک منٹ کا تو میرا ٹائم ٹیبل بنایا ہوا ہے۔ امتحان میں دوسری بھی پوزیشن آ گئی تو...... تو بتائیں نا ماما......'' خرم بڑے انداز میں مسکرا رہے تھے۔

''میری تو کوئی بات نہیں۔ میں تو پھر بھی سب کو منہ دکھا سکتا ہوں، کیونکہ آئینہ جب دیکھتا ہوں تو ایک کافی ہینڈسم سا لڑکا دکھائی دیتا ہے، مگر بڑی مجبوری یہ ہے کہ پاپا کسی کو منہ دکھانے کے قابل نہ رہیں گے، حالانکہ وہ بھی کافی ہینڈسم ہیں۔''

''خبیث......'' آسیہ پھوپھو ہنس پڑیں۔ ماما اور ایاز بھی مسکرا رہے تھے۔ ''تجھے باتیں بنانا بہت آتی ہیں۔ اتنا سوچ لو وہ میرے بھائی ہیں۔''

''میں بھی دو بہنوں کا بھائی ہوں۔ میرا تجربہ یہ ہے کہ بس زبانی زبانی طرفداریاں وغیرہ ہوتی ہیں۔ اندرون خانہ دل کچھ نہیں ہوتا۔''

''کیوں بھائی جان! ہم آپ کی بہنوں نے آپ کے ساتھ کب محبت نہیں کی؟''

نایاب اندر آتے ہوئے بولی۔ خرم نے پہلے ہی اسے آتے ہوئے دیکھ لیا تھا تبھی ایسی بات کی تھی۔

''اور اس کی پھوپھی نے کب بھائیوں پر جاں نثار نہیں کی؟'' نایاب کی تائید میں آسیہ پھوپھی کہنے لگیں۔

''ماشاء اللہ ماشاء اللہ۔'' خرم نے مسکراتے ہوئے پھوپھو کے بھاری بھرکم وجود کی طرف نگاہ بھر کر دیکھا۔ ''پھوپھی بھی اپنی جان سنبھالے بیٹھی ہے اور بہنیں بھی روز بروز پل بڑھ رہی ہیں۔ میں نے کہا تھا نا سب صدقات وقربانیاں زبانی زبانی ہوتی ہیں۔''

''تو سچ مچ کوئی تھوڑا چھری پھیر کر قربان ہو جایا کرتا ہے۔'' آسیہ پھوپھو مسکرائے جا رہی تھیں۔

''بس یہی میں سننا چاہتا ہوں۔ انسان بات وہ کرے جو کر دکھائے۔ ہمارے معاشرے کا یہی ایک نقص ہے۔ زبانی باتیں جتنی چاہے کر لیں اور جب عمل کا وقت آتا ہے تو سب اپنی اپنی غرض لے کر......''

''بس......'' ماما نے خرم کے آہستہ سے ٹہوکا دیا۔ ساتھ پھوپھو کی طرف اشارہ کیا۔ کہیں وہ کسی بات کا برا ہی نہ مان جائیں۔ اب زیادہ زبان نہ چلاؤ۔'' خرم کو ہلکی سی ڈانٹ دیتے ہوئے نایاب سے مخاطب ہو گئیں۔

''نایاب بیٹے! ایاز کے لیے کوئی چائے وغیرہ۔''

''سراج لا ہی رہا ہوگا......''

''اور محترمہ! آپ کس مرض کی دوا ہیں......؟'' ڈاکٹر ایاز نایاب کو پورے سراپا کو سر سے پاؤں تک دیکھتے ہوئے قدرے شوخی سے کہہ اُٹھے۔ سب کے سامنے وہ اس سے آپ کے ساتھ ہی مخاطب کرتے تھے۔

''یہ کس مرض کی دوا ہے؟'' خرم پھر جلدی سے بول پڑے۔ ''یہ تو کوئی ڈاکٹر بھی بتا سکتا ہے۔ ویسے مجھے تو یہ کسی بھی مرض کی دوا نہیں لگتی۔ کسی انتہائی نااہل سے نیم حکیم کا نسخہ ہے یہ تو......''

''دیکھئے ماما! بھائی جان کیا کہہ رہے ہیں......؟''

''یہ خود ہوگا۔ میری بیٹی تو سچ مچ کا دُرِ نایاب ہے۔'' پھوپھو اس کی حمایت میں بولیں۔

''یہ اس کو مسکہ کیوں لگایا جا رہا ہے پھوپھو! کوئی کام وام ہے؟ مجھے حکم کریں۔''

''آپ تو وہ مرض ہی ایجاد نہیں ہوا ابھی، جس کی دوا ہیں۔ آپ کو کیا حکم کریں۔''

''تو گویا مرض بھی ایجاد ہوتے ہیں۔'' ڈاکٹر ایاز نے نایاب کی آنکھوں میں آنکھیں ڈالتے ہوئے مسکرا کر پوچھا۔

''بڑے لوگ اکثر ایجاد ہی کرتے ہیں۔'' وہ ایک حجاب آلودسی مسکراہٹ کے ساتھ بولی۔

''تو پھر آپ کا شمار بھی انہیں لوگوں میں ہوتا ہے۔''

''نہیں ایاز......! میری بیٹی بڑی سادہ ہے۔ اس کا دل اتنا غریب پرور ہے کہ اس کو بڑے لوگوں میں شمار نہیں کیا جا سکتا۔''

''ماما! بھئی طرفداری کسی کی نہیں کرنی۔'' ڈاکٹر ایاز شوخی سے بولے۔

''میری ماما طرفداری نہیں کیا کرتیں۔ سچ بولا کرتی ہیں۔'' نایاب نے قدرے شرما کر تھوڑا سا سُرخ ہوتے ہوئے نگاہیں جھکائیں۔

آسیہ پھوپھو چونکیں...... ابھی تک تو سب ٹھیک ٹھاک ہی تھا۔ کہیں معاملہ شروع نہ ہو جائے۔ ارے بیٹی! جاؤ دیکھو تو سراج ابھی چائے نہیں لایا۔"

وہ اسے ایاز کی نگاہوں کے سامنے سے ہٹانا چاہتی تھیں۔ ایاز کی خوبصورت آنکھوں میں انہوں نے نایاب کے لیے پسندیدگی کی جھلک دیکھ لی تھی۔

"ہم نے سنا ہے آپ سراج سے زیادہ اچھی چائے بناتی ہیں۔" ایاز ترنگ میں آئے ہوئے تھے۔ مستی چھا رہی تھی ان پر۔

"کس سے سنا......؟" خرم نے جلدی سے پوچھا۔ "ہمارے تو نصیب میں آج تک اس کے ہاتھ کی چائے نہیں ہوئی۔ اس لیے علم ہی نہیں کہ اچھی چائے بناتی ہے۔"

"ہائے بھائی جان! توبہ توبہ......" نایاب زور زور سے اپنے دونوں کان کھینچنے لگی۔ "سچ بتایئے میں نے آپ کو کبھی چائے بنا کر نہیں پلائی؟"

"بھئی پیتے ہم خود ہیں۔"

"توبہ...... کیسے حرفوں کے بنے ہوئے ہیں۔"

"مائی ڈیئر دُرِ نایاب! سبھی حرفوں کے بنے ہوتے ہیں۔ میں نے آج تک کسی کو ہندسوں کا بنا ہوا نہیں دیکھا۔ تم نے کبھی کسی کا نام ایک، دو، تین، چار وغیرہ سنا؟"

"ماما! سن رہی ہیں نا ان کی باتیں؟"

"سب کی سن رہی ہوں، مگر اس وقت تو اتنا جانتی ہوں کہ ایاز کو آئے ایک گھنٹہ ہو گیا، مگر چائے کی ایک پیالی بھی اس کے نصیب میں نہیں ہوئی۔ بس جھگڑا ہوا جا رہا ہے...... باپ اتنا سخت ہے۔ پھر یہ حال ہے۔"

"اگر ابھی کوئی کسر ہے تو فوج میں صوبیدار میجر پاپا کو لگوا دیں اور مجھے ان کی رجمنٹ میں جوان کا عہدہ دلوا دیں۔ تب آپ خوش ہوں گی۔"

خرم نے یوں تو مذاق میں یہ بات کہی تھی مگر ماما ایک دم چونک کر انتہائی معنی خیز سی نگاہوں سے ایاز کی طرف دیکھتے ہوئے کہنے لگیں۔ "سن رہے ہو نا۔ بس مجھے یہی غم ہے۔"

"کیا بھابی؟" آسیہ پھوپھو نے پوچھا۔ وہ بھی تو ویسی ہی عادات کی مالک

تھیں۔ روبینہ سٹپٹا سی گئیں۔ یہ یاد ہی نہیں رہ گیا تھا کہ آسیہ پاس بیٹھی تھیں۔ گھر کی کوئی بھی بات کسی اور کے سامنے کبھی نہیں کرتی تھیں اور ایاز تو اپنوں سے زیادہ اپنے تھے۔

''بتایا نہیں آپ نے بھابی؟'' وہ چپ ہو گئیں تو دوبارہ آسیہ نے پوچھا۔

''یہی...... یہی......'' وہ بوکھلائی بوکھلائی سی بولیں۔ ''کہ میرے بچے بدتمیز ہیں۔'' آخر کوئی اور بات نہ سن سکی تو اتنا کہہ کر خاموش ہو گئیں۔

''ہائے ماما! ہم نے کیا بدتمیزی کی......؟'' نایاب نے لاڈ سے پوچھا۔

''بھائی باپ کو صوبیدار میجر بنا رہا ہے۔ تم اس سے بھی کوئی نچلی پوسٹ انہیں دلوا دو۔''

''سب سے نچلی تو میں نے خود لے لی ہے اور گنجائش ہی نہیں۔'' خرم قہقہہ مار کر بولے۔

''دیکھ لیا آسیہ؟''

''ہائے بھابی! اس میں غصہ کرنے کی کیا بات ہے۔ بچے مذاق وغیرہ کر کے آپ کا دل بہلاتے رہتے ہیں۔ ورنہ بھائی جان جو کچھ ہیں وہ تو اللہ تعالیٰ کی مہربانی سے ہیں، خدا انہیں اور ترقی دے۔''

''عجیب اتفاق ہے ماما! میری ابھی تک قاسم جمال صاحب سے ملاقات نہیں ہو سکی۔''

''آپ پاپا بھی کہہ سکتے ہیں، وہ ماما کے سگے شوہر ہیں۔'' خرم کی اس بات پر سبھی ہنس پڑے۔ ماما بھی مسکراہٹ ہونٹوں تلے دبانے لگیں۔

''وہ مصروف بھی بہت رہتے ہیں۔ آج بھی ان کا کہیں ڈنر ہے۔''

''مصروف تو ماما ہم بھی بہت رہتے ہیں مگر جب کسی سے ملنے کا ارادہ ہو تو فرصت نکال ہی لیتے ہیں۔'' ایاز شاکی سے انداز میں بولے۔

''ان کی بات اور ہے۔'' آسیہ پھوپھو نے کہا اور یہ کہنے کا انداز ایسا تھا جیسے بڑی تضحیک سے کہہ رہی تھیں۔ ''تم کل کے چھوکرے میرے بھائی سے مقابلہ کرنے چلے ہو؟''

ایک دم سے ہی ایاز انہیں بُرے لگنے لگے تھے۔ کیسے مسکراتے ہوئے اور بھی ہینڈسم ہو جاتے تھے اور نایاب سامنے بیٹھی دیکھ رہی تھی۔ ایک ٹک دیکھے جا رہی تھی۔

''ارے بیٹی! گڑیا کہاں ہے؟''

''سیماب اور معظم کو کہانی سنا رہی ہے۔''

''تم تو اس کی کہانی بڑے شوق سے سنا کرتی ہو۔'' وہ اسے وہاں سے بھگانا چاہتی تھیں، مگر اب وہ پھوپھو کو بتاتی کہ گڑیا کی کہانی سے کہیں دلچسپ کہانی اس کے سامنے تھی جسے نہ صرف یہ کہ دل و جان سے سن رہی تھی، بلکہ اپنے سارے حواس سے دیکھ بھی رہی تھی۔

''نایاب! تم خود جا کر دیکھو۔ ابھی تک سراج چائے کیوں نہیں لایا۔''

اُٹھ کر جانے کو دل تو نہیں چاہ رہا تھا مگر یہ خیال بھی تھا کہ ایاز اتنی دیر کے آئے ہوئے تھے اور سراج پتہ نہیں کہاں رہ گیا تھا۔ اب بھی اُٹھ کر گئی تو ایاز ہی کی خاطر۔

آسیہ پھوپھو نے سکون کا سانس لیا۔ دلوں کے بھید نہیں جانتی تھیں تبھی نا...... ورنہ نجانے کیا کر بیٹھتیں۔ وہ چلی گئی تو اطمینان سے باتیں کرنے لگیں، لیکن ان کا سکون زیادہ دیر انہیں پُرسکون نہ رکھ سکا...... کیا دیکھا؟ پانچ منٹ بعد ہی نایاب خود چائے کی ٹرالی لیے آ رہی تھی۔

''وہ...... سراج کہاں گیا؟'' نند بھاوج دونوں نے ہی ایک دم بیک آواز ہو کر پوچھا، دونوں کا لہجہ مختلف تھا۔

''ماما! وہ تو سیماب اور عظمی کے کمرے میں بیٹھا گڑیا کی کہانی سن رہا ہے۔ چائے بھی میں خود بنا کر لائی ہوں۔''

''میں کتنی دیر سے کہہ رہی تھی اُٹھ کر دیکھو۔ وہ بہت لاپرواہ انسان ہے۔''

نایاب چائے بنانے لگی۔ چائے کے ساتھ اور بہت کچھ تھا۔ وہ ایک ایک کے آگے اس نے پیش کیا۔ اتنی دیر پھوپھو کا کلیجہ اندر سے جیسے کسی نے جکڑے رکھا۔ چلتی پھرتی، کام کرتی وہ نازک سی اور پیاری سی لڑکی اور بھی آنکھوں میں کھب جاتی تھی۔ آسیہ ایاز کی نظروں پہ نگاہیں جمائے بیٹھی تھیں۔ بڑی بے کل تھیں۔

شاید آسیہ پھوپھو کی بے چینی رنگ لے آئی۔ نایاب نے اپنی چائے نہیں بنائی۔ سب کو دے دلا کر خود اٹھ کر چل دی۔

''ارے آپ......؟'' ایاز کے بے تابی بھرے ادھورے سے فقرے کا اس نے ماں کو مخاطب کرتے ہوئے جواب دیا۔

''میں کھانا بنانے جا رہی ہوں۔''

''کیوں......؟'' ماما نے حیران ہو کر پوچھا۔

''سراج نے ابھی تک کچھ بھی نہیں کیا؟''

''بہت اچھا کیا...... بہت اچھا کیا......'' آسیہ پھوپھو کا دل بولا۔ چہرے پر ایک دم رونق سی پھیل گئی۔ اتنا وقت نایاب اُدھر ہی رہے گی، ایاز کی نگاہوں سے پرے۔ لمحہ بھر کے لیے بھی ان کی نایاب پر اٹھنے والی نگاہ پھوپھو کو ایک آنکھ نہیں بھا رہی تھی۔

''بالکل کچھ نہیں کیا؟'' جاتی جاتی سے ایک بار پھر ماما نے تفکر سے پوچھا۔

''بالکل کچھ نہیں۔'' نایاب رُکے بغیر بولی۔

''چلو پھر میں بھی چائے پی کر آتی ہوں۔''

''نہیں ماما! آپ کو نہیں جانے دوں گا۔'' ایاز نے انہیں روک لیا۔

نایاب جا چکی تھی۔ آسیہ پھوپھو مطمئن گئیں۔ اب کوئی اور جائے یا نہیں، انہیں اب کوئی سروکار نہ تھا۔ ان کے من کی خواہش پوری ہو گئی تھی۔

''جیسی جلی سڑی کھلا دے گی، کھا کر صبر شکر کر لیں گے۔ آپ کو ابھی باورچی خانے میں نہیں جانا چاہیے۔ نایاب کسی کام سے پھر ادھر آئی تھی۔ اسے دیکھتے ہی خرم نے آہ بھری۔ اس نے سنا، جلدی میں تھی۔ کہا کچھ نہیں۔ بس منہ چڑا کر واپس بھاگ گئی۔ ایاز اور ماما مسکرانے لگے...... پھوپھو کا خون کھول اُٹھا، کمبخت کی ہر ادا ہی جان لیوا تھا۔ ''اور اسے دیکھو اس کی بھی نظریں بس اس کے قدموں کی چاپ پر ہی لگی ہوئی ہیں۔ یا اللہ! یہ سب کچھ کیا ہو رہا ہے۔''

''تم ہر وقت اسے ستاتے رہتے ہو۔ جب چلی جائے گی نا تب اس کی قدر ہو گی۔'' ماما نے خرم کو سمجھانے کی کوشش کی۔

''یہ کہاں چلی جائے گی؟'' خرم نے چونک کر پوچھا۔

''اپنے گھر...... پرایا دھن ہے۔ کسی دوسرے کی امانت۔''

''اوہ نونو......'' خرم ٹیک لگائے تھے۔ ایک دم سیدھا ہو کر بیٹھ گئے۔

''میں اسے کہیں نہیں جانے دوں گا۔ یہ کسی کی امانت وامانت نہیں ہے۔ یہ صرف میری بہن ہے۔ ماما! اس کے بغیر تو میں ایک لمحہ اس گھر میں نہ رہ سکوں۔''

''پگلا بیٹا! یہ جائے گی تو تیرا دل لگانے کے لیے اور لے آؤں گی۔''

''اور......؟'' خرم ان کا مطلب نہ سمجھ سکے۔

''ہاں......تمہاری دلہن۔''

''اوہ ماما! میں نایاب کی بات کر رہا ہوں۔''

''اور میں تم دونوں کی بات کر رہی ہوں۔''

''ایاز بیٹے! تم ڈاکٹر بن چکے ہو۔ تمہارے والدین نے ابھی تمہارے کہیں بات نہیں کی؟'' آسیہ پھوپھو حالانکہ جانتی تھیں پھر بھی جان بوجھ کر انہوں نے یہ سوال کیا۔ کئی مطلب تھے یہ سوال کرنے کے، انہیں ان کی حیثیت کا، ان کے مرتبے کا احساس دلانا چاہتی تھیں۔ تمہارے پر کٹے ہوئے ہیں...... اتنی اُونچی اُڑان نہ اُڑو، گر پڑو گے۔ وہ انہیں دراصل یہ سمجھانا چاہتی تھیں۔

''جی پھوپھو!'' ایاز بڑے ادب سے بولے۔ ''میرے والدین نہیں ہیں۔''

''کیا مطلب؟ دونوں ہی؟''

''میرے والد فوت ہو چکے ہیں اور میری ماں......'' ایاز سچ بول سکے نہ جھوٹ۔ بس گڑبڑا کر رہ گئے، اب کیا ہر ایک کو ایسی، اپنی ایسی ماں کی بات بتاتے، شرم بھی آتی تھی۔

''اس کی ماں میں جو ہوں۔'' روبینہ کی الجھن سمجھتے ہوئے جلدی سے کہنے لگیں۔

''کیوں ایاز بیٹے؟''

''یہی میں دیکھ رہا تھا کہ میری ماں کب بولتی ہیں، شکریہ ماما!''

''وہ تو ٹھیک ہے۔ مگر رشتے ناطے تو والدین ہی......''

''بھئی کہا نا آسیہ! اس کا میں کروں گی۔ ماں باپ کی ایک ضمانت ہوتے ہیں، میں اور قاسم اس کے ضامن بنیں گے۔ یہ مجھے خرم ہی کی طرح عزیز ہے۔''

''بلکہ خرم سے بھی زیادہ کیوں؟'' آسیہ نے چونک کر پوچھا۔ وہ تو پھر داماد ہی ہوتے ہیں، جو بیٹی کی وجہ سے عزیز ہو جاتے ہیں۔ یہ سوچ کافی تکلیف دہ تھی۔

''کماؤ اولاد سے زیادہ پیار کیا جاتا ہے۔'' خرم شرارت سے کہہ رہے تھے۔ ویسے انہیں ڈاکٹر ایاز سے کوئی حسد نہ تھا۔ کوئی پرخاش نہ تھی۔

ماما انہیں پیار کرتی تھیں تو انہیں بھی وہ بہت اچھے لگتے تھے۔ ماما کی وجہ سے بھی اور اپنی ذات میں لیے ڈھیر ساری صفات کی وجہ سے بھی اور بس۔ اس کے علاوہ انہیں ابھی صرف اور صرف اپنے امتحانات سے غرض تھی۔ ذرا بھی نمبر کم آ جانے پر ان کی پاپا سے باز پرس ہو جانا تھی۔

''بھائی جان!'' نایاب باورچی خانے سے انہیں پکارتے ہوئے آئی۔ دوپٹہ کمر میں باندھا ہوا تھا۔ جلتی آگ کے سامنے سے آئی تھی۔ چہرہ تمتمایا ہوا تھا جیسے رخسار نہیں، دو شعلے دہک رہے تھے۔

آنکھوں میں ہلکی ہلکی نمی تھی۔ گیس کے چولہے سے دھواں تو نکل نہیں سکتا، یقیناً پیاز وغیرہ کاٹ کر آئی تھی۔ سرخ سرخ دہکتے رخساروں کے اوپر بھیگی بھیگی آنکھیں عجیب سماں پیش کر رہی تھیں۔

ایاز نے نگاہیں اٹھائیں مگر لوٹانا بھول گئے۔

''بھائی جان! آپ کو پتہ ہے وقت کیا ہے؟''

''جی جناب پتہ ہے۔ ٹائم ٹیبل کے حساب سے دس منٹ لیٹ ہوں۔ تم جاؤ نا اپنا کام کرو۔ بھاگو...... کھانا وقت پر ملنا چاہیے۔''

اسے ڈانٹ کر بھگانے کے بعد خرم ایاز سے مخاطب ہو گئے۔ ''پاپا نے امتحانات کی تیاری کے لیے میرا ٹائم ٹیبل بنایا ہوا ہے اور وہ اس چڑیل کے سپرد کیا ہوا ہے۔ منکر نکیر کی طرح ہر وقت اکیلی ہی میرے دائیں بائیں موجود رہتی ہے۔ ذرا وقت اِدھر اُدھر ہو جائے تو جھٹ پاپا سے شکایت کر دیتی ہے۔''

''نہیں خرم! جھوٹ نہیں بولتے۔ شکایت اس نے کبھی نہیں کی۔ وہ پوچھتے ہیں یہ سچ سچ سب کچھ بتا دیتی ہے۔'' ماما نے انصاف کی بات کی۔

''تو پھر شکایت ہی ہوگئی نا؟''

''اب جو مرضی ہے تمہارا مطلب نکالو۔ وہ تو صرف سچ بولتی ہے۔''

''چند دن کی تو بات ہے اب، امتحان کون سا دور ہیں۔'' ایاز نے اسے اخلاقی سہارا دیا۔ ''اللہ بہتر کرے گا۔''

''یہی چند دن تو مجھے لے کر بیٹھ گئے ہیں۔ ختم ہی نہیں ہو رہے۔''

خرم ماں کے پہلو سے اُٹھ کھڑے ہوئے۔

''اب تو ماما کے پاس بھی جی بھر کر بیٹھنا نصیب نہیں ہوتا۔''

''امتحانات کے بعد سارا سارا دن بیٹھنا۔'' روبینہ مسکرائیں۔

''پھر پاپا اپنے کاموں میں لگالیں گے۔'' اور خرم بڑبڑاتے ہوئے اپنے کمرے میں چلے گئے۔

ایاز، روبینہ اور آسیہ باتیں کرنے لگے۔ آسیہ پھوپھو کو ان دونوں کی باتوں سے کوئی خاص دلچسپی نہ تھی، کیونکہ روبینہ اور ڈاکٹر ایاز ہسپتال کی نرسوں کی، دواؤں کی اور مریضوں کی باتیں کر رہے تھے اور آسیہ اکیلے میں سوچنا چاہتی تھیں کہ ان میں کوئی بات بڑھنے سے پہلے انہیں بھابی سے رشتے کی بات کر لینی چاہیے۔

فوراً...... آج ہی...... اور وہ سوچنے لگیں۔ کچھ بھی ہو، رات کو وہ ان کے کمرے میں ضرور چلی جائیں گی اور سونے سے پہلے بات کر کے اطمینان وسکون کا سانس لیں گی اور چین کی نیند سوئیں گی۔

● ...... ● ...... ●

ساڑھے دس بجے قاسم جمال نے گھر آنا تھا۔ شاید آسیہ کی دعاؤں کا اثر تھا۔ وہ دس بجے ہی آ گئے۔ صرف پانچ منٹ پہلے ایاز اُٹھ کر گئے تھے اور شام سے رات دس بجے

تک وہ کچھ بے کل سی ہی رہی تھیں۔ اعصاب کھچے رہے تھے۔ سوچوں نے دماغ کو ماؤف کر رکھا تھا۔

بھائی کو آتے دیکھتے ہی کلمہء شکر زبان سے نکلا۔ اپنے کمرے میں جاتے جاتے سیڑھیوں میں بہن بھائی کا سامنا ہو گیا۔

''تم ابھی تک بستر پر نہیں گئیں؟''

''آپ کا انتظار کر رہی تھی۔'' آسیہ ہمت کر کے حرف مدعا زبان پر لانے کو بالکل تیار ہو گئیں۔

''میرا انتظار......؟ کوئی خاص بات ہے؟''

''اتنے دنوں سے آ کر بیٹھی ہوئی ہوں۔ شکر ہے آج آپ نے پوچھ تو لیا۔'' انہوں نے تمہید کے طور پر گلہ کیا۔

''ارے بھئی! بھائی کا گھر تمہارا اپنا گھر ہے۔ ابھی تو چند دن ہی گزرے ہیں۔ کئی مہینے بھی رہو تو میں بھلا پوچھ سکتا ہوں کہ کیوں رہ رہی ہو۔''

قاسم جمال اس وقت بڑے اچھے موڈ میں تھے۔ آسیہ نے اچھے موڈ کو اچھا شگون سمجھا۔

''لیکن اس بار میں ہمیشہ والے انداز میں نہیں آئی۔'' آسیہ نے موقع غنیمت جانا اور فوراً اشارہ کر دیا۔

''کیا مطلب؟ بھائیوں کے گھر بہنیں مختلف انداز میں بھی آیا کرتی ہیں؟'' ناتجربہ کاری کم فہمی بن گئی۔ حیرت سے آسیہ کو دیکھنے لگے۔

''ہاں بھائی جان! لیکن آپ لباس وغیرہ تو تبدیل کر لیں، پھر بات کرتی ہوں۔''

''خیر تو ہے نا؟'' قاسم قدرے چونکے۔ کچھ سراسیمہ بھی ہوئے۔ آسیہ تو اپنے گھر میں بہت راضی اور خوش تھی۔ وہ سوچنے لگے۔ پھر کیا ہو سکتا ہے؟

''آپ چلیے تو...... پریشان ہونے والی بات نہیں۔''

''اچھا اچھا آ جاؤ...... لباس میں پھر تبدیل کر لوں گا۔''

''ذرا بھابی کو بھی بلالوں نا۔'' آسیہ خاص طور پر بھاوج کے کان سے یہ بات نکالنا چاہتی تھیں۔ اگر ان کے دل میں ایاز کے لیے کچھ تھا تو وہ نکال دیں۔

''وہ بھی آتی ہے۔ سراج! بیگم صاحبہ کو اوپر بھیج دو۔''

دونوں بہن بھائی کمرے میں جا کر بیٹھے ہی تھے کہ روبینہ بھی آگئیں۔ ''آسیہ بھی یہیں ہے؟'' وہ انتہائی خندہ پیشانی سے بولیں۔

''ہاں بھابی! میں آپ دونوں کے ساتھ بات کرنا چاہتی ہوں۔''

''ہم دونوں کے ساتھ......؟ بات......؟ کیا مطلب......؟''

''اس بار میرا آنا ہمیشہ جیسا نہیں ہے۔ میں ایک خاص مقصد لے کر آئی ہوں۔''

میں سمجھی نہیں آسیہ۔'' روبینہ کے خواب و خیال میں بھی کبھی یہ بات نہ آئی تھی۔ اشاروں کو کیسے سمجھتیں؟

''آپ دونوں کے خیال میں میرا فیصل کیسا ہے؟''

''فیصل کیسا ہے؟ کیوں بھئی کسی نے کوئی غلط سلط بات کہہ دی۔''

''نہیں بھائی جان! آپ میرا مطلب نہیں سمجھے۔ میں آپ سے پوچھ رہی ہوں کہ فیصل آپ کو کیسا لگتا ہے؟''

''بہت اچھا بچہ ہے۔ خدا ایسی نیک اور لائق اولاد سب کو دے۔''

''اسی کے لیے میں آئی ہوں۔ میں چاہتی ہوں اب اس کا گھر بسا دوں، کمائی والا ہے اور گھر بار سنبھالنے کے قابل ہو چکا ہے۔''

''ہاں...... یہ تو تم نے ٹھیک سوچا ہے۔ خدا کرے سب والدین اپنی زندگیوں میں ہی اولادوں کے فرائض سے فارغ ہو جایا کریں۔ ہمارے لیے بھی یہی دعا کرنا۔''

''تو پھر کیوں نہ ہم مل کر ہی اپنے ایک ایک فرض سے فارغ ہو جائیں۔ میں فیصل کے اور آپ نایاب کے۔''

''کیا......؟'' روبینہ چونکیں۔

''نایاب میری بھتیجی ہے بھابی! میں باہر جو رشتہ مانگنے نکلوں گی تو کیا میرے

لیے اپنا خاندان، اپنا خاندان بُرا ہے؟ میرے بچے میں بھی کوئی عیب نہیں اور نایاب بھی لاکھوں میں ایک ہے۔ سب سے پہلا حق میرا ہے۔''

''مگر......مگر......'' روبینہ جمال ٹپٹا ٹپٹا کر شوہر کی طرف دیکھنے لگیں۔

''ہاں بھئی کیوں نہیں۔ تمہارا حق ہے...... سب سے پہلا ہے۔'' قاسم نے انتہائی فراخدلی کا ثبوت دیا۔

''لیکن...... لیکن سنیے تو......'' روبینہ نے شوہر کی طرف ایسی آس بھری نظروں سے دیکھا کہ وہ شاید ابھی نہ کرنے کے متعلق کہیں۔

مگر...... انہوں نے تو ایک سے دوسرا لفظ نہیں کہا۔ جیسے بیٹی بہت بڑا بوجھ تھی ان کے کندھوں کا یا وہ اس عمر کو پہنچ چکی تھی کہ کوئی رشتہ نہیں ہو پا رہا تھا اور اب بہن نے مانگ کی تو ایک دم دامن اس کی جھولی میں جھٹک دیا۔

''بھئی روبی! میرے تو خیال میں فیصل سے بہتر اور مناسب واقعی کوئی اور نہیں ہوگا......'' وہ اپنی ہی کہے گئے۔ بیگم کے انداز کو سمجھ ہی نہ سکے۔

''فیصل بلاشبہ بہت اچھا لڑکا ہے۔'' آخر وہ خود ہی کہنے لگیں۔ ''مگر آسیہ نے دیر کر دی۔''

''کیوں......؟'' آسیہ یکدم بھڑک سی اُٹھیں، لیکن لہجے پر قابو رکھا۔

''نایاب نے ابھی تو بی۔اے کا امتحان دیا ہے اور فیصل کو بھی ملازمت کیے چند ماہ ہی ہوئے ہیں۔ اس سے پہلے بات کرتی تو گڈے گڑیا والا معاملہ ہو جانا تھا۔'' آسیہ نے بھائی کو سنانے کی خاطر اپنی بے پایاں محبت کا اظہار کیا۔

''اس کے علاوہ بھتیجی مجھے بہت عزیز ہے۔ بیٹا کسی قابل ہوتا تو بات کرتی۔ اگر نالائق نکل آتا تو میں تو کبھی اپنی ہمہ صفت موصوف بھتیجی پر انگلی نہ رکھتی۔ دل میں انصاف رکھتی ہوں۔''

''ایسا ہی ہونا چاہیے، بہن بھائیوں کی اولادوں کو بھی اپنی ہی اولاد کی طرح عزیز رکھنا چاہیے۔'' قاسم جمال نے بہن کو تعریفی نگاہوں سے دیکھا۔

''میرا مطلب یہ نہیں تھا......'' وہ دونوں بہن بھائی تو بلا کچھ سوچے، بلا سمجھے،

بغیر کسی کی رائے یا عندیہ لیے بالکل ہی بات پکی کرنے لگے تھے۔ روبینہ سراسیمگی کے عالم میں بولیں۔

''پھر کیا تھا......؟''

''چند دن پہلے میں اس کی بات طے کر چکی ہوں۔'' اب روبینہ نے صاف بات کر دینا ہی مناسب سمجھا۔

''نایاب کی بات......؟'' شوہر نے حیرت و استعجاب میں ڈوبی نگاہوں سے بیوی کو دیکھا۔ ''اور مجھے پتہ ہی نہیں؟''

''آپ کے پاس وقت کب ہوتا ہے کچھ پتہ چلانے کا...... اور جب وقت ہوتا ہے تو پھر اصول سامنے آ کھڑے ہوتے ہیں۔ میں بات کب کروں اور کیسے کروں......؟''

''لیکن معاملے کی نزاکت پر بھی تو ذرا غور کرو۔ میرے بغیر بھلا نایاب کا رشتہ ہو سکتا ہے؟''

''آپ کے بغیر تو نہیں ہو گا، لیکن ماں ہونے کے ناطے جتنا حق اس پر مجھے اس حساب سے میں نے اس کے لیے سوچ لیا ہے۔''

''کیا سوچا ہے......؟''

''ڈاکٹر ایاز کے ساتھ......''

''ڈاکٹر ایاز کے ساتھ......؟'' دونوں بہن بھائی ایک دم چونکے۔ آسیہ متوقع تھیں، پھر بھی چونکیں اور بلند آواز میں اکٹھے ہی بڑبڑائے۔

''ہاں...... اور نایاب کو بھی وہ ناپسند نہیں ہے۔'' روبینہ نے جیسے اپنے فیصلے پر آخری مہر لگا دی۔

''نایاب کی پسند اور ناپسند تو بدلی بھی جا سکتی ہے بھابی۔'' آسیہ نے ایک اُمید کے ساتھ کہا۔

''مگر کیوں......؟ ایاز بڑی خوبیوں کا مالک ہے۔''

''پرلے درجے کا وعدہ خلاف انسان ہے۔'' قاسم جمال کو وہ دعوت والی رات یاد آ گئی، اس لیے فوراً مخالفت کر ڈالی۔

''وہ ڈاکٹر ہے اور اس رات ایمر جنسی آ گئی تھی۔''

''نہیں روبی! جو انسان بے اصول ہو وہ نہ تو خود زندگی میں کامیاب ہوتا ہے اور نہ ہی مجھے ایک آنکھ بھاتا ہے۔''

''بے اصولی اس نے کونسی کی؟'' روبینہ ڈاکٹر ایاز کی بُرائی سن نہ سکیں۔ قدرے جوش سے بولیں۔

''ہسپتال کے اصول وقواعد توڑ دیتا ہے۔''

''دیکھو آسیہ! میرے لیے اس نے خصوصی مراعات دیں، میری زندگی کی خاطر، اور یہ کہتے ہیں ہسپتال کے اصول وقواعد توڑے۔''

روبینہ نے آسیہ ہی سے انصاف طلب کیا، مگر وہ اس وقت کیسے انصاف کی بات کرسکتی تھیں۔ خود ان کے خلاف چلی جاتی۔ لہٰذا خاموش اختیار کرلی۔

تب روبینہ خود ہی شوہر سے مخاطب ہوگئیں۔ ''آپ ایاز سے ابھی ملے نہیں نا......مل کر تو دیکھیں۔''

''تو پھر ٹھیک ہے۔ اتوار کو چار بجے میری کوئی اپائنٹ منٹ نہیں ہے۔ گھر میں ہی ہوں گا، اسے بلوا لو۔ اتنے دنوں سے اس کی تعریفیں سن رہا ہوں، دیکھوں تو بھلا۔''

''ٹھیک ہے۔'' روبینہ خوش ہوگئیں۔

''تو اس کا مطلب ہے ہیں کل چلی جاؤں۔ مجھے صاف جواب؟''

آسیہ بھرائی آواز مگر تیکھے سے لہجے میں بولیں۔ ''آپ کے بہنوئی کو تو میں یہی کہہ کر آئی تھی کہ نایاب کو اپنی ہی بیٹی سمجھیں۔ میرے بھائی نے آج تک میری کوئی بات رد نہیں کی۔''

''ارے ارے ناراض کیوں ہونے لگیں۔ نایاب کے بعد سیماب بھی تو ہے۔''

روبینہ نند کو بھی ناخوش نہیں کرنا چاہتی تھیں۔ ''خدا فیصل کی طرح سعد کو بھی قابل کردے۔ اسے اپنی بیٹی بنا لینا۔''

آسیہ چُپ سی ہوگئیں۔ روبینہ کے لیے اپنی دونوں بیٹیاں برابر ہوں گی مگر دوسروں کے لیے جو بات نایاب میں تھی، وہ سیماب میں نہ تھی۔ سیماب بھی ذہین تھی۔

خوبصورت تھی، لیکن نایاب تو بے مثال تھی۔ جو بھی اسے پہلی بار دیکھتا تھا، چونک اُٹھتا تھا۔

اور اس کی عادات...... وہ تو اب ہی آسیہ نے دیکھی تھیں۔ شکل وصورت بے مثال تھی تو عادات اس سے بھی زیادہ لاجواب تھیں۔ شاید سیماب ایسی نہ ہو سکے۔

اس وقت تو بات ایاز اور قاسم جمال کے ایک بار ایک دوسرے کو ملنے پر ختم ہو گئی تھی۔ اس کے بعد...... اس کے بعد......

آسیہ کے پاس ایک اُمید ابھی تھی۔ شاید بھائی کو وہ پسند ہی نہ آئے، گو یہ اُمید بڑی موہوم سی تھی، لیکن وہ بالکل مایوس نہیں ہوئیں۔

اگلے دن واپس جانے کا پروگرام بناتے بناتے چھوڑ دیا۔ بات کو انجام تک تو پہنچا کر جائیں...... ہوسکتا تھا، ان کے نصیب یاوری کر جائیں۔

اب ان کے لبوں پر ہر لمحہ یہی دعا تھی کہ کوئی ایسی بات ہو جائے، قاسم کو ایاز پسند ہی نہ آئے۔

ایک تو وہ کمبخت ایسی پُرکشش سی شخصیت کا مالک تھا کہ پسند آ ہی جاتا تھا۔ اب آسیہ خود ہی دل ہی دل میں تسلیم کر رہی تھیں کہ لاکھ اس کی طرف سے دل میں بڑی سخت کدورت رکھتی تھیں، جو بیٹے کے مقابلے میں جانے کہاں سے آن کھڑا ہوا تھا۔

لیکن...... پھر بھی جب سامنے آجاتا تھا تو جی کو اچھا لگتا تھا۔

اس کی گفتگو کا انداز، اس کا اونچا لمبا قد، اس کے اٹھنے بیٹھنے کا طریقہ۔ اس کی مسکراہٹ، یہ سب مل کر دل کو موہ ضرور لیتا تھا۔

پھر بھی...... وہ دھڑا دھڑ نمازیں پڑھ رہی تھیں، دعائیں مانگ رہی تھیں اور وظیفے کر رہی تھیں۔

● ...... ● ...... ●

آج کل ڈاکٹر ایاز کی ڈیوٹی سہ پہر دو بجے سے رات آٹھ بجے تک تھی۔ ڈیڑھ بجنے والا تھا۔ وہ وارڈ میں جانے کے لیے جلد جلد تیار ہو رہے تھے۔ اکثر ڈیوٹی کے وقت

سے پندرہ بیس منٹ یا آدھ گھنٹہ پہلے ہی چلے جایا کرتے تھے۔

شیو کرنے کے بعد غسل کر کے بکھرے بکھرے بالوں میں ہاتھ پھیرتے ہوئے غسل خانے میں سے نکلے تو سامنے ان کے بیڈ پر نایاب نیم دراز تھی اور ان کی میز پر سے ایک رسالہ لیے پڑھ رہی تھی۔

''ارے۔تم؟ اس وقت؟''

''کیوں۔کوئی اعتراض ہے......؟'' وہ جلدی سے سیدھی ہو کر بیٹھ گئی۔

اچھا پوز تھا پیاری لگ رہی تھیں، اسی طرح پڑی رہتیں، دل نے اس کے متعلق ریمارکس پاس کیا۔

''اعتراض؟'' زبان اس کی بات کا جواب دینے لگی۔ ''ہاں...... ہے ایک اعتراض۔''

''وہ کیا؟'' ان کے دل کی بات آنکھوں میں اُتر آئی تھی۔ وہ سمجھ گئی، حیا کی سرخی چہرے پر پھیلی گردن جھک گئی۔

''تم صحیح وقت پر نہیں آئیں۔''

''کیا میرے لیے بھی وقت کی کوئی حد بندی ہے؟''

''آج کل دو بجے سے آٹھ بجے تک کے وقت کی پابندی، باقی سارے کا سارا تمہارا......'' وہ آ کر اس کے پاس ہی بیٹھ گئے...... اور گیلے بالوں کو تولیے سے رگڑ رگڑ کر خشک کرنے لگے۔

''تو ابھی دو بجنے میں بہت وقت ہے۔''

''پہلے بہت تھا۔اب تم آ گئی ہو تو بہت کم لگنے لگا ہے۔''

''دیکھیے ایاز! فلمی قسم کے ڈائیلاگ بولنا مجھے بالکل پسند نہیں۔'' وہ شوخی بھرے لہجے میں بولی۔ آنکھیں اندر پھیلی بکھری خوشی سے چمک رہی تھیں۔ بے حد اچھی لگ رہی تھی ''اور پھر ایک ڈاکٹر کے منہ سے، چھی چھی۔''

''کیا ڈاکٹر انسان نہیں ہوتا، جذبات نہیں رکھتا؟'' وہ اس کی ستاروں بھری جگمگاتی آنکھوں میں جھانکتے چلے گئے۔

''سب کچھ مانتی ہوں۔ مگر مجھے عمل پسند ہے ڈاکٹر صاحب۔''

''ٹھیک ہے...... پھر بتاؤ عمل سے کیسے اپنے جذبات واحساسات کا اظہار کروں جو تمہارے لیے دل میں رکھتا ہوں اور مجھے بے چین و بے قرار کیے رکھتے ہیں۔''

''پھر وہی بات۔''

''اوہ خدایا!'' ایاز اُلجھ گئے۔ ''بتاؤ پھر کس لیے آئی ہو۔ کیا مجھ سے ملنے کے لیے نہیں؟''

''نہیں...... آپ سے ملنے کی مجھے کیا ضرورت ہے۔''

''نہیں کوئی ضرورت؟''

''بھئی جب ہر وقت آپ میرے پاس، میرے دل میں، میرے خیالوں میں ہوتے ہیں، تو پھر یوں ایسے ملنے کی کیا ضرورت ہے۔''

اور اپنے جذبوں کا اظہار کرتے کرتے اندر لگی محبت کی آگ اس کے رخساروں پر دہک اُٹھی۔

''دیکھو نایاب! مجھے تم ایسی سمجھدار اور باوقار لڑکی کے منہ سے ایسے فلمی یا ناولی قسم کے ڈائیلاگ سننا ذرا پسند نہیں۔''

ایاز نے اپنی جگہ سے اُٹھتے ہوئے اس کا سر پانچوں انگلیوں میں تھام کر ہولے سے گھما دیا۔

''اچھا جی تو بدلے لیتے ہیں ہم سے۔'' وہ کچھ نادم ہوئی۔ کچھ محظوظ ہوئی، پھر مسکرانے لگی۔

''تم جو ہمارے سچے کھرے جذبات واحساسات کا مذاق اُڑاتی ہو۔''

وہ اس کی آنکھوں میں دیکھ کر ہنس دیئے۔

''نہیں ایاز! ایمان سے مذاق نہیں۔ بس......'' دل سے ان کی قدر و قیمت جانتی مانتی تھی۔

''صرف شرارت نا؟''

''ہاں تو نہ کروں؟'' وہ پھر شوخ ہوگئی۔ ویسے بھلا ایسا کر سکتی تھی؟

''ارے ضرور ضرور...... ہم ایسے ڈاکٹر پیشہ انسان کے لیے تو بہت ضروری ہے۔ ہر وقت مریضوں کی ہائے وائے سنتے رہتے ہیں۔ ایسی شوخیاں اور شرارتیں اور فقرے بازیاں تو جیسے کسی ریگستان میں بوندیں ٹپک پڑیں۔''

''اور اب فی الحال اتنی ہی بوندوں پر اکتفا کریں۔'' نایاب بھی اُٹھ کھڑی ہوئی۔

''کیا مطلب؟ جا رہی ہو؟''

''جی ہاں...... ویسے پونے دو بج رہے ہیں۔ پندرہ منٹ بعد میرے لیے بھی وقت کی حد لگ جائے گی اور میرے پاس بھی تو آپ کے لیے آج مزید وقت نہیں ہے۔''

''کیوں......؟''

''پھوپھو اور گڑیا کو انارکلی اتار کر آئی ہوں اور مجھے خود نیلے گنبد سے بھائی جان کی موٹر سائیکل کا ایک پرزہ خریدنا ہے اور اس وقت میں وہ پرزہ خرید رہی ہوں۔''

''سچ مچ؟'' ایاز قہقہہ لگا کر ہنس دیئے۔

''ایاز۔'' خود نایاب بھی ہنستے ہنستے یکدم سنجیدہ ہوتے ہوئے کہنے لگی۔ ''ذرا غور سے میری ایک بات سن لیں۔''

''غور سے؟ کیا میں نے پہلے کبھی......''

''چپ۔'' اس نے ایاز کو خاموش کرا دیا۔ ''بڑی سنجیدہ بات ہے۔ سچ مچ غور سے سنیں۔''

ایاز کے چہرے پر پھیلی مسکراہٹ معدوم ہوگئی۔

''میری پھوپھو میرے رشتے کے لیے آئی ہوئی ہیں۔''

''اوہ......!'' وہ پُرفکر انداز میں اسے دیکھنے لگے۔

''اور ماما نے کہہ دیا ہے کہ وہ آپ کے ساتھ میری بات پکی کر چکی ہیں۔''

''اوہ ماما......!'' سنجیدگی رفع ہوگئی۔ وہ پُرکشش مسکراہٹ کچھ اور بھی پُرکشش ہو کر چہرے پر پھیل گئی۔ ''آپ کا احسان۔''

نایاب نے پوری بات سنے بِنا انہیں ٹوک دیا۔ ''احسان بعد میں ساری زندگی

ان کی بیٹی کو خوش رکھ کر اُتارتے رہیے گا۔ اس وقت میری بات سنیے۔"

ہنستے ہوئے انہوں نے نایاب کا ہاتھ تھام لیا۔ "اُتاروں گا...... ضرور اُتاروں گا۔"

"اوہو...... پلیز!" نایاب نے ہاتھ چھڑا لیا۔ ایاز جذباتی ہوئے جا رہے تھے اور وہ اس وقت جیسے پُل صراط سے گزر رہی تھی۔

"توبہ توبہ! یہ مُنی سی لڑکی تو بعض وقت بالکل ایک تھانیدارنی کا روپ دھار لیتی ہے۔ پھر اس وقت مجھے بڑا خوف آتا ہے۔"

نایاب نے ایاز کی بات نہیں سنی...... یا سُنی اور نظر انداز کر دی۔ مسکرائی بھی نہیں ذرا سا...... وقت کم تھا اور وہ بڑی مضطرب تھی۔

"پاپا بھی راضی ہو گئے۔"

"پھوپھو کے ہاں تمہیں بھیجنے کے لیے؟" اب ایاز کو فکر پڑا۔

"ہاں...... لیکن ماما کی ضد پر اب وہ آپ سے ایک بار ملنے کو تیار ہو گئے ہیں۔ دیکھئے ایاز...... ذرا...... وقت کی پابندی کر لیں۔"

وہ بڑی منت سے کہہ رہی تھی۔ معصوم سے چہرے پر فکر و تردّد کے سائے پھیلے ہوئے تھے۔ وہ اور اچھی لگ رہی تھی۔ ایاز کے کان اس کی آواز کی طرف متوجہ تھے...... اور آنکھیں اس کے چہرے پر مرکوز تھیں۔

"پلیز! میری خاطر اس دن کوئی ایمرجنسی بھی آئے تو کسی اور ڈاکٹر کے سپرد کر دیں...... یا چھٹی لے لیں...... کچھ کریں...... کچھ۔" پھر اپنی بات میں وزن پیدا کرنے کے لیے وہ پُر زور لہجے میں بولی۔

"ماما کی خاطر۔"

"اس میں شک ہی کیا ہے ماما کی خاطر ہی کروں گا۔ تم کیا سمجھتی ہو؟"

"چلیں ماما کی خاطر ہی سہی۔" نایاب اتنی سنجیدہ تھی، لیکن پھر بھی مسکرا پڑی۔ ایاز کے سارے جذبے اس خوبصورت سے انکار نے اس پر پوری وضاحت سے عیاں کر دیئے تھے بڑے حسین رنگوں میں رنگی گئی تھی۔

''آیئے گا ضرور...... اور وقت پر۔'' اس نے پھر تاکید کی۔ ''ورنہ...... ہم ہار جائیں گے۔''

''ہم نہیں ہاریں گے، میں جان ہار سکتا ہوں۔ تمہیں نہیں ہار سکتا۔''

''بس...... یہی کچھ کہنا تھا، تاکید کرنا تھی۔'' وہ چلتے چلتے مڑی۔

''ارے ہاں...... شاید ماما بھی فون کریں، لیکن فون پر یوں کھلم کھلا بات نہیں کر سکتی۔ پھوپھو ہر وقت اردگرد ہی ہوتی ہیں۔''

''بائی دی وے پھوپھو کا بیٹا کیسا ہے؟''

''ٹھیک ٹھاک ہے۔''

''تو پھر کیا حرج ہے؟'' ایاز نے شرارت سے آنکھ میں کر اتنا ہی کہا تھا۔ نایاب کو غصہ آ گیا۔ ہاتھ میں پرس تھا، ایاز کے منہ پر دے مارا۔

''اس وقت میرے ہاتھ میں اینٹ پتھر بھی ہوتا تو دریغ نہ کرتی۔ فیصل تم سے بھی اچھا ہو بے شک، لیکن بے ایمان میں نے تمہیں اپنا شوہر مان لیا ہوا ہے، آئندہ ایسی بات کی......''

''توبہ توبہ۔'' ایاز نے مسکراتے ہوئے، اس کے تشدد سے محظوظ ہوتے ہوئے دونوں کان کھینچے۔ ''سر قلم کرانا ہے۔''

''میں اس سے بھی نہ چوکوں۔ اس معاملے میں جان دینے کی حد تک سنجیدہ ہوں۔''

''خوش قسمت ہوں میں۔''

''اور جس دن ایسی گھڑی آ گئی تو کہیں گے بدقسمت ہوں۔''

''نہیں...... وہ خوش قسمتی کی انتہا ہو گی۔''

''اچھا اچھا...... فلمی ڈائیلاگ بس اور وقت۔'' جلدی سے کلائی کی گھڑی دیکھی۔

''اوہ! دو بج گئے۔''

''دو بج گئے...... دشمنِ جان اب بھاگ یہاں سے۔'' ایاز نے نایاب کو کندھوں سے تھام کر دروازے کی طرف دھکیل دی۔

”آج میں پہلی بار ڈیوٹی پر کچھ منٹ دیر سے پہنچوں گا۔

”سوری...... ویری سوری اور خدا حافظ۔“ نکلتے نکلتے نایاب پھر پلٹی۔ ”ایاز پلیز یہ وقت سنجیدگی سے ہینڈل کرنا...... خاص طور پر پاپا کو رام کرنا ہے۔“

”بھئی مسکہ وسکہ لگانا تو مجھے آتا نہیں۔ بس وقت پر آجاؤں گا اور اس دن بے اصولی کوئی نہیں کروں گا۔ تم ذرا میرے آس پاس رہنا نا مورال اپ رہے گا...... ورنہ......“

”گندے۔“ اور وہ جلدی سے کمرے سے باہر نکل گئی۔

”پاگل۔“ ایاز بڑے پیار سے بڑبڑائے۔ ”یہ لڑکی واقعی پاگل ہے اور اس نے مجھے بھی پاگل کر دیا ہے۔“

سر جھٹک کر، کندھے جھٹک کر مسکراتے ہوئے جلد جلد بوٹ پہننے لگے۔

●......●......●

آج کا دن سب کے لیے بڑا اہم تھا۔ آسیہ پھوپھو بھائی کا آخری فیصلہ سننے کے لیے ٹھہری ہوئی تھیں۔ روبینہ اور نایاب کو ایاز کی طرف سے پریشانی تھی۔

کہیں پھر مریض وغیرہ میں مصروف ہو کر آنا بھول بھال ہی جائے۔ وہ ایسا ہی تھا۔ خوبیوں اور خامیوں سے ملا جلا ایک پیارا سا انسان!

پیار بھی بہت کرتے تھے۔ فرض کا معاملہ آن پڑتا تو انہیں ذہن کے ایک کونے میں دھکیل دیتے تھے اور خود مریضوں کے دکھ درد سینے میں بھر کر بیٹھ جاتے تھے۔

اور...... ڈاکٹر ایاز کی یہی ادا ماں بیٹی کو بڑی محبوب تھی...... اور اب ان کی اسی ادا نے فکر مند کیا ہوا تھا۔

اگر وارڈ میں چلے گئے...... کوئی ایمرجنسی آ گئی تو وہ قاسم جمال کے ساتھ ملاقات کا جو وقت مقرر تھا وہ بھول جائیں گے مگر......

دونوں ماں بیٹی نے اس وقت ہزاروں لاکھوں بار شکر ادا کیا۔ جب پورے چار بجے وہ ان کی کال بیل دبائے کھڑے تھے۔ اس کا مطلب تھا وہ ان کے لیے اپنے دل

میں سچے کھرے جذبات رکھتے تھے۔ البتہ آسیہ پھوپھو کا منہ انہیں آتے دیکھ کر ضرور لٹک سا گیا۔

قاسم جمال اور ڈاکٹر ایاز کی پہلی ملاقات توقعات سے کہیں زیادہ پُرامید اور حوصلہ افزا ثابت ہوئی۔

نایاب ماڈرن اور آزاد خیال گھرانے کی پروردہ تھی۔ اس کے باوجود نیک تھی۔ سیدھی سادی تھی۔ مکروفریب نہیں جانتی تھی۔ دنیادار و ریاکار نہ تھی، جو بات دل میں ہوتی کھلم کھلا اور صاف زبان پر لے آتی۔

جس طرح ماں سے ایاز کے متعلق بات کر لی تھی، اسی طرح پاپا کے ساتھ کر تو نہیں سکتی تھی۔ البتہ ان کے سامنے اس نے اپنی رضامندی کا اظہار کرنے کے لیے چائے کا سارا انتظار خود کیا۔

کچھ چیزیں گھر بنائیں، کچھ بازار سے منگوائیں۔ چائے خود بنائی، سراج اچھی چائے بنایا کرتا تھا، مگر کبھی کبھی اس کے دماغ کا کوئی کل پرزہ ڈھیلا ہو جایا کرتا تھا۔ یوں لگتا تھا جیسے چائے نہیں، رنگدار اُبلا ہوا پانی ہوتا تھا۔

اور کیا پتہ وہ وقت آج ہی آ جائے۔ کسی اور کی بات ہوتی تو شاید چپ رہتی اور پھر بعد میں ہنستی، مذاق کرتی، محظوظ ہوتی، لیکن آج معاملہ ایاز کا تھا۔ جس کے ساتھ اس کے دل کی دنیا آباد تھی۔ اس کے لیے تو سمجھ نہیں آ رہی تھی کہ کس طرح اپنا جان و دل بھی پلیٹ میں رکھ کر پیش کر دے۔

چائے کی ٹرالی خود لے کر آئی تو اس نے دیکھا۔ ماما اور پھوپھو تو خاموش بیٹھی تھیں اور پاپا اور ایاز باتیں کر رہے تھے۔ پاپا یوں گھُل مل کر ان سے محوِ گفتگو تھے جیسے صدیوں سے ان سے ملاقات تھی۔ وہ بھی بڑے ادب سے اور انتہائی شائستگی کے ساتھ بات چیت کر رہے تھے۔

اس دن ایاز نے ہسپتال سے چھٹی لے لی تھی۔ دو بجے وارڈ میں جا کر چار بجے وہاں سے نکلنا واقعی مشکل تھا۔ کیا پتہ کوئی ایمرجنسی ہی آ جاتی۔ تب تو وہ قاسم جمال کے لیے یا اپنے مستقبل اور حسین سپنوں کی تعبیر کے لیے کسی کی زندگی کا خطرہ تو مول نہیں

لے سکتے تھے۔ البتہ ایک ڈاکٹر کے چھٹی لے لینے کی صورت میں ہسپتال کی انتظامیہ کسی دوسرے ڈاکٹر کا خود انتظار کرتی تھی...... اور وہ ہو گیا ہو گا۔

اس اطمینان اور تسلی کے تحت ایاز کئی گھنٹے وہاں ٹھہرے۔ قاسم جمال کو چھ بجے کہیں جانا تھا۔ وہ اُٹھ کر چلے بھی گئے۔ ایاز وہیں بیٹھے رہے، پاپا کے جانے کے بعد خرم بھی آ گئے، جیسے کسی قیدی کو رہائی مل جائے۔

نایاب پاپا کی وجہ سے کچھ جھجک رہی تھی۔ ان کے بعد وہ بھی پورے اطمینان سے وہیں بیٹھی رہی۔ پپا اچھے موڈ میں گئے تھے اس لیے سب کا موڈ اچھا تھا۔ خوب باتیں ہو رہی تھیں۔ ایک دوسرے پر فقرے کسے جا رہے تھے۔ خرم ہمیشہ کی طرح نایاب کو ہدف بنائے ہوئے تھے۔

آسیہ پھوپھو نے جب یہ سب کچھ دیکھا تو ان کا موڈ خراب ہو گیا۔ ان کی چھٹی حس نے انہیں یہ باور کرا دیا تھا کہ بھائی کا ووٹ بھی ایاز کی طرف جانا تھا، تب وہ بہت دل گرفتہ ہوئیں۔

ایک تو نایاب کو نہ پا سکنے کا غم...... انتہا نہیں تھی اس دکھ کی۔ ایسی کوئی دوسری لڑکی انہیں کبھی نہیں مل سکتی تھی۔ کبھی بھی نہیں، کبھی بھی نہیں، کبھی بھی نہیں۔

دوسرے شوہر کو بڑے مان اور اعتماد سے یقین دلا کر آئی تھیں کہ بھائی کی طرف سے انکار کی کوئی گنجائش ہی نہ تھی۔ یہ مان، یہ اعتماد اور یہ یقین ٹوٹنے کا بھی بڑا رنج تھا۔ کیا منہ لے کر شوہر کے پاس جائیں گی۔

یہی سوچتے اور پریشان ہوتے ہوئے انہوں نے واپسی کا پروگرام بنا لیا۔ وہ اگلے ہی دن کی پہلی گاڑی سے واپس جا رہی تھیں یا پہلی فلائٹ سے، جہاں کی بھی سیٹ مل جاتی۔ پکا ارادہ کر کے اُٹھیں اور جا کر اپنا سامان سمیٹنے لگی۔

اِدھر وہ لوگ خوش گپیوں میں مصروف تھے اور اُدھر پھوپھو خون کے آنسو روتے ہوئے بڑے اٹیچی کیس، چھوٹے اٹیچی کیس کو زور لگا لگا کر بند کر رہی تھیں۔ سیماب کسی کام سے اس کمرے میں آ گئی۔

”ارے پھوپھو جی! یہ آپ کیا کر رہی ہیں؟“

''واپس جانے کی تیاری۔''

''کب؟''

''کل علی الصبح۔''

''ہائے ہم تو ابھی نہیں جانے دیں گے۔''

''جنہیں روکنا چاہیے انہوں نے تو روکا نہیں۔''

''کس نے روکنا تھا اور کیوں روکا نہیں؟''

''بھابی روکتیں اور کون روکتا؟''

''وہ ضرور روکتیں پھوپھو جی! ایاز بھائی آئے ہوئے ہیں نا۔ وہ ان کے پاس بیٹھی ہیں۔''

''ایاز تو ہمیشہ ہی یہیں ہوتا ہے۔ ہم دور سے آنے والوں کی پرواہ انہوں نے نہیں کی تو ہم ناخواندہ مہمان کیوں بنیں۔''

''نہیں نہیں پھوپھو جی! ایسی بات نہیں۔ میں ابھی جا کر ماما سے کہتی ہوں نا...... میں تو نہیں آپ کو جانے دوں گی۔''

وہ کمرے سے باہر بھاگی۔ پھوپھو اسے آوازیں ہی دیتی رہیں مگر وہ رُکی نہیں۔ سیدھی ماں کے پاس جا پہنچی اور جو جو بات پھوپھو نے کی تھی، من وعن ماما کو بتا دی۔

''آپ ماما! ایسے تو نہ کیا کریں۔'' آخر میں وہ انہیں سمجھانے لگی۔

''جایئے پھوپھو کو روک لیجئے۔ ایاز بھائی کے پاس بھائی جان بیٹھے ہیں، آپا بیٹھی ہیں اور آپا کو باتیں بھی اتنی ڈھیر ساری آتی ہیں۔ آپ ایاز بھائی کی فکر نہ کریں۔''

سیماب کی بات پر خرم قہقہے پر قہقہے لگانے لگے۔

''میں تو سمجھتا تھا ڈھکی چھپی بات ہے مگر اب پتہ چلا کہ سارا زمانہ ہی جانتا ہے کہ اس کی زبان بڑی دراز ہے۔ اب تو چھوٹی سی بچی نے بھی گواہی دے دی ہے۔''

''ارے سیماب! کب مجھے بہت سی باتیں کرنا آتی ہے؟'' نایاب نے آنکھیں نکال کر گھورتے ہوئے اسے دیکھا۔

''جب بھی دیکھتی ہوں آپا...... آپ باتیں ہی کرتی ہوتی ہیں۔ آتی ہیں تو کرتی ہیں نا؟''

''پاگل! بھائی جان سے تو کم ہی باتیں کرتی ہوں۔''

''ہاں۔''

''تو پھر تم نے میرا نام کیوں لیا ہے؟''

''اس لیے کہ گھر میں جو بھی آتا ہے آپ کو ہی پاس بٹھا کر باتیں کرتا ہے۔ میں سمجھی آپ کو سب سے زیادہ باتیں آتی ہیں۔''

''زیادہ باتیں کرنا تو ذہانت کی نشانی ہوتی ہے۔'' نایاب خرم کی طرف دیکھتے ہوئے مسکرائی اور اُٹھ کھڑی ہوئی۔

''چلیے ماما! پھوپھو کو دیکھتے ہیں انہوں نے کیوں بھلا یکا یک جانے کا پروگرام بنالیا۔''

''میں اب چلوں...... اجازت ہے ماما! جس کی خاطر بیٹھے ہوئے تھے وہ اُٹھ گئی تھی......تو پھر وہ یہاں رہ کر کیا کرتے۔ آخر وہ بھی اٹھ کھڑے ہوئے۔

''ارے ڈاکٹر! تم کہاں چلے؟'' خرم کی عادت تھی جس کو اپنا سمجھتے تھے، اس سے بہت بے تکلف ہو جایا کرتے۔''نایاب اگر پھوپھو کے پاس جا رہی ہے تو ہم بھی گونگے نہیں ہیں۔ ہمیں بھی باتیں کرنا آتی ہیں۔''

''ان کی زبان تو قینچی کی طرح چلتی ہے۔'' نایاب جاتے جاتے فقرہ کس گئی۔

خرم نے جواب دینے کے لیے منہ کھولا ہی تھا...... کہ ماما نے انہیں چپ کرا دیا۔ خرم کو ابھی ایاز اور نایاب کے رشتے کی بات کا علم نہیں تھا...... اور وہ جب بولنے پہ آئے تو آ گا پیچھا، بُرا بھلا کچھ بھی نہیں دیکھتے سوچتے تھے۔

اور ماما نہیں چاہتی تھیں کہ کوئی ایسی بات ہو جائے جو ایاز کے دل میں گرہ بٹھا دے۔ انہیں وہ اتنا پسند آچکا تھا کہ وہ ہر صورت میں اس کے ساتھ اپنی رشتہ داری بنانا چاہتی تھیں۔

''ہر وقت نہیں بولا کرتے...... اور خاص طور پر بہنوں کا مذاق نہیں اُڑایا کرتے۔''

''پھر کس کا اُڑاتے ہیں؟ دیکھئے ماما! میں بہت خشک کتابیں پڑھ کر آرہا ہوں اور میرا دماغ تر ہوتا ہے۔ تب ہی جب کچھ دیر نایاب کو چھیڑ چھاڑ لوں۔''

''اچھا اچھا'' ماما نے بات ختم کرنا چاہی۔ ''پہلے ہمیں جا کر آسیہ کو تو پوچھ آنے دو۔ پھر اپنا مغز بھی تر کر لینا۔''

''بھائی جان! میں آپ کے کسی کام آسکتی ہوں؟'' سیماب شوخی بھرے لہجے میں بولی۔

''تم عظمی کے کام آسکتی ہو۔ جا کر دیکھو کمرے میں تمہاری چیزوں کی تلاشی نہ لے رہا ہو۔''

''ہائے میں مر گئی۔'' سیماب ایک دلدوز سا نعرہ مار کر بھاگی۔

''وہاں تو میری ایک سہیلی کے خطوط پڑے ہیں۔''

''سنو۔'' خرم نے بھاگ کر جاتی جاتی کو پکڑ لیا۔ ''ان خطوط میں کیا ہے جو عظمی سے چھپانا چاہتی ہو؟''

''عظمی کی باتیں ہیں۔ وہ میری بڑی رازدار سہیلی ہے۔ چھ مہینے کے لیے لیبیا گئی تھی۔ ابھی تک نہیں آئی۔ ہائے چھوڑیے بھی عظمی سارے خط پڑھ لے گا۔'' وہ خرم سے بازو چھڑا کر بھاگی۔

بھاگتے ہوئے اس کا منا سا دوپٹہ وہیں گر گیا، لیکن عجلت میں اس وہ اُٹھانے کا بھی ہوش نہ تھا۔ خرم اور ایاز دونوں ہنسنے لگے۔

''یہ گھر کم ہے اور چڑیا گھر زیادہ ہے۔ ڈاکٹر ایاز! یہاں تمہیں عجیب و غریب قسم کے جانور ملیں گے۔''

''بہت دلچسپ ہیں سب..... بہت اچھے..... آپ جانور کہتے ہیں مجھے تو یہاں آکر یوں لگتا ہے۔ اصل انسانوں میں بستے ہیں۔ زندگی سے بھرپور انسان..... خوبصورت رشتوں میں بندھے ہوئے۔''

ڈاکٹر ایاز نے ایک ٹھنڈا سانس بھرا۔

''کبھی جانوروں ایسی زندگی دیکھنی ہو تو ہماری دیکھ لو۔ وارڈ میں چند گھنٹے

گزارنے کے بعد باقی وقت جیسے کسی کو ایک پنجرے میں بند کر دیا جائے۔"

"تو نہ بند رہا کرو پنجرے میں...... باہر نکلا کرو۔"

"باہر والی دنیا مجھے نہیں بھاتی یا پھر میں اس کے کام کا نہیں۔ ذرا مختلف انسان ہوں...... نہ مجھے فلمیں دیکھنے کا شوق ہے۔ نہ تاش واش کھیلنے کا، نہ ہوٹلنگ کرنے کا اور نہ پینے پلانے کا۔ یوں میں دوسروں کے کام کا نہیں...... ایک جانور کی طرح پنجرے میں ہی بند ہونا ہے نا۔"

"تو چلو اس چڑیا گھر میں آ جایا کرو۔"

"جی تو چاہتا ہے...... لیکن...... لیکن۔" پھر وہ کچھ کہتے کہتے رُک گئے۔ خاموش ہو کر سر جھکا لیا۔

"لیکن کے آگے سوئی کیوں اٹک گئی۔ یار چلنے دو...... ہمیں اپنا سمجھو۔"

خرم کی بات پر ایاز ہنسنے لگے۔ "اپنا ہی سمجھتا ہوں۔"

"بس ایک صرف پاپا کے اصول اپنا لو تو بس۔ اس چڑیا گھر کی دنیا تمہاری ہے۔"

"ضرور...... ان کے اصول اپناؤں گا ہی تو یہ دنیا میری ہو گی۔ میں اپنی ذات کے ساتھ، جس طرح کی ہے، اس دنیا میں شامل نہیں ہو سکتا۔"

"میرا تو خیال ہے۔" اور خرم ابھی اپنا خیال ظاہر نہیں کر پائے تھے کہ پاپا واپس بھی آ گئے۔ انہیں دیکھتے ہی اپنی بات وہیں چھوڑ خرم اٹھ کر کھڑے ہو گئے۔

"میں پاپا بس پڑھنے ہی جا رہا تھا۔ صرف چند منٹوں کے لیے ڈاکٹر ایاز کو ملنے آیا تھا۔"

"مل چکے ہو نا؟"

"ہاں۔"

"پھر چلو...... پرسوں تمہارا پہلا پرچہ ہے۔"

"ہاں جی......" اور خرم جلدی سے اپنے کمرے میں چلے گئے۔

خرم کے جانے کے بعد ایاز اُٹھے۔ "اب میں بھی اجازت چاہوں گا۔"

روبینہ ادھر دوسرے کمرے میں تھیں۔ وہ شاید انہیں ابھی نہ جانے دیتیں لیکن قاسم جمال نے انہیں فوراً ہی اجازت دیدی۔

''واقعی تمہیں آئے کافی دیر ہوگئی ہے، اب جانا چاہیے۔''

انہوں نے فٹافٹ اصول کی بات کر دی۔ روبینہ کے ان کے لیے کیسے جذبات تھے۔ وہ ابھی انہیں رخصت کرنا چاہتی بھی تھیں یا نہیں۔ اس کا خیال ہی نہیں کیا، سوچا ہی نہیں۔

نایاب نے ان کے لیے کھانے پر دو ڈشیں تیار کی تھیں۔ اپنی خواہش سے بھی اور ماما کی خواہش سے بھی۔ مگر پاپا کسی کے دل کے بھید تو نہیں جانتے تھے۔ ایاز کمرے میں اکیلے رہ گئے تھے۔

اور خود قاسم جمال بھی اب اپنا کام کرنے والے تھے۔ کچھ بڑے ضروری کاغذات دیکھنا تھے۔ پھر ایاز کو کس لیے بٹھا چھوڑتے، سیدھی سی بات تھی، اصول کی بات۔

''اچھا برخوردار! تم سے مل کر بہت خوشی ہوئی۔'' پاپا نے ہاتھ ملا کر انہیں رخصت بھی کر دیا۔

اِدھر اُدھر دیکھتے ہوئے، ماما نظر آجاتیں، نایاب دکھائی دے جاتی مگر وہ دونوں جانے کہاں چلی گئی تھیں۔ ایاز مایوس سے اُٹھے۔

اتنے گھنٹے بیٹھے تھے...... جی ابھی نہیں بھرا تھا۔ ایسے محبت کرنے والوں میں پہلی بار اُٹھنا بیٹھنا نصیب ہوا تھا۔ کاش! یہ وقت تھم جاتا۔ ایاز یہی کچھ سوچتے ہوئے چلے گئے۔ قاسم وہیں صوفے پر بیٹھ گئے۔

''نایاب! روبی! ارے بھئی کہاں ہو تم لوگ؟ آسیہ کہاں ہے؟ مہمان کو اکیلا بٹھایا ہوا تھا۔ کیسے عجیب ہیں سب۔''

''آگئے بس۔'' روبینہ اندر آتے ہوئے بولیں۔ ''ارے!''

پھر وہیں ٹھٹک گئیں۔ ''ایاز اور خرم کہاں چل گئے؟''

''خرم کا تو پرسوں پرچہ ہے۔ پڑھنے گیا ہے کمرے میں اور ایاز اپنے ہسپتال گیا ہوگا۔''

''ہائے ہائے۔ کھانا کھائے بغیر ہی چلا گیا۔''

''تم لوگوں نے ابھی کھانا نہیں کھایا؟''

''آپ تو کھا آئے نا؟''

''ہاں...... کھانا پڑا۔ پنڈی والا ڈائریکٹر آیا ہوا تھا۔ اس کے اعزاز میں کھانا تھا، لیکن آپ لوگوں نے بہت دیر کر دی۔''

''بس کھانے ہی لگے تھے کہ پتہ چلا آسیہ واپس جا رہی ہے۔ بچوں نے شور مچا دیا۔ پھوپھو ابھی نہ جائیں، میں اسے ہی سمجھانے لگ پڑی تھی۔''

''پھر؟ کیا نتیجہ نکلا؟''

''کچھ بھی نہیں۔ پتہ نہیں کیا ہو گیا ہے۔ آنکھیں بھی متورم ہو رہی ہیں۔ شاید روتی رہی ہے۔''

''کیوں؟ روتی کیوں رہی ہے؟ تم کہاں تھیں؟''

''پہلے یہیں میرے پاس ہی بیٹھی ہوئی تھی۔ جب آپ ایاز سے باتیں کر رہے تھے۔ پھر آپ اُٹھ کر گئے تو وہ بھی اُٹھ گئی۔ میں سمجھی کسی ضرورت کے لیے اُٹھی ہو گی۔ معلوم ہوا جانے کی تیاری بھی ہو گئی۔ لگتا ہے ناراض ہو کر جا رہی ہے۔''

''چلو میں خود اس سے بات کرتا ہوں۔''

وہ اور روبینہ آسیہ کے کمرے میں گئے۔ نایاب پھوپھو کے گلے میں باہیں ڈالے کھڑی تھی۔

''میری قسم کھائیں کہ بات کوئی نہیں ہوئی؟'' وہ پھوپھو کا ہاتھ اٹھا کر اپنے سر پر رکھتے ہوئے پوچھنے لگی۔

''چلو چلو...... بھاگو یہاں سے...... اپنی قسمیں ڈال رہی ہو بیوقوف کہیں کی۔ تم نے ابھی بی۔اے پاس تو کیا نہیں۔ تمہاری قسم کیا معنی رکھتی ہے۔''

ہائے بھائی جان! ایسے تو نہ کہیں...... بی۔اے پاس نہیں کیا تو کیا ہوا۔''

بھائی کی بات سن کر آسیہ نے مسکراتے ہوئے نایاب کو گلے سے لگا لیا۔

''مجھے تو نایاب اتنی عزیز ہے کہ بی۔اے تو کیا میٹرک بھی نہ ہوتی تب بھی میں

اس کی قسم کبھی نہ کھاتی۔"

پھر آسیہ بے اختیار ہنس دیں۔

"آپ نے بھی بھلا کیسی بات کر دی۔ کیا ڈگری والا انسان ہی جان رکھتا ہے۔"

"شکر ہے تم ہنسیں تو...... آسیہ کو ہنسانے کے لیے ہی تو میں نے ایسی بات کی تھی ورنہ...... اے بیٹی۔" ایک دم ہی انہوں نے نایاب کا بازو پکڑ لیا۔ "قسمیں نہیں کھایا کرتے۔ ہمیشہ سچ بولا کرتے ہیں۔ ہمیشہ...... کہ سب اس کا اعتبار کریں۔ کوئی بھی نہ جھٹلا سکے...... اور بس۔ پھر قسم کھانے کی ضرورت نہیں پڑتی۔"

"جی پاپا۔" نایاب خفیف سی ہو گئی۔ "مگر پھوپھو کو تو دیکھیے۔"

"تم جا کر کھانا لگاؤ۔ اس سے بات میں کرتا ہوں۔"

"میں نے سنا ہے تم کچھ ناراض ہو۔"

"مجھے ناراض ہونے کا کیا حق ہے۔"

"ہے...... بہت ہے۔ میں تمہارا بھائی ہوں۔"

"تو پھر میری بات مانتے؟"

"ضرور مانتا۔" وہ آسیہ کا مطلب سمجھ گئے تھے۔ "مگر ادھر سنا ہے روبی زبان دے چکی ہے اور میں وعدہ خلافی نہ ہوتے دیکھ سکتا ہوں اور نہ کر سکتا ہوں۔"

"تو بس پھر ٹھیک ہے نا۔ مجھے جواب ہی مل گیا نا۔"

"کیا مطلب؟ بہن بھائی والا رشتہ بھی ختم کر رہی ہو؟"

"باقی کیا رہ گیا ہے۔ ایک اچھے بھلے...... دیکھے بھالے خاندان پر آپ نے اس اکیلے لڑکے کو ترجیح دے دی۔"

"کس لڑکے کو؟ ابھی میں نے اپنی کوئی رائے نہیں دی۔"

"آپ کے انداز سے مجھے پتہ چل گیا ہے۔"

"میں غلط کیوں کہوں۔ لڑکا اچھا ہے، مجھے پسند آیا ہے۔"

"تو بس پھر...... آپ گھما پھرا کر بات کرنے کی کوشش کیوں کر رہے ہیں۔

مجھے پہلے ہی پتہ تھا، بھابی جو کچھ کہیں گی وہی ہوگا؟''

''آسیہ! پہلے کبھی ایسا ہوا ہے؟'' روبینہ دل گیر سی آواز میں بولیں۔

''بچے بھی تو اب ہی جوان ہوئے ہیں اور پتہ بھی اب ہی چلے گا، نہ اس کا خاندان دیکھا نہ یہ معلوم کیا کہ کون ہے؟ اکیلا کیوں ہے؟ ماں کیوں چھوڑ گئی؟ کسی کی جائز اولاد ہے بھی یا......؟''

''آسیہ!'' روبینہ کو نند کی یہ بات بے انتہا بُری لگی۔

''تو میں کیا غلط کہہ رہی ہوں۔'' آسیہ بھری بیٹھی تھیں۔ کسی کا لحاظ کیے بنا بولیں۔

''نجیب الطرفین میرا بیٹا تھا۔ اس کے مقابلے میں کوئی ایسا ہی لاتیں، تب مزہ بھی تھا۔ آپ کو بھلا علم نہیں کہ وہاں کس قسم کے لوگ شادیاں کر لیتے ہیں اور کیسی عورتوں سے اور بعض اوقات تو بغیر شادیوں کے بھی اولادیں پیدا کر کرا کے آجاتے ہیں یا وہیں کے ہو رہتے ہیں۔''

''ایاز ایسا نہیں ہے، وہ بے مثال انسان ہے۔'' روبینہ ایاز کی حمایت میں قدرے بلند آواز میں بولیں۔ ''اس کے متعلق تمہیں ایسی باتیں نہیں کرنا چاہئیں۔''

''کیوں نہیں کرنا چاہئیں...... کس کس کی زبان بند کریں گی۔ ایسے ایسے سوالات تو سب کریں گے اور مجھے شرم آ رہی ہے کہ میں فیصل کے باپ کو کیا بتاؤں گی۔ یہی کہ ان کے خاندان پر میرے میکے والوں نے ایک میم کے چھوکرے کو جو پتہ نہیں کیسا ہے، اسے ترجیح دی ہے۔ اشراف کا تو زمانہ ہی نہیں رہا۔''

''بس کرو آسیہ! خدا کے لیے بس کرو۔ اتنا ہی سوچ لو کہ میں نے یہ بات طے کی ہے۔ اپنی خواہش سے۔''

''ویسے روبی! ایک لحاظ سے آسیہ بھی ٹھیک ہی کہہ رہی ہے۔'' قاسم کچھ سوچ کر بولے۔ ''ایاز کا باپ اگر پاکستانی تھا تو اس کے رشتہ دار تو ہوں گے ہی۔ ہمیں ان کا پتہ کرنا چاہیے۔''

''کس لیے؟ کیا ایاز اپنی ذات میں وہ ساری خوبیاں نہیں رکھتا جو ایک انسان

میں ہونا چاہئیں۔ ماں باپ کی شرافت یا خاندان کی عظمت علیحدہ کچھ دے دیتی ہے؟''

''بیٹی کا رشتہ کرنے کے لیے یہ سب کچھ دیکھنا ہی پڑتا ہے۔'' قاسم بھی آسیہ کے ہمنوا بن گئے۔ ''تمہیں پہلے یہ ساری جانچ پڑتال کر لینا چاہیے تھی۔''

''میں تو بس ایاز کو جانتی ہوں اور اس کے بعد مجھے کچھ اور جاننے کی ضرورت ہی نہیں۔ وہ ایک مکمل انسان ہے۔ وہ ایک مثالی انسان ہے۔''

''خیر مکمل یا مثالی وغیرہ تو نہیں۔ کچھ اصولوں کا کچا ہے، لیکن اچھا انسان ہے، بُرا نہیں۔''

''تو بس پھر......'' روبینہ نے بات ختم کر دینا چاہی۔

''بھابی! کیا صرف اتنی بات پر رشتہ ہو جایا کرتا ہے۔ یاد ہے آپ کی اماں نے ہمارے خاندان کی کس طرح چھان بین کی تھی؟''

''نہ وہ وقت رہے اب اور نہ وہ لوگ۔''

''ہم تو ہیں اور ہم اپنی بیٹی کا دیکھ بھال کر رشتہ کریں گے۔'' قاسم نے بہن کے ساتھ مل کر پورا محاذ قائم کر لیا تھا۔

''آپ ایک لڑکے کا کیا دیکھیں گے؟''

''سب کچھ ہی۔''

''کیا اس کی اپنی عادات و اطوار نجیب الطرفین ہونے کی دلیل نہیں ہوتے؟''

''ہم نے اچھوں کی اولاد بُری اور بُروں کی اچھی نکلتی دیکھی ہے۔ کیا پتہ اس کے والدین کیسے ہوں؟''

روبینہ کی اس بات پر دونوں بہن بھائی خاموش ہو گئے۔

''میری نگاہ میں خاندان کوئی ضمانت نہیں ہے۔ بس...... ایک انسان خود ہی اپنی شناخت ہے اور اس کا کردار اس کی ضمانت۔''

''دیکھو روبی! ایاز کے معاملے میں اتنا جذباتی نہ بنو۔ آسیہ ٹھیک کہہ رہی ہے۔ ہمیں کچھ تھوڑا بہت تو اس کے متعلق معلوم کرنا ہی چاہیے، دوسرے لوگوں کو بھی مطمئن کرنا ہو گا۔''

''معلوم کرتے رہیں پھر اور دوسرے لوگوں کو مطمئن کریں۔'' روبینہ غصے سے بھری اُٹھ کھڑی ہوئیں۔

''لیکن میں ایک بات کہہ دوں۔ ایسا لڑکا آپ کو کوئی اور نہیں ملے گا۔ اعلیٰ سے اعلیٰ خاندان میں بھی نہیں۔''

''دنیا بھری پڑی ہے بھابی! اچھے اچھے لڑکوں سے۔ یہ بات کہہ کر آپ میرے منہ پر تھوک رہی ہیں۔ کیا عیب ہے فیصل میں؟''

''چلو فی الحال چھوڑو اس قصّے کو۔ آج پہلی بار میں اپنے گھر میں اس قسم کا جھگڑا دیکھ رہا ہوں، آئندہ نہ ہو۔''

''نہیں ہوگا، لیکن ایک بات کہہ دوں، کریں آپ بے شک اپنی مرضی، لیکن ایاز کو بُرا یا کچھ اور کہہ کر رشتے سے انکار نہ کریں۔''

''مجھے خدا کا خوف آتا ہے۔ جانے کب کوئی اکیلا ہو جائے۔ خدا کے کاموں کا انسان کو بھلا کوئی علم ہوتا ہے۔'' اور روبینہ بڑبڑاتے ہوئے کمرے سے باہر نکل گئیں۔

بات تو روبینہ نے بھی درست کہی تھی۔ ایاز میں کوئی عیب نہ تھا۔ ماں فارنر تھی، باپ سے طلاق لے لی۔ باپ مر گیا، وہ اکیلا رہ گیا۔ اس کا یہ مطلب نہیں تھا کہ اب وہ اکیلا تھا تو ہر در سے راندہ جائے۔ قاسم بھی سوچنے پر مجبور ہو گئے۔ آسیہ تھوبڑا سا منہ بنائے بیٹھی تھی۔ بہن گھر سے ناراض ہو کر چلی جائے، یہ بھی گوارا نہ تھا۔

سنو آسیہ! تم نے جو خاندان کی بات کی ہے وہ بھی درست ہے۔ میں ایاز کے خاندان کا اتہ پتہ معلوم کروں گا۔ اچھی طرح چھان بین کروں گا۔ آخر مجھے بیٹی دینا ہے، اگر کوئی کمی کبھی ہوئی تو نایاب تمہاری۔''

''ورنہ ایاز ہی جیتے گا۔'' وہ کڑوے سے لہجے میں بولیں۔

''آپ مقابلہ ہی کیوں کرتے ہیں۔ سیدھا سیدھا فیصل کے لیے فیصلہ کر دیں۔''

''ضرور کر دیتا مگر وہی اصول کی بات۔ تمہاری بھابی بھی زبان دے چکی ہے اور میں اصولوں کا بڑا پابند ہوں۔ آج اس کی زبان کا پاس رکھوں گا تو کل اپنی بھی زبان رکھ

سکوں گا۔ آج تک میں نے کوئی بے زبانی نہیں کی، کوئی وعدہ خلافی نہیں کی اور کوئی بے اصولی نہیں کی۔''

''اور اگر اس کا خاندان صحیح نہ نکلا تو؟''

''تو پھر کہا نا۔ فیصل کے ساتھ کروں گا۔''

''پھر بھابی بے زبان نہ ہو جائیں؟'' آسیہ طنزاً بولیں۔

''پھر کوئی وجہ، کوئی دلیل تو ہمارے پاس ہو گی۔''

آسیہ نے کچھ سوچا۔ بالکل ناامیدی نہیں تھی، امید کی ابھی ایک کرن روشن تھی۔ کیا پتہ وہ کرن پھیل کر سورج بن جائے۔ ان کی تمناؤں کا سورج، طلوع ہو ہی جائے۔ وہ دعا کریں گی۔

''تو پھر...... یہ پکی بات ہے نا؟''

''بالکل پکی۔'' قاسم پُرزور اور پُراعتماد لہجے میں بولے۔

''ایاز کے بعد فیصل...... یہ میرا فیصلہ ہے اور اس گھر میں میرا حکم چلتا ہے اور میرے فیصلے۔''

''پھر میں فیصل کے ابو کو کیا جواب دوں؟''

''ساری بات سچ سچ بتا دینا۔ وقتی طور پر سچ کڑوا لگتا ہے، لیکن اس کے نتائج بڑے میٹھے نکلتے ہیں...... اور۔''

پھر انہوں نے اُٹھ کر آسیہ کے سر پر پیار سے ہاتھ پھیرا۔

''بھائیوں کے گھر سے بہنیں روٹھ کر یا ناراض ہو کر نہیں جایا کرتیں۔ چلو اُٹھو، کھانا وغیرہ کھاؤ اور دو تین دن بعد چلی جانا اور میرے بچوں کے لیے بہتری کی دعا کرنا۔ نصیب کا کیا پتہ، نایاب نے تمہارے گھر ہی جانا ہو۔''

بھائی کے تسلی دلاسے اور پیار سے آسیہ کے چہرے پر رونق سی آ گئی۔

''میں ایک بار پھر بتا دوں بھائی جان! مجھے نایاب بہت عزیز ہے۔''

''اور میں بھی تمہیں بتا دوں کہ میں اس کا باپ ہوں اور یہ اس کی پوری زندگی کا معاملہ ہے۔ کوئی غلط فیصلہ نہیں کروں گا اور نہ ہونے دوں گا۔''

''بھائی کی اس بات نے آسیہ کو پوری طرح پُر امید کر دیا۔ پہلے آس کی صرف ایک کرن تھی۔ اب پورے کا پورا آفتاب روشن ہو اُٹھا تھا۔ جگمگ جگمگ کرتی مسکراہٹوں کے ساتھ اٹھ کر کھانے والے کمرے کی طرف چل دیں۔

●......●......●

''ماما...... ماما'' نایاب سسکیاں بھرتے ہوئے ماں کے گلے سے لگ گئی۔ ''رات کو میں نے ساری باتیں سن لی تھیں۔''

''تبھی رات کھانا نہیں کھایا؟''

''اس لیے بھی اور......'' وہ ہچکیاں بھرنے لگی۔ اُس وقت بالکل کم عمر اور معصوم سی بچی ہی لگ رہی تھی۔

''اور کس لیے؟ کیا کوئی اور وجہ بھی ہے؟''

''وہ...... وہ......'' وہ تھوڑا سا ہچکچائی۔ پھر روانی کے ساتھ روتے ہوئے بولتی چلی گئی۔ ''ایاز کے لیے میں نے دو ڈشیں تیار کی تھیں۔ آپ ہی کے کہنے پر...... اور انہیں کسی نے کھانے پر روکا ہی نہیں۔ بھلا مہمان نوازی ایسے ہوتی ہے؟ پھر مجھ سے کیسے کچھ کھایا جاتا۔''

''میرا اپنا یہی حال تھا مگر بیٹے! تمہاری پھوپھو نے اگر تمہیں اس حال میں دیکھ لیا تو بری بات ہوگی۔''

''مگر ماما! اپنی اپنی پسند ہے۔ مجھے فیصل بالکل پسند نہیں۔ مانتی ہوں لائق ہے۔ بڑی لمبی چوڑی تنخواہ پاتا ہے، مگر دولت پیسہ سب کچھ نہیں ہوتا۔ وہ جب بھی آتا ہے کسی فلمی ہیرو کی طرح عشقیہ قسم کے ڈائیلاگ بولتا ہے۔ وہ مجھے نہیں اچھے لگتے، بالکل چھچھورا لگتا ہے۔'' اس نے پھر سسکی بھری۔

''اور پھوپھو کہتی ہیں نجیب الطرفین ہے۔ جو جوان اور خوبصورت لڑکیوں کو دیکھ کر آوازے کسے، رومانوی مکالمے بولے وہ بتائیے نجیب الطرفین کیسے ہوا؟''

"چپ پگلی!" روبینہ نے بڑے پیار سے اسے ڈانٹ دیا۔

"اس کی ماں تمہارے پاپا کی بہن ہے اور اس کا باپ تمہارے پاپا کے کزن۔"

"لیکن وہ خود تو ایک اوچھا انسان ہے نا...... میں پاپا کے کزن کو پاپا اور پاپا کی بہن کو کیا کروں۔ مجھے ان کے ساتھ زندگی تو نہیں گزارنی۔ مجھے تو صرف ایک شخص کے ساتھ زندگی گزارنا ہے۔ وہی اپنی پسند کا نہ ہوا۔ وہی اپنے ذوق کا نہ ہوا...... تو پھر؟ ہائے ماما! اتنی طویل زندگی کیسے گزرے گی؟" وہ زور زور سے روئے جا رہی تھی۔

"نایاب! عقل کر۔"

"بس مجھے کچھ نہیں سُوجھ رہا۔ جی چاہتا ہے زور زور سے رووٴں۔ اونچی آواز میں بین ڈالوں۔ دیکھو لوگو! میرے ساتھ کیا ہو رہا ہے، سارے زمانے کو سناؤں۔"

"چپ کر نایاب! پھوپھو سارے خاندان میں بدنام کر دیں گی۔" روبینہ نے دبی دبی آواز اور گھٹے گھٹے لہجے میں اسے سمجھانے کی کوشش کی۔

"یہ پھوپھیاں کیا بدنام کرنے کے لیے ہوتی ہیں۔ انہیں کہہ دیں، جائیں اپنے گھر...... میں تو زور زور سے رووٴں گی۔ یہ بھلا کوئی انصاف ہے کہ اپنے گھر میں ہم آزادی سے رو بھی نہ سکیں۔" وہ بچوں ایسے ضدی لہجے میں بولی۔

"نایاب! تم سے مجھے ایسی توقع نہ تھی۔"

"کیا ماما؟" یک لخت وہ خاموش ہو گئی۔

"اس رونے والی بیوقوفی کی۔ میری اچھی بیٹی! اُٹھ ناشتہ کر لے۔ پھر میں سوچتی ہوں۔"

"آپ نے کیا سوچنا ہے؟ پاپا کہیں گے۔ اصولوں کے متعلق ایک چھوٹی سی تقریر کریں گے اور آپ فوراً مان لیں گی۔"

کمبل اُوپر سے اُتار پھینکا اور اُٹھ کھڑی ہوئی۔ "میں خود ہی کچھ نہ کچھ کروں گی۔"

"ہائیں۔" روبینہ حیرت سے اسے دیکھنے لگیں۔ "تم کیا کرو گی......؟"

"ایاز کے خاندان کا اتہ پتہ معلوم کروں گی؟"

''تم......؟''

''ہاں میں اور کون......؟''

''لیکن نایاب! تم یہ کیسی بات کر رہی ہو؟''

''غلط تھوڑا کہہ رہی ہوں۔ میری زندگی کا معاملہ ہے۔ مجھے خود تگ و دو کرنا ہو گی اور معاملے کو سلجھانا ہو گا۔''

''تمہارے پاپا جو کہہ رہے تھے۔''

''کہہ تو رہے تھے، لیکن انہیں کبھی فرصت بھی ملی ہے؟ ہمارے ساتھ دن میں ایک آدھ بات کرنے کا وقت تو ملتا نہیں اور پتہ کرنے چلیں گے اس خاندان کا جو کھویا ہوا ہے، وہ نہیں کچھ بھی کر سکیں گے۔''

''اور تم کر لو گی......؟''

''کہا نا ماما کہ میرے دل کو لگی ہوئی ہے۔ بڑی بے کل ہوں، بڑی بے چین ہوں۔ سب کچھ کر گزروں گی۔'' ماں کی حیران نگاہوں اس کے چہرے پر جمی تھیں۔ ذرا سا رُخ پھیرتے ہوئے نظریں جھکا ہولے سے بولی۔

''دیکھیے اس وقت میں کچھ بھی کہہ لوں مجھے بے شرم یا بے حیا نہیں کہیے گا۔ صرف آپ کے سامنے بات کر رہی ہوں۔ ایک دوست کی طرح۔ یہ جو کچھ ہوا کوئی اچھا ہوا، ایاز سنیں گے کہ خاندان کی وجہ سے ریجیکٹ کیے جا رہے ہیں، تو کیا سوچیں گے ہمارے متعلق؟ ہم کیسے دقیانوس اور غلط قسم کے لوگ ہیں۔ ان کی اچھائیوں کو، ان کی انسانیت کو دیکھتے نہیں اور خاندان دیکھنے چلے ہیں۔''

''تو تم بھی تو اس سے ہی معلوم کرو گی۔ تب اسے نہیں معلوم ہو جائے گا؟''

''میں ایسے تھوڑا معلوم کروں گی۔''

''پھر......؟'' روبینہ کی آنکھوں میں اسی طرح حیرت و تجسّس کا ملا جلا عکس تھا۔ وہ بھلا کیا کرے گی۔

''یہ مجھ پہ چھوڑ دیں۔ اتنی عقل رکھتی ہوں۔ انہیں شبہ بھی نہیں ہونے دوں گی کہ ہمارے گھر میں اس نوعیت کا مسئلہ چھڑا ہوا ہے۔ آپ بس اسی طرح ان سے ملیں۔

فون کریں، گھر بلائیں، بالکل ہمیشہ کی طرح اور پلیز! ایک کام کریں؟''

''وہ کیا؟''

''پھوپھو بیگم کو تو اب یہاں سے رخصت کریں۔ مجھے ان کی نظریں پورے کا پورا ایکسرے پلانٹ لگتا ہے۔ ڈر ہی آتا رہتا ہے۔''

''وہ کل جا رہی ہے۔''

''شکر ہے پروردگار تیرا۔''

''اور انہوں نے میرے ساتھ پروگرام بنایا ہے۔'' خرم اندر داخل ہوئے۔ ''تاکہ خود جا کر فیصل کو کچھ دن کے لیے یہاں بھیج دیں اور پھوپھا جان کی واقفیت بہت ہے۔ ہو سکا تو تبادلہ ہی کرا دیں گے...... تاکہ ہر وقت تمہارے سامنے رہے اور دونوں میں پیار و محبت بڑھے۔''

''اوئی اللہ...... دیکھا ماما! ان کے ارادے۔'' وہ چیخ پڑی۔ ''اس نے اس گھر میں قدم رکھا تو میں نکل جاؤں گی۔''

''کہاں جاؤں گی......؟'' خرم نے مسکراہٹ ہونٹوں میں دباتے ہوئے پوچھا۔

''میں تو کہتا ہوں جانا کہاں ہے، اس دنیا میں رہو گی تو ہر جگہ دُکھ ہی دُکھ ملیں گے۔ سُکھ یہاں کہیں نہیں ہوتا۔''

''پھر......؟'' اس نے بڑی سنجیدگی سے خرم کے مشورے کو سنا۔

''اگلی دنیا میں ہی سدھار جاؤ۔''

''کیا مطلب......؟''

''خودکشی کر لو۔''

''ہائے ہائے خرم! کیسی باتیں کر رہے ہو......؟''

''تو ماما! ٹھیک بھی تو ہے۔ فیصل آ گیا تو......''

''کس کی باتوں میں آ گئی ہو...... وہ مذاق کر رہا ہے۔'' خرم آ کر ان کے پاس ہی بیٹھ گئے۔ ماما نے ان کا کان پکڑ لیا۔ ''کیوں خبیث! فیصل والی بات خود گھڑی ہے نا......؟''

خرم بڑے انداز سے مسکراتے رہے اور نایاب کی طرف دیکھتے رہے۔

"بتانا سچ...... کیا یہ سچ ہے؟"

"پہلے تو آپ یہ بتائیے کہ گھر میں جو اتنا کچھ ہوا مجھ سے کیوں چھپایا گیا؟"

"تو کیا تمہیں معلوم ہے سب؟" ماما نے سنجیدہ ہوتے ہوئے خرم کا کان چھوڑ دیا۔

"بالکل...... آپ نے مجھے اتنا پاگل سمجھ رکھا ہے۔ دو آنکھیں دیکھنے کو، دو کان سننے کو اور ایک خوبصورت سی ناک سونگھنے کے لیے، یہ سب اللہ نے دے رکھا ہے۔ جہاں کہیں رازداری ہو رہی ہوتی ہے مجھے خوشبو آ جاتی ہے۔ پھر میں دو آنکھیں اور دو کان لیے فوراً موقعہء واردات پر پہنچ جاتا ہوں۔"

خرم کی آنکھوں میں ذہانت کی چمک کے ساتھ ساتھ سنجیدگی بھی تھی اور تھوڑی تھوڑی شوخی بھی۔

"بتایئے کون سا واقعہ بتاؤں۔ رات کو جو آپ کی اور پھوپھو کی لڑائی ہوئی تھی وہ، پھر پاپا اور پھوپھو میں جو بات چیت ہوئی وہ، پھر نایاب نے رات کا کھانا نہیں کھایا اور اب ناشتہ بھی نہیں کیا۔ یہ بھی بتا دوں اس نے اٹوانٹی کھٹوانٹی لے رکھی ہے؟"

"ہائے بھائی جان!" نایاب نے شرم سے سرخ ہوتے چہرے پر دونوں ہاتھ رکھ لیے۔

"تم بڑے خبیث ہو۔" ماما مسکرا پڑیں۔

"جاسوس ہیں پورے۔" نایاب اسی طرح چہرہ چھپائے چھپائے بولی۔

"دیکھو بلی! چوہے کو نہ چھیڑو ورنہ اور بھی بہت سارے پول کھڑے ہیں...... کھول دوں گا۔"

"وہ کیا......؟"

"میں لوگوں کے دلوں کا حال جانتا ہوں۔ ماما تو ویسے دل کی بیمار ہیں اور یہ، ان کی بیٹی کچھ......"

"چل اب چپ کر اور بکواس بند کر۔"

''دیکھئے ماما......! میں نایاب کا بڑا بھائی ہوں۔ مجھے بساط میں سے نکال نہ دیا کریں۔ کچھ حق حقوق کچھ فرائض میرے بھی ہیں۔ اتنا بھی بے کار اور غیر ضروری مہرہ نہیں ہوں۔ پاپا کو اگر وقت نہیں ملتا تو یہ کام مجھ پر چھوڑ دیں۔ امتحان سے فارغ ہونے کے بعد سب کچھ معلوم کر دوں گا آپ کو۔ نایاب کو در در بھٹکنے کی ضرورت نہیں۔''

''کیا مطلب؟ کیا کہہ رہے ہیں آپ؟''

''میرا مطلب یہ ہے کہ ایاز کے متعلق ساری معلومات فراہم کر دوں گا۔ ویسے اتنی ضرورت بھی نہیں۔ وہ بہت اچھا انسان ہے، لیکن چونکہ پاپا اور دوسرے خاندان والوں کو بھی تو مطمئن کرنا ہے۔'' خرم کے چہرے پر بزرگوں ایسا وقار اور سنجیدگی تھی۔

''اس کے خاندان کا پتہ کر لیں گے۔ آپ اور نایاب بالکل فکر نہ کریں۔ میری سب سے بڑی خواہش اور خوشی یہ ہے...... کہ نایاب کی دلی آرزو پوری ہو۔''

نایاب کی نظریں جھک گئیں...... گردن جھک گئی۔

''یہ جو چاہتی ہے وہی ہو۔ اگر میں اسے زندگی کا سکون نہ دے سکا تو میں اس کا کیسا بھائی ہوں۔ مجھے بھائی کہلانے کا کوئی حق نہیں۔'' پھر یکا یک خرم کے چہرے پر سے سنجیدگی کا ماسک اتر گیا۔

''چل اُٹھ چڑیل! ناشتہ کر...... یہ تمہیں پتہ بھی ہے؟ نہ میں نے رات کو کھانا کھایا ہے اور نہ ابھی تک ناشتہ کیا ہے۔''

''کیوں بھائی جان؟''

''تم فاقے سے مر رہی تھیں تو مجھے بھلا کیا کھانا پینا سُوجھ رہا تھا؟''

''ارے......!'' نایاب بھائی کی بے پناہ محبت ہوتے ہوئے یکا یک اس کے گلے میں باہیں ڈال کر اس سے لپٹ گئی۔ ''آپ کتنے اچھے ہیں بھائی جان۔''

''چل چل...... اس طرح مکھن نہ لگا۔ ناشتے میں توسوں پر ڈھیر سا لگا دینا۔ مجھے وہ طریقہ زیادہ پسند ہے۔''

دونوں ہنستے ہوئے ناشتہ کرنے چل دیئے اور ماما بہن بھائی کے پیار میں سرشار

دونوں کے لیے دعائیں مانگتی رہ گئیں۔

● ...... ● ...... ●

دو دن مزید رہ کر آسیہ چلی گئیں۔ قاسم جمال کی وہی دن رات کی مصروفیات تھیں۔ وقت کی پابندی تھی اور بچوں کو اصولوں پر کاربند رہنے کی ہدایات اور نصیحتیں۔

سب ہی ان کا ہر حکم مانا کرتے تھے۔ انہیں با اصول، بات کا پکا، محنتی اور دیانت دار سمجھتے تھے۔ دنیا کا بہترین انسان، مگر اب کچھ باشعور ہونے کے بعد اور کچھ جب سے نایاب کا مسئلہ چھڑا تھا، اس امیج میں دراڑیں پڑنے لگی تھیں۔ نایاب کے ساتھ خرم کو بہت پیار تھا، اس کا مسئلہ جیسے خرم کا اپنا مسئلہ تھا۔

دونوں بڑے اب کبھی کبھی ماما کے ساتھ پاپا کی بہت زیادہ اصول پرستی کے خلاف بحث چھیڑ دیتے۔ گو وہ اس بحث کو طویل نہ ہونے دیتیں کہ انہیں اولاد کے ذہنوں میں والدین کے خلاف ذرا سے بھی باغیانہ جراثیم پرورش پانا پسند نہ تھا۔

مگر معاملہ ایسا ہوگیا تھا کہ کچھ کر بھی نہ سکتی تھیں۔ بالکل شوہر کی طرفداری کرتیں تو اولاد گلہ گزار ہوتی اور اولاد کی کرتیں تو شوہر بہرحال شوہر تھا...... مجازی خدا، گناہگار ہوتیں۔

ان کی سمجھ میں کچھ نہیں آرہا تھا۔ ہر وقت پریشان رہتیں، متفکر رہتیں اور انہیں فکروں پریشانیوں نے ان کے دل کے روگ کو پھر ہوا دی۔ انہیں پھر دورہ پڑ گیا۔

اب ایاز خان کا ان کے ہاں خاصا آنا جانا تھا۔ سب سے ہی بہت بے تکلفی تھی۔ نایاب تو ہر دوسرے تیسرے دن کچھ نہ کچھ لئے ان کے کمرے میں پہنچی ہوتی۔

''مجھے اس دن میس کا کھانا ذرا پسند نہیں آیا تھا اور یہ مجھے گوارا نہیں ہوتا کہ میں اتنی مزے مزے کی چیزیں کھاؤں اور آپ ایسی بدمزہ۔''

یہ چھوٹی سی، معصوم سی، خوبصورت سی لڑکی اپنی وفاؤں کو ہر ہر انداز میں لٹاتی۔ کیا سونے میں تولنے کے قابل دل تھا اس کا۔ ہر دن ہر پل انہیں اس کے زیادہ سے زیادہ

قریب لئے آرہا تھا۔

پہلی نظر میں اس کی شکل وصورت نے انہیں متاثر کیا تھا اور اس کے بعد اس کی ایسی ایسی باتوں، انوکھی اداؤں اور اتنی اعلیٰ عادات نے ان کا من بالکل ہی موہ لیا تھا۔

اب وہ کمرے میں ہوتے، وارڈ میں ہوتے، راہ میں ہوتے، ہسپتال میں ہوتے، غرض جہاں کہیں بھی ہوتے بس اسی کا خیال آتا رہتا۔ کمرے میں آئی ہوتی، خود ان کے گھر گئے ہوتے۔ تب بھی ایسا ہی حال ہوتا۔ سامنے موجود رہتی تو سکون سا آیا رہتا۔ نظروں سے ذرا اِدھر اُدھر ہٹ جاتی تو بے چینی سے ہونے لگتی۔

''وہ کہیں چلی کیوں جاتی ہے؟ جتنی دیر رہوں وہ سامنے کیوں نہیں رہتی؟''

اور کچھ ایسا ہی حال نایاب کا تھا۔ جی چاہتا ایاز روز آجایا کریں۔ ایک دن نہ آتے تو اگلے دن خود ان کے کمرے میں جا پہنچتی۔ کسی نہ کسی بہانے اور وہ تو پہلے ہی چشم براہ ہوتے۔ اُٹھ کر یوں اس کا استقبال کرتے جیسے سالوں بعد ملاقات ہوئی تھی۔

اس وقت بھی وہ کمرے میں داخل ہوئی تو اسی انداز میں اٹھ کر انہوں نے آگے بڑھتے ہوئے اس کے دونوں ہاتھ تھام لیے۔

''ماما کو پھر دورہ پڑگیا ہے''۔ یہ سننا تھا کہ گھبرا کر ایاز نے اس کے ہاتھ چھوڑ دیئے۔

''کب؟''

''ابھی ابھی۔''

''کوئی ٹریٹ منٹ دیا۔''

''گھر میں میرے اور ان کے سوا اور کوئی نہیں ہے۔ بھائی جان امتحان دینے گئے ہوئے ہیں۔ پاپا دفتر اور سیماب اور عظمیٰ سکول۔''

''تو تم انہیں اکیلا چھوڑ آئیں؟''

''ایک تو مصیبت یہ ہے کہ آپ کے کمرے میں فون نہیں ہے۔ وارڈ میں کرتی، وہاں سے کوئی یہاں تک آتا۔ پھر آپ کو شاید سواری ملنے میں مشکل پڑتی، اس لئے میں خود ہی گاڑی لے کر چلی آئی۔ ڈرائیور پاپا کے ساتھ تھا۔''

''پاپا کو فون کیا......؟''

''کر دوں گی۔''

''اسی وقت کیوں نہیں کیا......؟''

''فائدہ کوئی نہیں تھا۔ انہوں نے بھی یہی کچھ کرنے کو کہنا تھا۔''

''وہ خود دفتر کے اوقات میں گھر کبھی نہیں آتے۔ نہ کوئی گھر کا کام کرتے ہیں، اس لیے۔''

''تو پھر چلو جلدی۔'' ایاز نے میز پر سے سٹیتھوسکوپ اٹھایا۔ الماری میں سے کچھ دوائیاں نکالیں۔ ''چلو۔''

''لیکن آپ تیار تو ہوئے نہیں......؟'' نایاب نے ان نے اُلجھے بکھرے بالوں اور شکن آلود لباس کی طرف دیکھا۔ شیو بڑھی ہوئی تھی۔ شاعر قسم کی مخلوق لگ رہے تھے۔

''وقت نہیں جلدی کرو...... ماما کی زندگی بہت قیمتی ہے۔''

نایاب کا ہاتھ پکڑا اور بھاگتے ہوئے کمرے میں سے نکلے۔

نایاب گاڑی چلاتی رہی اور ایاز ماما کے متعلق چھوٹے چھوٹے سوالات کرتے رہے۔

''کل سارا دن کیا کھایا پیا؟ گھر میں کسی سے ناراضگی تو نہیں ہوئی؟ سیماب اور عظمیٰ میں کوئی خطرناک جنگ چھڑی ہو اور ماما پریشان ہوئی ہوں؟ پاپا کے معمولات کیسے ہیں؟''

نایاب ہر ایک بات کا ٹھیک ٹھیک جواب دیتی رہی۔ کوئی فکر کی بات نہ تھی۔ کوئی پریشان کن مسئلہ نہ تھا...... ''پھر؟ پھر کیوں ماما کو دوبارہ دورہ پڑا؟''

ایاز سوچ رہے تھے...... گھر آ گیا۔ گاڑی کا دروازہ کھول کر نکلے تو بند بھی نہیں کیا۔ اندر بھاگے...... ماما درد سے تڑپ رہی تھیں۔ آتے ہی ایاز نے ان کی نبض تھام لی۔ سٹیتھوسکوپ لگا کر دل کی دھڑکن سننے لگے۔

پھر جلدی سے بیگ سے گولیاں نکالیں۔ وہ انہیں کھلائیں۔ ایک انجکشن دیا، پندرہ منٹ بعد جا کر ان کے درد میں کمی ہوئی۔

ایاز پاس بیٹھے رہے۔ بے حد پریشان تھے، ماما کے چہرے کی زرد رنگت ان کا بھی رنگ فق کیئے دے رہی تھی۔

''ماما اب کیا حال ہے؟''

''کچھ بہتر ہوں۔''

''تو چلیے میرے پاس۔''

''تمہارے پاس؟''

''جی ہاں...... میرے وارڈ میں کچھ دن رہ آیئے۔''

''لیکن خرم کے امتحان۔''

''وہ ہوتے رہیں گے۔ سب کچھ ٹھیک ٹھاک ہوگا۔ آپ بس چند روز وہاں رہ آیئے...... ذرا اچھی طرح چیک اپ ہو جائے گا۔ سارے ٹیسٹ ہوں گے۔ ای۔ سی۔ جی۔ وغیرہ ہوگا۔''

''لیکن میں ٹھیک ہوں۔''

''خدا آپ کو ٹھیک ہی رکھے۔ چلیے اٹھیں۔'' ایاز نے خود سہارا دے کر انہیں اٹھایا۔ ''آپ اپنی ٹانگوں اور پاؤں پر ذرا بوجھ نہ ڈالیں۔ سارا میرے کندھے پر ڈال دیں، میرے بازوؤں پر ڈال دیں، میں آپ کو بیٹا ہوں ماما! تکلف نہ کریں۔''

''تم سے...... اور تکلف؟ ایسا میری زندگی میں کبھی نہیں ہوگا۔''

روبینہ ان کے سہارے آہستہ آہستہ چل کر گاڑی تک پہنچیں۔ آج دوا جلدی مل گئی تھی۔ اس لئے طبیعت بھی کچھ بہتر تھی...... اوپر سے ایاز کی تسلی اور دلدہی کی باتیں۔ جتنی تکلیف تھی اتنی محسوس ہی نہیں ہو رہی تھی۔

نایاب ساتھ ساتھ تھی۔ ماما کو گاڑی میں بٹھانے کے بعد واپس آئی۔ سراج کو گھر کے متعلق کچھ ہدایات دیں۔ سیماب اور معظم کے لئے فکر مند تھی، ان کا خیال رکھنے کی تاکید کی۔

ادھر ماما کے لئے بھی پریشان تھی۔ اس حالت میں انہیں بھی اکیلا نہیں چھوڑا جاسکتا تھا۔ پچھلی بار ڈاکٹر ایاز نے وارڈ میں ہی جو ڈانٹ ڈپٹ کی تھی، وہ آج تک یاد تھی۔

واپس آئی تو ماما کے پاس ہی نیچے ایاز بیٹھے تھے۔ ماما کی نبض ہاتھ میں تھی اور ہولے ہولے کچھ باتیں کر رہے تھے۔

''بہت دیر کردی۔ ہمیں جلد پہنچنا چاہیے۔''

''وہ...... میں سیماب اور عظمیٰ کے متعلق سراج کو سمجھا رہی تھی۔''

ڈرائیونگ سیٹ پر بیٹھتے ہوئے نایاب کہنے لگی۔ ''میں اور ماما گھر میں نہ ہوں تو بہت اودھم مچاتے ہیں۔ پھر پاپا بھی ڈسٹرب ہوتے ہیں۔''

''چلو پھر...... جلد۔ ماما کی تکلیف بڑھ رہی ہے۔ انہیں باقاعدہ ٹریٹ منٹ ملنا چاہیے۔''

نایاب ماما ہی کے متعلق سوچتے ہوئے گاڑی چلانے لگی۔ وہ اس کی صرف ماں ہی نہیں تھی، دوست بھی تھیں۔ نایاب ان کے ساتھ کیسے چھوٹی سے چھوٹی اور بڑی سے بڑی بات کر لیتی تھی۔

یہاں تک کہ ایاز کے متعلق بھی، اپنے دلی جذبات، اپنی خواہشات اپنے احساسات، سب ماما کے آگے کھول کر رکھ دیئے تھے۔ جیسے اپنی کسی رازدار اور گہری سہیلی کو سنائے اور وہ بھی ان لمحات میں اس کی دوست ہی بن جایا کرتی تھیں۔

خدانخواستہ اگر ماما کو کچھ ہوگیا تو...... تو وہ کہیں کی نہ رہے گی۔ وہ تو ماما کے بغیر نہیں جی سکتی تھی، وہ تو بالکل مرجائے گی۔

ماما کو کچھ ہو جانے کی صورت میں جو محرومی، جو کمی ہونی تھی، اس کے علاوہ ایاز سے بھی۔ ہاں...... وہ اس کو بھی نہیں پاسکتی تھی۔ اس کی یہ اتنی خوبصورت بسی بسائی دل کی دنیا بھی اُجڑ جانا تھی۔ اس سوچ کے ساتھ دل دھک دھک کرنے لگا۔

یہ ماما ہی تھیں جو اس کا ساتھ دے رہی تھیں۔ ان کا دم ہی تھا جو اس گھر میں ایاز کا دم قائم تھا اور وہ ایاز کا دم مار سکتی تھی، ورنہ پاپا نے تو پھوپھو کی بات مان ہی لی تھی۔

ماما بیچ میں نہ ہوتیں...... تو اس کی انگلی میں اس وقت فیصل کے نام کی انگوٹھی ہوتی۔

''استغفراللہ......!'' اچانک ہی بلند آواز میں اس کی زبان سے نکل گیا۔

''کیا بات ہے؟'' ماما آنکھیں بند کر کے چُپ چاپ پڑی ہوئی تھیں اور ایاز نایاب ہی کی طرف دیکھ رہے تھے، گھبرا کر پوچھنے لگے۔

نہیں نہیں...... کچھ نہیں۔'' اس نے اپنے خیال کو ٹال دیا۔

''ہسپتال کا راستہ ہی لمبا ہو گیا ہے۔''

''تمہیں محسوس ہو رہا ہے، فکر نہ کرو۔ ماما اچھی ہو جائیں گی۔''

تسلی دینے کے انداز میں ایاز نے اس کے کندھے پر ہاتھ رکھ دیا۔ ان کے ہاتھ کا لمس اور محبتوں اور چاہتوں بھرا دباؤ، یوں محسوس ہوا جیسے واقعی اس کی تنکے سے بھی بے وزن زندگی میں وزن پیدا ہو گیا تھا۔ وہ اب قائم رہ سکتی تھی، ہواؤں میں تحلیل نہیں ہو سکتی تھی۔

بڑی تسلی ہوئی، بڑی ڈھارس بندھی۔ صرف ایک سیدھا سادا سا فقرہ انہوں نے کندھے پر ہاتھ رکھ کر کہا تھا۔ کوئی طول طویل مکالمے نہیں بولے تھے، کوئی لمبی لمبی ڈینگیں نہیں ماری تھیں کہ یہ کر دوں گا۔ وہ کر دوں گا۔

ہسپتال پہنچتے ہی ایاز خود ماما کو وارڈ میں لے گئے۔ نایاب کی خواہشِ وہیں ان کے پاس ٹھہرنے کی تھی، مگر اب خود ہی ایاز نے اسے اصرار کر کے واپس گھر جانے پر مجبور کر دیا۔

''ایک اٹینڈنٹ کی اجازت دے دی ہے۔ اس سے زیادہ نہیں دے سکتا۔ آخر ہسپتال کے بھی کوئی اصول و قواعد ہیں۔''

''ایک کی اجازت دے دی ہے تو وہ میں رہ لوں گی نا۔''

''وہ جس ایک کی اجازت دی ہے وہ میں خود ہوں۔ میں ان کا بیٹا ہوں، کر لوں گا دیکھ بھال۔ تم سے اچھی ہی کروں گا، تم گھر جاؤ۔ یہاں سے زیادہ تمہاری گھر کو ضرورت ہے۔''

''مجھے پھر ڈانٹنے ڈپٹنے کا ارادہ ہو گا نا......؟''

ڈاکٹر ایاز کو وہ پہلی ملاقات یاد آ گئی۔ ہنسنے لگے۔

''نہیں...... اب میں خود ہی کہہ رہا ہوں۔ ویسے اس سے یہ مطلب بھی نہیں کہ

جیسے اس بار کیا تھا۔ اب بھی کئی کئی دن شکل ہی نہ دکھاؤ۔ اب تو ماما کے علاوہ دو آنکھیں اور تمہاری شکل دیکھنے کو ترس رہی ہوں گی۔"

ڈاکٹر ایاز بے خیالی میں یہ فقرہ کہہ گئے تھے۔ "او سوری۔" یکایک گڑبڑا گئے..... "یہ تو فلمی قسم کا مکالمہ ہو گیا..... اور تم نے ایسے مکالموں سے منع کیا ہوا ہے۔"

نایاب کے چہرے پر گلاب بھی کھِل اُٹھے۔ شرما بھی دی اور ہنسنے بھی لگی۔

"اچھا..... دوپہر کے وقت ماما کا کھانا لے کر آؤں گی اور....."

"اور کیا؟"

"آپ بھی میس کا خوش ذائقہ اور مزے دار کھانا کھانے میں عجلت فرمانے کی کوشش نہ کیجئے گا۔"

"کیوں.....؟" خوش ذائقہ اور مزے دار کے الفاظ پر ایاز کو ہنسی آ گئی۔ "بارہ تو بجنے والے ہیں..... اس کھانے کے لئے میں زیادہ صبر نہیں کر سکتا۔" وہ بھی اسی کے انداز میں شوخی سے میس بیچارے کے کھانے کو طنز کرنے لگے۔

"ٹھیک ہے..... جایئے ابھی کھا لیجئے۔"

"سنو تو..... تم کہنا کیا چاہتی تھیں.....؟"

"ڈیڑھ بجے تک انتظار کریں۔"

"لیکن....." وہ اس کا مطلب سمجھ گئے تھے۔

"لیکن ویکن کچھ نہیں۔" اس نے انہیں آگے بات ہی نہیں کرنے دی۔

"کہہ دیا نا آپ یہاں کا کھانا نہیں کھائیں گے۔ میرا حکم ہے یہ۔"

"اوہ حکم..... پھر حکمِ حاکم۔"

"ہاں بس..... اور اَب میں جاؤں۔ سیماب اور عظمیٰ سکول سے آنے والے ہوں گے۔ پھر شام کو انہیں بھی لے کر آؤں گی۔ اس کے بعد رات کا کھانا بھائی جان کے ہاتھ بھیجوں گی۔ اس وقت بھی آپ کا ساتھ ہو گا۔"

"سنو سنو۔" وہ گاڑی تک اسے چھوڑنے آئے ہوئے تھے اور وہ پچھلے کئی منٹوں سے گاڑی سٹارٹ کرنے کی کوشش کر رہی تھی، مگر باتیں ہی ختم نہیں ہو رہی تھیں۔ ختم تو

پہلے منٹ میں ہی ہو جاتیں لیکن دونوں اپنے اپنے دل کے ہاتھوں مجبور تھے۔

''جی کیا کہہ رہے تھے......؟''

''رات کا کھانا پھر میرے لئے بھی ساتھ ہو گا......؟''

''جی ہاں...... ضرور ہو گا۔ جب تک یہاں ماما ہیں ان کے لئے تو آیا ہی کرے گا۔ آپ کے لئے علیحٰدہ تردّد نہیں کرنا پڑے گا۔''

''نہیں۔نہیں۔''

''نہیں نہیں کیا ہوا......؟'' نایاب نے بڑے رعب و جلال سے آنکھیں نکال کر ان کی طرف دیکھا۔ ایاز مسکرا کر خاموش ہو گئے۔ اس قدر پیار بھرے حکمیہ انداز میں وہ جان بھی مانگتی تو دے دیتے۔ ایک لمحہ کے لئے بھی پس و پیش نہ کرتے اور یہ تو بڑی اپنائیت، محبت اور خلوص کی بات تھی۔ کیسے انکار کرتے؟

''ٹھیک ہے۔لیکن ایک شرط پر۔''

''وہ کیا......؟''

''خرم بے شک ماما کو ملنے آئیں، لیکن کھانا لا کر کھلانے کی ڈیوٹی صرف تمہاری ہوگی۔''

''میں آپ کا سراج ہوں؟'' وہ شوخی سے مسکرائی۔

''بن جاؤ اتنے دن۔''

''چلو یہ بھی منظور ہے۔ مگر اتنی دنوں کا ٹپ، بہت بڑا لوں گی۔''

''ارے جان بھی حاضر ہے۔ یہ اتنی لمبی چوڑی اس سے بڑا ٹپ......''

''بے ایمان۔'' نایاب نے جلدی سے گاڑی سٹارٹ کر دی۔

''خدا حافظ۔'' جب تک نظر آتی رہی۔ ایاز کھڑے دیکھتے رہے۔

سوچتے رہے، سوچتے رہے...... یہ کیسا ان کی زندگی میں انقلاب آ گیا تھا۔ بڑا خوبصورت، بڑا سُہانا...... زندگی کا ایسا روپ تو انہوں نے خواب میں بھی نہ دیکھا تھا۔

انہوں نے تو سوچ رکھا تھا کہ ساری زندگی اسی طرح اپنے فرض اور اپنے پیشے کی خدمت کر کے گزار دیں گے اور اب ''نہیں نہیں۔ ایاز بدلے گا نہیں۔ زندگی میں کتنی بھی خوبصورتیاں آ جائیں۔ رعنائیاں آ جائیں، وہ ایسا ہی رہے گا۔ شادی کے بعد بھی...... یوں

ہی خدمتِ خلق کرے گا...... اور اسی تن دہی اور لگن کے ساتھ اپنی ڈیوٹی انجام دیا کرے گا۔ نایاب ایسی اچھی رفیقِ زندگی مل جائے گی۔ چلو شکرانے کے طور پر ہی...... اپنا چلن کبھی نہیں بدلیں گے۔"

اپنے آپ سے ایسی ایسی باتیں کرتے اور ایسے ایسے عہد کرتے ہوئے وہ ماما کے پاس چلے گئے۔ ان پر انجکشن کا اثر تھا، اس لئے غنودگی میں تھیں۔

دو تین دن میں ہی روبینہ کی حالت بہت بہتر ہوگئی۔ اس بار انہیں بچوں کی ڈھیروں ڈھیر توجہ ملی تھی۔ خرم امتحانات ہونے کے باوجود دن میں ایک دو چکر ضرور لگا جایا کرتے تھے۔ دو چار منٹ کے لئے ہی سہی۔ اتنے میں ہی مزیدار باتوں کی، لطیفوں کی، کئی پھلجڑیاں چھوڑ جاتے۔ ماما باقی وقت وہ یاد کر کے ہنستی، مسکراتی رہتیں۔ ایاز کو سناتی رہتیں، وہ بھی ماما کا ساتھ دیتے، بلکہ ایک دو کا اضافہ کر دیتے۔

سیماب اور معظم کو نایاب خود اپنے ساتھ لا کر، اپنی نگرانی میں لے جاتی۔ ان کے جھگڑے لڑائی کا ہر وقت خدشہ رہتا تھا۔ وہ درمیان میں امن کا علم بلند رکھتی۔ ماما کو ان کے وہ لڑائی جھگڑوں کے قصے سنانے کی نوبت ہی نہ آتی۔ جو دونوں گھر سے ارادہ کر کے چلتے تھے کہ یہ یہ شکایت ایک دوسرے کی ماما کے حضور پیش کی جائے گی۔ بڑی مشکل سے انہیں سنبھال کر واپس گھر پہنچا دیتی۔ ماما اتنے سے ہی بے انتہا خوش ہو جاتیں۔

قاسم جمال کے اصول وہی تھے۔ ذرّہ بھر نہ بدلے تھے مگر نایاب اور خرم بہت بدل گئے تھے۔ ماما سے پیار تو ہمیشہ ہی تھا۔ اب ذرا پاپا کا خوف کم ہوگیا تھا۔ کسی نے نہیں کیا تھا، بڑے ہوگئے تھے سمجھ دار اور باشعور ہوگئے تھے۔ ضرورت سے جو زیادہ تھا وہ خود ہی اتار پھینکا تھا۔

یہ بھی نہیں کہ قاسم جمال نے کوئی احکامات جاری نہیں کئے تھے۔ ہمیشہ کی طرح وقت کا، اصولوں کا لیکچر بھی روز دیتے تھے۔ ہسپتال آنے جانے کے احکامات بھی اسی طرح صادر فرماتے تھے۔

لیکن...... ان دونوں کے اندر اب تھوڑی تھوڑی بغاوت سر اُبھار رہی تھی۔ سب کچھ چپکے چپکے کرتے، پاپا کون سا سارا دن گھر میں ہوتے تھے...... اور پھر...... بھلا ہر بات

پاپا کو خبر کرنے کی کیا ضرورت تھی۔ سراج کا منہ بھی بند کر دیا گیا تھا۔

"چلو جی...... بڑا ہو گا تو ہمارا یہ فعل چوری گناہ میں شمار کیا جائے گا۔ اگر اس گناہ سے ہماری ماما کی زندگی بچ جائے تو ہمیں اور کیا چاہیے۔ میں تو ساری عمر ایسی چوریاں، گناہ کرنے کو تیار ہوں۔ اللہ میاں میری ماما کو مجھ سے جدا نہ کرے۔"

نایاب کی ساری باتیں سُن سُن کر ایاز محظوظ بھی ہوتے رہتے اور ہنسی بھی آتی رہتی...... اور مزہ بھی بہت آتا۔

ماں کے لئے تو تن من دھن لٹا ہی رہی تھی کہ وہ اس کی ماں تھی۔ ساتھ ایاز کے لئے بھی ہر وقت کھانا اور ناشتہ آتا، خود اپنے سامنے بٹھا کر جس طرح ماما کو کھلاتی تھی، اسی طرح اسے بھی...... جھڑکیاں دے دے کر ڈانٹ ڈانٹ کر۔

بڑے عجیب سے دن گزر رہے تھے۔ بڑے سہانے، بڑے خوبصورت جیسے ایک ایک لمحہ انہیں گدگداتا ہوا گزر جاتا، مسرور و شادمان، مست و مخمور۔

یوں بھی وارڈ میں اب کوئی انہیں عجیب عجیب اور معنی خیز نگاہوں سے نہیں دیکھتا تھا...... نہ نرسیں مسکرا مسکرا کر آپس میں کھسر پھسر کرتی تھیں اور نہ بیرے وغیرہ۔

سب کو روبینہ کی فیملی کے ساتھ ڈاکٹر ایاز کے تعلقات کا علم ہو چکا تھا۔ نایاب کا ان کے ساتھ کون سا تعلق بندھنے والا ہے، یہ بھی سب کو معلوم ہو گیا تھا...... اور سب لوگ اب انہیں پوری عزت و احترام دیتے تھے۔

کچھ ڈاکٹر ایاز کا سلوک سب کے ساتھ ہمیشہ اچھا رہا تھا، اس لئے دوسرے سب بھی جواباً ویسے ہی ان کے ساتھ پیش آتے تھے۔ ان کے ملنے والوں اور عزیزوں کا بھی اسی طرح دھیان رکھتے تھے اور احترام کرتے تھے۔ ان کی جگہ کوئی اور ڈاکٹر ہوتا تو پھر ایسا سب کچھ نہ ہو پاتا شاید......

چار پانچ دن میں ہی سب کی توجہ، خلوص اور پیار پا کر ماما کی حالت بہت بہتر ہو گئی۔ تب اس دن وارڈ میں ایاز کی ڈیوٹی نہیں تھی۔ دوسرے ڈاکٹر کی تھی مگر وہ ماما کے پاس آ کر بیٹھے ہوئے تھے۔ اِدھر اُدھر کی باتیں ہو رہی تھیں۔ یکا یک ڈاکٹر ایاز کچھ سوچ کر بولے۔

''ماما! میرا خیال ہے آپ کبھی کوئی بات مجھ سے نہیں چھپاتیں اور نہ ہی جھوٹ بولتی ہیں؟''

''ٹھیک خیال ہے تمہارا۔''

''تو پھر ایک بات بتائیے۔ آپ خوش تو رہتی ہیں نا؟''

''کیا مطلب؟'' وہ چونکیں۔

''آپ کو اب کیوں دورہ پڑا۔ کوئی پریشانی کی بات ہوئی تھی نا؟''

ایک لمحہ کے لئے خاموش رہنے کے بعد روبینہ ہولے سے بولیں۔

''ہاں...... ہوئی تھی۔''

''کیا میں جان سکتا ہوں؟''

ان کے جواب میں ماما خاموش رہیں۔ دو تین، پانچ سات لمحات گزر گئے۔ وہ پھر بھی نہیں بولیں۔

''شاید ماما! میں آپ کی کوئی مدد کر سکوں۔''

اور اب...... وہ مزید خاموش نہ رہ سکیں۔ ایاز مدد کا کہہ رہے تھے اور اس معاملے میں وہ کر بھی سکتے تھے۔ تب انہوں نے صاف صاف الفاظ میں ساری بات بتا دی کہ ان کی پریشانی کی وجہ خود ڈاکٹر ایاز ہی تھے۔ آسیہ کس لیے آئی تھیں اور پھر کیا کیا کچھ ہوا۔

''آخر تان اسی پر ٹوٹی ہے کہ تمہارے خاندان کا کوئی علم نہیں ہے۔ کوئی اتہ پتہ نہیں۔'' وہ ایک دُکھ کے ساتھ کراہ کر بولیں۔

''حالانکہ یہ بات میں نے کبھی نہیں سوچی ہی نہ تھی۔''

''تو گویا فساد کی جڑ مَیں ہوں۔'' ایک تلخی بھرا تبسم ایاز کے بھرے بھرے خوبصورت ہونٹوں پر پھیل گیا۔

''ماں کا لحاظ کئے بغیر جو کہنا تھا، کہہ دیا ہے۔ آئندہ ایسی بات نہ کرنا۔'' روبینہ انہیں بڑے پیار سے ڈانٹنے کے بعد انتہائی شفیق لہجے میں سمجھانے لگیں۔

''فساد کی جڑ تم کیوں ہو۔ تم سے تعارف ہونا تو میں اپنی خوش قسمتی تصور کرتی

ہوں۔ اتنا اچھا مجھے بیٹا مل گیا ہے۔ تم کیا جانو...... میں اس لمحے کے لئے اپنے پروردگار کی کتنی مشکور ہوں۔"

تشکر بھری نگاہوں سے وہ ماما کو دیکھتے رہے۔ اتنی پُرخلوص اتنی مشفق ہستی تھیں۔ ان کے لئے پریشان تھیں۔ ان کی وجہ سے انہیں یہ دورہ پڑا تھا۔ روبینہ سے زیادہ یہ تو ڈاکٹر ایاز کی خوش قسمتی تھی۔ انہیں پروردگار کا ہزاروں لاکھوں بار شکر گزار ہونا چاہیے تھا۔

"ماما اگر لوگ یہی چاہتے ہیں تو میں آپ کو اپنے متعلق، اپنے خاندان کے متعلق سب کچھ بتادوں گا، لیکن آپ اچھی تو ہو جائیں۔"

"شاید میں تب ہی اچھی ہوں گی...... سینے کا بوجھ اُتر جائے تو۔"

"اگر ایسی بات ہے، ایسی بات ہے۔" وہ کچھ سوچ سوچ کر، قدرے اٹک اٹک کر بولے۔ "تو پھر میں جھوٹ نہیں بولوں گا۔ سب کچھ بتادوں گا۔ مگر...... پھر آپ مجھ سے نفرت نہیں کرنے لگ جایئے گا۔ مجھے بہت محرومیوں کے بعد، بہت ترس کا اور بڑی مشکل سے یہ محبتیں ملی ہیں۔ اگر سب کچھ چھن گیا تو پھر میں زندہ نہ رہ سکوں گا۔ شاید اسی وارڈ میں......"

"خدا نہ کرے۔ خدا نہ کرے۔" ماما تڑپ کر بولیں۔ پھر...... نجانے کیا ہوا۔ ایک دم ہی انہوں نے آنکھیں میچ لیں۔ "مجھے نیند آرہی ہے۔"

"اس وقت......؟" ڈاکٹر ایاز حیران سے ہوگئے۔ "اس وقت تو ماما! آپ کبھی نہیں سوتیں۔"

"مگر آج آرہی ہے۔"

"تو پھر میری داستان نہیں سنیئے گا۔"

"اس وقت نہیں...... پھر کبھی سہی۔" ماما غنودگی کے عالم میں بہکی بہکی ٹوٹی پھوٹی آواز میں بولیں۔

ایاز نے گھبرا کر ان کی نبض تھام لی اور ساتھ ہی نگاہ اٹھا کر مشین کی طرف دیکھا۔ نبض بھی ٹھیک تھی اور دل کی دھڑکنیں بھی۔ اطمینان کا ایک طویل سا سانس لیتے

ہوئے ایاز اٹھ کھڑے ہوئے۔

ماما کو ٹھیک طرح کمبل اوڑھایا...... بازو سیدھا کیا۔ ذرا سی آنکھ کھول کر انہوں نے ایاز کی طرف دیکھا۔ پیار، محبت، خلوص، اپنائیت سب کچھ اس نگاہ میں تھا۔ ہونٹوں پر ایک جاوداں سی مسکراہٹ پھیل گئی۔

''آپ آرام کریں۔ میں چلتا ہوں۔''

روبینہ نے چپکے سے پھر آنکھیں میچ لیں اور ایاز وہاں سے چلے گئے۔

ان کے جاتے ہیں بیگم روبینہ نے آنکھیں کھول لیں۔

''میں تمہیں کھونا نہیں چاہتی ایاز! نہ تم سے نفرت کرنا چاہتی ہوں۔ اس لئے...... میں تمہارے ماضی میں نہیں جھانکوں گی۔ تم میری نگاہ میں سدا ایک فرشتے کے روپ میں ہی رہو گے۔ ہاں...... ہمیشہ۔''

●......●......●

''ڈاکٹر ایاز! سُنا آپ نے؟''

''نہیں۔'' وہ شوخی سے مسکرا دیئے۔

''اگر آپ نے کوئی بات نہیں کی نا تو بہت بُرا ہوگا۔''

''کیا بُرا ہوگا......؟''

''آٹھ دس دن میں میری پھوپھو پھر آنے والی ہیں اور اب وہ میرا پکا انتظام کرکے جائیں گی۔''

''تمہارا پکا انتظام ہونا ہی چاہیے...... اچھا ہوگا۔''

''اچھا کیا ہوگا؟''

''تم مجھے بہت تنگ کرتی ہو۔''

''کیا تنگ کیا ہے میں نے؟''

''ہر وقت کھانا کھلاتی رہتی ہو۔''

نایاب کھلکھلا کر ہنس دی۔ ''کھانا کھلانا تنگ کرنا ہوتا ہے؟''

''میں تنگ ہوتا ہوں نا؟''

''کیوں؟''

''بُری عادتیں نہیں ڈالنا چاہتا۔''

''او بابا! ہمیشہ کھلاتی رہی ہوں گی۔''

''یہ ناممکن ہے۔''

''کیوں ناممکن ہے......؟''

وہ کرسی پر بیٹھی تھی۔ ایاز نیچے قالین پر تھے۔ ذرا سی گردن اونچی کر کے اس کی طرف دیکھتے تو سر اس کے گھٹنوں سے ٹکرا جاتا۔ اتنے ہی قریب بیٹھے ہوئے تھے۔ سامنے ایک کتاب کھلی پڑی تھی۔ کچھ اوراق پھیلے تھے۔ کچھ لکھ پڑھ رہے تھے، لیکن نایاب کے آجانے کی وجہ سے لکھنا پڑھنا بھول بھال بیٹھے باتیں کیے جا رہے تھے۔

''بتائیے...... کیوں ناممکن ہے؟'' نایاب نے جھک کر ایاز کے بال مٹھیوں میں جکڑ لئے۔ ان کی یہ بات اسے اچھی نہ لگی تھی۔

''لڑکی ہو...... پرایا دھن ہو۔ اگلے گھر جاؤ گی تو پھر کوئی تمہیں یہاں میرے کمرے میں اس طرح آنے جانے دے گا......؟''

''وہ کون......؟'' نایاب نے بال اور زور سے جکڑے۔

''ارے بھئی میرے بال تو چھوڑو، پھر بتاتا ہوں۔ اب مجھے نام تو یاد نہیں معلوم۔'' وہ بڑے پیارے انداز میں مسکرائے جا رہے تھے۔ ''ہاں یاد آ گیا...... شاید فیصل ہے۔''

فیصل کا نام ان کی زبان پر کیا آیا جیسے بارود کو فیتہ دکھا دیا تھا۔ وہ یکدم بھڑک اُٹھی۔ مٹھیوں میں پکڑے ایاز کے بال زور زور سے جھنجھوڑ کر چھوڑ دیئے...... اور پھر گھٹنوں میں چہرہ چھپا کر بڑے زور زور سے رونے لگی۔

''ارے ارے......!'' ایاز گھبرا گھبرا کر اردگرد دیکھنے لگے۔ ''اگر کوئی آ گیا تو کیا کہے گا......؟''

''کیا کہے گا......؟'' گھٹنوں میں آنسوؤں سے تر سرخ چہرہ نکال کر وہ چلائی۔

''یہی نا کہ آپ نے مجھے رُلایا ہے اور میں رو رہی ہوں۔''

''میں نے تمہیں رُلایا ہے......؟'' وہ متحیر سے ہو کر پوچھنے لگے۔

''تو اور نہیں کیا؟ فیصل کا نام کیوں لیا تھا؟ ایاز بھی کہہ سکتے تھے۔''

''ایاز......؟'' ایاز نے ٹھنڈی آہ بھری۔'' شاید یہ نام تمہارے نام کے ساتھ کبھی نہ لگے۔''

''نہیں نہیں...... ایسا نہ کہیے۔ مجھے بددعائیں نہ دیں۔'' اور اب وہ ایاز ہی کے کندھے پر چہرہ رکھ کر رونے لگی۔

''بددعائیں نہیں دے رہا۔ آثار ہی ایسے دکھائی دیتے ہیں۔''

ایاز بے حد سنجیدہ تھے۔ ''تمہارے گھر والے، خاندان والے میرا شجرۂ نسب دیکھنے نکلے تو......؟''

''تو کیا ہے......؟'' اس نے چونک کر، پریشان ہو کر ایک جھٹکے کے ساتھ ان کے شانے سے لگا اپنا سر ہٹایا۔ ''کیا ہے آپ کے شجرۂ نسب کو......؟''

''کچھ مشکوک سا ہے۔''

''کیا مطلب......؟'' اس نے پھیلی پھیلی آنکھوں سے انہیں دیکھا۔

''مطلب یہ کہ دوغلی نسل کا ایک انسان ہوں کہ......'' وہ مزید کچھ کہے بنا، اپنی بات نامکمل ہی چھوڑ کر خاموش ہو گئے۔

''کیسا انسان......؟'' وہ ادھوری بات کے بجائے مکمل سننا چاہتی تھی۔

''جانے دو اس ذکر کو...... شاید پھر ہم اتنا بھی نہ مل سکیں۔''

''کیوں؟ کون یہ کہتا ہے......؟''

''زبانِ خلق کو خدا کا نقارہ سمجھنا چاہیے۔''

''میں کچھ نہیں جانتی۔ کچھ بھی ہو میری شادی ہو گی تو آپ سے۔ میرے نام کے ساتھ باپ کے علاوہ کسی کا نام لگے گا تو آپ کا...... بس اور میں بہت ضدی ہوں۔''

''اچھی لڑکیاں ضد نہیں کیا کرتیں۔''

''میں اچھی لڑکی نہیں ہوں۔ اس لئے اپنی ضد نہیں چھوڑوں گی۔''

''ماما ہسپتال میں تھیں تو انہوں نے مجھے بتایا تھا کہ ان کی سارے پریشانی میری وجہ سے ہے۔''

''تو پھر؟ ماما کو آپ نے اپنے خاندان کے متعلق سب کچھ بتا دیا......؟''

''نہیں...... بتانا چاہتا تھا مگر انہوں نے دانستہ نہیں سنا، اس لئے کہ میں انہیں اچھا لگتا ہوں اور وہ میرے ماضی کی کوئی ایسی ویسی بات سن کر، وہ امیج خراب نہیں کرنا چاہتی تھیں جو میرا ان کے دل میں بن چکا ہے۔ تب میں نے جب جب سنانا چاہا، وہ اس ذکر کو ہر بار گول ہی کرتی چلی گئیں۔''

''لیکن میں تو نہیں گول کروں گی اور نہ آپ کو گول کرنے دوں گی۔''

''کیا مطلب......؟''

''مطلب صاف ظاہر ہے۔ آپ کے متعلق سننا اور جاننا بھی سب کچھ چاہوں گی، لیکن میرا امیج اتنا نازک نہیں کہ آپ کے ماضی کی کسی بھی بات سے ٹوٹ جائے۔ اس وقت جو کچھ آپ ہیں، میں نے اس کو چاہا ہے نہ مجھے ماضی سے سروکار ہے اور......'' وہ مسکرائی۔ اتنی دلفریب مسکراہٹ تھی کہ ایاز دیکھتے کے دیکھتے ہی رہ گئے۔

''اور مستقبل انشاء اللہ آپ کے ساتھ مل کر تعبیر کروں گی۔ بہت اعلیٰ...... بہت اچھا...... بہت خوبصورت اور حد درجہ روشن۔''

ایاز اس کے وثوق بھرے لہجے، بات سے اور انداز سے بہت متاثر ہوئے۔

''لیکن تمہارے گھر والے......؟''

''کون سے گھر والے......؟''

''پاپا اور پھوپھو وغیرہ۔''

''زندگی مجھے گزارنی ہے انہیں تو نہیں۔''

''تو......تو کیا تم میرے بارے میں سب کچھ جاننا چاہو گی؟''

''یقیناً۔''

''اس کے بعد اگر مجھ سے کوئی رشتہ داری قائم نہ کرنا چاہو تو وہ بے شک نہ کرنا

لیکن تمہاری دوستی کا میں ہمیشہ خواستگار رہوں گا۔'' وہ بڑی پژمردہ اور بے جان سے آواز میں کہہ رہے تھے۔

''ارے دوستی کیا شے ہے۔ پکے بندھن میں باندھیں گے انشاء اللہ۔ وہ ایک پُرعزم مسکراہٹ کے ساتھ بولی۔ ''ایسے...... جو کبھی نہ ٹوٹ سکیں۔ آپ بلاخوف سب کچھ سنا دیجئے۔ میرے پائے استقلال نہیں ڈگمگا سکتے۔ آپ کو شاید میرا ابھی پتہ ہی نہیں کہ میں کیا ہوں؟''

پھر وہ یکا یک اٹھ کھڑی ہوئی۔ ایاز کچھ کھوئے کھوئے سے تھے۔

''اچھا سُنیئے! آپ کو اگر کچھ شک ہے تو میں پہلے ہی قرآن پاک کو ہاتھ میں لے کر......''

''نہیں نہیں۔'' ایاز نے تڑپ کر اس کی بات کاٹ دی۔ ''قسم کوئی نہیں کھاؤ بس چُپ چاپ بیٹھ کر پہلے سب کچھ سن لو۔''

ایاز نے اسے بازو سے پکڑ کر اپنے سامنے بٹھا لیا۔

''آخری فیصلہ بعد میں کرنا۔ سب کچھ سننے کے بعد۔''

اور نایاب گھٹنوں پر ٹھوڑی ٹکا کر، کہانی سننے کا پوز بناتے ہوئے ان کے بے حد سنجیدہ اور افسردہ سے چہرے کو دیکھنے لگی۔ نگاہوں میں وہ سارے جذبے موجود تھے جو ایک عورت محبت کرنے والے مرد کو پوری شرافت سے دی سکتی ہے۔

●......●......●

شہاب احمد جہلم کے ایک گاؤں کے چودھری کے بیٹے تھے۔ شہاب کے باپ کے تین بیٹے اور بھی تھے، لیکن باپ ہمیشہ ان تینوں کے برابر اکیلے شہاب کو سمجھتا تھا۔

اس لیے کہ شہاب بہت ذہین تھے اور باپ کی توقعات پر پورا اُترتے ہوئے صرف انھوں نے ہی تعلیم حاصل کی تھی۔ ڈاکٹر بن گئے تھے۔ شہاب چاہتے تھے کہ اپنے گاؤں میں ہی، جہاں صرف ایک ادنیٰ درجے کی ڈسپنسری تھی، ایک سٹینڈرڈ کا کلینک کھولیں،

لیکن باپ کا ارادہ تھا کہ وہ پہلے ولایت جا کر ایف۔ آر۔ سی۔ ایس کریں۔

چونکہ باپ کی ساری توقعات ایک انہوں نے ہی پوری کی تھیں، اس لئے باقی خواہشات بھی اب پورا کرنا جیسے ان کا فرض بن گیا تھا۔ گاؤں میں کلینک کھولنے کا ارادہ ترک کر کے آخر وہ ولایت جانے پر راضی ہو گئے۔

ایک اتنی سے بات سے ان کے باپ کی ناک اونچی بہت اونچی ہو جانا تھی تو انہیں کیا عذر تھا۔ انہوں نے رضا مندی دی تو چند دن میں ہی باپ نے پاسپورٹ وغیرہ بنوا کر ان کے جانے کے سارے انتظام مکمل کر دیئے۔

حضرت یوسف علیہ السلام کے بھائیوں کی طرح ان کے بھائی بھی اس سے محبت کے بجائے حسد کا رشتہ رکھتے تھے، مگر انہیں کوئی کنواں نہ ملا جس میں انہیں پھینک دیتے اور یوں شہاب کے بیرونِ ملک جانے پر اتنی بڑی رقم ضائع نہ ہوتی۔ وہ خود ان کے کام آتی۔

شہاب نے ایک ہی کام کرنا تھا۔ اعلیٰ تعلیم کا حصول اور انہیں یہاں بڑے کام تھے۔ سیر و تفریح، عیاشی، فلم بینی، شراب نوشی، جوا اور ریس وغیرہ۔

دو کی تو یہی خواہشات تھیں اور یہی آرزوئیں اور ارمان، اور تیسرا ویسے ہی نکما اور ناکارہ تھا۔ اسے نہ تعلیم کا شوق تھا اور نہ ہی دوسرے دو بھائیوں کے مشاغل میں سے کوئی شغل پسند تھا۔

اسے تو صرف گاؤں بھر کی گلیوں اور کھیتوں میں اچھے سے اچھا پہن کر اور اچھے سے اچھا کھا کر آوارہ گردی کرنے کا شوق تھا اور بس...... باپ نے بہت چاہا کہ وہ زمینوں ہی کو سنبھال لے، مگر وہ کام کے لحاظ سے پرلے درجے کا سست اور کاہل تھا۔ کچھ کرنا ہی چاہتا ہی نہ تھا۔

سب کے نہ چاہنے کے باوجود آخر شہاب ڈاکٹری کی اعلیٰ تعلیم حاصل کرنے کے لیے انگلستان چلا ہی گیا اور تین سال بعد جب وہاں سے اعلیٰ ڈگری لے لی تو اس خوشخبری کے ساتھ ہی باپ کو ایک ولائتی بہو کی نوید بھی ملی کہ شہاب ڈگری اور میم بیوی کو لے کر پاکستان واپس آ رہا تھا...... یہ کیا ہو گیا! چودھری باپ نے تو اپنے بھائی کی بیٹی کے ساتھ

اس کی بات پکی کردی تھی کہ ایف۔ آر۔ سی۔ ایس کر کے آتے ہیں تو شہاب کی شادی کردی جائے گی۔ باپ پر شادی اور پوتے والی خبر بجلی بن کر گری۔

باقی تینوں بیٹوں کو جب اس بات کا پتہ چلا تو ان کے اندر جو خوشی کے مارے لڈو پھوٹے، وہ انہوں نے طعنوں اور طنزوں کے تیر کے ساتھ باپ کی جھولی میں ڈال دیئے۔

''اور ہمارا حق مار مار کر اس لاڈلے کو دو...... دیکھا ابا! بے انصافی کا کیسا بدلہ ملا......؟ ناک کاٹ ڈالی تمہاری...... آ رہی ہے اب ولائتی بہو مناؤ خوشیاں...... سارے گاؤں کو اکٹھا کرو...... سب تماشہ دیکھنے آئیں گے...... پھر سننا سب کی باتیں۔ جب وہ ننگے سر اور ننگی ٹانگوں سے حویلی میں داخل ہوگی' اس حویلی میں جہاں کی بہو بیٹی کی کسی نے آج تک جھلک تو کیا پرچھائیں بھی نہیں دیکھی۔''

بہت ساری باتیں کی بیٹوں نے...... چودھری صاحب کو تاؤ آ گیا۔ اوپر سے ان طعنوں نے جلتی پر تیل کا کام کیا۔

اسی وقت شہاب کو نہ صرف یہ کہ خط لکھا بلکہ ایک تار بھی دے دی کہ اب اسے واپس آنے کی ضرورت نہ تھی۔ اسے ساری منقولہ وغیر منقولہ جائداد سے عاق کردیا گیا تھا۔

شہاب کی تیاری مکمل تھی۔ اگلے دن ہی وہ پاکستان کے لیے پرواز کر رہے تھے کہ انہی باپ کا تار مل گیا۔ واپسی کا ارادہ کبھی نہ بدلتے مگر باپ کی سخت گیر طبیعت کو جانتے تھے اور بیوی بچے کے سامنے اپنے خاندان والوں کے ہاتھوں ذلیل ہونا بھی نہ چاہتے تھے۔

تب خاموشی سے شہاب نے واپسی کا ارادہ ملتوی کردیا۔ ڈاکٹری کی اعلیٰ ڈگری ضرور پاس تھی، لیکن روپے پیسے کے حساب سے بالکل خالی ہاتھ تھے۔ باپ گھر میں جگہ نہ دیتا تو پاکستان پہنچ کر ان کے پاس ایک وقت کے کھانے کے لیے بھی کچھ نہ تھا۔

اکیلے ہوتے تو کسی دوست کے پاس چند دن ٹھہر سکتے تھے۔ پھر باپ کے ساتھ مذاکرات وغیرہ کر کے صلح کی جاسکتی تھی، مگر ان حالات میں خواری ہی خواری تھی۔ تب یہ سوچا کہ دو چار سال یہیں رہ کر کچھ کما لیں اور پھر واپس جائیں......

ہو سکتا تھا اتنے عرصے میں باپ کا غصہ ٹھنڈا ہو جائے اور اگر ایسا نہ ہوا تو ملازمت ملنے تک یا کلینک وغیرہ کھلنے تک نان نفقہ کا تو انتظام کرنے کے قابل ہوتے...... اپنے وطن کے لئے، اپنے خاندان اور گھر والوں کے لیے دل بہت تڑپا بھی، یہ فیصلہ کرتے ہوئے تکلیف بھی بے انتہا پہنچی مگر اس وقت اور کوئی چارہ بھی نہ تھا۔

تین چار سال بظاہر پلک جھپکتے میں گزرے، لیکن شہاب کے لیے یہ تین چار سال قیامت بن گئے تھے۔ جینٹ ان کی انگلستانی بیوی، جو محبت کے بہت بلند بانگ دعوے کرتی تھی، دو سال بعد ہی اس کی وہ دعووٴں بھری محبت نہ جانے کہاں چلی گئی۔

اب ہر وقت دونوں میاں بیوی میں کھٹ پٹ رہتی۔ ماں کو ایاز کا بھی خیال نہ آتا کہ وہ یہ سب دیکھ کر کس طرح سہم جاتا تھا۔ پہلے چند مہینے کچھ دنوں بعد جھگڑا ہوتا تھا۔ پھر روزانہ ہونے لگا۔ پھر بات بات پر ہونے لگا۔

اور پھر ایک دن کچھ اس قسم کا جھگڑا ہوا کہ تان علیحدگی پر آکر ٹوٹ گئی۔ جینٹ نے گھر میں سے جو کچھ لے جانا چاہا شہاب نے اسے لے جانے کی اجازت دے دی۔ وہ سوائے بیٹے کے ہر قیمتی چیز ساتھ لے گئی۔

ایاز کو یہ نظارہ خواب کی طرح یاد تھا۔ اس کی ماں خوبصورت عورت تھی اور جب وہ شوہر سے جھگڑا کر رہی تھی تو اس کا چہرہ ایک انگارے کی طرح دمک رہا تھا۔ وہ اس وقت اسے اتنی خوفناک لگی تھی کہ اس نے اپنی آنکھیں بند کر لی تھیں۔

پھر...... وہ اتنی بلند آواز میں چیخ بول رہی تھی کہ اس کی آواز کی بھی ساری خوبصورتی ختم ہوگئی تھی۔ تب ایاز نے کانوں میں انگلیاں ٹھونس کر چہرہ صوفے پر پڑے کشن میں گھسا لیا تھا۔

کافی دیر بعد جب اٹھا پٹخ ختم ہوئی...... طوفان تھما...... اُس نے چہرہ کشن سے نکال کر کانوں کو انگلیوں سے آزاد کیا تو سامنے اس کا باپ کھڑا تھا۔ چند لمحے شہاب چُپ چاپ کھڑے اسے غور سے دیکھتے رہے...... معصوم سا، سہما سہما سا وجود کچھ اور سہم گیا۔ اردگرد ماں کہیں دکھائی نہیں دی تھی۔ آنکھوں میں آنسو جمع ہونے لگے۔

''تم پریشان نہیں ہونا......'' شہاب نے اس کے پاس بیٹھ کر اسے اپنی آغوش

میں کھینچ لیا...... ''میں تمہاری ماں بھی بنوں گا۔'' انہوں نے اس کے آنسو صاف کیے۔ اسے بہت پیار کیا۔

ایاز کو اچھی طرح یاد تھا۔ اس کے بعد اس کے باپ کی زندگی ہی بدل گئی۔ شہاب نے اپنی تمام مصروفیات ختم کردی۔ بس ہسپتال جاتے اور پھر گھر آ کر باقی سارا وقت ایاز کے ساتھ گزارتے۔

سکول میں وہ دوسری تعلیم حاصل کرتا تھا۔ گھر میں شہاب نے اسے اپنے وطن کی زبان اُردو سکھائی۔ قرآن پاک کی معنوں کے ساتھ تعلیم دی۔ نماز خود بھی پڑھتے تھے۔ اسے بھی ساتھ پڑھاتے۔

''میں تمہیں ایک سچا اور کھرا انسان دیکھنا چاہتا ہوں۔ تم نے عیسائی ماں کے بطن سے جنم لیا ہے مگر میں تمہیں ایک شاندار مسلمان کے روپ میں دیکھنا پسند کروں گا۔''

وہ اسے اپنے پیغمبروں اور اسلاف کی داستانیں سناتے، ان کے کارنامے بیان کرتے...... اسلامی تاریخ کا ایک ایک باب اسے حفظ کرا ڈالا۔

ماں، جو کبھی کبھار یاد آجاتی تھی، اپنے تمام نقش ونگار سمیت دماغ سے نکلتی چلی گئی اور باپ کی تعلیم و تربیت کے ساتھ ساتھ ان کی شخصیت کا نقش اس کے ذہن پر گہرے سے گہرا ہوتا چلا گیا۔

پہلے شہاب کا ارادہ چند سال بعد واپس پاکستان آجانے کا تھا لیکن جینٹ کے سلوک نے ان کا پروگرام ہی بدل دیا...... وہ کیا منہ لے کر جائیں گے...... سب طعنوں کے تیروں سے انہیں چھلنی نہ کردیں گے کہ جس بیوی کی خاطر والدین چھوڑے، ملک بدر ہوئے اس نے کیا صلہ دیا۔

یوں تین چار سال انہیں سوچوں میں گزر گئے...... پھر...... انہیں احساس ہوا کہ اب ان کی اپنی حیثیت یا اپنی ذات کچھ رہ ہی نہیں گئی تھی۔ وہ تو اب ایاز کے لئے سب کچھ کر رہے تھے...... جی رہے تھے تو اس کے لیے۔

اور اب وہ پاکستان جانے کا سوچ رہے تھے جب کہ ضرورت اب انہیں یہاں رہنے کی تھی۔ ایاز بڑی جماعتوں میں پہنچ رہا تھا۔ اب اسے اچھی تعلیم کی ضرورت تھی۔ وہ

بڑا ذہین تھا۔ بہت سمجھدار تھا۔ وہ اسے بھی ڈاکٹری کی تعلیم دلانا چاہتے تھے اور یہاں تعلیم کا معیار بہت اچھا تھا، بہت بلند تھا۔

''ایاز تعلیم مکمل کر لے گا تو پھر پاکستان چلیں گے۔ باپ بیٹا دونوں...... اور پھر مل کر اپنے ملک کی' قوم کی اور انسانیت کی خدمت کریں گے۔''

واپسی کا ارادہ پھر ترک کر دیا اور پوری تندہی اور لگن کے ساتھ ایاز کی ہستی کو سنوارنے، نکھارنے اور اعلیٰ تعلیم سے مزّین کرنے میں مصروف ہوگئے۔

ابھی ایاز کی تعلیم مکمل نہیں ہوئی تھی کہ شہاب کو ایک دن دل کا دورہ پڑا۔ وہ وطن واپس آنے کی آس دل میں لیے اپنی آخری منزل کو سدھار گئے۔

باپ کی موت کا غم بہت تھا...... اتنا...... کہ شاید وہ پاگل ہوجاتا مگر نہ ہوا...... اپنے ہوش و حواس قائم رکھے کہ اسے باپ کی خواہش کی تکمیل کرنا تھی۔

آخری وقت شہاب نے وصیت کی تھی کہ ایاز تعلیم مکمل کر کے واپس وطن لوٹ جائے۔ اکیلا جائے اور یہاں کی کسی عورت سے شادی کر کے ساتھ نہ لے جائے، بلکہ اپنے ملک میں جا کر کسی مسلمان عورت کو اپنی شریک زندگی بنائے۔

شادی والی نصیحت پوری کرنے کا ابھی نہ تو کوئی موقعہ تھا' نہ وقت اور نہ کوئی آرزو...... ماں کا ہیولیٰ اب بھی نگاہوں میں گھوم جاتا تو عورت کی طرف سے دل میں نفرت کی ایک تہہ اور بیٹھ جاتی۔ شادی تو وہ شاید کبھی بھی نہ کرتا۔

مگر باپ کی نصیحت اور وصیت تھی کہ ڈاکٹری کی تعلیم مکمل کر کے اپنے وطن چلا جائے۔ یہ پوری کرنے پر وہ قادر تھا...... اور یہ اس نے ضرور پوری کرنا بھی تھی۔

اس نے دن رات محنت کی اور پھر تعلیم مکمل کرتے ہی پاکستان چلا آیا۔ اپنے باپ کی سرزمین پر...... جہاں بے وفائی نہیں وفا تھی...... جہاں محبتیں تھیں' خلوص تھا...... شہاب نے ایسا ہی امیج اسے دیا ہوا تھا۔

پاکستان کے چند طالب علم اس کے ساتھ پڑھتے تھے۔ انہیں کی رہبری میں اس نے باپ کے وطن کی سرزمین پر قدم رکھا۔ انہی کی رہنمائی میں اس نے ملازمت کے لئے درخواستیں دی۔

اس کے باپ نے دل کے مرض سے وفات پائی تھی۔ ایاز نے اپنے لیے اسی سبجیکٹ کا انتخاب کیا تھا اور اسی میں علیحدہ سے ایک ڈپلومہ لیا تھا، اسی لیے اسی شعبے میں اسے ملازمت بھی مل گئی۔

وہ پوری تندہی اور خلوص کے ساتھ انسانوں کی خدمت کرنے لگا۔ ہر کسی کا درد دل میں رکھتا۔ ہر ایک سے اچھا سلوک کرتا۔ نماز باقاعدگی سے پڑھتا۔ قرآن پاک کی تلاوت کرتا۔ یہ ساری تعلیم خاص طور پر اس کے باپ نے اسے دی تھی۔

وہ اور سب کچھ بھول سکتا تھا، لیکن باپ کو اور باپ کی تعلیم کو نہیں بھول سکتا تھا۔ جیسا انسان اسے باپ نے بنانا چاہا تھا، ویسا وہ بن گیا تھا۔

دل میں کسی کے خلاف کبھی نفرت و کدورت نہیں رکھتا تھا۔ ہر ایک سے ہمدردی اور پیار سے پیش آتا تھا۔ کسی کو اعلیٰ کسی کو حقیر نہیں جانتا تھا۔ سب انسان ایک جیسے تھے۔

اور وہ وارڈ میں آنے والے ہر مریض کو ایک جیسی توجہ اور ہمدردی کا حق دار سمجھتا تھا۔ امیر کو زیادہ امیر نہیں، غریب کو کم نہیں...... بس یہی اس کے خیالات تھے' ارادے تھے اور زندگی تھی۔

●......●......●

''یہ ہے میرا ماضی...... تنہائیوں اور محرومیوں سے بھرا پڑا۔ پسند آیا......؟''

ایاز کے ہونٹوں پر تلخیوں اور دکھوں بھرا تبسم پھیل رہا تھا۔ آنکھوں میں کچھ نمی بھی تھی۔ شہاب بے تحاشا یاد آ رہے تھے۔ یوں تو ہر باپ اپنی اولاد کے بہت کچھ کرتا ہے لیکن شہاب نے ایاز کے لیے جو قربانیاں دی تھیں، وہ اپنی مثال آپ تھیں۔

ایاز ابھی تک ماضی میں ڈوبے ہوئے تھے۔ کھوئے کھوئے اور دکھی دکھی اور ویران ویران سے۔

''یہاں پاکستان آ کر آپ اپنے والد کے والدین اور عزیزوں سے نہیں ملے......؟''

نایاب ان کے ہاتھ کو تھامے تسلی دینے والے انداز میں تھپتھپا رہی تھی اور پوچھ رہی تھی۔

''نہیں......'' ایاز نے سر جھکا لیا۔ نایاب سے نظر نہیں ملائی۔ نجانے کیوں؟

''آپ کو ملنا چاہئے تھا۔''

''نہیں نہیں......'' وہ ایک دم ہذیانی انداز میں چلائے۔

''کیا ہوا ایاز......؟ یہ آپ کو کیا ہو گیا۔ میں نے کوئی بہت بُری بات تو نہیں کہہ دی۔''

''تم......؟ تم......؟'' وہ اسے بیگانوں ایسی نگاہوں سے دیکھنے لگے۔

''ہاں تم یہاں سے چلی جاؤ...... چلی جاؤ نایاب۔''

''آپ کے بلانے سے آئی نہیں۔ آپ کے کہنے سے جاؤں گی نہیں۔''

وہ بڑے ٹھہرے ہوئے انداز میں بولی۔

''نہیں...... مجھے اس وقت تنہا چھوڑ دو۔''

''سوری...... میں اس وقت آپ کو تنہا نہیں چھوڑ سکتی۔'' وہ اسی طرح بیٹھی رہی اور بڑے اطمینان سے ان کے چہرے کے بدلتے رنگوں کو دیکھتی رہی۔

''آپ مانیں نہ مانیں، لیکن مجھے معلوم ہے۔ آپ کو اس وقت میری بڑی ضرورت ہے۔''

''مجھے کسی کی ضرورت نہیں۔''

''آپ کی زبان آپ کا ساتھ نہیں دے رہی......''

''تم نے میری کہانی سنی ہے نا! مجھے عورت سے نفرت ہے۔''

''لیکن ماما سے اور مجھ سے آپ نفرت نہیں کر سکتے۔ اس کا مجھے یقین ہے۔''

ایاز نے قدرے حیرت سے اس کی طرف دیکھا۔ وہ چھوٹی سی، معصوم سی اور بے پروا سی لڑکی کتنی ہوشمند تھی۔

''اچھا اب باقی بات بھی بتا دیں جو آپ مجھ سے چُھپا گئے ہیں۔''

ایاز چونک پڑے۔ ''تم سے میں نے کیا چھپایا ہے......؟''

''کچھ چھپایا ہے جو آپ کو ڈسٹرب بھی کر رہا ہے۔''

''مزید مجھ سے کچھ مت پوچھو۔'' انہوں نے نظریں جھکا لیں۔

''دیکھئے۔ میں آپ کی زندگی کی ساتھی بننے والی ہوں۔ مجھ سے کچھ چھپانا بددیانتی ہوگی۔''

''مگر میں اب ایسا نہیں چاہتا...... مجھے تمہاری زندگی خراب کرنے کا کوئی حق نہیں ہے......''

''آپ کو میں نے یہ حق دیا بھی کب ہے۔ یہ میری اپنی ذمہ داری ہے۔''

''دیکھو نایاب! گھر جاؤ...... ماما انتظار کر رہی ہوں گی۔''

''ماما کو بتا کر آئی ہوں......''

''ضد نہیں کرو......''

''میں ضد نہیں کر رہی...... اپنا حق مانگ رہی ہوں۔''

''تمہارا حق......؟''

''ہاں...... آپ نے جو کچھ چھپایا ہے وہ بتا دیجئے۔''

''اور اگر بتانے سے میں اپنی نگاہوں میں آپ ہی ذلیل ہو جاؤں۔ تو کیا پھر بھی تمہارا مطالبہ یہی رہے گا......؟''

''ہاں...... کیونکہ آپ میری نگاہوں میں ذلیل نہیں ہوں گے تو اپنی میں کیسے ہو سکتے ہیں۔ چلئے شاباش! بتا دیجیے۔''

اس نے کچھ اس اپنائیت، اس انداز میں کہا کہ ایاز مزید انکار نہ کر سکے۔

''پاکستان آکر میں اپنے باپ کے گھر والوں کے پاس گیا تھا۔''

''ان لوگوں نے آپ کو تسلیم نہیں کیا......؟''

''تسلیم کیسے کرتے......؟'' ایاز کے چہرے پر بہت سارے دکھوں کے سائے لہرا گئے۔ مدہم سی آواز اور شکست خوردہ لہجے میں کہنے لگے۔

''میں چودھری صاحب کے بیٹے شہاب کا بیٹا ہی نہ تھا۔''

''کیا......؟'' نایاب اچھل سی پڑی۔ پھیلی پھیلی' حیران حیران آنکھوں سے ایاز کو تکنے لگی۔

''میں جس کو ساری زندگی باپ سمجھتا رہا اور جس شخص نے میرے لیے ساری زندگی ہار دی وہ میرا باپ ہی نہ تھا۔''

''کیا مطلب......؟'' نایاب کا دماغ ماؤف سا تھا۔ سمجھ میں کچھ نہیں آیا۔

''میں اپنے باپ کی ایک پاکستانی دوست کی اولاد ہوں۔ اس پاکستانی نے میری ماں سے شادی کا وعدہ کیا تھا۔ نبھایا نہیں...... سیر سپاٹا کیا' تفریح کی' عیاشی کی...... ایک رئیس باپ کا بیٹا تھا۔ جب دل بھر گیا واپس چلا آیا۔''

ایاز کی گردن جھکی ہوئی تھی۔ آنکھیں جھکی ہوئی تھیں اور وہ ہولے ہولے یوں بول رہے تھے جیسے سسک سسک کر جان دے رہے تھے۔

''تب میری ماں کو شہاب نے پناہ دی۔ اس کے ہونے والے بچے کا باپ بنا، اپنے خاندان اور گھر والے چھوڑے۔ اپنا وطن چھوڑا۔ میری خاطر' میری ماں کی خاطر...... اور ظلم دیکھو وہ بھی اس کی نہ بنی۔ اپنی اولاد کو اس کے سر تھوپ کر خود کہیں اور چلی گئی۔''

نایاب کے ہاتھوں میں ایاز کے دونوں ہاتھ تھے۔ اس کی گرفت ان کے لرزتے ہاتھوں پر مضبوط سے مضبوط تر ہوتی جا رہی تھی اور نگاہیں ان کے پیلے پڑتے چہرے پر جمی تھیں۔

''مرتے دم تک یہ راز میرے باپ نے مجھ پر ظاہر نہیں کیا...... اور مجھے یاد آتا۔ وہ ہمیشہ کہا کرتے تھے۔ میں تمہیں ایک ایسا انسان بنانا چاہتا ہوں جو کبھی کسی کو دکھ نہ دے۔ جس سے کبھی کسی کو تکلیف نہ پہنچے۔ جو دوسروں کے لیے رحمت ہی رحمت ہو۔''

یکا یک ایاز نے نگاہیں اٹھائیں۔ نایاب کی آنکھوں میں دیکھتے ہوئے غمزدہ اور رنجیدہ سے لہجے میں بولے۔

''اور اب میں نے دیکھا ہے میری وجہ سے ماما تکلیف میں ہیں۔ تم پریشان ہو۔ اسی لیے میں تمہیں کہہ رہا تھا کہ فیصل والا فیصلہ کرلو۔ مجھے میرے حال پر چھوڑ دو۔ میرے مقدر کے سپرد کر دو، اب یہاں کبھی نہ آنا اور ماما کو بھی یہ داستان سنا دینا۔ میں نے اپنے تبادلے کی درخواست دے دی ہے۔ آپ لوگوں کی زندگیوں سے نکل جاؤں گا۔''

''کہاں کا تبادلہ کرا رہے ہیں......؟''

''لاہور کے علاوہ جہاں بھی ہو جائے۔ شاید پاکستان سے ہی چلا جاتا مگر یہ میرے باپ کی وصیت ہے کہ یہیں رہوں۔''

''اور شادی والی وصیت......؟'' نایاب مسکرائی۔

''تمہارا انتخاب کیا تو تھا۔ ماما کو سچے دل سے ماں جانا تھا، مگر بعد میں معلوم ہوا ہے کہ ماضی کے بغیر انسان کچھ نہیں اور نہ ہی ماضی کو اپنے سے علیحدہ کر سکتا ہے۔ اب تمہارے ہاں میرے خاندان کا سوال اٹھا ہے، ہر جگہ اُٹھے گا۔ اس لیے جب اگلے جہان جا کر باپ سے ملاقات کروں گا تو اس کی دوسری خواہش پوری نہ کر سکنے کی معافی مانگ لوں گا۔''

''اچھا کریں گے......'' نایاب اٹھ کھڑی ہوئی۔

''جا رہی ہو......؟'' ایاز نے چونک کر اسے دیکھا۔

''ہاں......''

''اچھا فیصلہ ہے......''

''ہمیشہ کے لیے نہیں جا رہی......''

''کیا مطلب......؟''

''میں کل پھر آؤں گی......''

''نہیں نایاب! اب یہ کھیل ختم کر دو...... ورنہ میں زیادہ سے زیادہ اس میں ڈوبتا چلا جاؤں گا...... اور پھر انجام......''

''یہ کھیل تو اب ڈاکٹر ایاز! اب شروع ہوا ہے...... اور ہمارے انجام کے ساتھ ہی انجام تک پہنچے گا۔ آپ کو میری طبیعت' میرے مزاج کا پتہ ہی نہیں...... شاید...... میں مختلف قسم کی لڑکی ہوں۔''

''کتنی بھی مختلف ہو جاؤ...... کم از کم اپنے باپ اور اپنے خاندان کی عزت سے تو نہیں کھیلو گی؟''

''نہیں...... کوئی غلط کام نہیں کروں گی......'' پھر وہ جھکی...... ایاز کی آنکھوں میں جھانکا...... مسکرائی۔

"البتہ اپنی پسند کے انسان کے ساتھ شادی ضرور کروں گی۔"

"اور اگر......"

"اور ووز' اگر مگر...... بالکل کچھ نہیں...... اچھا...... باقی کل۔ خدا حافظ۔"

اور وہ نایاب حیرتوں میں ڈوبے ایاز کی خوبصورت ناک کو ہولے سے مروڑ کر کمرے سے باہر نکل گئی۔

●......●......●

قاسم جمال سونے کے لئے جا چکے تھے۔ روبینہ سونے سے پہلے بچوں کو ایک نظر ضرور دیکھ لیا کرتی تھیں۔ اس مقصد کے تحت سیماب اور معظم کے کمرے میں داخل ہوئیں۔

دونوں اپنے اپنے بیڈ پر بڑی بے ترتیب سی حالت میں سو رہے تھے۔ رات کافی خنک تھی۔ آگے بڑھ کر انہیں ٹھیک ٹھاک کیا اور کمبل اوڑھائے۔ پھر آیت الکرسی پڑھ کر دونوں پر پھونکیں ماریں اور کمرے کی بتی گُل کرتے ہوئے باہر نکل آئیں۔

ہسپتال میں بھی تھیں تو انہیں دونوں کا زیادہ خیال آیا کرتا تھا۔ خرم اور نایاب تو اب سمجھدار تھے، باشعور تھے۔ ماں کو کچھ ہوجاتا تو خود کو سنبھال سکتے تھے، لیکن سیماب اور معظم میں تو عمر کے لحاظ سے بھی بچپن زیادہ تھا۔ وہ دونوں تو صرف بات بے بات بس جھگڑا ہی کر سکتے تھے۔

جب کبھی خدا سے اپنی زندگی مانگتی تھیں تو انہیں دونوں کی خاطر، اتنے کم عمر نہ تھے جتنے معصوم اور بھولے بھالے تھے دونوں۔ قصور ان کا بھی نہیں تھا۔ پہلے دونوں اور ان دونوں کے درمیان فاصلہ زیادہ ہوجانے کی وجہ سے یہ دونوں ہی لاڈلے ہوگئے تھے۔ ماں باپ کی تو اولاد تھے۔ خرم اور نایاب بھی ان کے بہت لاڈ دیکھتے تھے۔

ان کے کمرے سے ان کے لئے دعائیں مانگتے ہوئے نکلیں تو نگاہ سیماب کے کمرے کی طرف اٹھ گئی۔ دیکھا ابھی اندر بتی جل رہی تھی۔

حالانکہ ہسپتال سے لوٹے چند دن ہی ہوئے تھے۔ نقاہت ابھی کافی تھی، بہت آہستہ آہستہ اور ہولے ہولے قدم اٹھا کر چلتی پھرتی تھیں۔ وہ بھی بہت کم، مگر دل کی مریضہ سے پہلے وہ ایک ماں تھیں۔ جیسے سیماب اور معظم کی، اسی طرح نایاب کی۔

نایاب کے کمرے کی بتی ابھی تک جل رہی تھی۔ اس کے تو امتحان بھی ختم ہو چکے تھے۔ پھر وہ ابھی تک کیوں جاگ رہی تھی......؟ کہیں خدانخواستہ اسے کوئی تکلیف تو نہ تھی......؟

راہداری کے آخری سرے پر اس کا کمرہ تھا۔ ڈاکٹر نے زیادہ نہ چلنے پھرنے کی ہدایت کی ہوئی تھی اور زیادہ رات تک جاگنے سے منع کیا ہوا تھا۔ مگر...... رہا نہ گیا۔

یقیناً اسے کوئی تکلیف تھی۔ پچھلے دنوں اس نے محنت اور بھاگ دوڑ بھی بہت کی تھی۔ اس بار جتنے دن وہ ہسپتال میں رہیں تینوں وقت کا ناشتہ کھانا خود لے کر جاتی رہی تھی۔ بناتی بھی خود تھی۔ پھر کھلاتی بھی اپنے ہاتھوں سے تھی۔ ان کے بھی سارے کام کرتی تھی اور سیماب اور معظم کو بھی سنبھالتی تھی۔ خرم اور پاپا کے بھی کام کرتی تھی۔

یہ سب کچھ تو روبینہ کو گھر آکر سراج سے معلوم ہوا تھا۔ نازونعم میں پلی نایاب انہیں توقع نہ تھی کہ اس طرح گھر گرہستی سنبھال لے گی۔ خوشی بھی بہت ہوئی۔ اس پر پیار بھی بہت آیا اور ترس بھی۔ ان کے لئے تو وہ ابھی چھوٹی سی ہی جان تھی۔

تب انہوں نے اپنے پروردگار سے پورے خلوص کے ساتھ اس وقت تک کے لئے اپنی زندگی مانگی جب تک سب بچے پل بڑھ کر اپنے گھر بار والے نہیں ہو جاتے۔ ایسے چھوڑ کر چلی جاتیں تو انہیں شاید موت کی آغوش میں بھی سکون نہ ملتا جو انسان کی سب سے بڑی پناہ گاہ ہوتی ہے۔

جانے کیا کیا وہ سوچتے ہوئے نایاب کے کمرے میں داخل ہوئیں۔ رات ٹھنڈی ہونے کے باوجود نایاب کھڑکی کھولے بیٹھی تھی۔ باہر بڑی خوبصورت چاندنی چھٹکی ہوئی تھی۔

''تم ابھی سوئی نہیں......''

''کون......؟'' اس نے چونک کر، گھبرا کر جلدی سے پیچھے مڑ کر دیکھا۔

''ماما آپ......؟ آپ ابھی تک جاگ رہی ہیں......؟''

''تم کیوں نہیں سوئی......؟ طبیعت تو ٹھیک ہے......؟''

''میری طبیعت کا نہ پوچھیں......اپنی بتائیں......'' چہرے پر جھولتی بالوں کی لٹیں ہاتھ سے پیچھے ہٹاتے ہوئے وہ کھڑکی میں سے اٹھ کر ان کے پاس آن کھڑی ہوئی۔

''تمہارا کیوں نہیں پوچھوں......؟''

''میں تو ٹھیک ٹھاک ہوں......'' یوں نایاب کے چہرے پر مسکراہٹ تھی، لیکن مامتا کی آنکھ...... جیسے چاند پر بدلی آ جائے تو وہ دکھائی بھی دیتا ہے، لیکن صاف نہیں دھندلا دھندلا سا۔ ایسی ہی اس کی مسکراہٹ تھی۔ دھندلی دھندلی سی افسردگی کی بدلی اس کے اوپر آئی ہوئی تھی...... اور...... یہ ماں کی آنکھ سے چھپا نہ رہ سکا۔

''مجھے تو تمہارا چہرہ کچھ افسردہ اور کچھ مرجھایا مرجھایا سا لگ رہا ہے۔ کیا بات ہے......؟ کیا ماما سے بھی کچھ چھپاؤ گی......؟''

روبینہ نے کچھ اتنے شفیق انداز میں کہا کہ وہ یکدم ہی ان کے ساتھ لپٹ گئی۔

''آپ سے کچھ نہیں چھپا سکتی ماما......؟'' ماما اس کی پُشت تھپکنے لگیں۔ اس کا سر سہلانے لگیں۔

''کچھ نہیں ماما! بس ایسے ہی دل بھر آیا تھا۔''

''ایسے تو نہیں دل بھر آیا کرتا۔'' وہ اسے ساتھ لپٹائے اس کے بیڈ پر آن بیٹھیں۔ پاس ہی اسے بھی بٹھا لیا اور اپنے دوپٹے کے ساتھ اس کا بھیگا بھیگا چہرہ صاف کرنے لگیں۔ کچھ ہوا ضرور ہے۔''

اس کے آنسو ٹپکتے ہی رہے...... ماما بڑے غور سے اسے دیکھ رہی تھیں۔

''ارے بتاؤ نا کیا ہوا......؟''

''ماما! آپ پہلے ہی بیمار ہیں۔ کہیں اور نہ ہو جائیں......''

''پگلی! یوں تو چھپاؤ گی تو کیا بھلا چھپ جائے گا سب کچھ...... تمہارا چہرہ تو چغلی کھا رہا ہے۔ کیا اس طرح میں پریشان ہو کر زیادہ بیمار نہ ہوں گی۔ بتادو گی تو ہو سکتا ہے کچھ......''

"یہ یہاں کیا ہو رہا ہے......؟" خرم کی آواز تھی...... ماما کی بات ادھوری رہ گئی۔ دونوں ماں بیٹے چونکتے ہوئے دروازے کی طرف دیکھنے لگی۔

"بھائی جان! آپ کی یہ عادت بڑی بُری ہے۔ ہر وقت کن سوئیاں لیتے رہتے ہیں......"

خرم مسکراتے ہوئے اندر داخل ہوئے۔ پھر یکدم سنجیدہ ہو کر بولے۔ "میں بھی وہ راز جاننا چاہتا ہوں جس نے تمہارا چہرہ دو دن میں ہی آدھا کر دیا ہے۔ بالکل مُرجھا کر رہ گئی ہو......"

"ہائے اللہ! کون سا راز......؟"

"وہی جو تم ماما کو نہیں بتا رہیں کہ وہ سُن کر کہیں بیمار نہ پڑ جائیں......"

خرم جوتے اتار' بیڈ پر چڑھتے ہوئے آلتی پالتی مار کر بیٹھ گئے۔

"تو دروازے میں کھڑے ہماری باتیں سن رہے تھے......"

"اور کیا کرتا...... آج آخری پرچہ دیا ہے۔ عادت پڑ گئی ہے راتیں جاگنے کی۔ لہٰذا نیند نہیں آ رہی تھی۔ سوچا تھوڑی دیر نایاب کے ساتھ گپیں ماری جائیں۔"

ادھر آیا تو معلوم ہوا گپوں کا بازار ماں بیٹی نے گرم بھی کر لیا۔ اپنا حصہ لینے ہم بھی آ گئے...... بتاؤ کیا بات ہے......؟"

"آپ کو خواہ مخواہ ہی بتاؤں......"

"خواہ مخواہ کیا ہوا......؟ میں تمہارا بھائی نہیں ہوں......؟ بڑا بھائی ہوں اور اے پاگل لڑکی! بڑے بھائی بڑے کام کے ہوتے ہیں...... ان سے بنا کر رکھنی چاہیے۔"

"تو آپ سے میری کب بگڑی ہوئی ہے......؟"

"ابھی ابھی بگڑنے والی ہے۔ خیال رہے بگڑے نہیں......"

"کیسے بگڑنے والی ہے......؟"

"میں کہوں گا کافی کی ایک پیالی بنا دو اور بس بگڑ جائے گی۔"

"اس وقت کافی کی پیالی......؟"

"کافی کا تو یہی وقت ہوتا ہے...... بلکہ جتنی دیر میں بنے گی اس وقت، جو وقت

ہوگا، بس وہی وقت پینے کا ہوتا ہے۔ خود بھی پیو اور ہمیں بھی پلاؤ......"

"اس وقت جانے دو...... کیوں بیچاری کو تنگ کر رہے ہو......؟" ماما چُپ چاپ بیٹھی بہن بھائی کی باتیں سن رہی تھیں...... اب مداخلت کی۔

"ماما! اس پر غم کا عالم طاری ہے۔ نیند اسے نہیں آ رہی۔ کافی بنانے میں کچھ وقت نکل جائے گا......"

"خدا نہ کرے یہ کیوں غم کے عالم میں ہو......؟"

"پھوپھو آسیہ جو آ رہی ہیں۔ بہت دھوم دھڑکے اور فیصل کے ساتھ ہیروں کی انگوٹھی لے کر...... نایاب کو پہنانے کے لئے......"

"ارے ارے! یہ کیا بکے جا رہے ہو......؟"

"پوچھ لیں اس سے...... لیکن ٹھہریں...... پہلے کافی بنا کر لے آئے۔ پھر ساتھ سوچیں گے کہ اس انگوٹھی کا کیا کیا جائے اور ساتھ کافی پئیں گے۔"

"انگوٹھی کا کیا کرنا ہے......؟" وہ معصومیت سے پوچھنے لگی۔

"کرنا کیا ہے پہننا ہے......"

"کیسے......؟"

"تمہیں......"

"میں تو وہ انگوٹھی کبھی بھی نہ پہنوں......"

"ارے پاگل پہن لینا۔ میرا ایک جیولر واقف ہے۔ اگلے دن ہی اس کے پاس بیچ دیں گے اور عیش کریں گے۔ چائنیز کھانے کھائیں گے۔ فلمیں دیکھیں گے اور پکنک منائیں گے۔ تم ہر مہینے ایک آدھ منگنی کروا لیا کرو پھر دیکھنا کیسے تمہیں عیش کرواتا ہوں......"

خرم کی بات پر نایاب کو تو ہنسی آ گئی مگر ماما کو سخت غصہ۔

"کیا بک رہے ہو......؟"

"ارے! تم کافی بنانے نہیں گئیں......" ماما کی بات کا جواب دینے کے بجائے خرم نایاب پر رعب جھاڑنے لگے۔

''ابھی لاتی ہوں بابا! ابھی......''

نایاب پاؤں پٹختے ہوئے کافی بنانے چلی گئی تو ماما تنبیہی انداز میں بولیں۔

''تم ہر وقت اس کے پیچھے نہ پڑے رہا کرو۔ بیچاری گھر بھر کی اتنی خدمت کرتی ہے......''

''پیچھے کب پڑا رہتا ہوں ماما......؟''

''اور اب یہ کوئی وقت تھا کافی کا۔ سارے دن کی تھکی ہوئی تھی۔ آج کل سارے گھر کی دیکھ بھال کا بوجھ اسی کے ناتواں کندھوں پر ہے......''

''سب کچھ جانتا ہوں ماما! اور اسی لئے اسے یہاں سے اٹھایا ہے۔ دراصل میں آپ کو ڈھونڈتا ادھر آیا تھا......''

''وہ کیوں......؟'' ماما کے حواس اب چوکس ہوئے۔

''اس لیے کہ بیماری کا خیال چھوڑیں اور اپنی اولاد کے لئے کچھ کریں......''

''کیا مطلب......؟''

''آپ کے بیمار پڑنے سے لوگ فائدہ اٹھا رہے ہیں۔ آسیہ پھوپھو کا فون آیا تھا۔ وہ آپ کی عیادت کے لئے آرہی ہیں مگر درپردہ فیصل کے ساتھ نایاب کی منگنی کرنے۔''

''کسے فون آیا تھا......؟''

''پاپا سے ان کی بات ہوئی تھی...... دفتر میں......''

''دفتر میں؟ تمہیں کیسے علم ہوا......؟'' ماما ابھی تک مذاق ہی سمجھ رہی تھیں۔

''امتحان دے کر مجھے پاپا کے حضور حاضری نہیں دینی ہوتی۔ یہ بتانے کے لئے کہ کیسا پرچہ کیا ہے۔ اسی سلسلے میں گیا تھا۔ وہیں ساری بات اپنے کانوں سے سنی......''

''آسیہ بڑی چالاک نکلی...... اب مجھ سے چوری چوری بھائی کے ساتھ سارے معاملات طے کئے جاتے ہیں......''

''جدھر نشیب ہوگا اُدھر پانی جائے گا۔ پاپا اس معاملے میں ان کی طرف ہیں نا اس لئے وہ انہیں سے بات کرتی ہیں۔''

''کب آ رہی ہے......؟''

''پرسوں یا ترسوں۔''

''لیجئے کافی...... اور ماما! آپ کے لئے اوولٹین لے آئی ہوں......''

نایاب نے چھوٹا سا ٹرے لا کر بیڈ کے درمیان میں رکھ دیا اور خود بھی پاس بیٹھ گئی۔

''ماما! ٹھیک طرح اوپر ہو کر بیٹھ جائیے اور ٹیک لگا لیجئے۔ یوں بیٹھی بیٹھی تھک نہ جائیں۔'' خرم نے آگے بڑھ کر خود ماں کو ٹھیک طرح بٹھا کر ٹیک لگوائی اور ٹانگوں پر کمبل بھی اوڑھا دیا۔

''یہ آج کی رات ماں بیٹے نے میرے کمرے میں گزارنی ہے......؟''

''ارادہ تو یہی ہے......'' خرم شوخی سے بولے۔

''میرا قصور......؟''

''تمہارا نہیں...... میرے امتحان ختم ہوئے ہیں۔ سیلیبریٹ کرنا ہے۔ گپیں لگا کر، کافی پی کر......''

''لیکن مجھے تو نیند آ رہی ہے۔''

''سوؤ گی تو کھوؤ گی بچہ......؟''

''کیا کھوؤں گی......؟''

''جو پانا چاہتی ہو بچہ......!''

ماما سن رہی تھیں اور خرم سر جھکائے بولے جا رہے تھے۔

''جاگو...... خود بھی جاگو بچہ اور نصیبوں کو بھی جگاؤ......''

''خرم! تم کبھی سنجیدہ بھی ہو جایا کرو......''

''میں سنجیدہ ہوں ماما! میری غیر سنجیدگی بھی سنجیدہ ہوتی ہے۔''

''ماما......!'' نایاب یکا یک بھرائی ہوئی آواز میں بلک سی پڑی۔

''میں فیصل کے ساتھ شادی نہیں کروں گی......''

''پھر کس کے ساتھ کرو گی...... اتنا لائق شخص ہے......''

خرم نے شرارت سے اسے آنکھ ماری مگر وہ چڑ گئی۔

"جہنم میں جائے اس کی لیاقت......"

"سنو نایاب! ہم نے تمہیں گھر رکھ کر تمہارا اچار تو ڈالنا نہیں...... کہیں نہ کہیں تو جھونکیں گے ہی...... اب یہ تم سوچ لو تم کس کے نصیب پھوڑنا چاہتی ہو......"

"پھر وہی بات خرم......! بیٹے تھوڑی دیر کے لئے سنجیدہ ہو جاؤ......"

"ماما! میں تو پوری سنجیدگی سے اس کا عندیہ لے رہا ہوں......"

"میں نے اپنا عندیہ دے دیا ہوا ہے۔"

"یعنی کہ فیصل ناک آؤٹ......؟"

"ہاں۔ ہاں۔ ہاں۔"

"ایاز کے متعلق کیا خیال ہے......؟" خرم نے ایک دم بے تکلفی سے پوچھ لیا۔

نایاب تو ابھی کچھ نہیں بولی، لیکن ماما جھٹ بول پڑیں۔

"میرا تو ووٹ اسی کی طرف ہے......"

"اور ماما! سب جاننا چاہتے ہیں کہ وہ کیسا انسان ہے۔ کس خاندان سے تعلق رکھتا ہے۔ اس کا جواب کون دے گا......؟" نایاب نے کچھ بجھے بجھے سے لہجے میں بولی۔

"میرے آج امتحان ختم ہوگئے ہیں نا۔ کل سے میں اس مہم پر نکلوں گا......"

"کس مہم پر......؟" ماما نے قدرے الجھ کر کہا۔ "خرم سیدھی سیدھی باتیں کیا کرو......"

"ماما سیدھی ہی کر رہا ہوں۔ اب فراغت سے ڈاکٹر ایاز سے ملوں گا۔ پھر سب کچھ معلوم کر لوں گا۔ اس کے بارے میں بھی اور اس کے خاندان کے بارے میں بھی......"

"اور اتنی دیر میں آسیہ اور فیصل انگوٹھی لے کر آجائیں گے اور تمہارا باپ تمہاری بہن کو پہنوا بھی دے گا......"

"اور...... یہ تو غلط ہوگا...... بلا تو بالکل سر پر کھڑی ہے۔ وقت کون سا رہ گیا...... اب کوئی طریقہ سوچوں......"

"یہ کیا بک رہے ہو......؟"

''اوہ سوری! ذہن پر ہر وقت نایاب سوار رہتی ہے نا...... اسی کے حساب سے بات کرگیا......'' خرم مسکراتے ہوئے سر کھجلانے لگے......''یہ خیال ہی نہیں آیا بات پھوپھی کی ہورہی تھی۔ فقرے میں بلا کا استعمال نہ کروں......''

''چھوڑیئے بھائی جان!'' نایاب مسکراہٹ دباتے، چھپاتے ہوئے بولی۔

''ساری فکریں چھوڑیئے......''

''کیا فیصل سے کرنے کا ارادہ کرلیا......؟''

''خدا نہ کرے......''

پھر چھوڑوں کیوں......؟''

''ایاز کے متعلق کہہ رہی تھی۔ آپ کو کچھ بھی معلوم کرنے کی ضرورت نہیں ہے۔''

''کیوں......؟''

''وہ میں سب معلوم کرچکی ہوں......''

''تم......؟'' ماما چونکیں۔ یقیناً معلومات کوئی اچھی نہ ملی ہوں گی۔ تب ہی تو ہسپتال میں ایک دن ایاز سے باتیں کرتے ہوئے انہوں نے اسے اپنے متعلق کچھ بھی بتانے سے منع کردیا تھا۔

انہوں نے اس لیے کوئی بات نہ سنی تھی کہ ایاز بحیثیت ایک انسان کے بے مثال تھا۔ اس کے علاوہ وہ کچھ بھی سن کر یا جان کر اس کی طرف سے دل میں ایک ذرا سا بھی میل نہ آنے دینا چاہتی تھیں۔

اس دن ان کا اندازہ درست نکلا تھا۔ آج کی نایاب کی حالت، کچھ چُپ چُپ کچھ افسردہ، اتنی رات گئے تک جاگ رہی تھی، اکیلی سوچوں میں کھوئی بیٹھی تھی۔

جب وہ اس کے کمرے میں آئی تھیں...... اور اب...... معلوم ہوگیا نا یہ سب کچھ کیوں تھا۔

''لیکن......'' ماما غور سے نایاب کے چہرے کو دیکھتے ہوئے بولیں۔ ''اسے تمہیں کچھ نہیں بتانا چاہیے تھا......''

''کیوں ماما......؟'' خرم جلدی سے بیچ میں کہہ اٹھے...... ''بہت اچھا کیا اُنہوں نے کہ نایاب کو سب کچھ بتا دیا۔ میری نگاہ میں ان کا درجہ اور بھی بلند ہوگیا ہے......'' پھر خرم نے سنجیدگی بھر متانت سے نایاب سے پوچھا۔

''کوئی ایسی ویسی بات ہے......؟ تمہارا چہرہ بتا رہا ہے۔''

''میرا چہرہ جو کچھ بتا رہا ہے وہ میرے خیالات نہیں ہیں بھائی جان! مجھے پاپا اور آسیہ پھوپھو کی طرف سے فکر ہے......''

''وہ میں سنبھال لوں گی...... تم مجھے بتاؤ بات کیا ہے......؟'' چہرے پر پھیل آنے والے تفکر کے سایوں کو ماما نے ہلکی سی مسکراہٹ تلے دبانے کی کوشش کی...... دل بھی دھک دھک کر رہا تھا۔ جانے کیا بات نکل آئے۔ بڑے ضبط سے اس کی طرف متوجہ ہوگئیں۔

اور نایاب پہلے آہستہ آہستہ، آنکھیں جھکائے جھکائے کچھ بولی۔ پھر پوری نارمل آواز میں بغیر گھبرائے، بنا پریشان ہوئے ایاز کی کہانی انہیں سنانے لگی۔ اس نے کوئی بات اس میں سے چھپائی نہیں۔

''ہوں...... تو اب تمہارا کیا خیال ہے......؟'' خرم نے بزرگوں کی سی سنجیدگی سے پوچھا۔

''کس کے متعلق......''

''ڈاکٹر ایاز کے متعلق......''

''پہلے سے بھی زیادہ پکا...... مجھے خاندان یا باپ دادا کے ساتھ شادی نہیں کرنا۔''

وہ پوری مضبوط اور مستحکم لہجے میں بولی۔ ''مجھے ایک انسان کے ساتھ شادی کرنا ہے بھائی جان...... اور وہ ایک مکمل انسان ہے۔ میں نے ہر طرح سے اسے پرکھا اور آزمایا ہے۔ میں کئی کئی گھنٹے اکیلی اس کے پاس رہی ہوں۔ وہ بہت پختہ کردار کا مالک ہے اور اپنے فرض کے ساتھ بھی دیانت دار ہے۔ یوں وہ ہر طرح ایک سچا اور کھرا مسلمان ہے۔ بلکہ ایک مومن کہیں تو مناسب رہے گا......''

''تو بس پھر ٹھیک ہے...... پھر تم پریشان کیوں ہو......؟''

''پریشان کیسے نہ ہو......!'' ماما نے ہمدردی بھری نگاہ سے بیٹی کو دیکھا۔

''عجیب ہو تم بھی......''

''لیکن ماما پریشان ہونے سے تو کچھ نہیں ہوا کرتا۔''

''بس مجھے ڈر ہے تو یہ کہ......'' نایاب سہمی ہوئی تھی...... ''پاپا زبردستی نہ کریں۔ ایاز کے متعلق سب کچھ معلوم ہو تو......تو......فیصل......''

''نہیں۔ نہیں......'' روبینہ ایک دم چونکیں...... ''کیا شرع شریعت کے خلاف کریں گے۔ ایسا گناہ تو میں انہیں کبھی نہ کرنے دوں......''

''لیکن ماما! ہمارے خاندان میں اپنے رشتے میں بات کرنے کی لڑکیوں کو بھی اجازت ہے۔ پھر یہ ساری بحث کیوں......'' خرم جزبز سے ہو کر بولے۔

'' وہ تو ٹھیک ہے۔ ساری آزادی ہے۔ ہر قسم کی اجازت ہے، لیکن ایاز والا معاملہ بالکل مختلف ہے۔ دوسرے لوگ باتیں کریں گے......''

''اور ہمارے پاپا پھر کوئی نہ کوئی اصول کی بات لے آئیں گے......'' نایاب کی آنکھوں میں اُلجھن کے آثار تھے۔ کچھ پریشانی اور تفکر بھی تھا...... مزاج کچھ بکھرا بکھرا تھا اور چہرہ کچھ پھیکا پھیکا سا ہو رہا تھا۔

''ہاں...... پاپا اب یہ تو ضرور کہیں گے کہ ایاز کی پیدائش بااصول طریقے سے نہیں ہوئی لہٰذا......'' خرم بات دبا گئے...... لیکن ماما اور نایاب کے چہروں پر ان کے انداز سے مسکراہٹ پھیل گئی۔

''تم زندگی میں کبھی سنجیدہ نہ ہونا......''

''ماما یقین کیجئے میں سنجیدہ ہوں...... کیا پاپا ہر بات کو، ہر معاملے کو اُصول کی نگاہ سے نہیں دیکھتے؟......''

''اچھا اچھا......'' روبینہ نے بات کو ٹالنے کی کوشش کی۔ ادھر شوہر کا معاملہ تھا۔ وفا کے ترازو میں تل رہی تھیں...... ''ان کی عادت کو چھوڑو...... اور یہ سوچو کرنا کیا ہے......''

''ماما! زبردستی کے آگے تو کوئی نہیں بول سکے گا۔ کچھ بھی ہو میں پاپا کی عزت

رکھنے کی کوشش کروں گی، اس لیے بھی کہ آپ کے شوہر ہیں اور آپ بیمار ہیں......"

"میری بیماری کو چھوڑو...... اولاد کے لیے مائیں سب کچھ کرتی ہیں...... اور یوں بھی بیماری مجھے اس وقت لگے گی جب تم پر تکلیف آئے گی اور خود مجھے ہر حال میں ہر طرح ایاز پسند ہے۔سب کچھ جاننے کے باوجود میرا خیال اس کی طرف سے نہیں بدلا...... وہی رائے ہے......"

"پھر......؟ آپ ہی کچھ بتایئے......؟"

"میں بتاؤں کیا...... سب کچھ کرنے کو تیار ہوں، لیکن ادھر سے ایاز نے ابھی تک بات ہی نہیں کی...... پتہ نہیں وہ کیا چاہتا ہے......؟"

"انہوں نے بات کرنا تھی ماما! لیکن جب انہیں معلوم ہوا کہ ان کے خاندان کے متعلق آسیہ پھوپھو اور پاپا جاننا چاہتے ہیں تو پھر وہ خاموش رہ گئے۔ ان کا خیال ہے کہ ان کے ساتھ ناطہ جڑنے سے ہم لوگوں کی بے عزتی ہو جائے گی۔"

یہ کہتے کہتے نایاب کی آنکھیں چھلک پڑیں۔

"ماما کتنے دکھ کی بات ہے کہ ایک اتنا قابل اور اچھا انسان صرف اپنے خاندان اور حالات زندگی کی وجہ سے......" اور وہ اپنی بات ادھوری چھوڑ کر اُٹھ کر کھڑکی میں جا کھڑی ہوئی۔

"یہ ہماری زندگی میں سچائی اتنی کم کیوں ہوتی ہے۔"

"لوگ اس سے خوفزدہ ہو کر جھوٹ کا سہارا جو ہمیشہ لے لیتے ہیں......"

"لیکن...... ہم پڑھے لکھے لوگ ہیں......"

"ایاز کو بات کرنا چاہیے...... پھر ہم پڑھے لکھے لوگ تمام سچائیوں کے ساتھ میدان میں اُتر آئیں گے......" خرم ایک جذبے کے ساتھ بولے۔

"ہاں...... وہ بات بھی تو کرے......" ماما ایک بیٹی کی ماں کے ناطے سے بولیں۔

"کل ہی ہو جائے گی......" نایاب کی یقین دہانی پر ماما اور خرم دونوں مطمئن ہو گئے۔

●......●......●

ڈاکٹر ایاز ہسپتال جانے کے لیے تیار ہو رہے تھے کہ دروازے پر دستک ہوئی۔ مانوس سی دستک تھی۔ جلدی سے جا کر دروازہ کھولا۔ توقع کے عین مطابق نایاب سامنے کھڑی تھی۔

ہلکے آسمانی لباس میں بڑی اُجلی اُجلی سی لگ رہی تھی، لیکن آج آنکھوں کی چمک کچھ ماندسی پڑی ہوئی تھی۔ گو چہرے پر مسکراہٹیں ہمیشہ ہی کی طرح سجی تھیں.........

''السلام وعلیکم......'' کچھ زیادہ ہی پُر زور لہجے میں اس کے سلام کیا۔

''وعلیکم السلام......'' ایاز مسکراتے ہوئے اسی کی سے انداز میں جواب دے کر دروازے میں سے پرے ہٹ گئے۔

''آج مجھے تمہارے آنے کی قطعی امید نہیں تھی۔''

''کیوں......؟''

''میرے حالات زندگی جو بھی سنتا ہے، بھاگ جاتا ہے۔''

''پہلے کتنی لڑکیوں کو سنائے......؟''

''بے ایمان! پہلی اور آخری تمہی ہو۔ کتنی بار بتاؤں۔''

''پھر کیسے کہہ دیا۔ بھاگ جاتا ہے۔''

''انسان کی ایک تصوراتی دنیا بھی ہوتی ہے۔ اس میں بھاگتے ہی دیکھے۔''

''اور اب ذرا حقیقی دنیا میں آجایئے۔ میں اسی کی باسی ہوں اور......''

وہ انتہائی دلفریب انداز میں مسکرائی۔ ''مجھے بھگا کر دیکھیے۔''

وہ اندر جا کر بڑے اطمینان سے اس کے بیڈ پر چڑھ کر بیٹھ گئی۔

''بہت تھکی ہوئی ہوں۔'' جوتے اتار کر پاؤں اونچے کیے اور دونوں ہاتھوں سے انہیں سہلانے لگی۔ ''ایڑیاں دُکھ رہی ہیں۔''

''کیوں......؟''

''رات بھر جاگتی رہی ہوں اور اب بہت سارا کام کر کے آئی ہوں۔''

''پہلے اس بات کا جواب...... رات کیوں جاگیں......؟''

''بس ایسے ہی۔ آپ کے متعلق سوچتی رہی۔ ماما اور بھائی جان سے آپ کے

متعلق ہی باتیں کرتی رہی۔''

''تبھی تو...... یہ آنکھوں کی قندیلیں کچھ ماند پڑی ہوئی ہیں اور حسن میں......''

''ارے ارے...... پھر ویسے ہی مکالمے......'' نایاب نے ایاز پر پھینکنے کے لیے پرس اٹھایا۔

اور انہوں نے مسکراتے ہوئے جلدی سے اس کے ہاتھ تھام لیے۔

''اوہ سوری! اور اب دوسری بات کا جلدی سے جواب دے دو۔ اتنے امیر باپ کی بیٹی ہو۔ ملازم وغیرہ کہاں تھے جو بہت سارا کام تمہیں کرنا پڑا......''

''موجود تھے سبھی...... لیکن آج مجھے گھر کی صفائی کا دورہ پڑ گیا اور جب دورہ پڑا...... صفائی شروع ہوئی تو مجھے معلوم ہوا کہ ملازم تو صرف ہماری آنکھوں میں دھول جھونکتے ہیں۔''

''یہ جوتے اتار کر بیٹھ رہی ہو محترمہ! مجھے وارڈ میں جانا ہے۔''

''وارڈ میں تو روز ہی جاتے ہیں۔''

''کیا مطلب......؟ آج چھٹی کرلوں؟''

''کیا حرج ہے......؟''

''نہ نہ نہ...... دو مریض ذرا زیادہ سیرِیس ہیں......''

''ٹھیک ہے۔ مجھ سے زیادہ آپ کو مریض پسند ہیں۔''

''یہ کس نے کہا پسند ہیں......؟'' بالوں میں برش پھیرتے ہوئے ڈاکٹر ایاز بولے...... ساتھ مسکرا رہے تھے۔

''فرض ہے...... اور فرض ہر انسان کو پورا کرنا چاہیے۔''

''اور بھی کئی فرض ہوتے ہیں۔''

''اس سے بڑا اور کوئی نہیں...... اس میں ایک انسان کی زندگی کا معاملہ ہوتا ہے۔''

''تو پھر بات ختم سمجھوں۔''

''کون سی بات......؟''

''آپ شادی نہیں کریں گے......؟''

''میں تو کرنا چاہتا ہوں، مگر کوئی شریف انسان مجھ اس قابل نہیں سمجھتا کہ اپنی فرزندی میں قبول کرے۔''

''آپ نے کسی کے آگے دستِ سوال دراز کیا......؟''

''ایک جگہ دستِ سوال دراز کرنے کے متعلق سوچا تھا مگر بروقت عقل بھی آگئی اور وہ بھی کہ ایسی کوشش بے سود ہوگی۔'' ڈاکٹر ایاز ڈریسنگ ٹیبل کے آئینے میں سے نایاب کو دیکھ رہے تھے۔ نگاہوں میں دنیا جہاں کی محرومی تھی اور ہونٹوں پر خجل سی مسکراہٹ......

''کیوں بے سود ہوگی......؟''

اپنی اوقات پہچانتا ہوں......''

''میں یہی کہنے آئی تھی......'' ڈاکٹر ایاز کا اندازِ شکستگی دیکھ کر وہ بھی سنجیدہ ہوگئی کہ آپ آج میرے پاپا سے ضرور ملیں۔''

''تمہارے پاپا سے......؟ کس لیے......؟''

نایاب جھنجھلا ںی گئی...... ''ایک جوان لڑکی سے باپ سے کس لیے ملا جاتا ہے......؟''

''ایک جوان لڑکی کے باپ سے لڑکا خود نہیں ملا کرتا۔''

''پھر......؟''

''اس کے والدین ملا کرتے ہیں......''

''مگر جس کے نہ ہوں......؟''

''میں ماما کو اپنی ماں سمجھتا ہوں...... اور ایک دن انہوں نے یہ بات کہی تھی کہ میری شادی وہ خود کریں گی۔''

آئینے کے سامنے سے ہٹ کر ایاز اس کے روبرو آن کھڑے ہوئے۔

''اسی لیے ایک دن پہلے خود ان سے میں نے اپنے متعلق سب کچھ بتا دینا چاہا تھا۔ انہوں نے نہیں سنا تو میں نے ان کی بیٹی کو ساری کہانی سنا دی......''

''یہ سب کہنے سے آپ کا کیا مطلب ہے؟''

''میں اس وقت ڈیوٹی پر جا رہا ہوں۔ تم ماما کو میرے سارے حالاتِ زندگی سنا دو۔ پھر بھی اگر وہ مجھے اس قابل سمجھیں اور میری ماں بن کر یہ میرے والی ذمہ داری اٹھانا پسند کریں تو انہیں کہہ دینا کہ مجھے جو لڑکی پسند ہے اس کے متعلق بات چیت چلائیں......''

نایاب ان کا مطلب سمجھ گئی تھی۔ قدرے شرما کر مدہم سے سُر میں بولی...... ''مگر ماما سے یہ بات میں کیسے کہہ سکتی ہوں......''

''کیوں نہیں کہہ سکتیں۔ اس لڑکے سے کہہ سکتی ہو مگر ماما سے نہیں۔''

ایاز مسکرائے۔ جھک کر نایاب کی آنکھوں میں جھانکا۔

''لڑکے کی بات اور ہے...... اس کے ساتھ تو میں اور بھی بہت ساری باتیں کر سکتی ہوں۔''

ماما بھی تو تمہاری عام ماؤں سے ہٹ کر ہیں۔ دوست ہیں بالکل۔''

''ہیں تو...... مگر......؟''

''مگر کیا......؟''

''بات پاپا سے کرنا تھی۔''

''وہ بھی پاپا سے کرنا تھی......''

''وہ بھی ماما ہی کریں گی۔ اسی گھر کی لڑکی پسند نہ آگئی ہوتی تو اور جہاں کہیں بھی شادی کرتا۔ میں نے ماما سے ہی سب کچھ کرانا تھا......''

''آپ کو ماما سے بہت پیار ہے؟''

''بے حد......''

''اور......'' وہ قدرے جھجک کر اور سرخ ہوتے ہوئے بولی۔

''ان کی بیٹی سے......؟''

''وہ بھی اچھی لگتی ہے۔ کچھ کچھ۔''

''کچھ کچھ......؟'' اس وقت کتنا دل چاہا تھا پیار کی بات سننے کو، مگر ایاز تو کنجوسوں کے بھی کنجوس نکلے۔ پتہ نہیں کس کس پر غصہ آگیا۔ شاید خود پر بھی...... کہ مکالمے بولنے کو منع کیا ہوا تھا۔ کیوں کیا تھا منع۔ کبھی کبھی اچھا بھی تو لگتا تھا۔ ایسی باتیں سننا اور

ایاز کو دیکھو۔ نہ منع ہوتے...... بے ایمان! بھڑک ہی تو اٹھی۔

''میں ماما سے کوئی بات نہیں کروں گی۔'' پاؤں نیچے لٹکا کر جلد جلد جوتے پہننے لگی۔

ایاز نے اس کا غصے سے لال بھبھوکا چہرہ دیکھا ہی نہیں، نہ آنکھوں سے نکلنے والے شعلوں نے گرمی پہنچائی۔ نہ جانے کن خیالوں میں تھے۔

''آج تم تھکی ہوئی نہ ہوتیں تو اس وقت تم سے چائے بنوا کر پیتا۔''

''ارے......!'' سارا غصہ بھول بھال گئی۔ شعلے یکلخت سرد پڑ گئے...... آنکھوں میں ٹھنڈی میٹھی سی جوت اُتر آئی۔ ہونٹوں پر مسکراہٹ کے پھول کھل گئے۔

''آپ نے کھانا کھا لیا......؟'' ان کے قریب آکر بڑے پیار سے پوچھنے لگی۔

''نہیں...... بس صبح کا ناشتہ ہی کیا ہوا ہے۔''

''کھانا کیوں نہیں کھایا......؟'' محبت اور پیار بھرا رعب و جلال چہرے پر چھا گیا۔

''ملازم چھٹی پر تھا۔ کون لاتا......؟''

''چلو اچھا ہوا......'' جلدی سے میز پر سے چابی اٹھائی اور باہر بھاگی۔ ایاز پیچھے چلے۔ پتہ نہیں یہ لڑکی کبھی کبھی دیوانوں ایسی حرکات کیوں کرنے لگ جاتی تھی اور مصیبت یہ تھی کہ اس طرح بھی اچھی لگتی تھی۔ کچھ زیادہ ہی۔

''سنو...... ارے بات تو سنو۔ ابھی نہ جاؤ۔ ڈیوٹی شروع ہونے میں ابھی آدھ گھنٹہ ہے۔''

''لیکن میں جا کب رہی ہوں......؟''

''پھر......؟''

''ایک منٹ میں آئی......''

ایاز دروازے میں کھڑے دیکھتے رہے۔ نایاب نے گاڑی کھولی اور اس میں سے ہاٹ کیس نکال لائی۔

''یاد ہی نہیں رہا تھا۔'' سر جھٹک کر جھولتی لٹیں پرے ہٹاتے ہوئے اور دروازے

کے بیچوں بیچ کھڑے ایاز کو ایک بازو سے پرے دھکیلتے ہوئے آندھی طوفان کی طرح واپس کمرے میں آگئی۔

"آپ کو کڑاہی گوشت پسند ہے نا...... وہی آپ کے لیے لائی تھی۔"

جلدی جلدی ہاٹ کیس کھولنے لگی...... "آپ یہ کھایئے۔ میں چائے بھی بنا دیتی ہوں۔" برق کی سی عجلت کے ساتھ ان کے آگے رکھ کر خود کچن کی طرف بھاگی۔

"لیکن مس نایاب جمال! میری بھی تو سنو۔"

"چائے بنا کر آتی ہوں......"

"نہیں...... پہلے بات سنو......" ایاز کا انداز حکمیہ تھا۔ نایاب واپس آگئی۔

"تم نے کھانا کھا لیا......؟"

"گھر جا کر کھاؤں گی......"

"یہ بہت ہے تم بھی کھالو......"

"نہیں مجھے چائے بنانا ہے...... ورنہ آپ کو دیر ہو جائے گی۔"

"بہت وقت ہے۔"

"آپ کھائیں نا......"

"پھر میں بھی نہیں کھاؤں گا......" بڑے معصوم انداز میں ایاز نے سب کچھ پرے دھکیل دیا، لیکن نگاہیں کڑاہی گوشت والے ڈبے پر جمی تھیں، جس میں سے بڑی گرما گرم اشتہا انگیز خوشبو اٹھ رہی تھی۔ نایاب اس کی نگاہوں کی بھوک دیکھ کر ہنس دی۔ بیچارا! کبھی کبھی اچھا کھانا نصیب ہوتا تھا۔ ترس بھی اس پر بے تحاشا آ گیا۔ اب کیا اس کے صبر کو مزید آزمائے۔

"چلئے شروع تو کیجئے۔ میں ابھی آکر آپ کا ساتھ دیتی ہوں۔"

"شروع سے آخر تک ساتھ دو ورنہ میں چلا۔"

"ڈھیٹ" وہ صرف ان کے لئے لائی تھی۔

"کیا......؟ نہیں آؤ گی......؟"

"اچھا بابا! اچھا" وہ چولہے پر چائے کا پانی کھولنے کے لیے رکھ کر خود باہر

آ گئی۔ ”یہ صرف آپ کا حصہ ہے ایاز......“

”میری حصے میں تم بھی برابر کی شریک ہو۔ بس چپکے سے آ جاؤ ورنہ......“

”میں چلا۔“ نایاب اس کی بات مکمل کرتے ہوئے کھلکھلا کر ہنس دی۔

”بات بات میں جانے کی دھمکی دیتے ہیں۔“

”تم میرا کہنا نہیں مانتیں۔“

”مان رہی ہوں بابا! یہ لیں۔“ وہ ایک کرسی ان کے بالمقابل گھسیٹ کر اس پر بیٹھ گئی۔

”چلو شروع کرو۔“

”کمال ہے۔“ نایاب نے جھنجھلا کر ایاز کی طرف دیکھا۔ ”خود ہی لائی ہوں اور اب خود ہی بیٹھ کر کھانے جاؤں۔ بڑی اچھی لگوں گی نا۔“

”ہاں...... تم مجھے ہر انداز میں اچھی لگتی ہو...... اوہ سوری۔ پھر ویسا ہی فقرہ منہ سے نکل گیا۔“ ایاز کے ہونٹوں پر شوخی بھری معصوم سی مسکراہٹ پھیل گئی۔ نایاب بھی صرف مسکرا دی۔ ان کی بات کا جواب کوئی نہیں دیا۔

”تم گھر سے نہیں کھا کر آئیں نا۔“ وہ ہاتھ نہیں بڑھا رہی تھے، تب الجھ کر ایاز نے پوچھا۔

”نہیں“

”تو پھر تمہاری نیت ہی یہاں بیٹھ کر کھانے کی تھی ورنہ گھر سے کھا کر چلتیں۔“ ایاز نے پھر فقرہ کس دیا۔

”توبہ توبہ!“ نایاب کانوں کو ہاتھ لگانے لگی۔ ”کسی کی نیت پر شک نہیں کیا کرتے۔ میں ضرور کھا کر آتی مگر مجھے ڈر یہ تھا آپ وارڈ میں نہ چلے جائیں۔ جناب کے دماغ کے کل پرزے عجیب وغریب جو ہیں۔ جب بھی خیال آ جاتا ہے، وقت ہو نہ ہو، اُٹھ کر وارڈ کی طرف چل دیتے ہیں۔“

”تو اور کیا کروں...... اکیلا انسان۔ کہیں تو جی لگانا ہے۔“ انہوں نے کنکھیوں سے نایاب کو دیکھا۔

''اچھا......؟ تو ابھی لگانا ہے اور تھوڑی دیر پہلے کہہ رہے تھے لگ گیا ہے۔''

''بھئی لگ تو گیا ہے، مگر جس سے لگا ہے وہ ہر وقت پاس نہیں ہوتی نا...... پھر دل زیادہ اداس ہو جاتا ہے۔ تب اس کو بہلانے، پھسلانے، ورغلانے کے لیے اِدھر اُدھر کی خاک چھانتا رہتا ہوں۔''

''ارے! پانی کھول گیا ہوگا۔''

نایاب اٹھ کر کچن میں بھاگی۔ ایاز چھوٹے چھوٹے نوالے لینے لگے۔ کڑاہی گوشت بڑا مزیدار بنا ہوا تھا۔ بھوک بے تحاشا لگی تھی۔ ادھر وقت کا بھی خیال تھا۔ جلدی جلدی کھانے لگے۔

چائے وغیرہ بنا کر جب نایاب واپس آئی تو وہ سارا کھا چکے تھے۔ بس آخری نوالہ ہاتھ میں تھا۔

''ارے......!'' وہ یک دم ہی ٹھٹک کر رہ گئے۔ ''میں تو تمہیں بھی ساتھ کھانے کو کہہ رہا تھا اور یہ...... یہ میں نے کیا کیا۔ اکیلا ہی سارا کھا گیا۔ بس یہ نوالہ۔''

سٹپٹا کر ہاتھ میں پکڑا۔ آخری نوالہ نایاب کی طرف بڑھا دیا۔ ''یہ تم کھا لو۔''

نایاب کی ہنسی چھوٹ پڑی۔ ایاز خفیف سے ہوگئے، لیکن تھے ہوشیار۔ اپنی خفت کو شرارت میں چھپانے کی خاطر بڑھ کر زبردستی وہ نوالہ نایاب کے منہ میں ٹھونس دیا۔

''دیکھ لو۔ تمہارے بغیر میں ایک نوالہ نہیں لے سکا۔''

''جی ہاں۔ ایک نوالہ نہیں لے سکے۔'' نایاب ہنسنے لگی۔ وہ بھی ہنسنے لگے۔

''ارے چائے بنا دوں؟''

''ہاں جلدی۔'' انہیں ہوش آ گیا۔ ''اب وقت بہت تھوڑا رہ گیا ہے۔''

نایاب پیالی میں چائے انڈیلنے لگی...... ''تو...... جو کچھ آپ نے کہا تھا ماما سے کہہ دوں......؟''

''کیا بھلا......؟''

''کہ اپنے بیٹے کا رشتہ کہیں کریں۔ اسے بیاہ کی جلدی پڑی ہوئی ہے۔''

''بھئی کماؤ لڑکا ہے۔ اب شادی وادی ہو ہی جانی چاہیے۔ لیکن......''

''لیکن کیا......؟''

''ماما سے کچھ نہیں چھپانا۔ میرے متعلق سب کچھ انہیں بتا دینا......''

''بتا چکی ہوں۔''

''پھر پاپا سے بھی کچھ بھی چھپا نہیں رہنا چاہیے۔ ایسا نہ ہو بعد میں انہیں پتہ چلے تو......تو پھر میں انہیں منہ دکھانے کے قابل نہ رہوں۔''

''ایسی بات تو میں بھی نہیں ہونے دوں گی۔ خاندان بے شک بڑا اعلیٰ ہو۔ والدین شرفا اور رؤسا میں شمار ہوتے ہوں اور لڑکے میں بے شک ہر ممنوعہ عیب موجود ہوں۔ انسان کو اس کے خاندان سے نہیں اس کی ذاتی خصوصیات اور شخصیت سے پہچاننا چاہیے اور قدر کرنی چاہیے۔'' نایاب نے یہ لمبا چوڑا لیکچر دے دیا۔ پگلی تھی۔ جن کے لئے یہ سب کہہ رہی تھی وہ سن کب رہے تھے۔ سامنے صرف ایاز بیٹھے تھے۔ چاہت بھری شوخ نگاہوں سے اسے تک رہے تھے۔

''ساری زندگی قدر کرنی چاہیے نا......؟''

''ہاں ساری زندگی۔'' اس نے بڑی معصومیت سے ان کی تائید کی۔

''کبھی لڑائی جھگڑا نہیں ہونا چاہیے نا......؟''

اس سوال پر نایاب نے چونک کر انہیں دیکھا۔ ان کی آنکھوں میں تو شوخیاں ناچ رہی تھیں......اس کا موڈ بھی بدل گیا۔

''کبھی کبھی ہونا چاہیے۔ منہ کا مزہ بدلنے کے لیے۔''

''میں ماما سے کہوں گا۔''

''میں پاپا سے شکایت کروں گی۔''

''اوہ......!'' پاپا کے نام پر وہ گڑبڑا سے گئے۔ ''نہیں بھئی چھوٹے چھوٹے ہتھیار ٹھیک ہیں۔ پاپا والی کمک جو ہے وہ بالکل فاؤل ہے۔ ایٹم بم استعمال نہیں ہوگا۔ ہم خالی خولی ہیں۔''

''خدا نہ کرے آپ خالی خولی ہوں۔ آپ کے سارے ہتھیار، ہر قسم کی کمک میں خود بنوں گی ایاز......!'' چیزیں سمیٹ کر باورچی خانے میں لے جاتے ہوئے نایاب

سنجیدگی سے کہنے لگی۔

''تو پھر جھگڑا ہی ختم، چلیں جی اپنی ڈیوٹی پر۔'' ایاز مسکراتے ہوئے اُٹھ کھڑے ہوئے۔

''اور مہمان جو آئی ہے......؟'' وہ کچن ہی سے بولی۔

''مہمان نہیں، گھر والی ہے۔ یہ لو چابی، تالا لگا جانا۔''

''تالا لگا کر چابی ساتھ لے جاؤں تو جناب ڈاکٹر ایاز صاحب! آپ کیا کریں گے......؟''

''تمہارے گھر سے آکر لے لوں گا۔''

''چابی لینے ہمارے گھر آئیں گے؟''

''ہاں بھئی ہاں۔ آج ڈیوٹی ختم ہونے کے بعد پیشتر ہی سے میرا ارادہ ماما سے ملنے کے لیے جانے کا تھا، تو وہیں سے چابی لے لوں گا۔''

''بس ٹھیک ہے۔ آپ جائیں مجھے ابھی یہاں کچھ وقت لگ جائے گا۔''

''یہاں سب کچھ گڑبڑ ہوا ہوا ہے۔ دیکھئے تو کچن کی اور کمرے کی حالت۔''

وہ کچن کے دروازے میں کھڑی تھی۔ ایاز بھی آکر اس کے قریب کھڑے ہوگئے۔ بڑی میٹھی میٹھی اور پیار بھری نگاہوں سے اس کے نازک سراپا کو تکتے ہوئے بولے۔ ''تم آج پہلے ہی بہت تھکی ہوئی ہو۔''

''یہ کام کر کے تھکان اُتر جائے گی۔''

''اوہ......!'' اتنا پیار، اتنی وفا، ایسی بے پایاں چاہت اور خلوص، انہوں نے نایاب کا جھکا ہوا سر پکڑ کر آہستہ سے اپنے سینے سے لگا لیا۔ ''میں بہت خوش نصیب ہوں...... بہت زیادہ۔'' پھر جھک کر اس کی آنکھوں میں جھانکتے ہوئے پوچھنے لگے۔

''نماز پڑھا کرتی ہو نا؟''

''ہاں......'' وہ ان کے ساتھ لگی لگی سکون آمیز لہجے میں بولی ''تقریباً پوری۔''

''تو پھر ہر نماز کے بعد میرے لئے یہ دعا ضرور مانگا کرو کہ خدا میری یہ خوش بختی سلامت رکھے۔ اچھا خدا حافظ۔''

ایاز پلٹ کر تیزی سے کمرے سے باہر نکل گئے۔ دو بجنے میں صرف پانچ منٹ باقی تھے۔ وہ تیز تیز قدم اٹھاتے ہوئے وارڈ کی طرف چل دیئے۔

●......●......●

نایاب ہی کے کمرے میں بیگم روبینہ اور خرم بھی تھے۔ ایاز نے ساری بات ماما پر ڈال دی تھی۔ نایاب نے سیدھے سادے الفاظ میں انہیں صاف بتا دیا کہ اب جو کچھ کرنا تھا انہیں ہی کرنا تھا۔ ایاز کی طرف سے بھی پیغام انہیں ہی پاپا کو دینا تھا اور نایاب کی طرف سے بھی انہیں ہی پاپا کو اس رشتے کے لئے قائل کرنا تھا اور رضامند کرنا تھا۔

ساتھ ہی نایاب کا یہ اصرار بھی تھا کہ ایاز کے متعلق، اس کے ماضی کے متعلق پاپا سے کچھ بھی نہ چھپایا جائے۔ ہر بات سچ سچ اور صاف صاف بتا دی جائے۔ ماما اور خرم اُس کے ساتھ متفق نہیں تھے۔ بس جس طرح شہاب نے اپنی زندگی ایاز کے لئے قربان کر دی اور انہیں بیٹا بنا کر پرورش کیا۔ اسی طرح باقی ساری زندگی کے لئے شہاب ہی کا نام بطور ولدیت ایاز کے نام کے ساتھ رہے گا اور شہاب ایک اچھے بھلے معزز زمیندار خاندان کے چشم و چراغ تھے۔ یوں قاسم جمال کے لئے انکار کی کوئی گنجائش باقی نہ رہ جاتی تھی۔

"نہیں ماما! بات پکی تب ہونا چاہیے جب پاپا خود اس حقیقت کو تسلیم کریں کہ رشتہ ایک انسان سے کیا جاتا ہے اس کے خاندان یا ولدیت سے نہیں...... اور ایاز بطور انسان اور انسانیت بے مثال ہیں۔ پاپا کو اپنی بیٹی کے لیے ایسا اچھا اور مناسب رشتہ کوئی دوسرا مشکل سے ملے گا۔"

بات خرم اور ماما کے جی کو بھی لگ رہی تھی مگر خدشہ تھا کہ قاسم جمال ہتھے سے ہی نہ اکھڑ جائیں۔ ادھر بہن کے بیٹے والی بات بھی کان میں پڑی ہوئی تھی۔ لڑکا بھی لائق تھا اور خاندان بھی اپنا تھا۔ جو شرافت، نجابت، امارت غرض ہر اعتبار سے بلند سمجھا جاتا تھا۔ اپنی بیٹی میں بھی کوئی کمی نہ تھی پھر ایاز کو کیسے فوقیت اور ترجیح دے دیتے۔ سرے سے جس کے خاندان کا، باپ کا ہی پتہ نہ تھا۔

''ایک تو ضرورت سے زیادہ صاف گوئی بھی مصیبت بن جاتی ہے۔ اب بھلا ایاز کو اپنے ماضی کا گڑا مردہ اکھیڑ کر نایاب کے سامنے رکھنے کی کیا ضرورت تھی۔'' خرم جھنجلا رہے تھے۔ بڑبڑا رہے تھے۔

''بہت اچھا کیا انہوں نے۔ مجھے ان کی یہ بات' یہ صاف گوئی پسند آئی ہے۔ اگر اس وقت وہ چھپا جاتے، بعد میں مجھے کسی اور طرح علم ہو جاتا پھر...... پھر تو میری ساری زندگی غارت ہو جانا تھی نا......؟''

''کیوں؟ کیا ہو جاتا......؟'' خرم نے الجھی الجھی نظروں سے نایاب کو دیکھا۔

''اعتماد اُٹھ جاتا ان پر سے۔ اب سچ بولا ہے تو پہلے سے بھی زیادہ اچھے لگنے لگے ہیں۔ دل چاہتا ہے اپنی جان بھی ان کے لئے دے دوں۔ بعد میں کسی دوسرے سے پتہ چلنے پر برے لگنے لگتے۔ اپنی نہیں ان کی جان لینے کے پیچھے پڑ جاتی کہ یہ کلینک میرے ہی لئے رہ گیا تھا۔''

''نایاب درست کہتی ہے۔ خرم تمہیں ابھی ان رشتوں اور ان کی قدروں کا اندازہ نہیں۔ سچائی کی بنیاد رکھی جائے تو بڑھتے پھولتے ہیں ورنہ سوکھ جاتے ہیں۔''

''پھر ماما! کوئی حل بھی تو سوچئے۔''

''دیر نہیں ہونی چاہئے۔ آج ہی کوئی فیصلہ ہو جائے تو اچھا ہے ورنہ کل پھر آسیہ پھوپھو آ جائیں گی اور پاپا ان کی بات بڑے دھیان سے سنتے ہیں۔''

''ویسے تو ہر ایک کی بات دھیان اور توجہ سے سنتے ہیں البتہ وہ ان کا اپنا خون ہیں نا......'' نایاب شکستہ دلی سے بولی۔

''اور ہم کیا ان کا خون نہیں ہیں۔ ہماری بھی انہیں سننا چاہئے۔ اصول تو یہی ہے کہ سب سے پہلے اس کی بات سنی جائے جس کی زندگی کا معاملہ ہے۔'' خرم نے بہن کی طرف داری کی۔

''ہاں!'' نایاب نے بڑی پیار بھری اور اعتماد بھری نگاہوں سے بھائی کو دیکھا۔

دفتر سے آ کر ابھی ابھی قاسم جمال آرام کرنے کمرے میں گئے تھے۔ چھ بجے انہیں پھر کسی میٹنگ میں جانا تھا۔ روبینہ بچوں کی باتیں بھی سن رہی تھی۔ اپنے اندر کی

باتوں پر بھی دل و دماغ غور کر رہے تھے۔ رات کو قاسم نجانے کب واپس آئیں۔ پھر بات کرنے کا موقع ملے نہ ملے۔ کل آسیہ نے پہنچ جانا تھا۔ یہ وقت مناسب تھا۔ وہ اسی وقت اٹھ کھڑی ہوئیں۔

''میں ابھی جا کر قاسم سے بات کرتی ہوں۔ فیصلہ ہو ہی جانا چاہئے۔'' وہ پُر اعتماد اور مضبوط قدم اٹھائیں کمرے سے نکل گئیں۔

''وضو کر کے جانماز پر کھڑی ہو جاؤ۔'' خرم نایاب کو چھیڑنے لگے۔

''وہ کیوں؟'' نایاب سمجھ کر بھی انجان بن گئی۔

''ماما اس مہم میں کامیاب ہو جائیں ورنہ تم تُل گئیں ہیروں میں، فیصل جیولرز کے ہاں۔''

''واہ واہ! یہ بھی کوئی بات ہے۔ میرا مول کوئی نہیں لگا سکتا۔ بھیڑ بکری نہیں ہوں انسان ہوں۔''

''لگانے والوں نے لگا بھی دیا اور محترمہ! کس دنیا میں بستی ہو؟ اس دنیا میں انسان ہی سب سے زیادہ بکتا ہے۔''

''نہیں...... کم از کم میں کسی کے ہاتھ آنے والی نہیں۔''

''یہ بھی ٹھیک ہے۔'' خرم مسکرائے۔ ''ہاتھ لگ جاؤ گی تو ساری زندگی ہاتھ بھی ملتے رہیں گے۔ روئیں گے نصیبوں کو کہ اچھی بھلی ایاز کے گلے کا ہار ہوئی تھی کیوں میں نے اپنے گلے منڈھ لی۔''

''اب ایسی بھی گئی گزری نہیں ہوں۔ سچ مچ کی نایاب ہوں۔'' خرم اور نایاب میں پھر چونچا چانچی شروع ہوگئی۔ جب کبھی اکٹھے بیٹھتے کوئی سنجیدہ بات ہی نہ کرتے۔ پھر بھی دونوں کے پیار کی مثالیں بنی ہوئی تھیں۔

''سن نایاب۔'' اسے ستانے کے لئے خرم نے چہرے پر فکر و پریشانی بکھیر لی۔ ''اگر تیرے مقدر میں فیصل ہی لکھا گیا تو......''

''میں وہ لکیر ہی مٹا دواں گی۔''

''اتنی سخت دشمنی......؟''

''دشمنی تو خیر نہیں، لیکن ایسی دوست بھی نہیں کہ زندگی بھر کے لئے کلیجے سے لگا لوں۔''

''تم کیا کسی کو کلیجے سے لگاؤ گی۔ میں تو کہتا ہوں اسی کا بڑا کلیجہ ہوگا جو تمہیں کلیجے سے لگائے گا۔''

''بھائی جان! اس کا فیصلہ تو خیر وقت کرے گا۔ چلیں آئیں چل کر ماما اور پاپا کی باتیں سنیں۔''

''خواہ مخواہ ہی۔'' خرم نے تیز نگاہ سے اسے دیکھا۔ ''چھپ کر باتیں سننے والا ایک عیب نہیں تھا۔ پتہ چلا ہے کہ محترمہ میں وہ بھی موجود ہے۔''

''نہیں چلیں نا......''

''نہ بھئی ایسی غلط حرکت میں نہیں کرسکتا۔''

''مجھے بڑی بے چینی ہورہی ہے۔''

''بے چینی کا یہ حل تو کسی طرح مناسب نہیں کہ اخلاق سے گزر جائیں اور چھپ چھپ کر کسی کی باتیں سنیں۔''

''کسی غیر کی تھوڑی سن رہی ہوں۔ اپنی ہی باتیں ہیں نا اور کرنے والے میرے پاپا اور ماما ہیں۔'' نایاب بیڈ سے اترتے اور چپل پہنتے ہوئے بولی۔ ''میں کوئی گناہ کرنے نہیں جارہی۔''

خرم اس کا ساتھ نہیں دے رہے تھے تو نہ سہی۔ وہ اکیلی ہی ماما اور پاپا کے کمرے کی طرف چل دی۔ خرم پیچھے سے آوازیں ہی دیتے رہ گئے۔ آخرت کے عذاب اور جہنم کی آگ سے ڈراتے ہی رہ گئے۔ مگر...... نہ وہ ڈری نہ رُکی۔ سنا سب کچھ لیکن چپکے سے کاٹ لپیٹ کران کے کمرے کے باہر جا کھڑی ہوئی۔

دروازہ تھوڑا سا کھلا تھا جس میں سے ان کی باتوں کی آواز آرہی تھی۔ اتنی صاف کہ اسے بہت قریب جا کر دروازے کے ساتھ کان بھی نہیں لگانا پڑے۔ چلو...... ایک گناہ سے بچ گئی۔ دو تین قدم پرے سے ہی وہ بآسانی سب کچھ سن سکتی تھی۔ دل کو تسلی دے کر وہ ادھر متوجہ ہوگئی۔

''مجھے سمجھ نہیں آتی کہ فیصل کو آپ کس وجہ سے فوقیت دے رہے ہیں؟''

''خاندان کا لڑکا ہے۔ دیکھا بھالا ہے۔ کوئی عیب بھی نہیں اس میں۔''

''اور ایاز میں کون سے عیب ہیں؟'' ماما تنک کر پوچھ رہی تھیں۔

''میں کب کہہ رہا ہوں وہ عیب دار ہے۔ مانا وہ بڑا اچھا انسان ہے، لیکن اس کی ایک دو باتیں مجھے پسند نہیں۔ ایک تو اس کے خاندان کا ہی علم نہیں۔ دوسرے کچھ بے اصول سا ہے۔ وعدہ کرتا ہے وہ پورا نہیں کرتا۔ ہسپتال کے قواعد و ضوابط کو وہ پورا نہیں کرتا۔ یہ کہاں کا اصول ہے کہ اصل اصول چھوڑ اپنے علیحدہ سے بنا لئے جائیں۔ زندگی میں اگر یہی وطیرہ رہا تو ایک ناکام انسان ثابت ہوگا۔''

''دیکھئے خاندان کی تو بات نہ کیجئے۔ شریفوں کے بدمعاش نکل آتے ہیں اور بدمعاشوں کے شریف۔ میں نے ہر قسم کی بہت مثالیں دنیا میں دیکھی ہیں۔''

''مگر جب ہمیں شریفوں کا شریف لڑکا مل رہا ہے تو پھر...... یہ تو ہماری عین خوش قسمتی ہے۔''

''اور اگر نایاب ہی یہ نہ چاہتی ہو۔'' آخر کار وہ زچ سی ہو کر بولیں۔

''ابھی بچی ہے۔''

''بیس سال کی ہوگئی ماشاء اللہ! اب بچی کب رہ گئی۔''

''تو پھر وہ کیا کہتی ہے......؟''

''وہ فیصل سے شادی نہیں کرنا چاہتی۔''

''اور ایاز سے چاہتی ہے۔ روبی! تمہی نے اس کی صفتیں کر کے اس کے ذہن میں ڈال دیا ہے کہ اس سے اچھا کوئی نہیں۔''

''میں نے اس کے ذہن میں کیوں ڈالنا۔ اس کی اپنی عقل سمجھ کوئی نہیں ہے۔ ہسپتال آتی جاتی رہی ہے۔ سب کچھ خود ہی اس نے دیکھا پرکھا ہے۔ آپ کو کیا پتہ وہ وہاں کس طرح ایک دیوتا کی طرح مانا جاتا ہے۔ سب لوگ اس کے اخلاق کے مداح ہیں۔ ہر چھوٹے بڑے کے ساتھ اس کا سلوک اچھا ہوتا ہے۔ نایاب نے بھی اثر قبول کر لیا۔''

''اور اس کا خاندان خواہ کیسا ہی ہو؟''

''آپ خاندان کے پیچھے کیوں پڑے ہوئے ہیں۔ ہو سکتا ہے، اس کا کوئی خاندان ہو ہی نہ۔''

''درخت پر اُگا تھا۔'' قاسم طنز سے ہنس پڑے۔

''آپ بات ہنسی میں اُڑا رہے ہیں۔'' زندگی میں پہلی بار روبینہ اپنی ضد پر اڑیں۔ ''میں آسیہ کے آنے سے پہلے کسی فیصلے پر پہنچنا چاہتی ہوں۔''

''نہیں روبی! فیصلے پر پہنچ چکی ہو۔'' قاسم سنجیدہ ہو گئے۔ ''جس طرح میرا ووٹ پورے کا پورا فیصل کی طرف ہے، اسی طرح تم ایاز کے متعلق فیصلہ کر چکی ہو۔''

''چلو اچھا یہی سمجھ لیں پھر......؟ کیا اس گھر میں میری کوئی بات نہیں مانی جائے گی۔''

'' ضرور مان لیتا۔ صرف ایک اس کے خاندان وغیرہ کا پتہ ہوتا۔ کل کو میری بہنیں اور میرے بھائی جب پوچھیں گے کہ انہیں چھوڑ کر بیٹی کس خاندان میں دی تو میں کیا جواب دوں گا۔''

''اچھا...... تو آپ کو خاندان والوں کا ڈر ہے۔''

''ہونا بھی چاہیے۔ کچھ حق رکھتے ہیں تو کہتے ہیں۔ یوں بھی اصول ہی کی بات ہے۔''

''تو سنیئے پھر۔ آپ کو ایاز کے خاندان کے متعلق بتاؤں۔''

اور پھر روبینہ نے ایاز کے پورے حالات زندگی قاسم جمال کو سنا دیئے۔ کچھ نہیں چھپایا ان سے۔

''اوہ......'' انہوں نے ہاتھوں میں سر تھام لیا۔ ''پھر تو بالکل ہی یہ غیر مناسب بات ہے۔''

''آپ...... آپ پڑھے لکھے ہو کر ایسی بات کر رہے ہیں۔ آپ سے تو اُونچے خیالات پھر آپ کی بیٹی ہی کے ہیں۔ وہ کہتی ہے کہ اب شادی کرے گی تو ایاز ہی کے ساتھ جس کی ولدیت مشکوک ہے جس کا خاندان گم ہے جس کا کوئی آگا پیچھا نہیں۔ ہم اس

کے بنیں گے۔ وہ ایک انسان ہے جذبات و احساسات رکھنے والا۔ اس سارے میں اس کا کوئی قصور نہیں۔ ہم اسے اپنا خاندان دیں گے۔ اپنا سب کچھ دیں گے۔''

''ہوں...... تو یہ بات ہے۔''

''ہاں۔ میں بھی اس سے متفق ہوں۔ اگر غلط ہوتی تو میں بھی خود ہی اسے سمجھا بجھا دیتی۔ اب کہنے کو کوئی بات ہی نہیں ہے۔'' روبینہ قاسم کو سمجھانے لگیں۔

''ہمارے خاندان میں بہت لڑکیوں نے اپنی پسند کے رشتے کئے ہیں۔ نایاب کی باری بھلا اس پر پابندیاں کیوں لگیں۔ عادل بھائی کی بیٹی نے خود اپنی پسند سے شادی کی۔ اس کا خاندان کون سا اعلیٰ ہے، بہت معمولی لوگ ہیں۔''

''ہیں تو سہی نا...... کچھ ہی ہیں، لیکن یہاں تو...... کچھ بھی نہیں۔ اوہ روبی! یہ کیا ہوگیا؟''

''کچھ نہیں ہوگیا۔ جو کچھ ہوا ہے ٹھیک ہوا ہے...... اور پھر نایاب اپنی ضد پر اڑی ہوئی ہے۔ اگر اس کے ساتھ زبردستی کی گئی تو مجھے ڈر ہے وہ کوئی غلط قدم نہ اٹھا لے۔''

''تو معاملہ یہاں تک پہنچ چکا ہے۔''

''ہاں...... اس کا بھائی بھی اس کے ساتھ ہے۔''

''تو پھر سیدھے سیدھے کہو نا کہ تم لوگوں نے ایاز کے لئے فیصلہ کر ہی چھوڑا ہے۔''

''ہمارے فیصلے پر اس وقت مہر ثبت ہوگی جب آپ منظوری دے دیں گے۔''

''دیکھو روبی! صاف صاف بات بتا دوں اگر مجھ سے پوچھتی ہو تو میں تو اب، ان حالات میں ایاز کے لئے قطعی راضی نہیں۔ باقی رہ گیا معاملہ لڑکی کا، ایسا نہیں ہوسکتا میں خود ایک بار اسے تمام نشیب و فراز سے آگاہ کر دوں؟'' قاسم کا خیال تھا ان کے سمجھانے سے نایاب سمجھ جائے گی۔ اس کی ماں اور بھائی نے ایسی کوئی کوشش کی ہی نہیں تھی۔

''بڑے شوق سے...... آپ کی بیٹی ہے۔''

اتنا سنتے ہی نایاب اپنے کمرے کی طرف بھاگی۔ خرم ابھی تک وہیں تھے۔ نایاب کے منتخب کردہ کیسٹ لگا لگا کر سن رہے تھے۔

''بھائی جان...... بھائی جان۔'' وہ آ کر خرم سے لپٹ گئی۔''اب پاپا خود مجھ سے پوچھیں گے۔ مجھے شرم آتی ہے۔ میں بھلا انہیں کیا کہوں گی۔''

''اور جو پڑ پڑ ماں اور بڑے بھائی کے سامنے ہوتی۔''

''میری ماں بھی دوستوں کی مانند ہے اور بڑا بھائی بھی، مگر پاپا۔ ہائے ان کے سامنے تو میں ویسے ہی بات نہیں کر سکتی۔ کوئی عام سی بات بھی۔ یہ رشتے ناطے کی بھلا کیسے کروں گی۔''

''اب تو نایاب! اگر پاپا نے کہہ دیا ہے کسی اصول یا قاعدے کے تحت، تو پھر وہی ہو گا...... اور سب کچھ پاپا کر لیں گے، ایک بے اصولی نہیں کریں گے۔''

''لیکن...... لیکن......'' وہ ابھی بات کرنے ہی والی تھی۔ جانے کیا کہنا چاہ رہی تھی، خرم سننے کے منتظر تھے کہ ماما کمرے میں آ گئیں۔ خرم اور نایاب ابھی کچھ بولے بھی نہ تھے، وہ پہلے ہی کہنے لگیں۔

'' نایاب! تم سے تمہارے پاپا بات کرنا چاہتے ہیں۔ جاؤ بیٹی! خدا تمہیں ثابت قدم رکھے۔'' روبینہ نے اسے دلی طور پر دعا دی۔

''کیا مجھ سے بات کرنا بہت ضروری ہے۔'' وہ بے حد گھبرائی ہوئی تھی۔ ''میرے بغیر طے نہیں ہو جائے گی۔''

''تمہارے بغیر ہوئی تو فیصل سے ہو گی، چلو اٹھو۔ میں تمہارے ساتھ چلتا ہوں۔''

''ماما! آپ بھی چلیں۔''

''پورے خاندان کو اکٹھا کر لو۔'' خرم نے کچھ اس انداز سے کہا کہ نایاب کے چہرے پر مسکراہٹ پھیل گئی۔

● ...... ● ...... ●

قاسم جمال نے نایاب کو ساری اونچ نیچ خود سمجھائی۔ خاندان کی عزت اور وقار انسان کی زندگی میں کتنا عظیم اور اہم درجہ رکھتے ہے، اس کا احساس دلایا۔ رشتہ دار موجود ہونے کی افادیت پر ایک چھوٹا سا مگر پُر اثر لیکچر دیا۔

غرض ایک غلط راستہ پر چلنے والے کو جس جس طرح سمجھا بجھا کر اس راستہ سے ہٹایا جا سکتا تھا وہ ہر ممکن کوشش کر ڈالی، مگر نایاب اپنی ضد پر قائم رہی۔ وہ اپنے مؤقف سے انچ بھر نہیں ہٹی۔ جس راستے کو پاپا غلط کہتے تھے، اس کی فہم میں وہی راستہ مناسب ترین تھا اور اس کی خواہشوں اور آرزوؤں بھری منزل کی طرف جاتا تھا۔ صرف ایک وہی آس تھی، جو اسے خوشگوار مستقبل اور خوشیوں بھری زندگی کی نوید دیتی تھی۔ وہ کیسے اس سے پیچھے ہٹ جاتی۔

تب قاسم جمال کو شرع وسنت اور اپنے خاندان کی روایات کے مطابق نایاب کو وہ حق دینا ہی پڑا جس کی وہ حقدار تھی۔ مزید بحث لاحاصل تھی۔ مزید سمجھانا بے سود تھا۔ اپنا فرض انہوں نے ادا کر دیا تھا اور اب آگے نایاب کا مقدر......!

''پرسوں آسیہ آ رہی ہے، دور کا معاملہ ہے، بار بار آنا جانا مشکل ہو جائے گا۔''

نایاب سے فیصلہ کن بات کرنے کے بعد انہوں نے روبینہ سے کہا۔ ''وہ صرف تین چار دن رہے گی۔ انہی دنوں میں نایاب کی نسبت طے کر ڈالو۔ اپنے بہن بھائیوں کے بغیر تو نہیں کر سکتا۔ تم ایاز کو بلوا کر باقی بات چیت بھی کر لو۔'' انہوں نے اس انداز میں اپنی رائے کا اظہار کر دیا۔

''ایاز کو تو صرف آخری فیصلہ سنانا ہے۔ باقی سب کچھ مجھے ہی کرنا ہے سمجھیں لڑکے والی میں ہی ہوں۔'' روبینہ کے چہرے پر خوشیاں سرخی بن کر پھیل گئیں۔ قاسم جمال بڑے معقول انسان تھے۔ جلد فیصلہ کر لیا تھا۔ روبینہ کو زیادہ خوشی اس بات کی ہوئی۔

''پھر جمعہ کا دن مبارک ہوتا ہے، وہی رکھ لو۔ خدا میری بیٹی کے نصیب اچھے کرے۔'' وہ کافی سنجیدہ تھے، لیکن چہرے پر دوسروں کو پریشان کر دینے والا تاثر نہیں تھا، جیسے انہوں نے سمجھوتہ کر لیا تھا۔ قاسم جمال نے تاریخ مقرر کر دی۔ وقت مقرر کر دیا، سب کو دعوت نامے بھجوا دیئے۔ ان کی عادت تھی کہ جس بات کا فیصلہ کر لیا کرتے تھے، وہ پھر

فوری طور پر اس پر عمل پیرا بھی ہو جایا کرتے تھے اور بحسن و خوبی ٹھیک ٹھاک موڈ کے ساتھ انجام تک بھی پہنچا دیا کرتے تھے۔

روبینہ نے خوشی خوشی اگلے ہی روز ایاز کو بلا بھیجا۔ ساری بات انہیں سنا دی کہ قاسم اسی آنے والے جمعہ کو نایاب کی منگنی کی تقریب منعقد کرنا چاہتے تھے۔ خزاں زدہ زندگی میں یوں چپکے سے بہاریں آ جائیں گی، ایاز سوچ بھی نہیں سکتے تھے۔ وفور مسرت سے بوکھلا سے گئے۔

"ماما! آپ نے مجھے اس قابل سمجھا، میرے پاس وہ زبان نہیں، وہ الفاظ نہیں جن سے شکریہ ادا کروں۔"

ایاز ماما کے گلے سے لگ گئے، ان کے ہاتھ بار بار، کئی بار چومے۔ سمجھ میں نہیں آ رہا تھا اپنی خوشیوں کا، اپنے جذبات و احساس کا اظہار کس طرح کریں۔

"ماما! میری طرف سے بھی سارے انتظامات آپ کو کرنا ہوں گے۔ بیس پچیس ہزار روپیہ یا پتہ نہیں کتنا بینک میں جمع ہے۔ وہ میں سارا نکلوا کر آپ کو دے دوں گا۔ آپ پاپا کے اور......" ذرا سا جھجکے، شرمائے...... "اور نایاب کے شایانِ شان سارا انتظام کریں۔"

"پگلا بیٹا! شایانِ شان کیا ہوتا ہے۔ ہم لوگ فضول خرچی نہیں کیا کرتے، سادگی پسند ہیں۔ نایاب تمہارے ساتھ جائے گی۔ دونوں مل کر دو انگوٹھیاں پسند کر لینا۔ وہ بھی مناسب قیمت کی۔ ہیروں کے لئے ہیرے جواہرات سے کم نہیں ہو!"

"آپ اتنے اونچے خاندان والے لوگ، امراء و رؤسا میں شمار ہوتے ہیں۔ ماما! آپ کی عزت کا معاملہ ہوگا۔"

"میری عزت ہیروں سے نہیں بنتی۔ اچھے، نیک اور قابل انسانوں سے بنتی ہے اور یہ سب خوبیاں تم میں موجود ہیں۔"

"پھر بھی، سب ملنے جلنے والے اور اعزّہ و اقارب مدعو ہوں گے۔"

"ہاں۔ مگر میں سادگی کی مثال قائم کرنا چاہتی ہوں، سب کچھ ہوتے ہوئے بھی۔"

ایاز نہ صرف ماما کی باتوں کے قائل ہوگئے بلکہ ان کے بڑے گرویدہ بھی ہوگئے۔ یوں چپ چاپ اور بڑے سادہ طریقے سے سب کچھ طے پا گیا۔ دونوں فریق تھے۔ مطمئن تھے اور ایک دوسرے کے لئے دل میں قدر رکھتے تھے۔

اگلے دن آسیہ پھوپھو آ گئیں۔ خرم کی بہم پہنچائی گئی اطلاع کے مطابق فیصل بھی ساتھ تھا۔ بھائی سے جس طرح ان کی بات ہوئی تھی، اس کے حساب سے وہ منگنی کرنے آئی تھیں اور جمعہ کا دن ہی مبارک جاتے ہوئے مقرر کیا تھا۔

مگر یہاں آ کر جب یہ سنا کر اسی تاریخ اور دن کو نایاب کی منگنی ضرور ہونا تھی، لیکن فیصل کے ساتھ نہیں ڈاکٹر ایاز کے ساتھ۔ پہلے تو چند لمحوں کے لئے وہ ساکت سی رہ گئیں۔ پھر وضعدار خاتون تھیں۔ خود کو جلدی سے سنبھال لیا۔

جانتی تھیں ان کے خاندان کے بچے بچے کو آزادی رائے تھی۔ کبھی کسی کے ساتھ زبردستی نہیں کی جاتی تھی۔ لڑکی یا لڑکے کو، اگر کوئی غلط انتخاب کر بیٹھتا تو سمجھایا ضرور جاتا تھا۔ مجبور کبھی نہیں کیا گیا تھا۔

قاسم جمال نے جس مان اور اعتماد کے ساتھ بہن کو بلایا تھا۔ بیٹی کو سمجھایا بجھایا تو ضرور ہوگا۔ یقیناً وہ نہیں مانی ہوگی۔ اس کے طور و اطوار تو دیکھ ہی گئی تھیں۔ آخری تان مقدر پر آن کر ٹوٹی، نصیب میں یہی لکھا تھا وہ کون ہوتی تھیں نصیب سے لڑنے والی۔ تب وہ چپ ہی رہ گئیں۔

ایک بار جی تو چاہا کہ اُلٹے قدموں لوٹ جائیں، لیکن پھر بھائی کا خیال آ گیا۔ ساتھ ہی یہ کہ ابھی بھائی کی ایک اور لڑکی موجود تھی۔ نایاب نصیب میں نہ تھی تو سیماب بھی بری نہ تھی، بلکہ ہزاروں لاکھوں میں ایک تھی۔ اب اس کو تو اپنے کرتوتوں سے نصیب میں سے نہ نکال پھینکیں۔

یہ ساری مصلحتیں سوچ کر ایک دم اپنا موڈ ٹھیک کر لیا۔ آگے بڑھ بڑھ کر کام وام کرنے لگیں۔ روبینہ سادگی سے سب کچھ کرنا چاہتی تھیں۔ انہوں نے شور مچا دیا۔ ''بھائی کے گھر میں پہلا پہلا کام ہو رہا ہے اور اللہ رکھے بھائی کو کسی چیز کی کمی بھی نہیں ہے۔ سب کچھ پوری شان و شوکت سے ہوگا...... اور آن بان سے ہوگا۔''

ڈھولک منگوا لی گئی۔ سہیلیاں بلوالیں۔ نایاب کے ہاتھوں میں مہندی رچی، گانے گائے گئے، رقص ہوئے، خوشیاں، قہقہے، ہنسیاں بکھر اٹھیں۔

گو قاسم جمال دل سے اس رشتے پر راضی نہ تھے مگر ایک تو خود ہی رضامندی دے چکے تھے، دوسرے آسیہ کے بیٹے کا رشتہ چھوڑا تھا، اب اس کا دل نہیں توڑنا چاہتے تھے۔ اس تقریب کے لیے اس نے جو جو کچھ چاہا وہ سب کچھ کیا۔ بیٹی کا بھی خیال تھا۔ جب اس کی بات مان لی تھی تو اسے انہیں پوری خوشیاں دینا چاہیے تھیں۔

اصولوں والے تھے۔ پوری طرح اصول نباہے۔ دعوت کا انتظام بڑا اچھا کیا۔ سب رشتہ داروں اور ملنے جلنے والوں اور دوست احباب کو مدعو کیا۔ پوری کوٹھی کو دلہن کی طرح سجایا۔ لان میں، کوٹھی کے اندر باہر، ڈال ڈال، پات پات، ایک ایک انچ پر لال، پیلی، نیلی، سبز بتیاں روشن کیں۔

غرض خاندانی آن باش اور شان وشوکت پوری طرح قائم رکھی۔

روبینہ، نایاب اور خرم چند دن پہلے تک جو قاسم جمال کے مخالف تھے۔ ان کی نگاہوں میں ان جیسا بلند مقام اور کسی کا نہ تھا۔

واقعی قاسم جمال جیسا با اصول، وعدے اور زبان کا پابند اور صحیح انسان کوئی اور ملنا مشکل تھا۔ وہ ہر لحاظ میں عظیم تھے اور انہوں نے ہر رشتہ بڑے خلوص اور محبت سے نباہا تھا۔

●......●......●

جمعہ تک یہ دن کس طرح کٹے کوئی ڈاکٹر ایاز سے پوچھتا تو وہ کبھی نہ بتا پاتے۔ انہیں کچھ ہوش ہی نہیں تھا۔ عجب سرمستی کا سا عالم تھا۔ ایک ایک لمحہ عملی، تصوراتی، خیالی، ہر دور سے کچھ اس طرح سرسراتا، گدگداتا نکل گیا کہ پتہ ہی نہیں چلا وہ کہاں تھے اور کیا کرتے رہے تھے، بس چپکے سے ہی آرزوؤں اور تمناؤں بھرا دن آ گیا۔

ماما نے کہا تھا کہ جتنے لوگوں کو ان کے ملنے والے پروفیسر، ڈاکٹر، دوست

احباب وہ مدعو کرنا چاہتے تھے، کر سکتے تھے۔ ان کی طرف سے اجازت تھی۔ پچاس ساٹھ، ستّر جتنے بھی ہو جائیں، انہیں کوئی اعتراض نہ تھا۔

لیکن ایاز کو ان کی محرومیوں نے تنہائی پسند بنا دیا ہوا تھا۔ بہت کم لوگوں کے ساتھ انہوں نے دوستانہ مراسم رکھے ہوئے تھے۔ بولتے چالتے ہر ایک کے ساتھ اخلاق سے تھے، سلوک بھی سب کے ساتھ اچھا ہوتا تھا، لیکن بہت کم کسی کے ہاں تقریبات وغیرہ میں شمولیت کیا کرتے تھے۔

اس لئے بہت سوچ بچار کے بعد گیارہ بارہ لوگ ایسے منتخب کر سکے جنہیں اپنی منگنی کی تقریب پر بلاتے، تین اپنے وارڈ کی نرسیں تھیں۔ ایک میٹرن، دو پروفیسر اور چار ڈاکٹر تھے۔ ان سب کو دو دن پہلے سے کہہ دیا تھا اور...... سب نے وعدہ کیا تھا کہ پورے چھ بجے ایاز کے کمرے میں پہنچ جائیں گے۔ قاسم جمال وقت کے بہت پابند تھے۔ خاص طور پر سب کو وقت کی پابندی ملحوظ رکھنے کی انہوں نے بڑی تاکید کر دی تھی۔

باقی ان کی اپنی تیاری تھی۔ وہ بھلا کیا کرنا تھا، شیو کر کے غسل فرمانا تھا...... اور نیا سوٹ جو ماما نے خود جا کر سلوا دیا تھا، وہ پہن لینا تھا اور بس، ان کی تو اپنی شخصیت ہی کچھ اس طرح سجی سجائی تھی کہ ہر طرح اس نے دمک دمک اُٹھنا تھے۔ پھٹا پرانا پہنتے یا نیا مگر ماما کی خواہش بھی پوری کرنا ضروری تھا۔ جو در پردہ شائد نایاب کی خواہش تھی۔

گیارہ بارہ بجے ہی سب کچھ تیار کر کے رکھ لیا تھا...... اور سوچوں میں کھوئے بیٹھے تھے۔ ہائے وہاں کیسے جائیں گے؟ اتنے سارے لوگوں کا اس انداز میں کیسے سامنا کریں گے؟ نایاب کو کس طرح دیکھیں گے؟ اسے انگوٹھی کیسے پہنائیں گے؟

سب کچھ ہی بے انتہا عجیب اور مسحور کن سا لگ رہا تھا جس کی سوچیں بھی اتنی سحر انگیز اور طربناک تھیں۔ اس وقت کا عالم کیا ہونا تھا۔ انہی سوچوں میں اس قدر ڈوبے ہوئے تھے کہ دوپہر کا کھانا کھانے کا بھی ہوش نہ تھا۔ ہوش تو کیا بھوک بھی نہیں لگی تھی، ملازم لے بھی آتا تو آج ایک نوالہ نہ کھا سکتے۔ کچھ ایسی جذباتی سی کیفیت سے گزر رہے تھے۔

دروازے پر دستک ہوئی۔ یقیناً ملازم کھانا لایا ہو گیا۔ کیا کہہ کر کھانا واپس کریں

گے، مناسب جواب سوچتے ہوئے جا کر دروازہ کھولا۔

''سنو......!'' سر اُٹھایا کچھ کہنے لگے تھے کہ ٹھٹک سے گئے۔ ''اوہ......!'' ملازم کھانا لے کر نہیں آیا تھا بلکہ ان کے وارڈ کا بیرا سامنے کھڑا تھا۔

''آپ کو سرجن وقار نے بلایا ہے ابھی ابھی آیئے فوراً......!''

دل کے آپریشن پروفیسر وقار ہی کیا کرتے تھے۔ بہت ماہر تھے اپنے کام میں اور بہت کم ان کے ہاتھ سے آپریشن ناکام ہوتے تھے شاید اس لیے کہ دل میں خلوص تھا۔ تبھی قدرت نے ہاتھ میں شفا دے دی ہوئی تھی۔

''تم چلو، میں ابھی لباس تبدیل کر کے آتا ہوں۔''

ایاز عجلت سے بولے۔

کسی اور کا کام ہوتا تو شاید انکار کر دیتے مگر ڈاکٹر وقار مختلف انسان تھے اور ایاز ان کی قدر کرتے تھے۔

ہینگر پر جو پڑے تھے وہی اُتار کر پہن لئے اور پانچ منٹ کے اندر اندر وہ ہسپتال پہنچ گئے۔ آپریشن تھیٹر کے باہر ہی سرجن وقار تیز تیز قدموں سے ٹہلتے ہوئے مل گئے۔

''سر! کیا بات ہے؟ آپ نے مجھے......''

''ایاز......!'' انہوں نے ایک دم رُک کر ڈاکٹر ایاز کے دونوں کندھے تھام لئے۔ ''تمہیں اسی وقت ایک مریض کو لے کر کراچی جانا ہوگا۔''

''جی مجھے......؟ مجھے......؟ لیکن......؟''

''لیکن ویکن نہیں ڈاکٹر! تمہارے علاوہ میں کسی اور پر بھروسہ نہیں کر سکتا...... سات بجے سے پہلے پہلے اس مریض کا آپریشن ہو جانا چاہیئے۔ ورنہ اس کی زندگی......'' خاموش سے ہو کر انہوں نے پریشانی کے ساتھ دانتوں میں نچلا ہونٹ دبا لیا۔

''تو کیا آپ...... یہ آپریشن آپ۔''

''میں کر سکتا ہوں۔'' انہوں نے عجلت سے ایاز کی بات اچک لی۔ ''لیکن یہاں، ہمارے پاس وہ ساری سہولتیں اور آلات وغیرہ موجود نہیں ہیں۔ ویسے بھی ایسے آپریشن

سرجن الطاف پہلے کر چکے ہیں۔ ایاز بڑا سیریس آپریشن ہے۔''

انہوں نے ڈاکٹر ایاز کا کندھا تھپتھپایا۔

''تین بجے ایک فلائٹ جا رہی ہے۔ کراچی کے ایئرپورٹ پر ایمبولینس موجود ہوگی، سب انتظامات مکمل ہیں، بس تیار ہو جاؤ۔''

''لیکن سر! اگر...... کیا۔'' ایاز کی کچھ سمجھ میں نہیں آ رہا تھا کہ کیا جواب دیں۔ کس طرح انہیں بتائیں کہ آج ان کی زندگی کا کتنا اہم دن تھا اور وہ کسی بھی طرح یہاں سے غیر حاضر نہیں ہو سکتے تھے۔ بری طرح بوکھلائے ہوئے تھے۔ ''میری جگہ کوئی اور اگر چلا...... ''''نہیں نہیں۔'' انہوں نے ان کی بات مکمل ہونے سے پہلے ہی سمجھ لی۔

''میں ایک انسان کی لاکھوں کروڑوں سے زیادہ قیمتی زندگی کے لئے کوئی خطرہ مول نہیں لے سکتا۔ تم سب سے زیادہ سمجھ دار ہو۔ اس وقت یہ کام میں صرف اور صرف تم پر چھوڑ سکتا ہوں۔ مجھے صرف تم پر اعتماد ہے۔''

''لیکن......'' ایاز نے آج کے دن کی اہمیت کا انہیں احساس دلانے کی ایک اور کوشش کی مگر انہوں نے نہیں سنا۔

''ڈاکٹر! ایک زندگی کا معاملہ ہے جس کی ذمہ داری اس وقت خدا کی طرف سے ہم پر ڈال دی گئی ہے۔'' پھر یکایک چونک کر انہوں نے ایاز کی طرف دیکھا۔ ''کیا تم نہیں جانا چاہتے؟ کوئی پرابلم ہے......؟''

سوال کرتے ہی ڈاکٹر وقار کے چہرے پر فکر و تردّد کی پرچھائیاں سمٹ آئی۔ ''اوہ خدایا! پھر تو بڑی مشکل پڑ جائے گی۔ ایک آپریشن اور ہے۔ وہ ابھی میں کرنے جا رہا ہوں...... میں خود...... ادھر بھی زندگی کا معاملہ ہے۔ ورنہ میں چلا جاتا اللہ! ہر جان ہی قیمتی ہوتی ہے۔ ہر ایک کو بچانا، بچانے کی تگ و دو کرنا ہمارا فرض ہوتا ہے۔ تم اگر نہیں جاؤ گے تو...... تو......''

وہ شاید ڈاکٹر ایاز کا بہتر نعم البدل سوچ رہے تھے۔

''سر! یہ کس نے کہا کہ میں نہیں جاؤں گا۔'' ایاز کو ایک دم ہوش آ گیا۔

''میں جاؤں گا سر۔ میں ضرور جاؤں گا۔'' یہ تو ان کا فرض تھا۔

''اوہ گاڈ تھینکس۔'' ڈاکٹر وقار نے ایاز کو بازوؤں میں لے لیا۔ ''مجھے یقین ہوگیا ہے تم جاؤ گے تو وہ بچ جائے گا۔ ساری دوائیاں ساتھ رکھنا۔ راستے میں اگر مریض کی حالت میں کوئی ردّ و بدل ہو تو سوچ سمجھ کر دوا دے دینا۔ میں اسی لیے تمہیں دوسروں پر ترجیح دے رہا ہوں۔ تم سمجھدار ہو، چلو جلدی سے تیار ہو جاؤ۔''

ایاز بھاگم بھاگ کمرے میں آئے۔ سامنے بیڈ پر ان کا نیا سوٹ، نئے خوب صورت جوتے، جرابیں، ٹائی، غرض ہر چیز منگنی کی تقریب کے لئے تیار پڑی تھی۔ ایک نظر ان سب چیزوں پر ڈالی۔ پھر جلدی سے بڑھ کر وارڈ روب میں سے دوسرے کپڑے نکالنے لگے۔

اس وقت اپنے پہننے کے لیے اور ایک جوڑا چھوٹے اٹیچی کیس میں رکھا۔ ضرورت کی دوچار اور چیزیں رکھیں اور تین چار منٹ کے اندر اندر تیار ہو کر ہسپتال کی طرف بھاگے۔

سوچتے جا رہے تھے وارڈ میں جا کر ماما کو فون سے اس سارے معاملے کی اطلاع دے دیں گے، مگر ہسپتال کی کمپاؤنڈ میں ہی ایمبولینس مل گئی۔ ڈاکٹر وقار ایاز کی رہائش گاہ کی طرف آنے لگے تھے۔

''چلو آؤ جلدی۔'' انہوں نے ایمبولینس کا دروازہ کھول دیا۔

ایاز عجلت سے اندر داخل ہوگئے اور وہ نیچے اتر آئے۔

''فوراً ائیر پورٹ پہنچو۔'' ڈرائیور کو سمجھانے کے بعد ایاز سے مخاطب ہوئے۔ ''ٹکٹ وغیرہ تمہیں وہیں مل جائے گا۔ مریض کے کچھ رشتہ دار بھی اسی فلائٹ پر جا رہے ہیں۔ وہ تمہارا سارا بندوبست کر دیں گے اور یہ۔'' ایک چھوٹا سا چرمی بیگ انہوں نے ایاز کو تھما دیا۔ ''اس میں ساری دوائیاں ہیں۔ ضرورت پڑنے پر تمہیں انجکشن وغیرہ بھی اس میں موجود ملیں گے اور میں اب چلا۔'' چلتے چلتے وہ پھر رُکے۔ ''ایک لمحے کے لئے بھی مریض سے غافل نہیں۔''

''سر! آپ بالکل فکر نہ کریں۔ آپ جائیں۔ آپ کا آپریشن تیار ہوگا۔ آپ اپنا

فرض ادا کریں۔ انشاء اللہ میں اپنا ادا کرنے کی کوشش کروں گا۔آپ دعا کریں۔"

"اللہ بہتری کرے۔ پروردگار ہماری مدد کرے۔" انہوں نے ایمبولینس کا دروازہ بند کر دیا۔

ڈرائیور نے گاڑی سٹارٹ کی اور ڈاکٹر ایاز نے مریض کے پاس بیٹھ کر اس کی نبض تھام لی۔

اب انہیں نہ ماما کا خیال تھا نہ نایاب کا۔ نہ قاسم جمال کے اصول اور پابندی اوقات کا خیال آیا اور نہ یہ کہ آج کی اس کی زندگی کا منتوں مرادوں والا دن تھا۔ خوشیوں اور راحتوں کا وقت ان پر آنے والا تھا۔ کیف و نشاط کی گھڑیاں ان کے انتظار میں تھیں۔

بہت سارے لوگ، سینکڑوں لوگ مدعو تھے اور ان سب کی موجودگی میں انہوں نے نایاب کو ہمیشہ ہمیشہ کے لئے اپنا بنانا تھا۔ اسے منگنی کی انگوٹھی پہنانا تھی۔

اس وقت سب کچھ ان کے دماغ سے نکل چکا تھا۔ یہ بھی کہ ابھی دو تین گھنٹے بعد دس افراد جنہیں انہوں نے اپنی طرف سے مدعو کیا تھا، انہوں نے ان کے کمرے میں پہنچ جانا تھا۔ ان کے لئے بھی عجلت اور افراتفری میں وہ کوئی پیغام نہ چھوڑ سکے تھے اور نہ ہی کچھ یاد رہا تھا۔

اگر کچھ دماغ میں رہ گیا تھا تو بس اتنا کہ ایک انسان کی زندگی انہوں نے بچانا تھی...... اور زندگی بہت قیمتی ہوتی ہے۔ ذرا بھی ان سے کوتاہی نہیں ہونا چاہئے تھی ورنہ خدا کے حضور کیسے سرخرو ہو پاتے۔

● ...... ● ...... ●

روشنیوں کا رنگوں کا ایک سیلاب سا آیا ہوا تھا۔ ہنستے مسکراتے جگمگاتے چہرے دکھائی دیتے تھے، جدھر بھی نظر اٹھ جاتی۔

گو قاسم جمال دل سے اس رشتے کے حق میں نہ تھے لیکن بیٹی، بیوی اور بیٹے کی

پسند تھی۔ پوری فراخدلی کا ثبوت دیتے ہوئے انہوں نے دل کھول کر خرچ کیا، جیسا جیسا روبینہ نے چاہا انہوں نے ذرا حیل و حجت نہیں کی۔

اور روبینہ جو پہلے بہت سادہ طریقے سے کرنے والی تھیں مگر اب خود ہی چند وجوہات کی بناء پر یہی تقریب پورے ارمانوں کے ساتھ منا رہی تھیں۔

اپنی خواہش کے علاوہ یہ ان کی بیٹی کی خوشی تھی، آسیہ بھی کہتی تھیں پہلا پہلا کام تھا۔ نایاب کی خوشی پورے خلوص سے منانا چاہئے تھی۔ وہ ہمیشہ دوسروں کو خوش رکھتی تھی۔ خوشیاں دیتی تھی اب اس کی باری کنجوسی سے کام نہیں لینا چاہئے تھا۔

بظاہر قاسم جمال بھی اب راضی برضا تھے۔ دل کے اندر جو کچھ ہوتا ہے، وہ کوئی دیکھ تو نہیں سکتا۔ یوں بھی انہوں نے جب فیصلہ کر لیا تھا تو اندر کا ذرا سا بھی، ہلکا سا بھی عکس چہرے پر نہیں آنے دیا تھا اور روبینہ جمال دھوکا کھا گئی تھیں۔ ان کا خیال تھا قاسم دل سے ان کے ساتھ متفق ہو گئے تھے۔ یہ دوسری خوشی تھی جو ان سے سب کچھ کرا رہی تھی۔

تیسری اور سب سے زیادہ جوش اور ولولے کی وجہ ایاز تھے۔ ان کا اپنا کوئی نہ تھا۔ روبینہ ہی کو ماں کہتے تھے، یوں ان کی بھی ساری خوشیاں انہیں ہی پورا کرنا تھیں۔ ایاز یہ نہ سمجھیں ان کا اس دنیا میں کوئی نہ تھا۔ ان کی خاطر بھی اس تقریب کو پورے ارمانوں اور تزک و احتشام کے ساتھ منانے کا عزم کر لیا تھا۔

بہت سارے مہمان آئے ہوئے تھے، بہت سارے، کھانے کا انتظام گو گھر میں ہی کیا گیا تھا لیکن شہر کے بہترین ہوٹل کے ذمہ سارا بندوبست تھا۔ جگہ کی زیبائش و آرائش کا، جھنڈیوں فانوسوں کا۔ کرسیوں، میزوں اور فرنیچر کا بہترین انتظام تھا اور آنے والے سب، یہ سارا کچھ دیکھ کر بہت متاثر ہو رہے تھے۔

فضول خرچی کی وہ قائل نہ تھیں، لیکن ایاز کی خاطر بھی سب کچھ کرنا پڑا، انہیں یہ احساس دلانے کے لئے کہ ان کا مقام، ان کی حیثیت ان سب کی نگاہوں میں کیا تھی، کسی لکھ پتی یا کروڑ پتی سے بھی زیادہ، دولت کے ناطے سے نہیں انسانیت کے ناطے سے۔ وہ انسانیت جو سب سے ارفع و اعلیٰ ہوتی ہے، جو سب سے زیادہ قیمتی ہوتی ہے، جس کے

سامنے ہیرے جواہرات اور دولت سب ہیچ ہوتی ہے۔

قاسم جمال کی طبیعت اور مزاج سے سب واقف تھے۔ ان کی وضع داری، ان کی اصول پرستی، اوقات کی پابندی کی عادت وہ تو مثال بنے ہوئے تھے سب میں، سات بجے سب مہمان مدعو کئے گئے تھے اور جب سات بجے تو سب پہنچ چکے تھے۔

نایاب کو دلہن بنا کر عین سات بجے شہ نشین پر بٹھا دیا گیا تھا۔ وہیں منگنی کی رسم ادا ہونا تھی۔ سارے انتظامات مکمل تھے۔ روبینہ، قاسم اور آسیہ، ایاز اور ان کے دوستوں کے استقبال کے لئے دروازے پر موجود تھے۔

باقی مہمانوں کو یہ تو علم تھا کہ آج قاسم جمال کی حسین وجمیل بیٹی کی نسبت طے ہونا تھی اور اسی لئے یہ شاندار تقریب منعقد کی گئی تھی مگر ابھی تک یہ کوئی نہیں جانتا تھا کہ کہاں ہونا تھی، کس خاندان میں کن لوگوں میں۔ لڑکا کون تھا کیا تھا......؟

کوئی بھی کچھ نہیں جانتا تھا، بہت تجسّس تھا سب کے دلوں میں اور سب کی متجسس نگاہیں قاسم جمال اور روبینہ پر گڑی تھیں کہ وہ کیا انکشاف کرنے والے تھے۔ بڑی زبردست پہیلی تھی سب کے لئے۔

سات سے سوا سات بجے، اس وقت تک تو قاسم جمال خود کو سنبھالے رہے، شاید ایاز کے کسی مہمان کو پہنچنے میں دیر ہوگئی تھی۔ گھڑی کے ایک ایک منٹ پر نگاہ تھی اور گزرنے والے ہر لمحے کا وہ اندر ہی اندر کوئی نہ کوئی جواز پیش کئے جا رہے تھے۔

ایسے موقعوں پر اکثر آنے والے وقت کی پابندی ملحوظ نہیں رکھتے اور پھر یہ ڈاکٹر لوگ، ان کی تو مصروفیات ہی ایسی ہوتی ہیں، تھوڑے سے وقت کا آگا پیچھا، انہیں معاف کیا جا سکتا ہے، کسی کے ساتھ ایسا ہی کوئی معاملہ ہوگیا ہوگا، ورنہ ایاز تو وقت سے کچھ پہلے نہ سہی وقت پر ضرور پہنچ جاتے۔ وہ قاسم جمال سے اچھی طرح واقف تھے۔

آدھ گھنٹہ ڈاکٹری کے پیشہ کی مجبوری کر کے قابل معافی قرار دے دیا، مگر اب تو ساڑھے سات بجے سے اوپر ہو چکے تھے، پانچ دس منٹ زیادہ۔ پھر وہ ہسپتال سے اپنے گھر تک کے فاصلے کو مورد الزام ٹھہرانے لگے، کبھی ٹریفک کو ذمہ داری قرار دیتے اور کبھی کوئی گاڑی واڑی بھی بگڑ سکتی ہے، مشینری کا کیا بھروسہ، کب اچھی بھلی

دھوکہ دے جائے۔

یوں دل کو تسلیاں دلاسے دیتے رہے اور وقت گزرتا رہا۔ آٹھ کبھی کے بج چکے تھے۔ وہ بار بار روبینہ کی طرف دیکھتے۔ بے چینی سے اِدھر اُدھر ٹہلتے۔ روبینہ کی حالت ان سے بھی زیادہ دگرگوں تھی۔

ایک بار چپکے سے جا کر ڈاکٹر ایاز کے وارڈ میں فون بھی کیا، لیکن وہاں سے کوئی تسلی بخش جواب نہ ملا۔ پھر واپس آ کر خرم کو ایاز کے کمرے میں بھیجا۔ قاسم کو بھی اس کا علم نہیں ہونے دیا۔ بس ماں بیٹے میں ہی یہ بات رہی۔

خرم آندھی کی طرح گئے۔ بگولے کی طرح واپس آگئے۔ ایاز کا کمرہ بند تھا۔ یہ اتنا بڑا تالا لگا ہوا تھا، اردگرد بھی کوئی نام ونشان نہ تھا نہ کوئی ایسے آثار ہی دکھائے دیئے کہ ابھی کچھ لوگ اکٹھے ہو کر کہیں گئے تھے، کسی گاڑی کے تازہ تازہ نشان بھی نہ تھے۔

ان کے ساتھ والے کمرے میں بھی تالا لگا ہوا تھا ورنہ وہیں سے کچھ معلوم ہو جاتا، خرم بغیر کوئی معلومات لئے آگئے، راستے میں بھی آتے جاتے دیکھتے آئے تھے، جگہ بہ جگہ اِکادُکا رکی ہوئی گاڑیوں میں بھی جھانکتے آئے تھے۔

یہ سب سنا۔ روبینہ پیلی پڑنے لگیں۔ قاسم کی نگاہوں سے اب توجیہات کے بعد طیش اور برہمی عیاں ہونے لگی تھی۔ ”اور رشتہ طے کرو اس بے اصول اور غلط قسم کے انسان کے ساتھ بے عزت کروا دیا نا بھری برادری میں، ناک کٹوا دی۔“ ابھی تک انہوں نے زبان نہیں کھولی تھی۔ ابھی صرف آنکھوں ہی آنکھوں سے ہی ہمکلام تھے۔

ساڑھے آٹھ بج گئے۔ روبینہ سے تو اب کھڑا بھی نہیں ہوا جا رہا تھا۔ مہمانوں میں کھسر پھسر ہونا شروع ہوگئی تھی۔ ان کے چہرے دیکھ دیکھ کر وہ کچھ سمجھنے کی کوشش کر رہے تھے۔

جوں جوں وقت گزر رہا تھا۔ ایاز نہیں آ رہے تھے اور نہ آنے کی امید بھی پختہ ہو رہی تھی، شک یقین بننے لگا تو آسیہ کے چہرے پر خوشی کی چمک آنے لگی اور ہونٹوں پر دبی دبی سی مسکراہٹیں پھیلنے لگیں۔

”یہ تو بہت بُرا ہوا بھائی جان......!“ انہوں نے قاسم کی پریشانی اور برہمی کو

مزید ہوا دینے کے لئے سرگوشی کی۔ ''لوگ کیا سوچیں گے، کیا کہیں گے، خاندانی لوگ تو اصولوں اور وقت کے پابند ہوتے ہیں۔''

آگ بھڑک اٹھی، قاسم جمال کے اندر اُبلنے والا لاوا ذہن کے راستے بہہ نکلا۔ وہ دبی دبی آواز اور غصیلے لہجے میں روبینہ کو ان کی غلطی کا احساس دلانے لگے۔

اس وقت تو وہ جو کچھ بھی کہتے ٹھیک تھا۔ روبینہ کو خود بھی احساس تھا۔ وہ جیتی ہوئی بازی ہار گئی تھیں۔ الگ تھلگ ایک کرسی پر جا بیٹھیں اور لمبے لمبے سانس لینے لگیں۔

''اب کیا ہو گا......؟'' اب کیا ہوگا......؟'' ذہن پر صرف یہی ایک سوال ہتھوڑے کی طرح ضربیں لگائے جا رہا تھا۔ خاندان کی بنی بنائی عزت اور وقار مٹی میں ملنے والا تھا۔ خرم ماں کو تسلیاں دینے لگے۔

''ماما! فکر نہ کریں سب کچھ ٹھیک ہو جائے گا۔ شاید وارڈ میں چلے گئے ہوں گے۔ کوئی ایمرجنسی آ گئی ہو۔ کسی کی زندگی کا سوال ہو۔ ایاز فرض کے لئے مر مٹنے والے انسان ہیں۔ آ جائیں گے ابھی فارغ ہوتے ہی۔'' خرم ہمیشہ حقیقت سے قریب رہ کر بات کیا کرتے تھے۔

''تو پھر وارڈ میں جا کر دیکھ آؤ۔''

''وہاں آپ نے فون تو کیا تھا۔''

''ہاں۔ لیکن کوئی تسلی بخش جواب نہیں ملا۔'' ذہن مفلوج سا ہو رہا تھا۔ خرم کو تفصیل نہ بتا سکیں۔

ایاز وہاں نہیں تھے۔ فون رسیو کرنے والے نے بتایا تھا۔ ان کی جگہ آج کوئی دوسرا ڈاکٹر ڈیوٹی پر تھا۔ روبینہ نے ایک منٹ کے لئے اسے فون پر بلایا کہ اس سے ہی ایاز کے متعلق پوچھ لیں۔ مگر جواب ملا کہ وہ اس وقت بہت مصروف تھے۔ فون تک نہیں آ سکتے تھے۔ ایک سیریس مریض کو اٹینڈ کر رہے تھے......

یکایک روبینہ کو خیال آیا۔ شاید فون رسیو کرنے والا خود بھی اچھی طرح معلومات نہ رکھتا ہو۔ ''خرم! تم خود ہسپتال جاؤ۔''

''نہیں۔'' قاسم جمال روبینہ کی بات سن کر قریب آ گئے۔

"اب ہم اس کے پیچھے بھاگتے پھریں گے کہ آؤ ہماری لڑکی کے ساتھ منگنی کرو۔ کیا ہماری بیٹی اتنی بے وقعت ہے۔"

روبینہ جمال نے بے قرار سی ہو کر ایک دم سینے پر ہاتھ دھر لیا۔ جیسے دھڑکتے دل کو تھام لیں گی تو شاید اس بے چینی کو کچھ قرار مل جائے گا جو اس سارے واقعہ نے ان کے تن من میں بھر دی تھی۔

"لیکن پاپا! سب مہمان آئے ہوئے ہیں اور وقت گزرا جا رہا ہے۔" خرم نے انہیں وقت کی نزاکت کا احساس دلایا، "میں پانچ منٹ میں پتہ کر کے آتا ہوں......"

"نہیں۔ اب تم نہیں جاؤ گے۔"

"مگر پاپا!" خرم کے مزید کچھ کہنے کی کوشش کی۔

"مجھے سب معلوم ہے۔" قاسم جمال نے ہاتھ کے اشارے سے انہیں خاموش کرا دیا۔" اور اب وقت نہیں گزرے گا۔"

"کیا مطلب ہے......؟" روبینہ نے ڈوبے ڈوبے سے لہجے میں پوچھا۔

"میں ابھی نایاب کی منگنی فیصل کے ساتھ کرنے جا رہا ہوں آسیہ آسیہ۔" آسیہ اردگرد ہی پھر رہی تھیں۔ دور نہیں تھیں، بھائی کی آواز سنتے ہی فوراً خرم کو پرے ہٹایا اور ان کے روبرو آن کھڑی ہوئیں۔

"میں اپنے بھائی کی عزت پر سے سب کو قربان کر سکتی ہوں۔ ایک فیصل کیا ہے؟" آسیہ کے درد میں ڈوبے فقرے نے رہی سہی کسر پوری کر دی، ایک دم ہی قاسم کے چہرے پر بے چارگی پھیل گئی۔

خرم کچھ بولتے، روبینہ کچھ کہتیں، لیکن دونوں کے پاس اب کہنے کو کچھ بھی نہیں رہ گیا تھا، چلو دیر سے ہی سہی، آدھ گھنٹہ، گھنٹہ، دو گھنٹے وقت کی پابندی نہیں کی تھیں، ایاز آ تو جاتے۔ ان کے سارے قصور معاف کرا دیتیں، ان کی خاطر قاسم جمال کے پاؤں پر گر پڑتیں، انہیں کسی نہ کسی طرح منا لیتیں۔

مگر اب کس کی حمایت میں بولیں۔ کس کا قصور معاف کرائیں۔ کیا کہیں۔ وہ سوچ ہی رہی تھیں کہ بہن بھائی میں فیصلہ بھی ہو گیا۔ نایاب سے بھی کسی نے کچھ نہیں

پوچھا۔ بس عزت بچانے کی فکر پڑ گئی۔ کٹتی ناک کو سلامت رکھنا ضروری تھا۔

خرم بھی پاس ہی کھڑے تھے۔ سارے فیصلے سن رہے تھے۔ دم بخود تھے۔ اب بھی نگاہیں گھڑی گھڑی ایک آس لئے دروازے کی طرف اٹھ جاتی تھیں۔ شاید اب ہی ڈاکٹر ایاز آجائیں۔ شاید اب ہی۔

مگر ہر ایک سوچ لاحاصل ہی گئی۔ نو بج رہے تھے، ابھی کھانا بھی کھانا تھا۔ آنے والے مہمان سبھی حیران تھے کہ قاسم جمال کے ہاں کبھی کوئی بے اصولی یا بے قاعدگی نہیں ہوتی تھی۔ یہ آج کیا معاملہ درپیش آگیا تھا جو وقت کے، اس کی پابندی کے تمام احساسات ختم ہوگئے تھے۔ قاسم جمال کے گھر میں کوئی زبان سے کچھ نہیں کہہ رہا تھا، مگر سب کی آنکھوں کا یہ سوال جمال نے پڑھ لیا تھا۔

تب...... ایک منٹ کی بھی مزید دیر کئے بغیر انہوں نے مہمانوں کو مخاطب کرتے ہوئے اپنی بیٹی کی نسبت کا اعلان کر دیا کہ وہ اپنی بہن کے لائق وفائق اور خوبرو بیٹے فیصل کے ساتھ کر رہے تھے۔ آسیہ کے چہرے پر دونوں جہاں کی خوشیاں رقص کرنے لگیں۔

ابھی کچھ دیر پہلے فیصل کا کوئی پتہ نہیں تھا کہ وہ کدھر تھا۔ وہ اس محفل میں شامل ہی نہیں ہوا تھا۔ اسے ماموں اور ممانی پر بڑا غصہ تھا، مگر ماں نے بیٹے کو صبر حوصلے کی تلقین کی تھی۔ خاندان کی عزت کی خاطر خاموشی سے وضع داری نباہنے کی ہدایت کی تھی۔

اور وہ ڈاکٹر ایاز کو برا بھلا کہتے ہوئے جو فلمی ولن کی طرح نجانے کہاں سے ان کی زندگی کی ہنستی کھیلتی کہانی کو بربادیوں اور آنسوؤں کے سپرد کرنے چلا آیا تھا۔ خاندان کی عزت کی خاطر خاموش تو ہو گیا تھا مگر وہاں مہمانوں میں نہیں آیا تھا۔

اس نے ماں کو صاف کہہ دیا تھا کہ وہ اپنی آنکھوں سے نایاب کو کسی دوسرے کا ہوتا نہیں دیکھ سکتا تھا اس لئے اوپر کمرے کے اندر ہی چپ چاپ پڑا ہوا تھا۔ آسیہ بھاگی بھاگی گئیں اور نجانے کیسے پانچ منٹ کے اندر اندر بیٹے کو دولہا کی طرح سجا بنا کر لے آئیں۔

منگنی کے انتظامات تو وہ گھر سے ہی مکمل کر کے چلی تھیں۔ آنے کا اصل مقصد تو یہی تھا۔ وہ تو پھر یہاں آ کر معلوم ہوا تھا کہ بھائی کو بھابی اور اولاد کی خاطر مجبور ہونا پڑ گیا تھا۔ پانسہ ہی پلٹا ہوا تھا، مگر واہ رے تقدیر کے چکر۔

فوراً چم چم چمکتی پورے نو ہیروں والی انگوٹھی بکس سے نکال لی۔ رشتہ نہ ملنے کی وجہ سے احتجاجاً خود بھی سادہ لباس میں تھیں، وہ تو بدلنے کا اب وقت نہیں تھا۔ پہلے ہی بہت دیر ہو چکی تھی اور وہ ہر معاملے میں ایاز سے سبقت لے جانا چاہتی تھیں۔ بھتیجی کے لئے سو سو شگن کر کے اپنی بڑائی جتانا چاہتی تھیں۔ پلک جھپکتے میں ڈھیر سارا گوٹا لپّا لگا جھلملاتا دوپٹہ ہی اوڑھ لیا۔

پھر...... بہت سارے نوٹوں کی گڈیاں ایک چرمی بیگ میں بھریں۔ بھائی کی نگاہوں میں ایاز کو مزید ذلیل و رُسوا کرنے کے لئے اور نایاب کے علاوہ جیسے کوئی تمغہ بھی جیتنے کا سامان کر رہی تھیں۔ ایک ہاتھ میں چرمی بیگ تھاما، دوسرے میں دولہا بنے بیٹے کا ہاتھ اور خوشیوں اور کامرانیوں سے بے قابو ہوتی ہوئیں نیچے ہال میں آ گئیں۔

جہاں دس خرچ کرنا تھے، سو کر رہی تھیں۔ پھولوں کے ہار اور گجرے منگوا لئے، سو کلو مٹھائی کے لئے ملازموں کو بھگا دیا۔ ایاز کو مزید نیچا دکھانا تھا۔ سینکڑوں کلو پھل آ گیا، لڑکی کی جھولی میں ڈالنے کے لئے کئی قسم کا منوں خشک میوہ بادام کشمش وغیرہ مہیا کر ڈالے، سب کچھ منٹوں میں ہوا، انہوں نے جیسے بائیونک وومن کا روپ دھار لیا تھا۔

اور یہ سب کچھ دیکھ کر قاسم جمال کا سینہ فخر سے تن گیا، روبینہ نجانے کہاں تھیں وہ انہیں بتانا چاہتے تھے کہ قدر اس کو کہتے ہیں۔ اس ٹٹ پونجیے نے ان کی بیٹی کی کیا قدر و عزت کرنا تھی جو ان کی بہن کر رہی تھیں۔

پھر مزید خوشی اس وقت ہوئی جب فیصل کو سب مہمانوں سے انہوں نے بطور ہونے والے داماد کے متعارف کرایا۔ اچھے خاندان کا چشم و چراغ تھا۔ عالی نسب تھا۔ لوگوں کو بتاتے ہوئے فخر محسوس ہو رہا تھا۔ ندامت نہیں۔

ملنے والوں کے علاوہ دوسرے عزیز رشتہ دار بھی آئے ہوئے تھے اور کنبے برادری کے لوگ بھی۔ یہ سب کے لئے سرپرائز تھا۔ فیصل اپنے خاندان کا ہی تھا۔ قاسم جمال کے اس انتخاب اور انکشاف پر سبھی نے خوشی کا اظہار کیا۔

نایاب کو ابھی کسی بات کا علم نہیں تھا۔ جانتی تھی تو بس اتنا کہ ایاز ابھی تک نہیں پہنچے تھے، بڑی سخت پریشان تھی، نہ کسی سہیلی سے بات کر پا رہی تھی نہ کسی کزن سے، سب

اسے چھیڑ رہی تھیں، مذاق کر رہی تھیں۔

اور اسے، باپ اور خاندان کی عزت کا بھی خیال آ رہا تھا اور دل کو عجیب سے وسوسوں نے بھی گھیر رکھا تھا۔ چپکے چپکے اس نے سیماب سے کہہ کر دوبارہ ایاز کے وارڈ میں بھی ٹیلی فون کرایا، مگر اسے بھی ماما کی طرح کچھ نہ معلوم ہو سکا۔ دونوں بار کسی نامعلوم شخص نے فون رسیو کیا تھا اور یہ بتایا کہ ڈاکٹر ایاز آج چھٹی پر تھے۔

کتنی حیرت کی بات تھی، چھٹی پر بھی تھے۔ پھر بھی وقت پر نہیں پہنچے تھے۔ کیوں اندیشوں نے دل میں پریشانیاں اتار دیں۔ انہی سوچوں میں گم تھی کہ کانوں میں تالیوں کی گونج اتر گئی۔

نگاہ اٹھا کر دیکھا۔ ایک دم ہی سکتہ سا ہو گیا۔ اس کے قریب، بالکل پاس، بغل میں جو جگہ خصوصی طور پر ایاز کے لئے سجائی بنائی گئی تھی، وہاں فیصل کو بٹھا دیا گیا تھا، اس سے کچھ پوچھے بغیر ہی۔

سامنے پھوپھو اور پاپا کھڑے تھے، اردگرد دوسرے مہمانوں نے گھیرا ڈالا ہوا تھا۔ ماما کہاں تھیں؟ بھائی جان کہاں تھے، اس کی رحم طلب گاہیں ہجوم میں انہیں تلاش کر رہی تھیں۔

فیصل اچھا لڑکا تھا، ہینڈسم تھا، قابل تھا، امیر کبیر باپ کا بیٹا تھا۔ اعلیٰ خاندان کا چشم و چراغ تھا۔ دنیا زمانے بھر کی خوبیاں اس میں سہی مگر وہ کیا کرتی، اس نے اس نگاہ سے اسے کبھی دیکھا ہی نہ تھا۔ اس رشتے کا بندھن اس کے ساتھ بندھ جانے کا تصور ہی کبھی نہیں باندھا۔ جس میں وہ باندھی جانے والی تھی۔ وہ پھٹی پھٹی اور جھلمل جھلمل کرتی نگاہوں سے پھوپھو اور پاپا سے رحم کی بھیک مانگ رہی تھی۔

''میری بھی تو مرضی پوچھیں۔ خدا کے لئے پاپا! میری ساری زندگی کا سوال ہے میرا بھی کوئی حق مجھے دے دیں، کیا میں آپ کی نگاہ میں ایک انسان نہیں۔''

اس کی آنسوؤں سے لبریز آنکھیں ان سے سوال کر رہی تھیں، مگر پاپا کو یا پھوپھو کو اس طرف دیکھنے کی، اس کی آنکھوں کے سوال سمجھنے کی اور پھر جواب دینے کی فرصت ہی کہاں تھی۔ پھوپھو کو ہوتی بھی تو وہ اس کے سوال سمجھ ہی نہ پاتیں...... اور پاپا کو

اصولوں، قاعدوں کی اور وقت کی پابندی کی پڑی ہوئی تھی۔

ساری زندگی جن اصولوں کو نباہتے اور جس بات کا پرچار کرتے گزر گئی تھی، وہ آج انہی کے ہاتھوں اور انہی کے ہاں تہس نہس ہو رہے تھے۔ ٹوٹ پھوٹ رہے تھے، بڑے پریشان تھے، بے حد گھبرائے ہوئے تھے۔

وقت تو الٹ پلٹ ہوگیا تھا، اس کی پابندی تو باقی نہ رہ گئی تھی، لیکن جس تقریب کے لئے یہ اتنے سارے لوگ عزیز رشتہ دار اور ملنے جلنے والے اکٹھا کئے تھے، وہ تو ہوسکتی تھی۔

''چلو آؤ آسیہ! رسم ادا کرو، ورنہ بہت دیر ہو جائے گی۔''

آسیہ کے لئے بھائی کے ایک اشارے کی دیر تھی، جلدی سے آگے بڑھیں۔ نہ نایاب کے پیلے پھٹک چہرے کی طرف دیکھا، نہ آنسوؤں کی طرف، نہ رحم طلب نگاہوں کی طرف اور نہ یکا یک بے جان ہو جانے والے وجود کی طرف توجہ دی۔

''لو بیٹے! بسم اللہ کر کے اپنی دولہن کو انگوٹھی پہنا دو۔'' یہ بیدرد فقرہ نایاب کے کان میں اُترا، پوری ہستی لرز گئی۔ آواز نکالنا چاہی، چیخنا چاہا مگر نجانے کیوں آواز چیخیں، سب کچھ ہی اندر گھٹ کر رہ گیا۔

فیصل کے خوشی کے مارے ہاتھ پاؤں پھول رہے تھے اور نایاب کے دُکھ اور غم کے مارے بے جان سے ہو رہے تھے۔ آسیہ پھوپھو نے نایاب کا سرد سا ہاتھ اپنے ہاتھ میں لے کر فیصل کے آگے کر دیا۔ اس نے تو ہیرے جڑی بیش قیمت انگوٹھی جس کی طرف دیکھنے سے آنکھیں چندھیاتی تھیں، اس کی انگلی میں پہنا دی۔

تالیوں کی گونج اور مبارکباد کی صدائیں سب سے الگ بیٹھی اپنے اور بیٹی کے نصیبوں پر روتیں روبینہ کے کانوں میں اتریں تو وہ چونکیں۔ جلدی سے اُٹھیں اور جدھر بھیڑ لگی تھی، سب کو پرے ہٹا ہٹا کر راستہ بناتے ہوئے ادھر ہی چلی گئیں۔

سامنے ہی شہ نشیں پر نایاب اور فیصل دکھائی دیئے، روبینہ شوہر اور نند سے کچھ کہنے کے لیے تیز تیز قدم اٹھاتی آگے بڑھیں۔

یہ منگنی نہیں ہوسکتی تھی لڑکی کی مرضی کے خلاف، بات جائز تو نہ تھی، نایاب کی

رائے فیصل کے متعلق کیا تھی، انہیں اچھی طرح علم تھا اور ان کے گھرانے میں پہلے کبھی ایسے زبردستی نہیں ہوئی تھی۔

ڈاکٹر ایاز نہیں آئے تھے۔ یہ اس کے ساتھ ایک ظلم ہوا تھا۔ بہت بڑا۔ ابھی اس صدمے سے اسے ہوش نہ آیا تھا۔ اس کے اثرات ابھی پوری شدت سے اس پر غالب تھے۔ وہ ذہنی طور پر بالکل مفلوج تھی کہ دوسرا ظلم، دوسرا وار اس پر فیصل کے ساتھ منگنی والا ہوگیا۔ نایاب تو اس دوہرے صدمے سے بچ نہ سکے گی۔

روبینہ، شوہر اور نند کو یہی سمجھانا چاہتی تھیں کہ وہ جو کچھ چاہتے تھے، ہوگا وہی۔ لیکن بچی کو سنبھلنے کے لئے کچھ وقت تو دیتے۔ ایک دو مہینے بعد سہی۔ اس سے بھی اچھی اور آن شان والی تقریب وہ منعقد کرنے کو تیار تھیں، مگر قاسم جمال کو اپنی عزت قائم رکھنے کی جلدی تھی اور اس سے پہلے کہ وہ ان تک پہنچتیں، انہیں یہ سارے نشیب و فراز سمجھاتیں، انہوں نے دیکھا نایاب کی انگلی میں جگمگ جگمگ کرتے ہیرے دمک رہے تھے اور پھوپھو اس کا ہاتھ تھامے اب اس کی طرف سے فیصل کو انگوٹھی پہنوا رہی تھیں۔

جب وہ پہنچیں تو سب کچھ ہوگیا تھا۔ فیصل کا ہاتھ بھی جگمگ جگمگ کر رہا تھا۔ اس کے چہرے ہی کی طرح اور انہیں ہیروں کی چمک آسیہ کے چہرے پر بھی اتر آئی تھی۔

قاسم جمال کے چہرے پر ان کی عزت اور خاندان کا وقار بچ جانے کی روشنیاں مسکراہٹیں بن کر بکھری ہوئی تھیں۔ صرف ایک نایاب کا وجود تھا جو مٹی کے ڈھیر کی طرح آسیہ کی گود میں لڑھکا پڑا تھا اور انگوٹھی والا ہاتھ ڈھلک کر نیچے لٹکا ہوا تھا۔

سفید سا، زرد سا ہاتھ، جو کچھ دیر پہلے گلابی گلابی سا تھا، جس پر اس کی سہیلیوں نے مہندی کے ساتھ بڑے خوبصورت اور نازک نازک بیل بوٹے بنائے تھے، سیماب تو سارا سارا دن ان ہاتھوں کے پیچھے دیوانی ہوتی رہی تھی۔

”ہائے آپا! آپ کے ہاتھ کتنے خوب صورت لگ رہے ہیں۔ کسی ہاتھ پر اتنی سجتی مہندی میں نے پہلے کبھی نہیں دیکھی۔“

روبینہ دل ہی دل میں اسی وقت ”ماشاء اللہ“ کہتیں۔ انہیں بھی نایاب کے ہاتھ انتہائی حسین بے حد پیارے لگ رہے تھے اور اب کیسے بے جان سا نیچے ڈھلکا ہوا ہاتھ ظلم

کی داستانیں سنا رہا تھا۔

مگر پھوپھو کو کوئی ہوش ہی نہ تھا، اس کے ادھ کھلے ہونٹوں میں شگن کی مٹھائی ڈال رہی تھیں، ماں کے دل میں ایک ہوک سی اٹھی، کلیجہ منہ کو آنے لگا۔

''آسیہ، آسیہ۔''

لوگوں کی گفتگو کے شور میں ان کی آواز نند تک ابھی تک نہیں پہنچی تھی کہ جانے کہاں سے خرم نکل کر سامنے آ گئے۔

''بس نا...... اب اس بیچاری کو چھوڑ دیجیے۔''

خرم کی آواز پر نایاب نے پتھرائی ہوئی آنکھیں اٹھائیں۔

''بھائی جان۔'' صرف اس کے لب ہلے تھے، آواز بے صدا رہی تھی۔

''رسم کو تو پوری ہو لینے دو۔'' آسیہ پھوپھو جلدی سے بولیں۔

''ہو گئی۔ یہ انگوٹھی نہیں اس کی انگلی میں؟ باقی کیا رہ گیا۔''

خرم نے اس کا بے جان سرد سا ہاتھ اُٹھا کر پھوپھو کی آنکھوں کے سامنے نچایا اور پھر نایاب کو بازو سے پکڑ کر اٹھایا۔ وہ اُٹھی مگر لڑکھڑا گئی۔ ان صدموں نے بھلا اس میں جان رہنے دی تھی۔

''بیچاری لڑکی گھبرا گئی ہے!'' مہمانوں میں سے ایک باوقار سی خاتون نے ہمدردی سے اس کی طرف دیکھا۔ ''کتنی بھی پسند ہو، لیکن بیچاری لڑکیوں کا ایسے موقعوں پر یہی حال ہوتا ہے۔ بیٹے! اسے اندر لے چلو۔ پانی وانی پلاؤ۔''

خرم نے پہلے اسے سہارا دے کر چلانے کی کوشش کی، مگر اس میں تو اتنی طاقت بھی نہیں تھی کہ اپنے پاؤں پر کھڑی بھی ہو سکے، مردہ سا تن اِدھر اُدھر لڑھکے جا رہا تھا۔

باپ اور پھوپھو پر بے تحاشا غصہ آ گیا، اپنی خوشیوں، اصولوں اور عزت کی خاطر بیچاری کا کیا حال کر ڈالا تھا، خرم کو اُلجھتے، کھولتے تلملاتے ہوئے پھولوں جیسی نازک سی نایاب کو بازوؤں پر اُٹھایا اور اس کے کمرے میں لے گئے۔

●......●......●

صبح نئی روشنیوں، نئے اُجالوں، نئی امیدوں اور نئی امنگوں ترنگوں کے ساتھ آئی تھی، آسیہ اور فیصل کو تو ایسا ہی محسوس ہو رہا تھا، لیکن روبینہ کے نہ گھر میں، نہ دل میں اُجالے اُترے تھے، نہ روشنی اور نہ کوئی آس امید۔

ساری رات روبینہ نے ٹہل کر، فون کی گھنٹی بجنے کا انتظار کر کے اور دروازے پر ایاز کے قدموں کی چاپ سننے کی تمنا میں کاٹ دی تھی، لیکن دل کی کوئی بھی خواہش پوری نہیں ہوئی تھی اور صبح ہوگئی تھی۔

ان کی طبیعت کچھ ٹھیک نہیں تھی۔ کل رات جو واقعہ پیش آگیا تھا اس کا ان پر اثر انداز ہونا کوئی غیر معمولی بات نہ تھی مگر وہ قوت ارادی سے خود کو سنبھالنے کی پوری پوری کوشش کر رہی تھیں کیونکہ اس وقت وہ بستر پر پڑ جاتیں تو نایاب کو کون پوچھتا۔

فی الحال بظاہر وہ ٹھیک تھی مگر اس کو ایسی چپ لگی تھی جیسے کسی طوفان کے آنے سے پہلے فضا اور ماحول پر سناٹے طاری ہو جاتے ہیں۔ کچھ ایسا ہی اس کا عالم تھا۔

رات کو اس نے کھایا پیا بھی کچھ نہیں تھا، خرم نے کمرے میں پہنچا دیا تو لباس تبدیل کر کے آرام کرنے کا کہہ کر خاموشی سے بستر پر پڑ گئی۔ دو تین بار روبینہ اسے دیکھنے بھی گئیں، مامتا کو قرار ہی نہیں آ رہا تھا، لیکن اندر پھیلی تاریکی نے ان کے قدم وہیں پکڑ لئے، ہر بار ایسا ہی ہوا۔

اندر جانے کی خواہش کو اندر ہی دبا کر واپس چلی آئیں، ہوسکتا تھا اسے نیند آ گئی ہو۔ وہ اس کے آرام میں مخل ہونا نہیں چاہتی تھیں۔ اسے آرام کی ضرورت بھی تھی۔ بڑا ترس آ رہا تھا اس پر...... دو تین گھنٹے میں کیا کیا کچھ اس پر نہیں گزر گیا تھا۔

بڑی بے چین سی رات گزار کر وہ صبح اپنے کمرے سے نکلیں تو سیدھی نایاب کے پاس گئیں۔ رات کی تاریکی چھٹ چکی تھی، لیکن اس کے کمرے میں ابھی تک ملگجا سا اندھیرا پھیلا تھا۔ بڑھ کر کھڑکیوں کے آگے سے پردے ہٹائے۔ سورج کی سنہری کرنیں روشنی بن کر بکھر گئیں۔

مگر نایاب اسی طرح پڑی تھی۔ اندر کی تاریکیوں نے چہرے پر بھی جیسے تاریکیاں سی پھیلا رکھی تھی۔ عجیب دُھواں دُھواں سا ہو رہا تھا۔ لبوں پر پپڑیاں جمی تھیں،

جیسے سالہا سال بیمار رہی ہو۔

"نایاب! چندا نماز نہیں پڑھی۔" وہ اس کے قریب چلی آئیں۔ پھر اس کے سیاہ ریشمی ریشمی بالوں میں ہاتھ پھیرنے لگیں۔ "جب بھی کوئی مشکل وقت آئے تو بیٹی اللہ کو یاد کیا کرتے ہیں۔"

"اور وہ بے شک ہمیں بھول جائے۔" وہ بس پتھر کی پتھر بنی انہیں تکتی رہ گئی...... کہا کچھ نہیں، لیکن اس کی آنکھوں کی صدا ان کے دل میں اتر گئی۔

"وہ کبھی کسی کو نہیں بھولتا۔ آزمائش کا وقت ہے نکل جائے گا۔ اپنے نیک بندوں کے صبر اور حوصلے کا امتحان لیا کرتا ہے۔ اللہ کرے تم اس میں پوری اترو۔" بے صدا آواز میں اسے دعائیں اور تسلی دلاسہ دیتے ہوئے اچانک ہی ان کی نگاہ اس کے حنائی ہاتھ پر جا ٹکی۔

یہ کیا؟ وہاں اب وہ رات والی جگمگاہٹیں جگمگ جگمگ نہیں کر رہی تھیں۔ ہاتھ سے ہوتی ہوئی نگاہ بیڈ کی سائیڈ ٹیبل پر چلی گئی۔ وہ ہزاروں روپے قیمت رکھنے والی چمکتی دمکتی انگوٹھی کسی بے قیمت پتھر کی طرح وہاں پڑی تھی۔

چند لمحے اسے تکتی رہیں۔ یہ اس کی جگمگاہٹ تھی یا قاسم جمال اور آسیہ کی دانست میں نایاب کا مقدر چمک اٹھا۔ سوچتے ہوئے انہوں نے پھر نایاب کی طرف دیکھا۔ اس کی بھی نظریں ماں کی نگاہوں کے ساتھ ساتھ ہوتی ہوئیں آخر میں ان کے چہرے پر جم گئیں۔ اس کے ساتھ جو ظلم ہو چکا تھا وہ اس کی داستان کہہ رہی تھیں۔ اس ہیروں کی انگوٹھی نے تو اس کا مقدر تاریک کر دیا تھا، لیکن زبان پر اب بھی خاموشیوں کے قفل پڑے تھے۔

اچھا تھا جو خاموش تھی۔ کچھ بول پڑتی تو نجانے کیا کہتی۔ اندر کا دکھ درد الفاظ کے راستے باہر آجاتا...... اور ایک ماں سے اولاد کا غم بھی تو برداشت نہیں ہو پاتا۔

"ایاز ایسا تو نہ تھا۔" وہ خود کلامی کے انداز میں بولیں۔ ساتھ ہی دل چاہا کوئی دکھ درد ہی بیان کرے، کوئی گلہ شکوہ ہی کرے، اس زیادتی کے خلاف احتجاج ہی کرے۔ کچھ کہے، کچھ بولے، کہیں یہ چپ ہی اسے...... خدا نہ کرے خدا نہ کرے، پروردگار نایاب کو سلامت رکھے، اس کے حصے کی ساری تکلیفیں سارے دکھ انہیں مل جائیں۔

''نایاب! آؤ ناشتہ کرلو۔''

جواب میں اس نے صرف نفی میں سر ہلا دیا۔

''رات بھی تم نے کچھ نہیں کھایا۔''

نایاب نے بغیر کوئی جواب دیئے رخ پھیر لیا۔ ماما کو دل کی بیماری تھی۔ اس نے اپنے آنسوان سے چھپانے کی کوشش کی۔ اس کے آنسوان کے دل پر نہ ٹپک پڑیں۔

اور روبینہ نے جانا وہ اس وقت کوئی بات نہیں کرنا چاہتی تھی۔ وہ بھی اس کے تازہ تازہ لگے اس زخم پر کوئی نشتر نہیں چلانا چاہتی تھیں۔ ان کی دی ہوئی تسلی نے بھی اس وقت زخم پر مزید زخم لگانے والا کام کرنا تھا، مرہم والا نہیں۔

تب وہ چپ چاپ کمرے سے باہر نکل گئیں، سب ناشتے کی میز پر بیٹھ چکے تھے، سوائے خرم کے۔ سیماب اور معظم میں ہمیشہ کی طرح کسی بات پر جھگڑا ہو رہا تھا۔ فیصل اور آسیہ چہروں پر مسکراہٹیں لئے شاپنگ وغیرہ کا پروگرام بنا رہے تھے۔ قاسم جمال ساتھ ناشتہ کر رہے تھے، ساتھ اخبار پڑھ رہے تھے یا آج پھر اخبار دیر سے آیا تھا یا انہیں کسی وجہ سے دیر ہوگئی تھی۔

وہ پہنچیں تو سب کی طرح قاسم جمال نے بھی ایک نگاہ ان پر ڈالی۔ یہ نہیں پوچھا وہ اب تک کہاں تھیں۔ یہ بھی نہیں کہ نایاب ناشتے کی میز سے کیوں غائب تھی۔ خرم کہاں تھا، اس ایک نظر میں سوال کوئی نہ تھا، لیکن اطمینان پورے کا پورا موجود تھا۔

کل رات سے جو کچھ گھر میں ہو رہا تھا انہیں سارا علم تھا، لیکن خاموش تھے کہ بات جائز اور اصول کی تھی اور اصولوں کے لئے انسانوں کو قربانیاں دینا ہی پڑتی ہیں۔ معاملہ خاندان کی عزت کا تھا اور جب عزت مٹی میں مل رہی ہو تو انسان کو خود مٹ کر بھی عزت بچا لینا چاہئے۔

اس لیے انہیں کوئی پچھتاوا، کوئی پریشانی نہ تھی۔ دفتر دیر ہو رہی تھی۔ اصول کے مطابق وہ جلد سے جلد ناشتہ ختم کر کے اُٹھ گئے۔

نایاب نے کچھ نہیں کھایا تھا۔ خرم غائب تھے۔ روبینہ سے کسی چیز کو ہاتھ نہ لگایا گیا۔

''خرم کہاں ہے؟'' سراج سے پوچھنے لگیں۔

''اپنے کمرے میں۔'' سراج نے جواب دیا۔

''اسے معلوم نہیں کہ ناشتہ لگ چکا ہے؟''

''جی دو تین بار انہیں مطلع کر چکا ہوں۔''

''اچھا اب میرا نام لو۔''

ماں کا نام سنتے ہی خرم آگئے۔ بال اُلجھے بکھرے تھے، آنکھیں لال ہو رہی تھیں۔ صاف لگ رہا تھا بے خوابی کا شکار ہوئی تھیں۔

''ماما! آپ نے یاد فرمایا ہے؟''

''ناشتہ نہیں کرنا تھا۔''

خرم نے پھوپھو اور فیصل کے فتح و نصرت سے دمکتے چہروں کی طرف دیکھا، دونوں خوب ڈٹ کر ناشتہ کر رہے تھے۔ بڑی ناگواری سے رُخ پھیر لیا، کیا انہیں احساس نہیں تھا کہ ان کی وجہ سے وہ سب کتنا پریشان تھے۔ حد بھی تھی کوئی بے حسی کی۔

''جی نہیں چاہتا۔''

''سراج کے ہاتھ نایاب کے کمرے میں بھیجتی ہوں۔ اسے بھی کراؤ اور خود بھی کرو۔''

''آپ بھی آجائیں نا۔''

''میں تمہاری پھوپھو کے ساتھ ہوں۔''

''میرا فکر نہ کریں بھابی! آپ جائیں، بات کیا ہے؟ کیا نایاب کی طبیعت کچھ خراب ہے؟'' اندر سے آسیہ کو سب پتہ تھا۔ بظاہر انجان بن کر پوچھ رہی تھیں۔ ویسے بھی انہوں نے اپنے حساب سے ان لوگوں پر احسان کیا تھا کہ ایاز کے نہ آنے سے جو عزت خاک میں مل رہی تھی، اپنے بیٹے کو پیش کر کے بچا لی تھی۔ تبھی انداز میں ایک طنطنہ تھا اور گردن میں تناؤ تھا۔

''ہاں......'' روبینہ نے مختصر سا جواب دیا اور سراج سے ٹرے میں ناشتہ لگوا کر نایاب کے کمرے میں لے چلنے کا حکم دیتے ہوئے خود بھی اٹھ گئیں۔ آسیہ کے انداز پر غصہ آرہا تھا۔

ان پر احسان بھی جتا رہی تھیں اور اپنا مطلب بھی نکال لیا تھا۔ اتنے اُونچے اور امیر گھر کی بیٹی بہو بن گئی تھی۔ خود خوشی سے بے قابو ہوئی جا رہی تھی اور دوسرے کی پروا ہی نہ تھی۔ کسی کا دل ٹوٹ جائے، کسی کے ارمان اور حسرتیں لٹ پٹ جائیں، وہ تو فتح یاب ہو ہی گئی تھیں۔

خرم نے منتیں کیں، ماما نے التجائیں کیں، مگر نایاب نے ناشتہ بھی کرنے سے انکار کر دیا۔ بس ایک دودھ کی پیالی، وہ بھی خرم نے اپنی قسم دے کر زبردستی پلانے کی کوشش کی تو آدھی پی لی۔

''اللہ پوچھے اس ایاز کو۔ جانے کس جنم کا بدلہ ہم سے لیا۔ کیسے ہنستے بستے گھر میں اجاڑ پھیر دی ہے۔'' بڑا صبر کیا تھا، آخر اولاد کا درد مزید برداشت بھی نہ ہو سکا۔ روبینہ بول ہی پڑی۔

نہیں نہیں ایاز بے وفا نہ تھے۔ نایاب کا دل کہہ رہا تھا، لیکن زبان تو جیسے اپنا کام کرنا ہی بھول گئی تھی۔ خاموشیوں کو ہونٹوں میں دبائے بیٹھی رہی......

پورا پہاڑ سا دن اسی طرح کٹا، خرم نے ماما کو تو زبردستی چند نوالے کھلا دیئے۔ نایاب نے کچھ بھی کھانے سے جیسے قسم کھا رکھی تھی۔ تبھی خرم نے بھی کچھ نہیں کھایا۔ اسی طرح فاقے سے اس کے پاس ہی بیٹھ کر سارا دن گزارا۔

پاپا نے ایک دوبار اپنے کاموں کے لئے بلایا مگر خرم نہیں گئے۔ صاف جواب بھجوا دیا۔ فرصت نہ تھی...... باپ کے خلاف کھلم کھلا بغاوت کر ڈالی۔ قاسم جمال نے انکار کبھی نہیں سنا تھا، لیکن آج انکار سن کر خاموش ہو گئے۔ ڈانٹ ڈپٹ بھی نہیں، کچھ بھی نہیں کہا، چپ چاپ سب کچھ برداشت کر گئے۔

انہوں نے جو کچھ کیا تھا، غلط تھوڑا کیا تھا۔ اصول کی بات ہی کی تھی نا...... اپنی اور اپنے خاندان کی عزت بچائی تھی۔ یہ سب خواہ مخواہ ہی بگڑے بگڑے پھر رہے تھے۔ بیوقوف تھے سب۔ کہاں تھا ایاز جس کے لئے یہ سب ہو رہا تھا۔ انہیں تو شکر کرنا چاہیے تھا۔ ابھی لڑکی گھر میں ہی تھی۔ ابھی کچھ نہیں بگڑا تھا اور اس کا پتہ چل گیا تھا کہ وہ کتنے پانی میں تھا۔

کوئی خاندان ہوتا، کوئی آگا پیچھا ہوتا تو ایسے کبھی نہ کرتا۔ اپنی عزت کا نہیں تو اپنے بڑوں کی عزت ہی کا خیال رکھتا۔ اب تو پوچھنے والا کوئی نہ تھا۔ تبھی اس نے بیہودگی کی، نہ اپنی عزت کو عزت جانا، نہ دوسروں کی عزت کا خیال کیا۔

یہ سب قاسم جمال روبینہ کو سمجھانا چاہتے تھے، جو بچی کے ساتھ بچی بن گئی تھیں۔ بجائے اس کے اسے سمجھاتیں بجھاتیں، خود بھی ان کے پیچھے چل پڑی تھیں اور موڈ بگاڑے بیٹھی تھیں، مگر قاسم خاموش رہے اور ان تینوں کے بگڑے موڈ دیکھتے رہے۔

انہیں یقین تھا۔ پورا یقین...... ان کے کچھ کہے بنا بھی ایک دن سب کے موڈ درست ہو جائیں گے۔ وقت خود ہی انہیں سب کچھ سمجھا دے گا۔ دوسرا دن بھی بیت گیا تھا۔ ایاز ابھی تک غائب تھا۔ کیا اس کے متعلق ابھی بھی کوئی خوش فہمی باقی تھی؟ اگر تھی تو ایک دو دن میں وہ بھی نکل جانا تھی۔

پھر اسی انداز میں دوسری رات بھی گزر گئی اور یہ دوسری رات ساری کی ساری نایاب نے سوچوں میں کھوئے گزار دی۔ کل تو ذہن بالکل ناکارہ ہوگیا تھا...... اتنا کہ کچھ سوچ بھی نہیں سکتی تھی۔ آج البتہ اس نے اپنے مستقبل کے متعلق خوب جی بھر کر سوچا۔

جتنا سوچا اتنے ہی راستے اُلجھتے گئے۔ کوئی بھی منزل تک نہیں پہنچ پا رہا تھا، کیونکہ اس کی منزل ہی اس سے رُوٹھ گئی تھی۔ ایاز ہی کا کوئی پتہ نہ تھا۔ پاپا سے بات کرتی...... اپنا حق مانگتی...... کوئی واویلا مچاتی، صدائے احتجاج بلند کرتی ...... مگر ......

مگر کس بل بوتے پر؟ کس کے لئے؟ جس کے ساتھ وفا نباہنے کو دل تڑپ مچل رہا تھا۔ وہی جفا کار نکلا۔ نجانے ایاز کہاں غائب ہوگئے تھے۔ رنج اور غم کی انتہا نہ تھی۔ سوچتی رہی، سوچتی رہی۔ لاحاصل سی سوچیں، جن کا کوئی نتیجہ نہیں نکلتا تھا۔

رات کے پچھلے پہر جا کر کہیں نیند خود بخود ہی آگئی۔ پتہ نہیں کتنا سوئی تھی اور کتنا اور سونا چاہتی تھی۔ اپنے آپ کو بھی علم نہیں تھا۔ جانے کیسی آواز تھی جس نے اسے بیدار کر دیا۔ کوئی کھٹکا ہوا تھا شاید...... اس نے چونک کر آنکھیں کھول دیں۔ دن کا اجالا پورے کمرے میں پھیلا ہوا تھا۔

"نایاب......!" پاپا کی آواز پر اس کی سوچ کے بہتے دھارے تھم سے گئے۔

اس نے جلدی سے رُخ پھیرا۔

وہ جھک کر سائیڈ ٹیبل پر سے اس کی منگنی کی ہیروں والی انگوٹھی اُٹھا رہے تھے۔

وہ گھبرا کر عجلت سے اُٹھ کر بیٹھ گئی۔ کل شام پھوپھو اور فیصل اس کا حال احوال پوچھنے اس کے کمرے میں آئے تھے۔ کہیں ان میں سے کسی نے اس کی شکایات تو نہیں کر دی تھی کہ اس نے اتنی بیش قیمت انگوٹھی انگلی سے اتار کر بڑی بے پروائی سے میز پر پھینکی ہوئی تھی۔

اس کے کمرے میں آنے کا اور تو پاپا کے پاس کوئی جواز نہ تھا۔ اس کی خاطر آنے، طبیعت کا پوچھنے، معذرت کرنے یا اسے تسلی دلاسہ دینے کا ارادہ ہوتا تو کل ہی آتے۔ دو راتیں اسے یوں ماہیٔ بے آب کی طرح تڑپنے کو نہ چھوڑ دیتے۔

''یہ انگوٹھی......'' انگوٹھی ہاتھ میں پکڑ کر وہ نجانے کیا کہنے لگے تھے کہ نایاب گھبرا کر، سٹپٹا کر ان سے پہلے ہی بول پڑی۔

''وہ پاپا میری انگلی دُکھ رہی تھی۔ اس لئے اتار دی۔'' صرف اس لیے بہانا بنا دیا کہ باپ کو بھی تکلیف پہنچانا نہیں چاہتی تھی۔ پوری رات کی سوچوں نے اسے یہ سمجھا دیا تھا کہ ایک باپ ہوتے ہوئے انہوں نے بھی جو کچھ کیا تھا، درست کیا تھا۔ ان کے پاس بھی کوئی اور چارہ نہ تھا...... اور اس نے بہت حد تک پاپا کو معاف بھی کر دیا تھا......

''بیٹی! میں پہننے کے لیے تو نہیں کہہ رہا...... یہ میں آسیہ کو واپس دے رہا ہوں۔''

اور اب نایاب اتنے زور سے چونکی جیسے اس کے ذہن میں بڑے زور کے زلزلے کا جھٹکا لگا تھا۔ پورا وجود ہی ہل کر رہ گیا۔ اس کی خاطر اس کے پاپا، اپنے سارے اصول توڑنے لگے تھے۔ انہوں نے کبھی بے زبانی نہیں کی تھی۔ وہ زبان سے پھرنے لگے تھے۔ انہوں نے کبھی وعدہ خلافی نہیں کی تھی، وہ کرنے جا رہے تھے۔ اتنے لوگوں کے سامنے جو بہن کے ساتھ ناطہ جوڑا تھا، اس سے منحرف ہونے لگے تھے۔

لیکن ایاز...... کہاں تھے ایاز۔ جن کی خاطر یہ سب کچھ ہونے لگا تھا...... اس دھماکے نے اسے جذبات کی دنیا سے نکال کر شعور و آگہی کی دنیا میں لا کھڑا کیا۔

''پاپا! آپ نے جو کچھ کیا ہے ٹھیک کیا ہے۔ غلطی میری......''

''کیسی غلطی......؟ غلطی تو مجھ سے ہوگئی۔ میری بیٹی......'' قاسم جمال کے چہرے پر عجیب سی ندامت پھیلی تھی۔ ''میں قصوروار ہوں۔'' باپ کا ایسا روپ وہ پہلی بار دیکھ رہی تھی۔ انہوں نے تو زندگی میں کبھی غلطی نہیں کی تھی۔ پھر وہ آج...... یوں جھکا جھکا سا سر لیے اس کے سامنے شرمسار سے کیوں کھڑے تھے؟ کیوں؟ نایاب کی حیران آنکھیں دنیا بھر کا حسن اپنے میں سمیٹے باپ پر گڑی تھیں۔

●......●......●

سارا راستہ جس طرح گزرا، یہ کچھ ڈاکٹر ایاز ہی جانتے تھے۔ مریض کی ڈوبتی اُبھرتی نبضوں نے پل پل انہیں بھی ڈبویا اور اُبھارا۔ اسے انجکشن دیئے، اسے دوائیں دیں۔ اس کے لیے دعائیں کیں۔ بالآخر زندگی کے ساتھ منزل پر پہنچ ہی گئے۔ یہ دو تین گھنٹے دو تین جنموں کے برابر ہوکر گزرے۔ شکر ہے خدا تعالیٰ کا گزر گئے۔

اور پھر ہسپتال پہنچتے ہی ایمرجنسی کال ہوگئی۔ دل کے امراض کے سرجن کو فون پر پہلے ہی اطلاع مل چکی تھی۔ ہر چیز تیار تھی۔ مریض کو فوراً آپریشن تھیٹر پہنچا دیا گیا۔ چار پانچ گھنٹے کا آپریشن تھا۔

ڈاکٹر ایاز راستہ بھر اعصابی تناؤ سے جکڑے رہے تھے۔ اب بھی آرام نہیں کیا۔ آپریشن کا سارا وقت آپریشن تھیٹر کے باہر ٹہلتے ہوئے گزار دیئے۔ دعائیں کرتے ہوئے گزار دیئے۔ اپنا خیال ایک منٹ کے لئے نہیں آیا۔ مریض کے لئے پریشان حال عزیز و اقارب اور رشتہ داروں کو تسلیاں دیتے رہے۔

''آپریشن کامیاب ہوگیا ہے۔'' جانے کس نے کہا تھا۔ کس کو کہا تھا۔ انہیں بس اتنا پتہ تھا۔ جیسے انہیں مرتے مرتے کسی نے زندگی کی نوید دے دی تھی۔ ایک الگ تھلگ پڑے بنچ پر جا کر گر سے پڑے۔ سب ایک دوسرے کو مبارک باد دے رہے تھے۔ ڈاکٹر خوش تھے۔ ان کے مددگار خوش تھے۔ نرسیں خوش تھیں۔ مریض کے رشتہ دار جو ساتھ آئے تھے اور جہاں اس شہر میں رہائش پذیر تھے اور ہسپتال پہنچے ہوئے تھے، سب کے چہروں

سے خوشیاں پھوٹی پڑ رہی تھیں۔ بڑا مشکل آپریشن تھا جو کامیاب ہوگیا تھا۔ زندگی کی امید کم تھی مگر پروردگار نے اپنا کرم کر دیا تھا۔ پھر تو واقعی سب کے لئے خوشی کا مقام تھا۔

ایاز بھی ان کی خوشیوں میں شریک ہونے کے لیے مسکرائے لیکن...... دوسرے ہی لمحے ان کی مسکراہٹ جیسے کسی نے یکدم نوچ لی۔ انہیں تو اب ہوش آیا تھا کہ...... کہ ارے! یہ کیا ہوگیا......؟ رات کے دس یا گیارہ بج رہے تھے۔ انہیں تو وقت بھی صحیح دکھائی نہیں دے رہا تھا۔ ایک انسان کو زندگی دلاتے دلاتے وہ اپنا سب کچھ لٹا بیٹھے تھے۔

''ڈاکٹر صاحب! چلیے...... آپ بہت تھکے ہوئے ہوں گے اور بھوک بھی بہت لگی ہوگی۔''

وہ کوئی ڈاکٹر تھا یا اس خوش قسمت مریض کا کوئی رشتہ دار جس نے انہیں بازو سے تھام کر اُٹھایا اور پھر ساتھ لے گیا۔ وہ نیم بے ہوشی کی سی کیفیت میں اس کے ساتھ چلتے گئے۔ جانے وہ میڈیکل کالج کا ہوسٹل تھا یا کوئی ہوٹل یا پھر کسی کا گھر...... کہاں ان کے قیام کا بندوبست ہوا تھا۔ انہیں کوئی علم نہیں تھا۔ نہ انہوں نے کچھ جاننے کی ضرورت محسوس کی۔ وہ تو اپنے ہوش وحواس میں ہی نہ تھے۔

پھر ان کے سامنے کھانا آیا ضرور، لیکن یہ انہیں ہوش نہیں تھا انہوں نے کتنا کھایا یا کچھ کھایا ہی نہیں۔ ہر احساس، ہر تکلیف، ہر خوشی، ہر لذت سے جیسے وہ بے نیاز ہو چکے تھے۔

بستر پر دراز ہوئے، آنکھیں میچیں، لیکن نیند نہیں آئی۔ البتہ تنہائی کا احساس شدید ہوگیا اور جب تنہا ہونے کا احساس ہوا تو ساتھ ہی یہ تکلیف دہ خیال بھی دل میں اُتر گیا کہ اب وہ پوری زندگی کے لئے تنہا ہو گئے تھے۔

''کاش ڈیڈ! آپ مجھے اپنے ساتھ ہی اس دنیا سے رخصت کرا لے جاتے۔'' وہ کبھی اتنے بے حوصلہ نہیں ہوئے تھے۔ آج زندگی میں پہلی بار ایسی شکست خوردہ سوچ ان کے ذہن میں آئی تھی۔

پھر وہ پوری رات نایاب، ماما اور خرم اور قاسم جمال کے متعلق سوچتے رہے۔ خوشیوں اور اُمنگوں کی رات تھی۔ آرزوؤں اور مرادوں کی رات تھی۔ کیسے کیسے انہوں نے

یہ خوشی منانا تھی، یہ تقریب سجانا سنوارنا تھی اور...... اور کیا کچھ کرنا تھا۔

ماما اور خرم کی ایک ایک بات انہیں یاد آ رہی تھی۔ نایاب کی جھکی جھکی حیا بار نگاہیں، نرم نرم دبی دبی مسکراہٹیں اور اندرونی خوشی و مسرت سے دمکتے رخسار، عجیب منظر تھا۔ جب یہ فیصلہ ہوا تھا۔ تب اس کا علم ایسا ہوش ربا تھا۔ اور جب...... جب وہ وقت آ جانا تھا۔

''اوہ......!'' درد اور کرب کے ساتھ کراہ کر انہوں نے کروٹ بدل لی۔ ذہن پھر یادوں کی دھند کی لپیٹ میں آ گیا۔

مریض بچ گیا تھا۔ اسے پروردگار نے زندگی دے دی تھی۔ اس کی بے تحاشا خوشی ہوئی تھی۔ اس کا انہوں نے اظہار بھی کر دیا تھا...... اور اب تنہائیوں میں پڑے ہوئے اپنی بربادی کا غم بھی منا رہے تھے۔

یہ ان کے ساتھ مقدر نے کیا کر ڈالا تھا۔ سارے جذبات بے موت مر گئے۔ وہ نہ اپنے بنے اور نہ کسی اور کے۔ اپنے درد کے ساتھ نایاب کا درد بھی دل میں در آیا۔

وہ ان سے بے تحاشا پیار کرتی تھی۔ اس کی ایک ایک بات، ایک ایک ادا، ایک ایک حرکت یاد آنے لگی اور جب وہ وہاں، نہیں پہنچے ہوں گے تو پھر...... پھر اس نے ان کے متعلق کیا سوچا ہوگا۔ ماما نے کیا سوچا ہوگا خرم کیا کہتے ہوں گے...... اور......

اور قاسم جمال کا ان کے متعلق کیا خیال ہوگا۔ سینکڑوں مہمان مدعو تھے۔ ان سب کے سامنے ان کی کتنی بے عزتی ہوئی ہوگی۔ وہ ایک اصول پرست، بات کے دھنی اور وعدہ اور وقت کے پابند انسان تھے۔ اوپر سے نہ سہی، لیکن دل میں سب ان پر ہنستے ہوں گے۔ ان کے اصولوں کا اور ان کی عادات کا مذاق اُڑاتے ہوں گے۔ اس دنیا میں کسی کو کسی سے ہمدردی کم ہوتی ہے اور مضحکہ زیادہ اُڑایا جاتا ہے۔

''اوہ خدایا......'' وہ اُٹھ کر بیٹھ گئے۔ پھر ٹہلنے لگے۔ سوچوں کی یلغار تھی کہ ختم ہونے میں ہی نہ آ رہی تھی اور وہ زیادہ سے زیادہ پریشان اور ویران ہوئے جا رہے تھے۔

رات کئی صدیوں کے برابر ہو کر گزری۔ صبح ہوئی۔ عجب تاریکیوں میں ڈوبی صبح کی روشنی تھی۔ ان کے اندر بھی تاریکیاں اتری ہوئی تھیں۔ دور دور تک کہیں اُجالے کی

ایک کرن بھی دکھائی نہیں دے رہی تھی۔

ناشتہ بڑا پُر تکلف تھا، مگر انہوں نے صرف چائے کی ایک پیالی لی اور پھر اس مریض کو دیکھنے کی خاطر ہسپتال جانے کے لئے تیار ہونے لگے۔

''ڈاکٹر صاحب!'' دروازے پر دستک ہوئی۔ ٹائی کی گرہ لگاتے ہوئے جا کر انہوں نے دروازہ کھول دیا۔

''فرمائیے......'' ایک تو مریض کا رشتہ دار تھا جو ان کے ساتھ لاہور سے کراچی تک آیا تھا اور دو کوئی اجنبی انسان تھے۔

''یہ لوگ آپ سے ملنا چاہتے ہیں۔'' مریض کا رشتہ دار ایک قدم آگے بڑھ کر بولا۔ ''فاروقی صاحب اور اعوان صاحب۔''

اس نے دونوں کا تعارف کرایا۔ ایک مقامی اخبار کا ایڈیٹر تھا اور دوسرا کسی دوسرے اخبار کا فیچر رائٹر۔ ڈاکٹر ایاز خالی خالی ذہن سے انہیں تکتے رہے اور وہ ان سے ان کا تعارف کراتا رہا۔ وہ کیوں آئے تھے؟ کیا چاہتے تھے؟ جانے انہوں نے کیا بتایا۔ ایاز ذہنی طور پر اس وقت بالکل غیر حاضر تھے۔ کچھ سمجھ میں نہ آیا۔ بس ہونٹوں پر ایک زبردستی کی مسکراہٹ لئے بیٹھ کر ان سے گفتگو کرنے لگے۔

جس طرح سارا راستہ ڈاکٹر ایاز نے مریض کی دیکھ بھال کی تھی، ایک ایک منٹ بعد نبض محسوس کرتے رہے تھے، دل کی دھڑکنیں چیک کرتے رہے تھے، دوائیں دیتے رہے تھے۔ ان کے لئے تو وہ ایک انسان نہیں فرشتہ تھے اور ایسے فرشتے سے ساری دنیا کو متعارف ہونا چاہئے تھا اور ان سے انسانیت کا سبق سیکھنا چاہئے تھا۔

بڑی دیر تک وہ ان سے خاصی تفصیلی گفتگو کرتے رہے۔ ان کے حالات زندگی کے متعلق بہت سارے سوالات کر ڈالے۔ ان کے باپ دادا کے متعلق پوچھتے رہے...... اور بھی جانے کیا کیا سوالات کئے اور انہوں نے کیا کیا جوابات دیئے، ایاز کو کچھ معلوم نہ تھا۔ بس اندر ہی اندر اپنے ویرانوں میں کھوئے ہوئے تھے جن کو آباد کرنا چاہا تھا مگر تقدیر ہی تھی جس نے آباد نہیں ہونے دیئے تھے اور اب وہ ان ویرانوں میں صدائے بازگشت کی طرح سر ٹکراتے پھر رہے تھے۔

بہت ساری باتیں کرنے کے بعد ایک نے کیمرہ نکال لیا۔ ڈاکٹر ایاز منع ہی کرتے رہے، لیکن پھر بھی انہوں نے ''پلیز پلیز'' کر کے ان کی کئی تصویریں بنا ڈالیں۔

حیران ہوتے رہے کہ یہ سب کیا ہو رہا تھا مگر کہہ کچھ نہ سکے۔ وہ بڑے احترام اور عقیدت سے پیش آ رہے تھے اور کچھ ان کے اپنے اخلاق کا تقاضا تھا۔

وہ تین چار گھنٹے گزار کر رخصت ہوئے۔ پھر ایاز نے ہسپتال کا ایک چکر لگایا۔ مریض کو دیکھا۔ اس کی حالت بڑی تسلی بخش تھی۔ ایسا آپریشن، یہ یہاں دوسرا ہوا تھا جو کامیاب تھا۔ یہاں کے ڈاکٹر اپنی کامیابی کی خوشی میں سرشار تھے۔

اور اس خوشی میں رات کو ڈنر تھا۔ ایاز آج ہی واپس جانا چاہتے تھے مگر اس ڈنر کے لئے انہیں ٹھہرا لیا گیا۔ اپنی تو جو لٹنا تھی وہ لٹ گئی تھی، دوسری کی خوشی کی خاطر رُک گئے۔

جس کمرے میں بیٹھے ہوئے تھے، وہاں پاس ہی میز پر ٹیلی فون پڑا تھا، کئی بار جی چاہا۔ ماما کو فون کریں، مگر ہر بار یہ خیال آ گیا اب کس منہ سے کریں گے۔ ان لوگوں کے ساتھ تو انہوں نے ایسا سلوک کیا تھا جو دشمن بھی دشمنوں سے نہ کرتے تھے۔ یوں کئی بار سوچ کر بھی اس سوچ پر عملی جامع نہ پہنا سکے۔

دو تین بار فون کی طرف ہاتھ بڑھایا مگر پھر روک لیا۔ ہمت ہی نہ پڑی ان سے بات کرنے کی۔ ناکردہ گناہ وہ گناہ گار ہو گئے تھے اور اب کسی بھی طرح اپنی بے گناہی کا یقیناً نہیں دلا سکتے تھے۔

اور...... اگر نایاب، ماما یا خرم کو یقین آ بھی جاتا تو قائم جمال جو اس خاندان کی عزت کے رکھوالے تھے، اصولوں والے تھے، زبان کے پکے تھے، وعدوں کے پابند تھے۔ ان کو تو کسی صورت منہ دکھانے کے قابل نہ رہے تھے۔ انہی سوچوں میں کھوئے اور ایسی ہی کیفیت اور ناگفتہ بہ حال سے دو چار انہوں نے ایک رات اور گزار دی۔ اگلے دن بڑی مشکل سے تین بجے کی سیٹ ملی تو واپس اپنی اجڑی بستی کی طرف روانہ ہو گئے۔

●......●......●

گھر میں اس وقت ہمیشہ بڑی چہل پہل اور افراتفری کا سا عالم ہوتا تھا مگر آج ایک سناٹا سا چھایا تھا۔ قاسم جمال بڑے سنجیدہ موڈ میں تھے، اس لئے کوئی بھی بلند آواز میں بولنے کی جرأت نہیں کر رہا تھا۔

ان پر جلال کی کیفیت بھی نہیں تھی۔ غصہ یا طیش میں بھی نہ تھا۔ بس کچھ عجیب سی خاموشی ان پر طاری تھی۔ بیماری کے علاوہ آج شاید زندگی کا پہلا دن تھا جب انہوں نے بلاوجہ ہی دفتر سے چھٹی کر لی تھی۔

وقت پر ناشتے کے لئے میز پر بھی نہیں پہنچے تھے۔ باقی سب معمول کے مطابق آ کر بیٹھتے رہے اور ناشتہ کر کے اٹھتے گئے۔ سیماب اور معظم نے سکول جانا تھا وہ سکول چلے گئے۔ آسیہ اور فیصل ناشتے سے فارغ ہو کر اپنے کمرے میں جا گھسے۔ آج کل دونوں ماں بیٹے میں بڑی طویل گفتگو ہوتی رہتی تھی۔ جانے کیا کیا پروگرام بناتے پھر رہے تھے۔

قاسم جمال اسی طرح شب خوابی کا لباس تبدیل کئے بنا گاؤن پہنے ہوئے اندر باہر پھر رہے تھے۔ بڑی گہری سوچیں تھیں، جن میں کھوئے ہوئے تھے۔ ڈوبے ڈوبے اور بیقرار سے، کبھی راہداری میں نکل کر ٹہلنے لگتے اور کبھی اپنی خواب گاہ میں چلے جاتے۔

نارمل حالات میں ایسا ہوتا تو روبینہ ان سے ضرور وجہ پوچھتیں، لیکن آج کل خود ان کا اپنا موڈ، موڈ میں نہ تھا۔ نایاب کے ساتھ جو کچھ ہو گیا تھا اس کی وجہ سے ماں ہونے کے ناطے ان کے اپنے اندر وہ سارے دکھ اُتر گئے تھے، جن سے نایاب گزر رہی تھی۔ اس لئے ان کا بھی کسی کے ساتھ بات کرنے کو ذرا دل نہیں چاہتا تھا۔

اور خصوصاً قاسم جمال کے ساتھ تو وہ واضح طور پر خفا تھیں۔ اپنے آپ ہی انہوں نے اتنا بڑا اور اہم فیصلہ کر ڈالا تھا۔ نہ اس بے چاری کی کوئی رائے لی تھی جس کی پوری زندگی کا معاملہ تھا اور نہ بیوی سے ہی کوئی صلاح مشورہ کیا تھا۔ پھر وہ بھلا کیوں کچھ پوچھتیں۔

لہٰذا...... انہیں بھی پھر کوئی ضرورت نہیں تھی ان کی سنجیدگی یا خاموشی کی وجہ پوچھنے کی اور یوں بیقراری سے اندر باہر ٹہلنے کی۔ چپ چاپ سب کچھ دیکھتی رہی اور خاموش رہیں۔ لیکن ...... اس وقت وہ بری طرح چونک اٹھیں جب قاسم جمال سوچوں میں

کھوئے ہوئے کچھ دیر نایاب کے کمرے کے باہر ٹہلتے رہنے کے بعد دروازے پر ہلکی سی دستک دے کر اندر چلے گئے تھے۔

کیا ابھی اس بے چاری کم نصیب کے لئے کوئی اور طوفان آنے والا باقی تھا۔ روبینہ کو اس کی فکر پڑ گئی۔ وہ تو پہلے ہی صدمے سے اپنے ہوش و حواس کھوئے بیٹھی تھی۔ اب کوئی اور تو کسر نہیں رہ گئی تھی جو پوری ہونا تھی۔

روبینہ نے بیقراری سے نایاب کے کمرے کے باہر دو تین چکر کاٹے۔ ایک بار اندر جانے کا پورا عزم بھی کر لیا۔ قدم بھی بڑھائے، لیکن فوراً ہی واپس ہو گئیں۔ اندر جانے کا ارادہ ملتوی کر دیا۔ باپ بیٹی کے معاملے میں انہیں دخل انداز نہیں ہونا چاہیے تھا۔

تھوڑی دیر بعد قاسم جمال نایاب کے کمرے سے باہر نکلے تو کاریڈور کے پرلے سرے پر کھڑی روبینہ نے ان کے چہرے کے تاثرات جاننے کی کوشش میں بڑے غور سے انہیں دیکھا مگر کچھ معلوم نہ ہو سکا۔ سوائے اس کے کہ ان کے چہرے پر کوئی برہمی یا طیش کے آثار نہ تھے، بس ایک گھمبیر سی سنجیدگی تھی اور سوچ کے گہرے سائے پھیلے تھے۔

نایاب کے کمرے سے نکل کر وہ اپنے کمرے میں چلے گئے تو روبینہ جلدی سے بیٹی کے کمرے میں داخل ہو گئیں۔

"تمہارے پاپا یہاں کس لئے آئے تھے؟"

"انگوٹھی لینے۔"

"کیا مطلب......؟" گھبراہٹ اور پریشانی سے روبینہ بالکل حواس باختہ سی ہو رہی تھیں......

"وہ انگوٹھی ہیروں والی...... جو پھوپھو آسیہ نے مجھے پہنائی تھی۔ وہ میز پر سے اُٹھا کر لے گئے۔"

"اور......؟ کچھ کہا......؟ کوئی بات ہوئی......؟"

"کہہ رہے تھے انگوٹھی انہیں واپس کرنا ہے۔"

"انگوٹھی واپس کرنے کو کہہ رہے تھے......؟" وفورِ حیرت سے روبینہ چلا سی پڑیں۔

''قاسم......؟ قاسم ایسا کہہ رہے تھے؟'' وہ بے یقینی سے نایاب کو گھورنے لگیں۔

''تمہیں ان کی بات کی سمجھ نہیں آئی ہوگی۔ وہ کبھی اپنی زبان سے نہیں پھرے۔ انہوں نے کبھی عہد شکنی نہیں کی۔''

''نہیں ماما! یہی کہا تھا اور......'' پھر وہ کچھ سوچتے ہوئے بولی۔ ''اور کہہ رہے تھے کہ میں انہیں معاف کر دوں۔ ان سے غلط فیصلہ ہوگیا تھا......''

''کیا......؟'' روبینہ کی آنکھیں بھی حیرت سے پھیل سی گئیں۔ چند لمحے کھڑی انہیں پھیلی پھیلی آنکھوں سے حیران پریشان بیٹھی نایاب کو دیکھتی رہیں۔ پھر جلدی سے کمرے سے باہر نکل گئیں۔ ان کی طبیعت کچھ ٹھیک نہیں تھی، لیکن اس واقعہ کی حیرت اتنی تھی کہ ان کے ذہن سے اپنی طبیعت کی خرابی کا احساس بھی نکل گیا۔

''اللہ! کیا ہو گیا قاسم کو......'' وہ انہیں کے متعلق پریشان سی سوچوں میں کھوئی نایاب کے کمرے سے نکلیں تو دیکھا قاسم آسیہ کے کمرے کی طرف جا رہے تھے۔

''کیا بات ہے......؟ یہ آپ کیا کرتے پھر رہے ہیں......؟''

مگر روبینہ کی بات کا کوئی جواب دیئے بنا وہ آسیہ کے کمرے میں داخل ہوگئے۔ روبینہ بھی ایک لمحہ کا توقف کئے بغیر پیچھے چل دیں۔ قاسم شاید اس وقت نارمل نہیں تھے۔ ایسے میں بہن کے ساتھ کوئی ایسی ویسی بات نہ کر بیٹھیں باوجود اس کے کہ روبینہ کے دل میں آسیہ کی طرف سے بڑا ملال تھا۔ بڑی خود غرضی بھری حرکات آسیہ نے کی تھیں۔ پھر بھی روبینہ نہیں چاہتی تھیں کہ گھر آئے مہمان کے ساتھ کوئی غلط سلوک ہو جائے۔

یوں بھی ان کے ساتھ اب ان کا سمدھنوں والا ناطہ تھا۔ لاکھ انہیں دل سے منظور نہ تھا، لیکن سینکڑوں لوگوں کے سامنے انگوٹھی تو پہنائی جا چکی تھی اور یہ کوئی چھوٹی یا معمولی بات نہ تھی۔

''آسیہ......'' قاسم آسیہ کے سامنے بیٹھتے ہوئے بڑی سنجیدگی سے اسی کے ساتھ مخاطب تھے۔

''پرسوں رات ہمارے درمیان جو ایک نئے رشتے کا بندھن بندھا ہے، وہ میں توڑنا چاہتا ہوں۔''

''کیا......؟ بھائی جان یہ آپ کیا کہہ رہے ہیں......؟''

''جو کچھ تم نے سنا میں وہی کہہ رہا ہوں......'' قاسم نے مٹھی کھول کر انگوٹھی آسیہ کے سامنے ڈال دی۔

''مجھے یہ رشتہ منظور نہیں اس لئے میں یہ انگوٹھی واپس کر رہا ہوں۔''

روبینہ کے قدم جیسے زمین نے پکڑ لئے تھے۔ وہ وہیں دروازے میں ہی کھڑی کی کھڑی رہ گئیں۔ بہن بھائی میں یہ کیسی گفتگو ہو رہی تھی۔ انہیں تو اس کی ذرا سی بھی توقع نہ تھی۔ یوں ساکت تھیں جیسے کوئی بے جان مجسمہ...... نہ واپس جانے کی طاقت تھی نہ آگے قدم بڑھانے کی ہمت۔

''لیکن بھائی جان! کیا آپ سوچ سمجھ کر قدم اُٹھا رہے ہیں......؟''

''ہاں...... بہت سوچ سمجھ کر۔ پورے ہوش و حواس کے ساتھ۔''

''بھابی نے کہا ہوگا۔ ان کے اطوار دیکھ رہی ہوں۔''

''تم میری ہر بات کی ذمہ دار روبی کو کیوں ٹھہرا دیتی ہو۔ کیا میرا اپنا کوئی دماغ نہیں۔ کوئی عقل نہیں۔ یہ خالصتاً میرا اپنا فیصلہ ہے۔''

''میں نہیں مان سکتی۔ آپ کبھی اپنی زبان سے نہیں پھرے۔ آپ نے کبھی بدعہدی نہیں کی۔ آپ نے سینکڑوں لوگوں کے سامنے جو ایک ناطہ جوڑا ہے، اسے توڑ نہیں سکتے۔ آپ ایک بااصول انسان ہیں۔''

''وہ ماضی کی بات تھی۔ آج میں نے وعدہ خلافی کر ڈالی ہے۔ اپنی زبان سے کئے گئے اس عہد سے پھر گیا ہوں جو سینکڑوں لوگوں کے سامنے کیا تھا۔ میں بے اصول ہو گیا ہوں...... میں خود تسلیم کرتا ہوں۔''

آسیہ اُٹھ کر بھائی کے پاس آن کھڑی ہوئیں۔

''بھائی جان! آپ کی طبیعت تو ٹھیک ہے؟''

''اس سے پہلے اتنی ٹھیک کبھی نہ تھی۔ آج میری آنکھیں کھل گئی ہیں۔ میری عقل پر جو پردے پڑے ہوئے تھے وہ ہٹ گئے ہیں۔''

''یہ آپ کیسی باتیں کر رہے ہیں؟''

اور...... روبینہ نے دیکھا قاسم نے گاؤن کی جیب میں سے رول کیا ہوا اخبار کا ایک ورق نکالا اور بہن کے آگے ڈال دیا۔

''یہ دیکھو...... اس فرشتے جیسے بے مثال انسان کے ساتھ میں ظلم اور بے انصافی کرنے جا رہا تھا۔ وقت پر خدا نے مجھے عقل دے دی، مجھے بینائی دے دی، میں جو وعدے کا، عہد کا سچا کھرا ہوں۔ ایک بااصول انسان ہوں۔ یہ میرا کیسا عہد تھا، یہ میرا کیا اصول تھا کہ ایاز کے ساتھ نایاب کی منگنی کی بات پکی کر کے میں نے فیصل کو انگوٹھی پہنا دی۔''

''یہ آپ کا قصور نہیں تھا بھائی جان! ایاز ہی غلط انسان ثابت ہوا۔''

اخبار کی طرف دیکھے بنا آسیہ گھمنڈ سے بولیں۔ ''اس کے ساتھ ایسا ہی سلوک ہونا چاہئے تھا۔ وہ ہمارے خاندان میں شامل ہونے کے قابل نہ تھا۔''

''ہاں...... وہ بے ننگ و نام انسان ہمارے خاندان میں شامل ہونے کے قابل نہ تھا، اس کے ساتھ ایسا ہی ہونا چاہیے تھا۔'' آسیہ نے چونک کر بھائی کی طرف دیکھا۔ اتنی جلد وہ ان کے ہم نوا بن گئے تھے۔

اس نے ایک انسان کی زندگی بچانے کی خاطر اپنی تمام خوشیاں اور مسرتیں تج ڈالیں۔ نایاب کو وہ بہت پسند کرتا تھا۔ اس سے اسے بے پناہ محبت تھی، لیکن پھر بھی اس نے اپنا فرض نبھایا۔ اپنی پسند، اپنی محبت قربان کر دی، اور ہم، ہم اصول لے کر بیٹھے رہے، ہم اپنی ناک اور اپنے خاندان کی عزت بچانے کی فکر میں رہے۔''

آسیہ کی سمجھ میں اب آیا۔ وہ ایک غیر کا، ایک انجان انسان کا درد دل میں لے کر اس کی زندگی بچانے کی فکر میں لگا رہا۔ وہ بہت برا ہے اور ہم...... ہم بہت عظیم۔ اس کی حیات کی ساری خوشیوں کے ساتھ کھیل کر ہم نے اپنی عزت، اپنے خاندان کی عزت اور اپنی ناک تو بچالی۔

''یہ آپ کیسی باتیں کر رہے ہیں بھائی جان! آپ نے کبھی کوئی غلط کام نہیں کیا۔ مجھے اس بات پر فخر......''

''ہاں کبھی غلط کام نہیں کیا۔ لیکن...... ایمانداری سے کہنا کہ پرسوں رات جو کچھ

ہوا وہ درست ہوا ہے۔"

"بالکل......"

"نہیں...... آسیہ نہیں......" قاسم قدرے بلند آواز میں چلّائے۔ "سب غلط ہوا ہے بالکل بے انصافی ہوئی ہے......" انہوں نے سر جھکا کر ہاتھوں میں تھام لیا۔

"ہم کیسے انسان ہیں......؟ ہم کیسے اصول پرست ہیں؟ ہم کیسے عہد نباہنے والے ہیں......؟ ہم کیسے مکمل ہیں...... کہ...... صرف اپنے لیے سوچتے ہیں دوسرے کی مجبوری کو نہیں سمجھتے۔ محض اپنے لیے جیتے ہیں۔ اپنے مفاد کے لئے سب کچھ کرتے ہیں۔"

روبینہ کی سمجھ میں کچھ آیا کچھ نہیں، مگر اب ان کی ٹانگوں میں اتنی سکت ضرور آ گئی تھی کہ وہ کمرے کے اِس سرے سے اُس سرے تک تو کیا میلوں کے فاصلے جیسے طے کر سکتی تھیں۔ مضبوط اور تیز تیز قدم اٹھاتے ہوئے اندر چلی گئیں۔

نہ نند سے کوئی بات کی، نہ شوہر سے۔ انہیں تو صرف اپنے تجسّس کو کسی یقین تک پہنچانا تھا۔ اخبار اُٹھایا اور اسے دیکھنے لگیں۔ تو...... یہی صبح سے ان کی توجہ کا مرکز بنا ہوا تھا اور انہیں اندرونی خلفشار اور بے قراریوں میں مبتلا کر رکھا تھا۔

سامنے ہی ایاز کی یہ بڑی سی اور خوب صورت سی تصویر تھی۔ پھر پورے صفحہ پر ایاز کے متعلق ہی ایک لمبا چوڑا باتصویر فیچر تھا۔ ساتھ انٹرویو کے اقتباسات وہ کس لئے کراچی گئے تھے اور کس طرح اپنا فرض نباہیا تھا۔ پوری تفصیل سے سب کچھ درج تھا۔

روبینہ جوں جوں پڑھتی گئیں، جوش مسرت سے ان کے وجود میں جیسے نئی قوت نئی طاقت پھیلتی چلی گئی...... ان کے ذہن میں جو آندھیاں سی چل رہی تھیں، وہ تھم گئیں۔ انہیں سکون و قرار مل گیا۔

"آپ نے صرف ایک رُخ دیکھا ہے بھائی جان! تصویر کے دوسرے رُخ پر بھی ذرا نظر ڈال لیں۔ ایاز کا خاندان کون سا ہے۔ اس کے گھر والے کہاں ہیں۔ اس کے باپ دادا کا کہیں نام و نشان ہے بھی یا...... یا...... خالی خولی اس کی انسانیت ہی لے کر......"

آسیہ نجانے کیا کیا کہتی رہیں۔ کبھی سمجھانے والے انداز میں، کبھی غصہ میں بھر

کر۔ روبینہ نے مزید ان کی کوئی بات سننے کی ضرورت ہی محسوس نہیں کی۔ سارا صفحہ پڑھتے ہی وہ تو خوشی و مسرت سے بے قابو اور بے حال ہوتے ہوئے خرم اور نایاب کو پکارتیں باہر نکل گئیں۔

ایاز کا پتہ چل گیا تھا۔ ایاز نے کوئی غلط حرکت نہیں کی تھی۔ ایاز نے بیوفائی نہیں کی تھی۔ ایاز ان کی عزت سے نہیں کھیلا تھا۔ اس نے تو صرف ایک صحیح انسان ہونے کی مثال قائم کی تھی۔ ایسی مثال جو ابھی تک قاسم جمال بھی نہیں کر سکے تھے۔

''بھائی جان! کچھ ہوش میں آیئے۔ کیوں اپنی اور اپنے خاندان کی عزت کے پیچھے پڑ گئے ہیں...... یہ آپ کو کیا ہو گیا ہے۔''

''آسیہ......آسیہ...... مجھے ان جھوٹی عزتوں اور اصولوں کی طرف لے جانے کی کوشش مت کرو کہ میں خود غرض بن کر صرف انہیں کے جال میں پھنسا رہ جاؤں اور دنیا کا کوئی اور کام کر ہی نہ سکوں۔ میرا ظرف ان اصولوں اور روایات میں یوں جکڑا جائے کہ کسی دوسرے کا درد اس تک پہنچ ہی نہ سکے۔''

ابھی تک روبینہ کی سماعت سے ان کی آوازیں ٹکرا رہی تھیں، لیکن اب انہیں کوئی پرواہ نہیں تھی، بہن بھائی لڑتے جھگڑے یا صلح صفائی کرتے۔ اتنا البتہ انہیں یقین ضرور تھا کہ قاسم کی اب آنکھیں کھل چکی تھیں۔ وہ انسانیت کی قدر جاننے اور کرنے والے انسان تھے۔

بڑی دیر بہن بھائی میں گفتگو ہوتی رہی۔ تعلیم یافتہ اور سمجھ دار لوگ تھے، تہذیب کے دائرے کے اندر رہ کر جھگڑا بھی کیا، رشتہ بھی ختم کیا۔ انگوٹھی کی واپسی بھی ہو گئی اور پھر آسیہ خود اپنی واپسی کی بھی تیاری کرنے لگیں۔ فیصل کو کسی کام سے کہیں بھیجا تھا۔ اس کے آنے کے انتظار میں تھیں، اب یہاں رُک کر انہوں نے کرنا بھی کیا تھا۔

''یہ خیال رہے ہمارے درمیان ایک خون کا بھی رشتہ ہے اور وہ کبھی نہیں ٹوٹا کرتا۔'' بہن کی تیاری دیکھ کر قاسم بڑے تحمل اور بردباری سے بولے......''اور پھر ابھی ہماری اور اولادیں بھی ہیں۔''

''اوہ...... ہاں۔'' آسیہ چونکیں، منہ ہی منہ میں کچھ بڑبڑائیں۔ یہ بات ان کی عقل میں بیٹھ گئی۔ وہ اپنی آنکھوں میں آئے آنسو اندر ہی اندر پیتے ہوئے مسکرانے لگیں۔

''ہاں شاباش! بہن، بھائیوں کے گھروں سے ناراض ہو کر نہیں جایا کرتیں۔ دعا دیا کرتی ہیں۔ پھر خدا بھی ان پر برکتیں نازل کرتا ہے۔'' قاسم بہن کے سر پر ہاتھ پھیرتے ہوئے باہر نکل گئے۔

روبینہ، خرم اور نایاب کاریڈور کے وسط میں کھڑے تھے۔ روبینہ انہیں کچھ بتا رہی تھیں۔ سب کے چہروں پر خوشیوں کے سورج چمک رہے تھے۔ قاسم جمال بغیر کوئی بات کیے انہیں دیکھتے ہوئے مسکرا کر پاس سے گزر گئے۔

''سنئے تو......'' روبینہ ان کے پیچھے لپکیں۔

''میں اس وقت جلدی میں ہوں......'' قاسم نے جا کر ڈائریکٹری اُٹھائی اور بڑے انہماک سے اس میں کوئی نمبر تلاش کرنے لگے۔

''ایاز کے وارڈ کا نمبر چاہیے......؟'' روبینہ نے قیافہ لگاتے ہوئے پوچھا۔

''نہیں......'' انہوں نے شوخ سی مسکراہٹ کے ساتھ سر نفی میں ہلا دیا۔

''پھر......؟''

''ڈاکٹر وقار کا۔''

''ایاز کے وارڈ میں سے معلوم ہو جائے گا، لیکن کیوں......؟''

'' معلوم کرنا ہے کہ ایاز واپس کب آ رہا ہے۔ ہم سب اسے لینے ایئر پورٹ چلیں گے۔''

'' سچ......؟'' روبینہ خوشی سے بے قابو ہو کر بے ترتیب ہوتی دل کی دھڑکنوں کو تھامتے ہوئے صوفے پر بیٹھ گئیں۔

''ہاں۔ بالکل سچ۔ وہ اس کا حقدار ہے۔'' قاسم بھی روبینہ کے پاس بیٹھ گئے۔

''خدا کے لیے اب اپنے دل کو قابو میں رکھنا۔ تمہاری اس بیماری کے توسط سے ہمیں جو انمول ہیرا ملنا تھا وہ مل گیا۔ اب روبی پلیز اسے نذرانہ تشکر پیش کر کے رخصت کر دو۔''

روبینہ مسکرانے لگیں اور جلدی سے سینے پر سے ہاتھ ہٹا لیا۔

● ...... ● ...... ●

اپنے شہر میں انسان آتا ہے، خواہ دو دن ہی باہر گزار کر آئے، پھر بھی ایک سکون، ایک اطمینان سا محسوس کرتا ہے، لیکن ڈاکٹر ایاز کا مفقود تھا۔ وہاں سے جو بے چینیاں ساتھ لے کر چلے تھے۔ انہوں نے یہاں پہنچ کر بھی ساتھ نہیں چھوڑا۔

طیارے سے اُترے تو یوں لگا اپنے شہر میں نہیں جیسے کسی اجنبی دیس میں چلے آئے تھے۔ انگلینڈ میں جنم لے کر، پرورش پا کر اور پھر زندگی کے چوبیس سال گزار کر ہمیشہ ہمیشہ کے لئے وہ ملک چھوڑ آئے تھے تو...... یہاں آکر ایسی اجنبیت محسوس نہیں ہوئی تھی، جیسی آج محسوس ہو رہی تھی۔

گردن جھکائے، نگاہیں زمین پر پیوست کیے وہ لٹے پٹے سے قدم اُٹھاتے لگیج روم کی طرف جانے کے لئے ایئرپورٹ کی وسیع و عریض کمپاؤنڈ طے کر رہے تھے۔ جہاں کمپاؤنڈ کی حدود ختم ہوتی تھیں، وہاں جنگلے سے اس پار کھڑے مسافروں کا استقبال کرنے والے لوگوں کی آوازیں کانوں میں اتر رہی تھیں۔

ان کے ساتھ طیارے سے اُترنے والے بھی ادھر دیکھ دیکھ کر ہاتھ ہلا رہے تھے۔ مسکراہٹوں کے تبادلے ہو رہے تھے۔ سلام دعائیں اور استقبالیہ فقروں کی ایک گونج سی فضا میں پھیلی ہوئی تھی۔ غرض طرفین سے خوشیوں اور مسرتوں کا بے پایاں اظہار ہو رہا تھا۔

ڈاکٹر ایاز نے سر ہی اونچا نہیں کیا۔ اس طرف نگاہ ہی نہیں اٹھائی۔ ان کا کون تھا جس نے ان کے استقبال کے لئے آنا تھا۔ اندر پہلے ہی محرومیوں اور مایوسیوں نے ڈیرے جمائے ہوئے تھے اور گنجائش باقی نہ تھی کہ نگاہیں اور ایڑیاں اُٹھا اُٹھا کر دیکھتے، پھر کسی کو، کسی اپنے کو، وہاں نہ پا کر مایوسیوں کے اندھیروں میں مزید ڈوب ڈوب جاتے۔

لگیج روم سے اپنا اٹیچی لے کر کار پارک کی طرف جانے والے وہ آخری مسافر تھے۔ اس سفر نے ان کا سب کچھ چھین لیا تھا۔ ہر خوشی، ہر آرزو، ہر تمنا، یہاں تک کہ......ان کی زندگی بھی...... بڑے دکھ سے سوچ رہے تھے اور بہ سست روی سے قدم اٹھا

رہے تھے۔ تیز اٹھاتے بھی کیسے، من من بھر کے تو ہو رہے تھے۔

''یار ایاز! اب ذرا دو تین قدم تیز بھی اٹھا لو۔'' اپنا نام سن کر ایاز نے چونکتے ہوئے نظریں اُٹھائیں...... سامنے ہی خرم کھڑے مسکرا رہے تھے۔ ہمیشہ والی شوخی ان کے چہرے پر پھیلی تھی۔

''جہاں طیارے سے اترے تھے، اس طرف والے جنگلے سے لٹک لٹک کر اور آوازیں دے دے کر میرا برا حال ہو گیا، مگر جناب ہیں کہ نگاہ اُٹھا کر دیکھنا تک گوارا نہیں کیا۔''

''نہیں نہیں...... ایسا کیسے ہو سکتا ہے؟'' ایاز لپک کر آگے بڑھے۔ ''میں نے سنا ہی نہیں......''

''دو دن پہلے تو کان بھلے چنگے تھے۔ یہ اچانک کیا ہو گیا......؟'' خرم مسکرائے جا رہے تھے۔ ایاز ان کے قریب پہنچے تو بازو پھیلا کر ان سے بغلگیر ہو گئے۔

''ڈاکٹر! اتنا بڑا اور اتنا اہم رشتہ ہمارے تمہارے درمیان طے ہونے والا تھا۔ پھر بھی ہمیں غیر کیوں سمجھا......؟''

''میں...... میں سمجھا نہیں۔'' ایاز بری طرح نروس تھے۔ ان مسکراہٹوں اور اس گرم جوشی کا مطلب کیا اخذ کریں......؟ ان لوگوں کو تو ان کی شکل نہیں دیکھنا چاہئے تھی۔ انہیں منہ نہیں لگانا چاہیے تھا کہ انہوں نے بھری برادری، تمام ملنے جلنے والوں اور شہر کے امراء و رؤسا کے سامنے ان کی ناک کٹوا ڈالی تھی۔ ان کی بے عزتی کروا دی تھی۔ ان کی لڑکی کے ساتھ منگنی کا وقت مقرر کر کے پہنچے نہیں تھے۔ لڑکی کو سب کے سامنے سینکڑوں لوگوں کے سامنے ٹھکرانے والی ہی حرکت کی تھی نا...... اور یہ کم بے عزتی کی بات تھی۔

مگر...... یہ وہ کیا دیکھ رہے تھے۔ انہیں دیکھ کر نفرت و حقارت سے منہ موڑ لینے کے بجائے وہ تو نہ صرف یہ کہ مسکراہٹوں سے ان کا استقبال کر رہے تھے بلکہ یگانگت بھرے بول بھی بول رہے تھے۔

وہ بے یقینی سے خرم کو دیکھ رہے تھے۔ ''میں کچھ نہیں سمجھ سکا۔''

''میرا مطلب یہ تھا کہ خود تو ثواب کماتے رہے اور ہمیں انتظار کے جہنم میں

جھونکے رکھا۔'' خرم ہمیشہ والے خوشگوار لہجے اور خوش مزاجی کے ساتھ بولتے چلے گئے۔

''لیکن ہم بھی ان جہنم میں جلے نہیں۔ ہم نے اپنے بچاؤ کا دوسرا راستہ نکال لیا۔''

''دوسرا راستہ......؟'' ایاز کی سمجھ میں ابھی بھی کچھ نہیں آیا تھا۔

''ہاں دوسرا راستہ۔ فیصل پارٹی بھی موجود تھی۔ فٹافٹ اس سے انگوٹھی وصول کر لی۔ اس میں نو ہیرے جڑے ہوئے تھے۔ نایاب بہت خوش ہے۔''

''اوہ......!'' ایک دم ہی ایاز کا مسکراتا چہرہ پیلا پھٹک ہوگیا۔ خرم کے آنے سے بہت سی خوش فہمیاں دل میں در آئی تھیں مگر...... یہ کیا......؟ یہ خرم کیا کہہ رہے تھے......؟

اور ایاز کی حالت دیکھ کر خرم نے پھوٹ پھوٹ کر آنے والی ہنسی کو بڑی مشکل سے ہونٹوں ہی میں دبایا۔ ''چلو یہ والا ناطہ نہ سہی، انسانیت کا ناطہ تو ہمارے درمیان ہے ہی اور پھر ماما والا تعلق بھی۔ ان کا منہ تو اب بھی بیٹا بیٹا کہتے سوکھتا ہے۔'' خرم نے ان کے ایک دم ہی سوکھ جانے والے چہرے کو بغور دیکھا، ترس بھی آیا۔ مگر ازلی شریر تھے جب شرارت پر اُتر آتے تو کسی پر رحم نہیں کھایا کرتے تھے۔ پھر صرف شرارت ہی کیا کرتے تھے۔

''کہاں ہیں ماما......؟''

''گاڑی میں...... پچھلے دو دن کافی طبیعت خراب رہی، اس لئے اب گاڑی میں ہی بیٹھی ہیں۔''

''میں خود حاضر ہو جاتا۔ انہیں کیوں تکلیف کرنے دی۔''

''کام بھی تو ایسا کر کے آئے ہو۔ سارا زمانہ تعریفیں کر رہا ہے۔ آخر ہمیں بھی تمہارے سارے جرائم وغیرہ معاف کرنا پڑے۔''

''لیکن آپ لوگوں کو کیسے پتہ چلا؟''

''ہمارے ہی لیے تو اخبار میں دیا تھا یہ تعریفوں کے لمبے لمبے پل، پتہ نہیں کیا کچھ دے دلا کر بندھوائے ہوں گے...... اور پھر تصویریں، خوبصورت اور پیارے پیارے پوز والیں۔''

''اوہ......!''. ایاز کو فاروقی صاحب اور اعوان صاحب یاد آ گئے۔ ذہن سے بالکل انہیں فراموش کر چکے تھے۔ اپنے ہی دکھ اتنے بڑھ گئے تھے کہ پوری زندگی ان کے احاطے میں آ گئی تھی۔ کسی اور کو کیا یاد رکھتے۔

اور وہ دونوں یاد آئے تو ساتھ ان کی اور اپنی گفتگو کا متن یاد آ گیا۔ ان کی آنکھوں سے ان کے لئے چھلکتا احترام و عقیدت نگاہوں میں گھوم گیا۔ پھر ان کے منع کرنے کے باوجود ان کی تصویریں بنائے جانے والی اعوان صاحب کی معصوم سی ضد کا خیال آ گیا۔ تو اسی لئے وہ یہ سب کر رہے تھے۔ سب کچھ اخبار میں شائع کر دیا۔ انہیں ایسا نہیں کرنا چاہئے تھا۔ ایاز نے کسی تعریف و توصیف یا انعام وغیرہ کے لالچ میں تو یہ سب نہیں کیا تھا۔ انہوں نے تو صرف اپنا فرض انجام دیا تھا۔

پھر بھی...... اندر کہیں اعوان صاحب اور فاروقی صاحب کے لئے تشکر کا جذبہ لہرایا۔ ان کی اس حرکت سے قاسم جمال کے خاندان کو تو ان کے بے قصور اور بے گناہ ہونے کا علم ہو ہی گیا نا۔

لیکن...... لیکن...... دوسرے لمحے انہیں پھر خیال آیا۔ اس سے انہیں کیا ملا۔ نایاب کی منگنی تو فیصل سے کر دی گئی۔ ان کے چہرے پر پھر محرومیوں کی دھند پھیلنے لگی۔

''آؤ نا...... کھڑے سوچ کیا رہے ہو؟ ادھر ماما انتظار کر رہی ہیں۔'' خرم نے بے تکلفی سے کہا۔

''ہاں ہاں۔'' وہ چونک اُٹھے۔ ''ماما انتظار کر رہی ہوں گی۔''

وہ خرم کے ساتھ ان کی گاڑی کی سمت چل پڑے۔ سر جھکا ہوا تھا۔ چہرے پر سنجیدگی تھی، ذہن میں مایوسیوں بھری سوچیں تھیں۔ اس لئے خرم کے چہرے بشرے پر پھیلی بکھری شرارتیں اور مسکراہٹیں دیکھ نہ سکے۔

''ارے...... ارے!'' ایاز اپنی دھن، اپنے خیال میں آگے ہی آگے بڑھے چلے جا رہے تھے۔ خرم نے ان کا بازو پکڑ لیا۔ ''یہ رہیں ماما اور پاپا۔''

''پاپا بھی کیا......؟'' ایاز نے گھبرا کر، سٹپٹا کر سر اٹھایا۔

''قاسم جمال گاڑی سے باہر کھڑے مسکرا رہے تھے۔ ان کے چہرے پر بھی

رعب و جلال اور نفرت و تحقیر کے بجائے ان کے لئے پیار اور خلوص تھا...... اور بڑی مشفق سی مسکراہٹیں۔

یہ...... یہ...... اس انداز میں یہاں کیوں آگئے تھے؟ ان پر اپنی عالی ظرفی اور اپنی عظمت کا اظہار کر کے ان کے زخموں پر نمک چھڑکنے کے لئے......؟ اب، اخبار پڑھنے کے بعد ایسا سلوک کرنا تھا تو نہ کرتے نایاب کی منگنی فیصل کے ساتھ۔ اس وقت اپنی عالی ظرفی کا اظہار کرتے۔ معصوم سا شکوہ ایاز کے دل میں آیا ضرور مگر زبان پر نہ لا سکے۔ قصور اپنا ہی تھا سارا۔

''ایاز بیٹے! ہمیں معاف کر دو۔'' ایاز اپنی ہی سوچوں میں اُلجھے ہوئے تھے۔ قاسم جمال انہیں گلے سے لگاتے ہوئے بولے۔ ''ہم تمہارے متعلق بڑی غلط قسم کی غلط فہمیوں میں مبتلا رہے۔''

اب بھلا وہ کاہے کی صفائی پیش کرنے کی کوشش کر رہے تھے۔ ایاز کو ان کے چہرے پر ہر بڑے آدمی کی طرح ایک خول چڑھا ہوا دکھائی دیا۔

''ہم آج تک صرف اصول ہی نباہتے رہے...... اور بیٹے! آج تم نے ہمیں انسانیت کا وہ درس دیا ہے کہ اب ہمیں معلوم ہو گیا ہے۔ دلوں پر حکومت اصول پرستی سے نہیں کی جاتی بلکہ اپنے اصول توڑ کر اپنا آپ گنوا کر دوسروں کا درد اپنانے سے کی جاتی ہے۔ تم نے وعدہ خلافی کی...... بے اصولی کی، لیکن تم پھر بھی جیت گئے اور ہم ہمیشہ اصولوں پر کاربند رہ کر بھی آج ہار گئے، لیکن ہمیں اپنی اس ہار کی اتنی خوشی ہے کہ جیسے ہم ہی جیتے ہیں۔ ہم نے سب کچھ پا لیا ہے۔''

''لیکن...... لیکن۔'' ایاز ابھی تک حواس باختہ تھے۔ ''میں سمجھا نہیں۔''

''آہستہ آہستہ سب کچھ سمجھ جاؤ گے۔'' خرم نے سنجیدگی بھری آواز میں سرگوشی کی تو ایاز چپ سے ہو گئے...... اور اسی لمحہ ماں نے ایاز کو آواز دے کر اپنی طرف متوجہ کر لیا۔

''ارے ماما! آپ نے اتنی تکلیف کیوں کی؟'' ایاز ان کی طرف لپکے۔ روبینہ نے دونوں بازو پھیلا دیئے اور وہ کسی معصوم سے بچے کی طرح ان کے سینے کے ساتھ لگ

گئے۔

''میں کچھ نہیں کہوں گی کہ تم نے ہمارے ساتھ ایسا کیوں کیا۔ مجھے فخر ہے کہ تم نے پوری دیانتداری کے ساتھ اپنا فرض ادا کیا۔''

سب کیسے لوگ تھے۔ بے پایاں خوشی کا اظہار بھی کر رہے تھے اور ایاز کی خوشی دوسرے کے دامن میں بھی ڈال دی تھی۔ ان کے ظاہر و باطن اور قول و فعل میں کتنا تضاد تھا۔ سب سے زیادہ افسوس ایاز کو ماما پر تھا۔ ماں بنیں، لیکن ان کے حقوق سنبھال کر نہ رکھے......!

''ارے! ایاز تُو ادھر کھڑا ہے۔ یہ ابا! ادھر آجاؤ۔ ہم ادھر ڈھونڈ رہے تھے۔'' ماما کو چھوڑ کر ایاز اس اجنبی کو دیکھنے لگے۔ جوان کا بازو پکڑ کر کھینچ رہا تھا اور ساتھ گردن موڑ کر اپنا بایاں ہاتھ اونچا اٹھائے لہرا لہرا کر پکار رہا تھا۔

''آجاؤ نا...... سب کو ادھر بلا لو۔'' پھر اس نے واپس ان سب کی طرف رُخ پھیرا اور مسکراتے ہوئے بولا۔

''پہلے ہم ہسپتال گئے تھے۔ ایک گھنٹہ وہاں پوچھتے لگ گیا۔''

قاسم جمال، خرم، روبینہ اور ایاز تک حیرت سے اس شخص کی یہ بازو پکڑنے والی اور انداز تکلم کی بے تکلفی دیکھ رہے تھے۔ ابھی کچھ پوچھ نہیں سکے تھے کہ اس جیسے لباس اور ملتی جلتی شکلوں والے تین چار اشخاص ان کے اردگرد آ کھڑے ہوئے۔

''ایاز! میرے بچے...... میرے شہاب کی نشانی۔'' ایک سفید ریش بزرگ نے حیران پریشان کھڑے ایاز کو بازوؤں میں سمیٹ کر سینے کے ساتھ بھینچ لیا۔

''آپ......؟ آپ کون لوگ ہیں......؟'' قاسم جمال نے قریب ہو کر ایاز کے شانے پر ہاتھ رکھ دیا۔ جیسے کچھ ایاز کو تسلی دینا مقصود تھا اور کچھ ایاز پر اپنی ملکیت ظاہر کرنے کا انداز۔

''ہم کون لوگ ہیں......؟'' وہ پہلے آنے والا شخص ایک تفاخر کے ساتھ بولا۔

''اجی یہ اس کے دادا ہیں اور میں چچا۔ سب سے بڑا چچا...... اور یہ دونوں چھوٹے چچا۔'' اس نے خود ہی سب کا تعارف کرا دیا۔

''میرا بچہ۔'' سفید ریش بزرگ ایاز کا سر، آنکھیں اور گال چوم رہے تھے اور ان کی آنکھوں سے آنسو رخساروں کی جھریوں سے ہو ہو کر گریبان میں ٹپکتے جا رہے تھے۔ ''میرا اپنا خون۔ میرے خاندان کا اور میرے مرحوم بیٹے شہاب کا نام روشن کرنے والا میرا پوتا۔''

''اوہ......!'' اور ایاز کو وہ لمحہ یاد آگیا جب فاروقی صاحب نے ان کا انٹرویو لیتے ہوئے ان کے باپ دادا کا نام پوچھا تھا اور خاندان کے متعلق استفسار کیا تھا کہ کس سے ان کا تعلق تھا اور کس شہر یا گاؤں کے بسنے والے تھے ان کے بزرگ۔

بے شک پاکستان میں آکر ایاز اپنی ولدیت کھو چکے تھے، مگر شہاب کا جو نقش ان کے دل پر اور دماغ پر حتیٰ کہ جسم کے روئیں روئیں پر تھا، ان کے علاوہ وہ اپنی ولدیت میں کوئی اور نام دے ہی نہ سکتے تھے۔ ایاز کی تو زندگی ہی شہاب کی مرہون منت تھی۔

کیا ہوا اگر یہاں آکر ان کے گھر والوں نے انہیں اپنے خاندان کا فرد تسلیم کرنے سے انکار کر دیا تھا، مگر ان کا دل تو صرف شہاب ہی کو اپنا باپ کہتا اور سمجھتا تھا۔ تب ایاز نے فاروقی صاحب کو شہاب ہی کے نام کے حوالے سے اپنے خاندان کے متعلق بتایا...... اور یہ بھی کہ وہ کہاں کے رہنے بسنے والے تھے۔ ان کا آبائی گاؤں کون سا تھا۔

''اوئے رمضانے! وہ ہار کدھر گئے؟'' ایاز کے ایک چچا نے خالص جاگیردارانہ انداز میں اپنے ملازم کو ڈانٹا۔ ''ہم نے تو اپنے بیٹے کو ہار پہنانا تھے۔''

''ہاں ہاں...... میں خود اپنے ہاتھوں سے پہناؤں گا۔'' ایاز کے دادا اپنے کپکپاتے ہاتھوں سے یہ بڑے بڑے طلائی ہار اسے پہنانے لگے۔

روبینہ پرے کھڑے یہ سارا تماشا دیکھ رہی تھیں۔ ایاز کی زندگی کے حالات سے بھی واقفیت تھی۔ نایاب سے ایاز کے ماضی کی داستان سننے کے بعد ایک دو بار خود ان سے بڑی تفصیلی گفتگو ہوئی تھی۔ یہی چچا تھے جنہوں نے ایاز کو شہاب کا بیٹا ماننے سے انکار کر دیا تھا۔ اس وقت ایاز کی حیثیت کچھ بھی نہ تھی۔ نئے نئے انگلستان سے آئے تھے۔ نہ پیسہ پاس تھا اور نہ نوکری، خالی خولی ڈاکٹری کی ڈگری تھی...... اور ایسی ڈگریاں کئی لئے پھرتے ہیں۔ اس وقت یہ کسی کو اندازہ نہیں تھا کہ ایاز ایک فرض شناس اور محنتی انسان تھے۔ ایک

دن اپنا مقام پیدا کر سکتے تھے۔ اپنی حیثیت منوا سکتے تھے۔

روبینہ کے چہرے پر بڑی خوب صورت سی مسکراہٹیں تھیں...... اور وہ سوچ رہی تھیں یہ سفید ریش بزرگ جو چودھری صاحب کہلاتے تھے اور اس وقت ایاز کے دادا تھے۔ پتہ نہیں آج کی بات سچ تھی یا اس دن والی کہ وہ لوگ اس کے کچھ نہیں تھے۔ خدا ہی بہتر جانتا تھا۔

مگر اس وقت وہ سب ان پر صدقے اور قربان ہوئے جا رہے تھے۔ ایک ایک ان کی تعریف میں رطب اللسان تھا۔ ہر کوئی ایاز کو یہ بتانے کی کوشش کر رہا تھا کہ کس کس طرح اس نے انہیں تلاش کرنے کی کوشش کی۔ ایاز کے لئے زمینوں اور جائیداد کا حصہ الگ کر رکھا تھا۔ وہ جب چاہیں ان پر قبضہ کر سکتے تھے۔ شہاب کی خواہش اب اس کا بیٹا پورا کر سکتا تھا۔ وہاں وہ کلینک کھول سکتے تھے اور ان کے لئے ہر سہولت وہاں مہیا کی جا سکتی تھی۔

قاسم جمال اور خرم بھی ان کی باتیں سن رہے تھے۔ تینوں چچا اور دادا ایاز کو گھیرے کھڑے تھے اور اپنی اپنی محبتوں کا یقین دلا رہے تھے۔ ڈاکٹر ایاز کے دل میں بسے انسانیت کے درد نے سب کو اپنا بنا ڈالا تھا۔ جو شاید اپنے نہیں بھی تھے، وہ بھی انہیں اپنا کہہ رہے تھے۔ روبینہ نے سوچا۔

ایک خاندان، اونچا، اعلیٰ اور عظیم اچھے انسانوں سے بنتا ہے۔ چودھری صاحب کے باقی بیٹے نکمے اور آوارہ تھے اور انہیں اپنے خاندان کی عظمت کو برقرار رکھنے کے لئے ایک مضبوط ستون کی ضرورت تھی۔ اخبار میں ایاز کے متعلق پڑھا جو شہاب کا بیٹا تھا اور شہاب ان کا اپنا خون تھا۔ بڑا مضبوط و مستحکم ستون ملا تھا۔ نہ صرف خاندان کی عظمت برقرار رہ جانا تھی بلکہ ان کے دوسرے بیٹوں کی آوارگیوں کی وجہ سے جو دراڑیں پڑ رہی تھیں، وہ بھی مل جانا تھیں۔

ایاز ایسے ہی تھے۔ شرافت اور نیکی کا مجسمہ، فرض شناس، خوش اطوار، خوش مزاج، انہوں نے تو خاندان کا نام روشن سے روشن تر کر دینا تھا۔

اس وقت کیسے ایاز کو دھتکار دیا تھا اور اب وہی لوگ اس کے لیے جان نثار

کرنے کو تیار تھے۔ ایاز بھی دیکھ رہے تھے، سمجھ رہے تھے مگر ایک بھی حرف شکایت زبان پر نہیں لائے۔ اس وقت کے رویہ کے متعلق جتایا تک نہیں۔ بڑی خوب صورت مسکراہٹوں اور خندہ پیشانی کے ساتھ ان کی باتوں کے جواب دے رہے تھے۔ ان کے بن رہے تھے۔ انہیں اپنا آپ سونپ رہے تھے۔

شہاب نے اپنے خون جگر سے اس پودے کو سینچا تھا...... اور اب شہاب کے خاندان والوں کو پورا حق تھا ان پر۔ ایاز ان کا حق انہیں برضا و رغبت اور پوری خوشی سے دینے کو تیار تھے۔ ''ایاز تم عظیم ہو''۔ روبینہ ان کے اس رویے، اس اخلاق سے متاثر ہو رہی تھیں اور بے انتہا خوش تھیں۔ ''تم بے مثال ہو۔'' وہ نظروں ہی نظروں سے انہیں تعریف وستائش کے ہار پہنا رہی تھیں۔

''ایاز بیٹے......!'' جب وہ لوگ انہیں ہار وغیرہ پہنا چکے۔ اپنی محبتوں اور چاہتوں کا اظہار کر چکے۔ اپنا اپنے خاندان کا نام انہیں دے چکے اور ان کے حقوق لے چکے تو قاسم جمال نے اپنا حق استعمال کیا۔ ''اب گھر چلیں۔''

''لیکن......'' چودھری صاحب جلدی سے بول پڑے۔ ''میرے پوتے کو آپ کہاں لے جا رہے ہیں؟''

''میری بیٹی کے ساتھ ایاز کی نسبت طے پا چکی ہے۔ یہ میرا داماد ہے۔'' قاسم جمال نے مسرت وانبساط بھرے فخر کے ساتھ کہا۔

''ارے ہمارے بغیر ہی......؟'' چودھری صاحب شکوہ بھرے انداز میں کہنے لگے۔ ''یہ ہمارا پوتا ہے میاں صاحب۔''

''جی ہاں، جی ہاں......'' قاسم جمال سٹپٹا سے گئے۔ ''ایاز آپ ہی کا ہے اور آپ کے بغیر کچھ نہیں ہو گا۔ ہماری تو ابھی زبانی زبانی ہی بات ہوئی ہے۔ باقاعدہ جو کچھ ہوگا آپ کریں گے۔''

''الحمدللہ......''

چودھری صاحب نے مشکور نگاہوں سے قاسم جمال کو دیکھا۔ شہر کی اونچی سوسائٹی میں ایک بلند مقام رکھتے تھے۔ خوش اخلاق تھے، خوش لباس تھے، تعلیم یافتہ تھے،

شخصیت بڑی نکھری ہوئی اور باوقار سی تھی۔ کئی لمحے انہیں سر سے پاؤں تک دیکھتے رہنے کے بعد چودھری صاحب نے قاسم جمال کو بازو سے پکڑ کر قریب کیا اور پھر ان سے بغلگیر ہوگئے۔

''ہمیں آپ بطور سمدھی بہت پسند آئے ہیں۔ ہم اپنے ایاز کا رشتہ آپ کے گھر پکا کرتے ہیں۔''

ایاز پاس کھڑے سب کچھ دیکھ رہے تھے، سن رہے تھے۔ گھبرا کر خرم کا بازو تھام لیا۔ ایاز نے ابھی کچھ نہیں پوچھا تھا، خرم سمجھ گئے۔ بغیر سنے ہی ان کے سوال کا جواب جلدی سے دے دیا۔

''نایاب نے کہا تھا، یہی آپ کو بتایا جائے۔''

''بے ایمان......'' ایاز دل ہی دل میں بڑابڑائے۔ چہرے پر مسکراہٹوں کے ساتھ سرخی بھی پھیل گئی۔

''وہ ہے کہاں؟''

اور ان کے سوال کا جواب زبان سے دینے کی بجائے خرم انہیں بازو سے پکڑ کر کھینچتے ہوئے گاڑی کی پرلی طرف لے گئے۔ وہ سب سے الگ تھلگ گاڑی کی اوٹ میں کھڑی تھی۔

''یہ رہی......'' خرم نے عین اس کے سامنے بالکل قریب لے جا کر کھڑا کر دیا۔

دونوں ہی ایک دوسرے کو یوں آمنے سامنے اور بالکل قریب دیکھ کر گھبرا سے گئے۔

''خرم......! تم بڑے شریر ہو......!'' ڈاکٹر ایاز گھبراہٹ میں ایک قدم پیچھے ہٹ گئے۔

رشتہ پکا کرنے کے بعد دونوں بزرگ اب وہ تاریخ مقرر کر رہے تھے۔ جب خوب دھوم دھڑکے اور آن بان کے ساتھ منگنی کی تقریب منعقد کریں۔ چودھری صاحب کے دل میں پوتے کے لیے بڑے بڑے ارمان اور حسرتیں تھیں، جو وہ پوری کرنا چاہتے تھے۔

قاسم جمال بھی دل سے ان کے ساتھ متفق تھے۔ جو جو رشتہ دار اعزّہ و اقارب اور ملنے جلنے والے اس دن مدعو تھے، جب نایاب کو فیصل کی انگوٹھی پہنا دی گئی تھی۔ انہی سب کو وہ پھر بلانا چاہتے تھے۔ اپنی غلطی کا اعتراف کرنے کے لیے اور اس کا ازلہ کرنے

کے لیے۔

خرم ادھر متوجہ تھے۔ ایاز نے جلدی سے نگاہ بھر کر نایاب کو دیکھا۔ ان پچھلے دو دنوں میں ہی وہ کچھ کمزور سی ہوگئی تھی، لیکن اس کے حسن پر اور بھی نکھار آیا ہوا تھا۔

''بے وفا! دو دن کے لئے نگاہوں سے اوجھل ہوا تو فوراً کسی اور کی انگوٹھی پہن لی۔'' وہ پیار بھری نظروں سے اسے تکتے ہوئے ہولے سے کہنے لگے۔

خرم کے کان انہیں کی طرف لگے تھے۔ نایاب نے ابھی کوئی جواب نہیں دیا تھا پہلے ہی جلدی سے بول پڑے۔ ''ہیروں کی تھی۔ اس لیے......''

ایاز اور نایاب بے ساختہ ہنس پڑے۔

''تو پھر اُتار کیوں دی......؟''

''جسے کوہ نور مل جائے وہ چھوٹے موٹے ہیروں کو کیا سمجھتا ہے؟''

نایاب کے اس مذاق بھرے فقرے نے انہیں اتنا بلند، اتنا بڑا مقام دے دیا کہ ان کا تن من بڑے ہی خوبصورت اور انوکھے سے رنگوں میں رنگا گیا۔

● ...... ● ...... ●